YAN Lianke

BONS BAISERS
DE LÉNINE

Roman traduit du chinois
par Sylvie Gentil

OUVRAGE TRADUIT AVEC LE CONCOURS
DU CENTRE NATIONAL DU LIVRE

Éditions
Philippe Picquier

Ouvrage publié sous la direction de
CHEN FENG

DU MÊME AUTEUR
AUX ÉDITIONS PHILIPPE PICQUIER

Servir le peuple

Le Rêve du Village des Ding

Les Jours, les Mois, les Années

© 2003, Yan Lianke

© 2009, Editions Philippe Picquier
   pour la traduction en langue française
   Mas de Vert
   B.P. 20150
   13631 Arles cedex
   www.editions-picquier.fr

Conception graphique : Picquier & Protière

En couverture : Chen Yu, *Untitled 2007 Series No.15.*
   Image courtesy of Chen Yu and Schoeni Art Gallery.

Mise en page : Atelier EquiPage – Marseille

ISBN : 978-2-8097-0133-3

LIVRE UN

RADICELLES

CHAPITRE PREMIER

Il fait chaud, il neige, le temps est malade

Voyez-vous ça : c'était la canicule, on était mal benaise[1] et il a neigé ! Une neige chaude[3] est tombée.

En une nuit l'hiver est revenu. Ou plutôt : après qu'en un clin d'œil l'été s'en est allé, sans laisser à l'automne le temps de se poser, à pas pressés il s'est installé. L'été était torride, et faisant fi de tout principe le temps s'est détraqué, nous a fait une crise d'épilepsie. Au mépris des lois les plus universelles, bouleversant les règles établies, en une nuit la neige s'est lourdement abattue.

Le temps est malade, vraiment, il a perdu la tête.

Le blé était à maturité. Et comme il était mûr, il embaumait, ce blé disparu sous la couche blanche. Les habitants de Benaise[5] s'étaient la veille mis au lit en s'éventant avec des feuilles de massette et repoussant le drap. Ils l'ont cherché pour s'en couvrir, quand au milieu de la nuit une soudaine bourrasque les a réveillés. Puis, le froid persistant à s'immiscer par tous les interstices, à transpercer les os et tordre les entrailles, ils ont dû se lever pour ressortir la couette du coffre ou de l'armoire où elle était rangée.

Le jour venu, les femmes ont poussé la porte et d'une seule voix se sont écriées : « Oh ! Il a neigé ! Une grosse neige chaude en plein sixième mois ! »

Les hommes, un instant interdits, ont soupiré : « Vingt dieux ! La neige chaude. Ça va encore être une année de vaches maigres. »

Tandis que les enfants, aussi excités qu'au Nouvel An : « Oh ! Il a neigé ! Oh ! Il a neigé ! »

Les ormes, sophoras, sterculiers et peupliers du village étaient d'un blanc absolu. En hiver, seuls branches et rameaux sont recouverts, mais l'été ils sont touffus, leur frondaison est dense, la neige s'y entassait glaciale, y dressait des collines. On aurait dit de gigantesques parapluies, épais et déployés. D'entre les feuilles qui fléchissaient sous son poids elle glissait et, ploc, ploc, allait comme des boules de farine s'écraser sur le sol où elle dessinait des cercles de lumière.

Cette grosse neige chaude était tombée sur le blé à pleine maturité, entre les monts plus d'un adret[7] semblait univers de virginale froidure. Dans les lopins les uns aux autres soudés les épis s'étaient couchés, gisaient misérables sous une couche d'où pointaient, ici et là, quelques tiges au col cassé, elles aussi couvertes de neige et éparpillées comme dans la prairie ou la vallée après la tempête. Si dans la montagne et aux abords des champs flottaient encore des filets de senteur du froment, c'était tels les effluves d'encens dans une chambre mortuaire lorsque le cercueil a été emporté.

Oui, vous voyez : en pleine canicule la neige était tombée, tout n'était plus que blanc.

Le monde était blanc.

Faut-il le dire ? En plein sixième mois de cette année du Dragon, pour les habitants de la montagne et de Benaise, dans sa vallée, c'était une catastrophe majeure.

COMMENTAIRES

① *Etre benaise* – DIAL. *(Nord-Ouest du Henan et région des monts Balou).* « *Goûter les plaisirs de la vie* », « *jouir de quelque chose* », « *être content* », « *s'en donner à cœur joie* ». *Dans les Balou, peut avoir une connotation de joie au milieu du malheur, ou être le fait de trouver à se réjouir du malheur.*

③ *La neige chaude* – DIAL. *Neige d'été. Les gens de la région disent souvent les « jours chauds » pour désigner l'été, d'où : une neige chaude, une petite neige chaude, une grosse neige chaude. Le phénomène n'est pas courant, mais en consultant les annales et les histoires locales, je me suis aperçu qu'il se produisait de manière récurrente, à une ou plusieurs dizaines d'années d'intervalle. Il est même arrivé, à certaines époques, que les chutes aient lieu plusieurs étés d'affilée.*

⑤ *Benaise* – *Village datant selon les dires du grand déplacement des populations du Shanxi pendant les ères Hongxi et Yongle de la dynastie des Ming. Par décret, dans les familles de quatre membres, un seul était autorisé à rester. Deux si elles en comptaient six ; trois, si elles en comptaient neuf. On laissait généralement derrière soi les infirmes et les vieillards, c'étaient les jeunes gens qui rejoignaient le flux migratoire. Les transplantés étaient si nombreux – les départs se comptaient tous les jours par dizaines de milliers – que les sanglots étaient sans fin. Au bout d'un certain temps, la population se faisant rétive, le gouvernement promulgua un édit : ceux qui ne désiraient pas partir avaient trois jours pour se regrouper sous le grand sophora du district de Hongdong, les autres, les volontaires, pouvaient attendre chez eux. La nouvelle se répandit comme une traînée de poudre et de partout on afflua au pied de l'arbre. Dans certaine famille, prétend-on, le père étant aveugle et le frère aîné n'ayant de sa vie jamais tenu sur ses jambes, le cadet, mû par la piété filiale, les porta en brouette jusqu'à Hongdong avant de rentrer chez lui attendre l'inévitable transfert. Mais au bout des trois jours, alors que la foule s'entassait, impressionnante, l'armée des Ming arriva et usa de sa force pour faire prendre à ces milliers de gens le chemin de l'exil. Seuls ceux qui étaient restés à la maison purent continuer de labourer leurs champs.*

Les migrants se comptant par tête, peu importait que vous fussiez aveugle, boiteux, paralytique, femme ou enfant : vous étiez toujours une unité de plus. N'y pouvant mais, le vieil aveugle prit l'infirme sur son dos et, chancelant, se joignit au convoi. Le fils était les yeux : il disait le chemin. Le père était les jambes, mais des jambes usées par les années : quel insupportable, quel pitoyable spectacle ! Il fallut progresser sans relâche. Marcher à longueur de journée, attendre la nuit pour se reposer. De Hongdong dans le Shanxi ils allaient vers la chaîne des Balou, dans l'Ouest du Henan. Les mollets du vieillard étaient rouges et gonflés, la plante de ses pieds en sang. Son fils, en larmes, avait souvent des idées de suicide. A force de pleurer avec eux, de s'affliger pour eux, leurs compagnons de route décidèrent d'implorer en leur nom la clémence des mandarins qui les guidaient : ne pouvait-on les relaxer et les laisser s'implanter là où ils étaient arrivés ? D'échelon en échelon, la requête remonta la hiérarchie jusqu'au ministre, Hu Dahai, qui refusa avec cruauté : affranchir ne serait-ce qu'une âme était un crime dont le coupable serait puni de mort, sa famille au grand complet déportée au bout d'une corde.

Ce Hu Dahai n'était pas un inconnu pour les populations du Shandong, du Henan et du Shanxi. On le disait originaire de la première de ces provinces, qu'il aurait fuie à la fin de la dynastie des Yuan pour se livrer plus loin à la mendicité. C'était un homme au visage laid mais de haute taille, toujours dépoitraillé mais à l'air venimeux, les cheveux en broussaille mais de prestance martiale. Un être avenant malgré son esprit étroit, débordant d'énergie même s'il ne faisait rien de ses dix doigts, que chacun tant pour son attitude que son allure méprisait ouvertement. On l'évitait comme la peste. Le temps que durèrent ses pérégrinations, même ceux qui avaient de reste lui avaient rarement fait l'aumône. Il suffisait qu'il apparaisse pour qu'à l'heure des repas les portes se ferment. Un jour, à moitié mort de faim et de soif il avait à Hongdong vu une demeure cossue à la haute porte et aux tuiles vertes, et un instant espéré y trouver quelque pitance. Las, qui l'eût cru, lorsqu'il avait tendu la main, le maître de maison avait refusé de lui accorder la moindre miette. Pour l'humilier, il avait jeté aux chiens une galette à peine sortie du four après avoir demandé à son petit-fils de s'essuyer le cul avec. Puis il l'avait fait chasser par ses molosses. De ce jour il avait haï les habitants de la région. Quittant le canton, il était allé mendier plus loin, dans *les Balou de l'Ouest du Henan. Toujours torturé par le manque de nourriture – à chaque pas on aurait cru qu'il allait choir – il avait aperçu une chaumière dans le fond d'une vallée, où une vieille dame solitaire était en train de faire cuire des pains au son et aux herbes sauvages pour son repas. Il avait hésité, tergiversé, puis décidé de ne rien demander. Comment savoir si ces gens avaient du cœur ? Mais elle, elle l'avait vu. Elle l'avait rattrapé, fait asseoir, lui avait apporté une bassine d'eau pour sa toilette, enfin, non contente de le rassasier, elle avait fait pour lui tout ce que faire se pouvait. Pourtant elle n'avait rien répondu, lorsque après avoir mangé à satiété il s'était répandu en remerciements : sèche comme un bout de bois, cette femme était en plus handicapée, elle était sourde et muette. Et lui, comparant la générosité des gens des Balou à la cruauté de ceux de Hongdong, s'était alors promis qu'un jour il se vengerait des uns et prouverait aux autres sa reconnaissance. Renonçant à la mendicité, il s'était plus tard enrôlé dans les troupes de Zhu Yuanzhang, le futur fondateur de la dynastie des Ming, où hurlant sur les champs de bataille le nom du Bouddha et des insultes aux ancêtres de l'ennemi, mourant mille fois pour toujours renaître, il s'était fait remarquer par ses prouesses. Ce trimardeur, ce mendigot faisait partie des hommes à qui la dynastie allait devoir son avènement. Et lorsque, dès la première année de son règne, confronté à la déréliction dans laquelle les combats avaient plongé le pays, l'Empereur s'en était à haute voix affligé : « La Plaine centrale n'est plus que jachère déserte ! Il n'y est pas un coin de terre qui n'ait connu la guerre, partout le malheur a frappé, les ossements s'entassent par collines, la population a été décimée. Défricher, repeupler, voilà nos tâches les plus urgentes », des déplacements en masse avaient été décidés et Hu Dahai nommé ministre aux Migrations. Avait alors commencé pour les habitants du Shanxi – ceux de la région densément peuplée de Hongdong, principalement – un vaste mouvement d'exode vers le Shandong. Il va de soi que la famille du riche barbon qui avait autrefois essuyé les culs et nourri les chiens avec des galettes fraîches, ainsi que ses voisins des villages environnants avaient été parmi les premiers déplacés. Ils n'avaient eu le droit ni de laisser quiconque derrière eux, ni de dirent adieu à leur pays natal et nul, ni enfant ni vieillard, ni aveugle ni bancal, n'avait pu y échapper.*

Voilà pourquoi, cette année-là, Hu Dahai n'éprouva aucune compassion pour le vieil aveugle originaire de Hondong qui suivait le convoi en portant son fils paralytique. Il savourait sa vengeance : pas question de les relaxer et de les laisser là. Père et fils seraient contraints d'avancer, condamnés à parcourir cette gigantesque distance au prix de souffrances infinies. Lorsqu'au bout de quelques mois, pendant la traversée des Balou, ils s'évanouirent et qu'une fois de plus on implora sa clémence et le supplia de les délivrer, il était prêt à tuer à coups de sabre ceux qui en appelaient à ses sentiments. Or, parmi eux se trouvait une vieille femme : la sourde-muette qui lui avait offert à manger. Incontinent il jeta son arme et tomba à ses pieds.

Il va de soi qu'il obéit à la prière de son regard et leur rendit la liberté. Mieux : il leur fit don d'un confortable pécule, chargea une centurie de leur construire une maison, en envoya une autre défricher quelques mus de bonne terre et détourner l'eau de la rivière. Puis, sur le point de partir, s'adressant à l'aveugle, à la sourde-muette et au paralytique, il aurait dit :

« Dans cette vallée, l'eau est abondante et la campagne fertile. Vous avez de l'argent et des vivres, installez-vous ici, labourez et vivez-y benaise. »

Telle serait l'origine du nom de la ravine. Le bruit aurait ensuite couru que trois infirmes y résidaient, coulant en famille des jours paradisiaques, et des villages voisins, voire des districts ou préfectures environnants, les handicapés auraient afflué. Qu'il fût aveugle, sourd ou boiteux, qu'il lui manquât un bras, qu'il eût une jambe trop courte ou qu'il se la fût cassée, chacun aurait reçu de la vieille femme un pécule et des terres. Contents de leur sort, ils se seraient mariés, multipliés, et le village serait né. Leurs descendants souffraient presque tous de tares héréditaires, qu'importe, grâce aux dispositions prises par la muette, ils vivaient en harmonie. Le village fut appelé Benaise, et elle en devint la divinité tutélaire.

Ceci est la légende. Un conte, mais connu de tous.

L'histoire, telle que l'ont consignée les annales du district de Shuanghuai, nous informe que le village est fort ancien, même s'il n'en est fait mention écrite que depuis le siècle dernier. Elle nous apprend aussi qu'outre sa qualité de colonie d'infirmes, Benaise peut être considéré comme un haut lieu de la Révolu-

tion, puisque c'est la résidence de Mao Zhi, une combattante de l'Armée rouge. Rappelons qu'à l'automne 1936, année du Rat d'après le calendrier lunaire, la Quatrième Armée communiste de Zhang Guotao fit sécession et une fois arrivée au Shanxi, décida de poursuivre sa route plus à l'ouest. Mais Zhang craignait que les éclopés de la troupe retardent son avance – et plus encore qu'ils gagnent Yan'an et dévoilent le pot-aux-roses, qu'ils soient autrement dit la preuve de la scission. Aussi renvoya-t-il chez eux ceux dont les blessures n'étaient pas trop graves. Hélas, à peine ces malheureux, estropiés et mutilés, avaient-ils quitté, les larmes aux yeux, les compagnons aux côtés desquels ils avaient jour et nuit vécu et combattu, qu'ils tombèrent sur les troupes du Guomindang. Plus de la moitié y laissèrent la vie. Quant aux rescapés, en encore plus mauvais état, ils furent obligés d'abandonner leurs uniformes et de se déguiser en paysans pour reprendre la route du pays natal.

Les annales présentent Mao Zhi comme la plus jeune soldate de l'Armée rouge, dont elle serait devenue membre à onze ans avant d'être démobilisée à quinze. Orpheline dépendant de la troupe révolutionnaire depuis la fin héroïque de sa mère, au cours de la cinquième tentative pour rompre l'encerclement ennemi, elle savait ses ancêtres originaires du Henan mais ignorait de quel village et de quel district précisément. A la mort de son père, en prison après la grande grève des ouvriers du rail de Zhengzhou – soit pendant l'année du Rat, en 1923 – sa mère avait décidé de rejoindre les rangs de la Révolution avec sa fillette d'un an. Mais elle aussi était décédée, comme nous venons de le dire, pendant le mois du Chien d'eau et c'était avec ses compagnons d'armes que la gamine avait effectué la Longue Marche. Quand au bout de bien des détours et mutations ils avaient été affectés à la Quatrième Armée, elle en était, dans la foulée, devenue membre. Après s'être gelé les orteils et en avoir perdu trois paires sur cinq en gravissant des monts enneigés, elle s'était retrouvée définitivement invalide, à jamais dépendante de sa béquille, le jour où elle s'était cassé la jambe droite en tombant dans un ravin. Lorsque la majorité des blessés à qui Zhang Guotao avait dans le Shanxi ordonné de regagner leur pays eurent trouvé la mort – elle-même n'avait eu la vie sauve que parce qu'elle s'était réfugiée dans une tombe – ou se furent égaillés aux quatre coins, elle perdit tout contact avec l'organisation. Mendiant sa pitance, elle avait pris le chemin du Henan, était passée par Benaise dans la chaîne des Balou et constatant que c'était une colonie d'infirmes, avait décidé de s'y installer. Toujours d'après les annales, elle ne possédait aucune preuve de sa participation à l'Armée rouge mais était considérée dans toute la montagne et par toute la population du district comme une authentique combattante, un vétéran de la Révolution. Sa gloire rejaillissait sur la région, sa présence donnait un sens à la vie du village, et même si ses habitants étaient dans leur grande majorité – pour ne pas dire la totalité – invalides, ils coulaient des jours agréables et gais, contents et sereins.

L'article biographique consacré à Mao Zhi dans la version révisée des annales établie pendant l'année du Singe, en 1980, la décrit heureuse à Benaise, où tous les habitants sont également heureux. Le nom du village serait donc parfaitement justifié.

⑦ **Adret**, n. m. – DIAL. Un endroit, un lieu. A cet endroit, en ce lieu : à cet adret.

CHAPITRE III

Les habitants de Benaise
ont à nouveau du pain sur la planche

Dieu du ciel, la neige est tombée sept jours. Sept jours durant elle a étouffé le ciel.

Cette semaine de neige chaude a fait de l'été un hiver.

Puis la tempête s'est calmée, et certains l'ont bravée pour aller sur leurs terres ramasser le blé. Pas besoin de faucille : pour arracher les épis à la terre enneigée les mains suffisaient, un coup de ciseaux et on les jetait dans les paniers ou les sacs qu'on déposait ensuite un à un à l'orée du champ.

La première fut Jumei. La mère et ses trois bessounes[1], des nines[3] à la fleur de l'âge, se déployèrent en rang, alignées comme des plantes d'agrément, à leur flanc une hotte, musette ou corbeille en bambou. Elles enfonçaient la main gauche dans le demi-pied de neige, s'emparaient de la tige et la dégageaient, maniant les ciseaux de la droite.

A leur suite tout le village, du plus jeune au plus vieux, les aveugles comme les boiteux, fut bientôt là à moissonner.

C'était du travail, par un tel temps.

Sur les pentes blanches à l'infini où ils s'étaient éparpillés, ils se mouvaient tels les moutons d'un troupeau. Le bruit de leurs ciseaux résonnait avec un écho cassant et glacial, éclatant cliquetis dont retentissait l'univers.

Bordé par deux autres parcelles, collé à la ravine et à la falaise, le lopin de Jumei pointait en son bout vers le massif des Ames mortes, à l'extrémité de la chaîne des Balou. Ce n'étaient que quelques mus de terre bien nivelés, qui en dépit d'angles ou d'arrondis épousaient en gros la forme du carré. Tonghua, l'aînée des filles, étant aveugle, elle n'allait pas aux champs. Toute la journée à la maison, elle y prenait ses repas, marchait jusqu'à la porte… De son existence jamais elle n'avait dépassé l'entrée du village, là où commençait la crête. Où qu'elle soit, le monde pour elle était jaune flou.

Quand le soleil était ardent il arrivait qu'elle distingue une boule rose pâle. Mais elle ignorait que c'était du rose pâle. Aussi disait-elle que c'était comme caresser de la main une eau fangeuse : effectivement, il y avait de ça.

Elle ne savait pas que la neige est blanche, l'eau claire, que les feuilles des arbres verdissent au printemps, jaunissent à l'automne puis tombent sèches et livides. Tout cela, heureusement, les autres membres de sa famille le savaient ! Aussi n'avait-elle rien à faire de ses jours, sinon manger et s'habiller, il pouvait bien neiger au cœur de l'été, elle n'avait pas à s'en soucier. Les grosses chutes de neige chaude pendant la canicule ne la concernaient pas. Huaihua, Yuhua et Phalène, ses cadettes, avaient comme de petits poussins emboîté le pas de leur mère pour aller faire métives, elle était restée chez elle.

Le monde avait changé. Il n'y avait plus ni pics ni ravines, tout disparaissait sous un blanc étincelant où seule continuait de couler la rivière au fond de la vallée, claire, mais noire et brillante du sommet de la crête, d'un lumineux noir de laque. Jumei et ses bessounes coupaient le blé, et le froid avait beau rougir leurs mains, la sueur perlait à leur front.

C'était l'été, malgré tout.

La mère allait, menant ses filles, chacune responsable de trois sillons, tirant et coupant telles des machines qui auraient retourné la terre immaculée. Devant elles la couche était plane, mais derrière, après leur passage, régnait un chaos tel qu'on eût pu imaginer qu'un troupeau de poulets ou une meute de chiens venait d'y livrer bataille. Les passants s'esbaudissaient de ce tas d'épis sur le chemin, un œil étonné dans la direction du champ, et ils s'exclamaient :

« Dis donc, Jumei ! Je saurai à qui demander si j'ai besoin de céréales ! »

Elle tournait la tête : « Tant que tu voudras, si j'ai de reste ! »

D'autres lui proposaient : « Marie tes filles, le jour où tu n'auras plus de blé ! »

Amusée, elle souriait sans répondre.

Puis ils s'en allaient, un champ les attendait.

Sur chaque mu on s'affairait. Même les aveugles étaient mis à contribution – surtout si la famille manquait de bras. Les voyants les guidaient jusqu'à l'entrée du lopin, puis ils arrachaient quelques tiges, les leur fourraient dans les mains et leur enjoignaient d'avancer droit en continuant de couper à tâtons. Quand ils ne trouveraient plus rien, ils n'auraient qu'à faire demi-tour et partir dans l'autre sens. Pour le reste, boiteux, paralytiques ou gens-complets[5], on travaillait de la même façon : assis sur une planche plate et glissante, on moissonnait une poignée d'épis et on se penchait en avant pour faire patiner la latte. Cela allait plus vite que sur deux jambes, même pour les bien portants ! Ceux qui n'avaient pas trouvé de bardeau avaient sorti la pelle à ordures en rameaux de saule qu'ils faisaient coulisser sur la neige. Les muets, les sourds besognaient sans gêner personne : ils n'entendaient pas, ne parlaient pas, peu importait ce qu'ils pensaient, quand ils se mettaient à l'ouvrage c'était avec plus de cœur que les autres. Ils étaient plus rapides.

Quand vint midi, le chemin de crête fleurait bon le blé mouillé.

Sans bruit la neige diminuait.

Lorsque Jumei et ses filles furent au bout de leur parcelle, sur le chemin de crête trois silhouettes se dressaient. Trois gens-complets, trois hommes de la ville. Qui après avoir du regard jaugé la situation mirent leurs mains en porte-voix pour crier quelque chose. Mais la nature déserte et la neige avalaient les sons comme un puits les flocons qui tombent. « Allez voir ce qu'ils veulent », finit par ordonner la mère en se redressant. A peine les mots avaient-ils franchi ses lèvres – Huaihua allait d'un pas lourd se mettre en route – que Phalène s'était élancée, tel un papillon.

« Petit démon ! protesta sa sœur.

– Surveille tes paroles ! Et si le ciel te prenait au mot ? » lui répliqua-t-elle.

Puis sautillant dans la neige qui crissait sous ses pieds, légère comme l'insecte ou le moineau en train de folâtrer dans les champs, elle atteignit la crête. Elle était si petite que les hommes en furent éberlués.

« Quel âge as-tu ? lui demanda l'un en s'accroupissant devant elle.

– Dix-sept ans.

– Et combien mesures-tu ?

– Ça ne vous regarde pas ! » s'indigna-t-elle, confuse.

Il sourit : « Trois pieds, à vue de nez ! »

Elle se fâcha : « Et vous alors ? »

Toujours souriant, il lui caressa la tête et expliqua qu'il était le chef du canton. Des deux hommes enroulés dans leur manteau, l'un était le chef du district, l'autre son secrétaire. « Va chercher la responsable du village, dit-il, va chercher Mao Zhi et dis-lui que le chef de district est venu constater les dégâts en personne.

– C'est ma grand-mère ! s'exclama-t-elle avec un rire joyeux. Maman est là-bas, dans la parcelle, en train de couper le blé.

– Vraiment ? » Mais le rictus qui accompagnait la question était un peu bizarre.

« Vraiment ! »

Le chef de canton avait tourné la tête vers le chef de district dont la face, totalement inexpressive, avait pris une teinte cireuse. Les commissures de ses lèvres tremblaient imperceptiblement, comme si quelque chose qu'on avait dit l'avait touché, ou qu'on lui avait asséné une gifle. Vite son regard se perdit, au-dessus de la tête de Phalène, dans la lointaine montagne blanche, et sans qu'on sût pourquoi ses joues retrouvèrent leur couleur naturelle. Il n'était plus que sérénité.

Le secrétaire, un jeune homme long et mince à la resplendissante figure, n'avait cessé de contempler Huaihua et Yuhua, à l'autre bout du champ. Fine et menue, ravissante et déliée, gracieuse et tendre comme l'eau, la première portait un pull en laine vermillon qui la faisait, au milieu de la neige, ressembler à une boule de feu. Pas un instant il ne s'était intéressé à Phalène – qui n'avait eu besoin que d'un coup d'œil pour lire dans son cœur. Constatant cette bizarre fascination pour sa sœur, elle le foudroya du regard avant de se retourner en criant bien fort :

« C'est pour toi, maman ! Et pour grand-mère ! »

Jumei était devenue livide, d'un blanc transparent qui brusquement se teinta de tendre incarnat. Il avait beau ne pas faire chaud, après qu'elle se fut essuyé le front, la sueur continua d'y perler : elle en émanait comme la buée d'un panier à vapeur pris dans le froid. Un instant figée sur place, la main sur la poche à épis qui pendait devant sa poitrine, du regard elle balaya les visages de ses filles et finit par retrouver son calme : « Ce sont sans doute des cadres, ils cherchent grand-mère. »

Les joues de Huaihua s'étaient empourprées lorsqu'elle avait entendu parler d'un chef de district et d'un chef de canton. Elle était troublée. Les trois nines se ressemblaient beaucoup, évidemment, mais à bien y regarder elle avait des traits plus réguliers, une peau plus blanche et plus tendre. Elle en était consciente, elle tranchait sur le lot et, du coup, aspirait à un plus grand prestige, rêvait de jouer un rôle prépondérant. Longuement elle contempla les silhouettes sur la crête, puis se tourna vers sa mère : « Grand-mère est folle, maman. Si c'est vraiment le chef de district, tu ferais mieux d'y aller. Je t'accompagne. »

Mais déjà Phalène, plus loin, lui coupait la parole : « Ils disent qu'elle n'est pas folle et qu'il faut aller la chercher. »

Jumei l'envoya la quérir au village.

Décontenancée, après avoir jeté un œil à la crête, Huaihua frappa rageusement le sol du pied. Son visage s'était sous le coup de l'énervement teinté d'un rose qui la faisait ressembler à une ravissante fleur de pêcher.

La grand-mère en question, cela va sans dire, n'était autre que cette fameuse Mao Zhi dont les annales s'enorgueillissent. Désormais âgée de soixante-neuf ans, elle avait vécu tant de choses que même sa béquille ne ressemblait plus à celle des autres villageois. On aurait dit qu'elle venait d'un hôpital de la ville : en aluminium d'un blanc plombé, composée de deux fines tiges qui en maintenaient une troisième, plus épaisse et fixée par des vis. Bon, peut-être les fines n'étaient-elles pas si fines, ni la grosse si grosse, mais le pied était enrobé de caoutchouc et de fil de fer pour éviter les dérapages ; et la traverse, d'une dizaine de couches de tissu qui la rendaient confortable et commode à coincer sous l'aisselle. Aucun des boiteux et estropiés de Benaise n'en avait d'aussi belle. Au mieux ils allaient avec un morceau de saule ou de sophora taillé en forme de manche de houe, sur lequel ils avaient prié le menuiser de scier des clavettes et de percer des yeux. Une poignée, quelques tenons ou quelques clous pour assembler le tout, et c'était leur jambe.

Rien donc qui puisse se comparer à celle de Mao Zhi : plus jolie, plus pratique, la sienne laissait immédiatement supposer un statut et une autorité réels. Il suffisait qu'elle apparaisse et en pilonne le sol pour que tout événement, notable ou surprenant, qui advienne au village soit aplani, et comblé le danger qui menaçait tel un trou dans le ciel. Un mois plus tôt, lorsque le gouvernement avait réclamé aux habitants cent yuans pour les frais d'entretien de la route, n'avait-elle pas renvoyé chez eux à coups de canne ces gens-complets redoutables et imposants ? Et l'autre hiver, quand tout le monde avait été sommé de fournir cent livres de coton, ne l'avait-on pas vue se dépouiller de sa veste ouatée et, les seins ballottant sous le nez des préposés, s'inquiéter : « Ça suffit ? Sinon je peux vous donner le pantalon ? » Ils n'avaient même pas eu le temps de comprendre qu'elle se déculottait !

« Que faites-vous, Mao Zhi ? s'étaient-ils écriés.

– Vous voulez du coton, je vous en donne ! » avait-elle répliqué en pointant son bâton vers eux.

Ils avaient pris la fuite en se garant des coups.

Cette canne était sa lance. Elle arrivait à présent, appuyée dessus, à pas lourds dans la neige épaisse. Phalène marchait devant, elle boitillait derrière, à ses basques deux bâtards estropiés qu'elle avait recueillis. Le village avait entre-temps été informé de la visite du chef du district, venu en compagnie de celui du canton évaluer les dégâts. Pendant sept jours une neige chaude était tombée sur les Balou, il était normal que le gouvernement se porte à leur secours et leur alloue des subsides, qu'il distribue argent, œufs, céréales, sucre et tissu.

Administrativement, Benaise relevait du canton des Cyprès dans le district de Shuanghuai.

Maintenant qu'ils avaient vu les représentants de l'autorité, les villageois attendaient avec impatience.

Ils surveillaient la progression de Mao Zhi, qui allait vers eux à son rythme.

Deux aveugles qui descendaient de la montagne avec leur sac d'épis sur le dos la hélèrent : « Hé ! Mao Zhi ! On te reconnaît rien qu'à l'oreille ! Les autres cannes s'enfoncent dans la neige avec un bruit dur, la tienne fait plouf !

– Vous avez coupé le blé ?

– N'hésite pas à réclamer, il nous faut au moins dix mille par foyer !

– Comment ferais-tu pour les dépenser ?

– Oh, si je n'y arrive pas, je les cacherai sous le lit ! J'ai des petits-fils après tout. »

Un sourd s'était approché.

« Dis-leur qu'on n'a pas besoin d'eux, Mao Zhi, braila-t-il allègrement. Sauf si éventuellement ils pouvaient nous trouver de ces appareils à entendre comme en ont les gens des villes. »

Un muet les rejoignit, expliquant à grand renfort de gestes que sa famille avait été gravement touchée, le blé était enfoui si profond qu'ils n'arrivaient pas à l'arracher et il craignait que cette année encore il lui fût impossible de prendre femme. Mao Zhi aurait-elle l'amabilité de demander au chef de district de jouer les entremetteurs ?

« Et tu la veux comment, ton épouse ? »

Des mains il indiqua une grande, puis une petite, une grosse, puis une maigre, ses doigts s'agitaient en tous sens au milieu de l'air.

Survint un menuisier manchot, mais à l'œil acéré, qui fit la traduction : « Ça lui est égal. Du moment que c'est une fumelle elle fera l'affaire.

– Vraiment ? »

Le muet opina de la tête.

Elle portait tous les espoirs du village lorsqu'elle arriva sur la crête.

Le chef de district et le chef de canton avaient eu le temps de se morfondre, l'impatience se lisait sur leurs visages et le second ne put s'empêcher de faire quelques pas dans sa direction lorsqu'il la vit approcher avec sa béquille. Il la prit par le bras. Pouvait-il imaginer qu'une fois devant le chef de district elle allait brusquement se redresser et le foudroyer d'un regard si glacial qu'il le forcerait à détourner les yeux pour s'absorber dans la contemplation des pics sur l'autre versant ? Cela se passa si vite. A peine avait-il ouvert la bouche pour faire les présentations que le visage de Mao Zhi avait viré au vert sombre. En un éclair la béquille était passée derrière ses jambes : en position d'attaque.

« Je te présente monsieur Liu, récemment nommé à la tête du district… » dit-il.

Un œil torve s'appesantit sur l'intéressé puis s'en détourna, étincelant. « Lui ? Chef de district ? s'écria-t-elle. Dieux du ciel ! Impossible ! Il ne peut pas être chef de district, c'est un porc, un bouc, un chien jelaudé[7]. Un asticot sur de la viande de goret puante ! Le pou sur une charogne de mâtin ! » Et de ravaler les lèvres à l'intérieur de sa bouche édentée pour lui cracher avec férocité sa vieille salive à la face. Le cri méprisant qui l'accompagnait avait de quoi faire trembler le ciel et la terre, l'air pourtant lourd et épais au-dessus de la montagne en fut remué, c'était comme jeter au ciel une boule de poudre blanche si dense qu'il en frémisse.

Le séisme était fini, drapée dans une dignité glaciale Mao Zhi tourna les talons avec fureur et regagna le village en claudiquant. Elle plantait là le chef de district, le chef de canton, le secrétaire, sa fille et ses petites-filles figées sur place à quelques pas de là.

Tout ce monde resta longuement immobile. Enfin le chef de district balança un grand coup de pied dans un caillou, cracha et se décida à jurer : « J'encule ta grand-mère ! Je suis un vieux, un authentique révolutionnaire ! »

CHAPITRE V

COMMENTAIRES : *Un chien jelaudé*

① **Bessoun, oune**, *adj. et n. – Le mot s'applique dans les Balou à toutes les naissances multiples. En 1978, année du Cheval, rien ne s'était passé d'anormal, dans la région, l'univers restait le même, en dépit de cette assemblée plénière du Parti qui s'était tenue à Pékin à la fin du mois du Bœuf et que toutes les radios, toute la presse qualifieraient plus tard d'aussi extraordinaire que celle de 1949, vingt-neuf ans plus tôt, quand Mao Zedong avait proclamé la République populaire. C'est précisément pendant qu'elle se tenait – elle dura cinq jours, du Tigre de bois au Cheval de terre – qu'à Benaise Jumei accoucha. Son ventre était gros comme un tambour. Longuement elle hurla, poussa des cris déchirants et donna successivement le jour à trois filles : trois phénix ! Cela pouvait arriver, bien sûr, mais jamais cela ne s'était produit dans la région. Les bébés avaient beau être petits comme des chatons, ils débordaient de vie. Ils pleuraient, braillaient, tétaient tandis que leur mère gisait sur sa couche de parturiente, la sueur en grosses perles cristallines sur le front, le sang dégoulinant le long des pieds du lit. Abasourdie par cette triple naissance, Mao Zhi s'agitait en tous sens. L'accoucheuse avait réclamé bassine d'eau sur bassine d'eau ! Enfin elle se lava les mains, essuya le front de Jumei avec une serviette chaude et lui demanda si son ventre n'était point benaise. Eh bien non, il bougeait, gargouillait et piquait encore : elle avait toujours mal. « Allons, s'étonna la femme en avalant le bol de nouilles aux fèves que lui avait préparé la grand-mère, il bouge encore ? Ecoute, depuis que j'accouche, tu es la première que je vois en avoir trois d'un coup, ne me dis pas qu'ils sont quatre ou cinq ! Impossible ! »*

Sa collation achevée, avant de partir elle lui tâta néanmoins l'abdomen : « Ciel ! Mais si ! Il en reste ! »

Et pour la quatrième fois, Jumei donna le jour.

Les petites devinrent les « bessounes » les plus célèbres des Balou. On appela l'aînée Tonghua, Fleur de sterculier, la deuxième Huaihua, Fleur de sophora, la troisième Yuhua, Fleur d'orme, et la dernière E', Phalène, parce qu'au moment de sa naissance un papillon de nuit voletait dans la pièce.

③ **Nin, nine**, adj. et n. – Désigne les enfants qui ont des problèmes de croissance. Les quadruplées de Jumei sont naines de naissance, les habitants de Benaise les appellent les « nines ».

⑤ **Gens-complets, ètes**, adj. et n. – Appellation respectueuse par laquelle les Benaisiens nous désignent, nous à qui il ne manque ni bras ni jambe, qui ne sommes ni aveugles ni sourds ni muets, simplement normaux.

⑦ **Jelaudé**, adj. – DIAL. Glacé, glacial. Peut bien sûr s'utiliser en cas de grand froid mais s'applique ici au cœur humain : son cœur est si froid qu'il est comme celui d'un mort.

Mao Zhi n'agonit pas le chef de district d'injures sans raisons. Liu, prénom Yingque, n'a pas toujours occupé cette fonction ! Il fut d'abord un être banal, comme vous et moi. Jusqu'en 1977, année du Serpent de feu, il n'était même que « pupille d'école socialiste[1] » – ce qui lui avait permis de décrocher un poste de travailleur intérimaire au canton des Cyprès. Pour vingt-quatre yuans cinquante par mois, il y balayait les établissements publics, remplissait la chaudière de la cantine et faisait bouillir l'eau.

Rappelons qu'à l'époque le pays entier s'était mis à danser la gigue du Renouveau et de la Libération. Sauf dans les Balou, où l'on avait juste remarqué qu'on avait moins faim. Le niveau de conscience politique de ces gens était trop bas ! Il fallait les instruire et les former, lancer une vaste campagne éducative. Le but de cette « éducation socialiste[3] » était de faire entendre raison et de répandre la connaissance, ce devait être un maillon important de l'édification nationale. Problème : pour ce faire il fallait des gens de talent, et de ces gens il y avait pénurie. Si bien qu'on embaucha un Liu Yingque. Il était jeune, il avait de bonnes jambes, c'était un « pupille d'école socialiste », on l'envoya faire l'instruction du peuple dans le lointain Benaise, à cent lis du chef-lieu.

Savaient-ils qui étaient Wang, Zhang, Jiang et Yao ? demanda-t-il de but en blanc aux paysans.

Ils ouvrirent de grands yeux.

Enfin, la Bande des Quatre ! Comment pouvaient-ils ignorer une telle chose ?

Ils ouvrirent des yeux encore plus grands.

Bon, il sonna la cloche et les réunit pour leur lire les documents officiels. Plus personne n'ignorerait qui était Wang Hongwen, ex-vice-président du Parti ; Zhang Chunqiao, le conspirateur ; Jiang Qing, la veuve du président Mao ; et Yao Wenyuan, le voyou culturel. Les Benaisiens hochèrent la tête. Mission accomplie, il s'apprêtait à quitter le village lorsque survint une jeune gens-complète de seize ou dix-sept ans dont les tresses balançaient au rythme de son pas comme deux corbeaux noirs perchés sur ses épaules. A Benaise, vous n'imaginez pas : pendant le meeting il n'avait eu à ses pieds que des aveugles et des estropiés. Ou alors des sourds et des muets. Parmi tous ces aveugles ses yeux lui avaient semblé des lampes. Au milieu des boiteux ses jambes deux hampes de drapeau. Etre environné de sourds lui avait donné l'impression de jouir d'une ouïe miraculeuse et d'entendre le plus petit bruit à mille lis à la ronde. Les gens-complets étaient ici leaders suprêmes, empereurs ! Ce n'était pas une raison pour s'attarder : à force il aurait craint que par un curieux effet son regard se brouille, sa patte devienne folle et ses oreilles se bouchent. On était alors au printemps, en plein troisième mois. Les pêchers étaient rouges et les pruniers blancs, les dix mille herbes rivalisaient de verdure et dans l'air flottait un frais parfum qui donnait envie de roter. Benaise comptait deux arbres centenaires dont l'ombrage, lorsque leurs cimes s'ébouriffaient, faisait un couvercle à la moitié du village. Eparpillés ici et là, deux maisons dans un coin, trois autres là-bas, et encore trois, les toits se répartissaient comme au long d'un fil, dessinant une rue au bord de laquelle les gens venaient se planter. Le sol n'était à peu près nivelé et les habitants en nombre relativement conséquent que dans la partie ouest, au pied du chemin de crête. Là vivaient les aveugles : la chaussée était moins accidentée et ils avaient moins de chemin à faire pour gagner les champs. Le milieu du village, plus escarpé, était aussi moins peuplé. On y trouvait essentiellement des boiteux : cela grimpait, certes, mais en dépit de leur claudication ils avaient de bons yeux, qu'ils s'aident de leurs cannes, prennent de temps à autre appui sur le mur et de saut en saut, ils finissaient toujours par s'en débrouiller. Quant au coin le plus oriental – et le plus reculé – où le sentier, qui montait à pic, n'était que trous et bosses, c'était le domaine des sourds et des muets. Soit, ils n'entendaient ni ne parlaient, mais ils y voyaient clair et avaient le plein usage de leurs jambes, l'état de la route leur était indifférent.

Ainsi s'étirait la rue, sur deux lis de long, par tronçons. Devant il y avait la rivière, derrière la montagne, à l'ouest le quartier des aveugles – celui où ils étaient majoritaires –, à l'est celui des sourds-muets, et au milieu le secteur des éclopés.

De là venait cette jeune fille, qui pourtant ne boitait ni ne béquillait. On l'aurait dite portée par des ailes. Semblable à la feuille qui tombe en tourbillonnant. Pour arriver sur les coups de midi, Liu Yingque avait dû la veille se lever à l'aube et faire halte la nuit venue à mi-chemin. Ayant échangé quelques phrases avec les autochtones, sonné la cloche et lu les documents officiels sous les arbres centenaires, il estimait son devoir accompli. Pas question de traîner jusqu'à la tombée du jour dans ce repaire d'aveugles et d'estropiés ! A nouveau il dormirait quelque part en route et serait le lendemain de retour à la commune. Mais en la voyant, il se dit qu'il avait bien le temps, pourquoi ne pas rester un peu à Benaise ? Planté au milieu de la chaussée, sa chemise blanche serrée dans sa ceinture en cuir, il la regarda venir. Il attendait qu'elle soit plus près pour mieux l'examiner, admirer sa silhouette et son visage rose. Elle portait une veste en toile fleurie et avait aux pieds – une rareté dans cette campagne – des chaussons brodés. Alors que sur les marchés des bourgs ils étaient aussi nombreux que les enveloppes de gâteaux de riz sur le sol le jour de la fête des Bateaux-dragons, ici elle était seule à en arborer et ils lui firent une impression de fleurs brusquement épanouies dans un bosquet de mandariniers au cœur de l'hiver. Il lui barra plus ou moins le passage : « Hé, dit-il, comment t'appelles-tu ? Pourquoi n'es-tu pas venue à la réunion ? »

Sa figure s'empourpra et le regard ailleurs, comme suppliant, elle expliqua que sa mère était malade et qu'elle allait cueillir des simples.

Il se présenta : « Je m'appelle Liu et je suis cadre à la commune. Sais-tu qui sont Wang, Zhang, Jiang et Yao ? Non ? » Il l'en instruisit, glosa sur les grands événements qui venaient de se produire et dont l'univers se réjouissait. On fêtait le renouveau, une deuxième libération ! Comment pouvait-elle ne pas avoir entendu parler de Wang Hongwen, Zhang Chunqiao et Jiang Qing, l'épouse du président Mao ? C'était décidé, il ne partait plus, il allait rester et faire l'éducation de la jeune fille. Il allait inculquer aux habitants de ce trou perdu quelques données de base, le b.a.ba de la commune, du district et de l'Etat.

Trois matins et deux jours plus tard, ils étaient devenus intimes et il quittait Benaise pour regagner le chef-lieu, à une centaine de lis de là.

Dans l'année qui suivit, elle donna le jour à des quadruplées.

A peine étaient-elles nées que Mao Zhi prenait la route. Toujours volontaire pour s'enfoncer dans les campagnes et porter la parole socialiste au fin fond de la montagne dans des villages aussi peu civilisés que Benaise, Liu Yingque était entre-temps devenu un distingué cadre à l'éducation. Il ne balayait plus, n'arrosait plus, en titre et dans les faits il jouissait désormais du statut de fonctionnaire d'Etat. Elle le rencontra dans son bureau, au siège de la commune qui s'appelait désormais « canton », puis rentra chez elle. Le voyage lui avait pris deux jours. De retour au chevet de sa fille, elle annonça simplement : « Liu est mort, il s'est écrasé comme une galette de kaki au fond d'un ravin pendant une de ses tournées d'éducation socialiste. »

COMMENTAIRES

① **Pupille d'école socialiste** – La dénomination fait référence à la fois aux conditions particulières dans lesquelles s'est déroulée l'enfance de Liu Yingque et à certaine page non négligeable de l'histoire de notre peuple. A peine la Chine nouvelle avait-elle été fondée que s'étaient mis à fleurir des établissements d'enseignement socialiste spécialisés dans les sessions d'étude et de formation pour les cadres. Petit à petit, ils devinrent des « bases de perfectionnement en marxisme-léninisme », ou « instituts fondés par le Parti », et enfin des « instituts d'éducation socialiste », plus couramment appelés « écoles du Parti ». Une petite dizaine d'années plus tard on en trouvait partout dans les villes et les districts. Dans certaines provinces, dans certaines régions, un chef-lieu pouvait en compter jusqu'à trois ou cinq, il arrivait même que chaque canton, chaque bourg ait la sienne. Parfois les gens avaient continué de dire « école d'éducation socialiste » mais généralement, ils simplifiaient et disaient « écoles du Parti ».

Celle du district de Shuanghuai est toujours restée une « école socialiste ». Construite dans la campagne au nord de la ville et flamboyant d'un éclat écarlate avec ses bâtiments en brique rouge et son mur d'enceinte, également en brique rouge, elle se voit de loin. On dit de ces écoles qu'elles ont à certains moments plus de poids que le mont Tai pour l'établissement du socialisme en Chine : le secrétaire du Parti en est le directeur, le chef de district, le directeur adjoint ; tous les cadres doivent à un moment donné y séjourner, et inutile de songer à s'élever dans la hiérarchie sans y avoir passé de trois à six mois. A d'autres moments, en revanche, elles semblent encore plus légères que la feuille morte qui tombe. A part quelques sous-fifres, il ne restait alors dans la nôtre qu'un professeur, un certain Liu, chargé pendant les stages de lire les textes des dirigeants (les autres cours étant assurés par le secrétaire du comité en personne, le chef de district et quelques spécialistes spécialement conviés à cet effet). Dès qu'arrivait la saison des champs – sauf si le gouvernement avait lancé une campagne ou décidé de mesures importantes – l'école se vidait. Les employés prenaient leurs vacances et rentraient chez eux pour aider au printemps au labour, à l'automne à la moisson.

C'est là que le chef de district avait grandi. Il était le fils adoptif de ce professeur Liu.

Pour être précis, disons que les choses se passèrent en 1959, pendant l'année du Rat, celle que les gens appelleraient plus tard la première des « trois années de catastrophes naturelles ». C'était la disette. Partout on hurlait famine. L'école de Shuanghuai n'avait été établie que trois ans plus tôt, mais personne cette année-là, aucun cadre, aucun membre du Parti, ne vint y étudier. Seuls y résidaient Liu et son épouse,

30

*les gardiens du lieu. Un jour d'hiver, alors qu'ils rentraient
après avoir cueilli des légumes sauvages, ils trouvèrent
devant la porte un paquet enveloppé de tissu. A l'intérieur un
bébé, un petit garçon d'environ six mois, squelettique, les
cuisses à peine plus grosses que les bras. La femme se
retourna pour hurler en direction de la campagne :*

*« Vous comptez laisser votre enfant crever de faim sur le
pas de notre porte, salopards ? »*

*Puis : « Je vous donne un demi-boisseau de sorgho s'il vous
reste un peu de cœur et que vous venez le récupérer ! »*

*Et encore : « Vous êtes morts ou quoi ? Crevez si vous vou-
lez mais vous ne vous en tirerez pas comme ça. Puissent les
chiens sauvages et les loups déchiqueter vos cadavres ! »*

*Elle eut beau crier et jurer, le soleil se coucha sur la mon-
tagne sans qu'apparaisse âme qui vive dans les champs. Elle
était prête à y jeter le nourrisson. Mais le professeur était un
homme instruit, il avait été scribe pour la Huitième Armée et
secrétaire du premier chef de district de Shuanghuai, juste
après la Libération. C'était un membre du Parti, un cadre, un
intellectuel. Quand à l'époque du gouvernement nationaliste
l'Armée rouge était arrivée dans la région et y avait organisé un
stage de formation accélérée pour les cadres, comme il avait
une belle écriture, on avait fait fi de son origine familiale – ses
parents étaient des paysans riches – et on l'avait nommé
copiste pour la classe. Ensuite était venue l'année du Bœuf,
1949, la Chine nouvelle avait été fondée, on avait changé de
régime, il avait dans la foulée été affecté au poste de secrétaire
du chef de district et il avait semblé naturel, quelque temps
plus tard, de le nommer enseignant à l'école socialiste nouvellement créée. En tant que membre du Parti, en tant que cadre,
en tant qu'intellectuel, pouvait-il laisser jeter un enfant encore
vivant ? Il l'arracha des mains de son épouse et, jour après jour,
pourvut à ses besoins.*

*Le petit survécut. On lui attribua le patronyme du profes-
seur, augmenté du prénom Yingque, « faucon », en souvenir du
rapace qui tournoyait au-dessus du paquet de langes quand on
l'avait trouvé.*

*Lentement, les années de catastrophes passèrent, l'école
socialiste se remit à briller de tous ses feux, les membres du
Parti et les cadres du district recommencèrent à y défiler par*

petits groupes pour étudier et se perfectionner. Il en venait même, en quête de promotion, des circonscriptions environnantes ! Une épaisse fumée s'élevait quotidiennement de la cheminée de la cuisine, et il arrivait que le feu soit si fort que des étincelles s'échappent de son conduit de brique. Or, du feu dans cette cheminée, pour le petit Yingque, cela voulait dire qu'il y avait à manger à la cantine. Les étudiants savaient qu'il avait été trouvé sur le seuil de l'école par celui qui en était désormais directeur, ils étaient tous cadres ou membres du Parti – autrement dit des êtres au niveau de conscience élevé, prêts à se sacrifier pour la réalisation du communisme – tout le monde était d'accord pour l'autoriser à s'y nourrir.

Ainsi, non seulement il survécut, mais il grandit.

A l'heure des repas au réfectoire avec son bol, on le retrouvait à celle de l'étude dans la salle de classe avec son tabouret. Il suivait le mouvement. Et la nuit venue regagnait l'entrepôt où il dormait.

Le temps passait, jour après jour. Quand il eut six ans, madame Liu tomba enceinte et donna le jour à une fille. Cet homme, de dix ans son aîné, qu'elle n'avait épousé que parce qu'elle se croyait incapable de procréer, lui faisait un enfant la quarantaine venue après être devenu directeur ! Ses rapports avec le gamin en furent modifiés. Elle se fit plus froide et l'expédia tous les jours à la cantine. Heureusement, les élèves le considéraient comme l'enfant de l'école, on l'appelait de moins en moins « Liu Yingque » et de plus en plus le « pupille de l'école socialiste », voire l'« orphelin de l'école des cadres ». Mais l'année de ses dix ans, après que la femme de Liu eut abandonné fille et époux pour épouser un cadre d'un district voisin, le professeur le reprit à ses côtés. Il serait désormais son fils, le grand frère de la petite Cao.

③ *Education socialiste* – Soit mouvement d'éducation socialiste, un terme d'histoire spécifique. Les cadres à l'éducation socialiste sont ceux qui se sont à une période donnée consacrés à ce mouvement.

LIVRE TROIS

RACINES

CHAPITRE PREMIER

Regardons cet homme, ce fonctionnaire, ce chef de district

La neige s'était arrêtée. Comme un voyageur dans les Balou, elle s'y était sept jours reposé les pieds et avait repris sa route.

Elle s'en était allée. Où ? Nul ne savait.

Mais elle avait rendu monts et villages à l'été.

Un été humilié, qui revenait de bout en bout[1] grincheux. Au début le soleil s'était obstinément refusé à pointer. Le brouillard pendait si bas au-dessus des toits qu'il suffisait de tendre le bras pour le sentir couler entre les doigts. Vous aviez l'impression d'avoir la main mouillée ! Et si le matin, au saut du lit, vous la leviez dans votre cour ou à l'orée du village pour prendre dans l'air une poignée de brume, il suffisait de s'en frotter la figure pour que toilette soit faite. Plus de chassie dans les yeux, vous ne tombiez plus de sommeil.

Mais vos paumes étaient boueuses.

La neige a fondu.

Le blé qu'on n'avait pas eu le temps de faucher avait pourri pendant les jours de brume. Il n'y avait pas de soleil, l'air était étouffant, le froment mûr avait noirci. Même les grains. Même la fécule à l'intérieur. Si vous en mangiez il vous empoisonnerait, vous auriez la diarrhée.

Dans les champs les tiges n'étaient plus qu'herbe sombre, l'hiver venu il n'y aurait pas de fourrage pour le bétail.

Le temps avait fait marche arrière : l'automne venu il n'y aurait pas de semences à épandre.

Le chef de district, son secrétaire et le chef de canton, arrivés de concert pour prendre la mesure du malheur, logeaient en plein mitan[3] du village, dans une résidence qui avait été autrefois, avant la Libération, le temple où l'on vénérait Bouddha, Guan Gong, le dieu de la guerre, et la mère Benaise, ancêtre du hameau, celle à qui il devait disait-on son existence. La sourde-muette avait nourri Hu Dahai lorsque, mendiant en partance de Hongdong dans le Shanxi, il avait traversé les Balou ; elle avait obtenu la liberté pour l'aveugle et le paralytique pris dans le convoi des migrants et leur avait fourni les champs, l'argent et l'eau qui leur avaient permis de couler des jours paradisiaques. Ensuite de quoi les infirmes avaient afflué et Benaise était né.

On lui devait le respect.

Mais entre-temps la statue du Bouddha avait disparu, la statue de Guan Gong avait disparu, et la sienne aussi. On avait balayé le sol, ajouté des lits, et les trois pièces avaient été transformées en centre d'accueil pour les hôtes du village. C'était ici qu'avait dormi, dix-sept ou dix-huit ans plus tôt, un jeune employé à l'éducation socialiste, c'était ici qu'à nouveau il dormait. Rien n'avait bougé, seuls les gens avaient changé. Lui-même était désormais un homme mûr, il avait atteint la quarantaine. D'intérimaire chargé de porter l'eau et de balayer les sols dans le canton des Cyprès, il était devenu chargé d'éducation socialiste à Benaise, puis cadre du canton, puis chef de canton adjoint et enfin chef de district adjoint avant sa position actuelle. Il en était un peu chose, quand il y repensait.

Le district de Shuanghuai était pauvre. D'une misère crasse. Quand le reste du monde jouissait d'une flamboyante prospérité, la route qui passait devant le siège du gouvernement et du comité du Parti n'était encore qu'un chemin de terre. Un bœuf qui n'aurait pas su nager s'y serait noyé dans les flaques un jour de pluie ! D'ailleurs c'était arrivé à un enfant, certaine année. Il était tombé dans une poche d'eau juste devant les locaux. Sur son territoire ne se trouvaient que des montagnes et des ravins, aucune usine, aucune mine. Il n'y avait pas bien longtemps, pas un bureau n'était en mesure de régler ses factures d'électricité et de téléphone, le comité et le gouvernement s'étaient disputés pour savoir qui paierait la réparation d'un pneu crevé. L'ancien chef en avait cassé le bocal de légumes salés qu'il tenait à la main et le secrétaire le plumeau qui servait à épousseter les fenêtres ! Il avait fallu que Niu, le secrétaire départemental, se déplace en personne pour régler l'affaire et parle à chacun à tour de rôle.

Au chef de district il avait dit :

« Comment enrichir le district ?

– Facile ! Faites-moi décapiter. »

Au secrétaire du comité :

« Change de travail, si tu n'es pas capable de sortir le district de la misère ! »

L'autre s'était profondément incliné :

« Obtenez-moi une mutation et je me prosterne à vos pieds.

– Tu es viré !

– Tant que je peux me tirer d'ici ! »

De rage, Niu en avait envoyé sa tasse valser au bas[5] !

Ensuite il s'était entretenu avec les cadres du comité et du gouvernement.

« Tu t'es bien sorti de cette histoire d'aménagement des terres arables, avait-il en préambule fait remarquer à Liu, qui n'était encore qu'adjoint.

– On peut cultiver tant qu'on veut, ce n'est pas ça qui nous sortira de la misère.

– Aurais-tu une idée pour enrichir Shuanghuai ?

– Ce n'est pas compliqué. »

Le secrétaire l'avait dévisagé : « Explique voir.

– Nous n'avons ni mine ni industrie mais nous avons des paysages. Développons le tourisme. »

Sourire. « Qui voudrait visiter un pays de lœss et d'eau fangeuse ?

– Monsieur le secrétaire, où voit-on le plus de touristes à Pékin ?

– C'est la capitale ! Depuis plusieurs dynasties !

– Sont-ils nombreux à visiter le mausolée du président Mao ?

– Oui. Et alors ?

– Payons le prix qu'ils voudront, rachetons la dépouille de Lénine aux Russes et installons-la dans le massif des Ames mortes. » Puis d'enchaîner : « Vous n'êtes jamais allé là-bas, monsieur le secrétaire ? Il y a des bosquets de cyprès, des allées de pins, des cerfs, des singes, des sangliers, et même des kiwis ! Un vrai parc forestier ! Mettez-y la momie de Lénine et ça deviendra un site majeur ! Les gens viendront de tout le pays, du monde entier ! A cinq yuans l'entrée, si on avait dix mille visiteurs, cela nous ferait cinquante mille yuans ! Cent mille si on la met à dix, et plus de cinq cent mille si on la met à cinquante ! Mais une entrée, est-ce que c'est juste une entrée ? Quelle somme dix mille touristes peuvent-ils dépenser ? La population du district est-elle capable de générer une telle valeur grâce à l'agriculture ? Foutaises ! Sornettes, billevesées et niaiseries. D'ailleurs, qui nous dit que si la foule se met à déferler, nous n'aurons pas plus de dix mille personnes par jour ? Peut-être seront-ils non pas dix mais trente, cinquante, soixante-dix, quatre-vingt-dix mille qui débarqueront quotidiennement de Jiudu, du Henan, du Hubei, du Shandong, du Hunan, de Canton, de Shanghai... Beaucoup de Chinois, mais pas uniquement. On doit pouvoir estimer le nombre d'étrangers à un dixième du total. Et ceux-là, pas question de les laisser payer dans notre monnaie, il faudra qu'ils acquittent leur droit en dollars. Combien ? Cinq, quinze ou vingt-cinq ? Personnellement, vingt-cinq ne me paraît pas exagéré. Vingt-cinq dollars pour Lénine, mais bien sûr que ce n'est pas cher ! Cela nous ferait deux cent soixante-quinze dollars pour onze visiteurs et deux cent cinquante mille pour dix mille ! » Il était lancé : « Ajoutez à ça qu'il faudra bien qu'ils se logent et mangent, qu'ils achèteront des souvenirs et des spécialités locales, ces gens ! » Et encore : « Monsieur le secrétaire, j'ai peur que nos routes soient trop étroites et qu'il y ait des embouteillages ! Si on ne construit pas assez d'hôtels, les touristes auront du mal à trouver un lit ! Le district risque de devenir si riche qu'il ne saura plus comment dépenser son argent ! »

Cette discussion avait lieu au centre d'accueil du district. Niu était installé dans un fauteuil dont le bras avait un trou, une brûlure de cigarette qu'il avait allègrement tripotée pendant le discours de Liu. Au départ large comme un pois, la déchirure avait progressivement atteint la taille d'un jujube, puis d'une noix, et enfin d'un kaki. Disons-le, le secrétaire n'était plus de première jeunesse : il affichait une bonne cinquantaine et frôlait peut-être les soixante ans. C'était un homme long et maigre, habillé en civil, avec un crâne rouge et brillant sur lequel les derniers cheveux blancs dessinaient une couronne. En rencontre-t-on, des cadres, quand on consacre son existence à la Révolution ! C'était lui qui avait hissé Liu au-dessus du fonctionnaire subalterne. Quelques années plus tôt, lorsqu'il avait lors d'une tournée dans le district entendu parler de certain canton où tous les foyers avaient l'électricité et l'eau courante : dans toutes les cuisines un robinet qu'il suffisait de tourner pour qu'elle tombe toute seule dans la casserole ! Où avaient-ils trouvé l'argent ? Quelqu'un avait payé ! Mais qui ? Un type qui avait émigré en Asie du Sud-Est au moment de la Libération, y avait fondé une banque et était revenu jeter un œil au pays. Sa visite avait beau tomber en pleines métives, le chef de canton avait interdit d'aller moissonner, les enfants des écoles avaient été mis en vacances pour que tout le monde, jeunes et vieux, puisse se poster le long du chemin et lui souhaiter la bienvenue. Il les avait massés au long des cinquante-sept lis qui menaient du chef-lieu au village : cinquante-sept lis de route de montagne, non carrossable, une sente de terre zigzagante et tortueuse comme des tripes de poulet. Dont il avait en plus fait tapisser chaque pouce de rouge ! Non, pas avec un tapis. Avec de la toile, du papier, ou ce brocart qu'on ne sort à la campagne que pour les mariages. Chaque hameau s'était vu attribuer un segment, ceux qui n'avaient ni tissu ni soierie s'étaient débrouillés avec les vestes ou les chemisiers de leurs femmes. Tout vêtement comportant un tant soit peu de rouge y était passé. Et bien sûr, tambours et suonas avaient été conviés. Le chemin serpentait à l'infini, tapissé d'écarlate jusqu'au village, jusqu'au seuil de l'ancienne demeure de l'homme des mers du Sud. Ce jour-là il avait plu, un palanquin tendu de brocart carmin l'attendait au chef-lieu à sa descente de voiture. Contemplant la route qui s'étendait devant lui, il avait dans un premier temps refusé d'y monter, mais les porteurs étaient tombés à genoux. Ils ne se relèveraient que lorsqu'il daignerait s'y asseoir.

Ils avaient fait tant et si bien qu'il n'avait pas eu le choix.

Il avait dû parcourir en chaise les cinquante-sept lis de sente rouge.

Les tambours avaient retenti avec ardeur.

Les musiciens, soufflé bien en rythme dans leurs suonas.

Le peuple, applaudi en suivant le tempo.

Chaque fois qu'il avait fait mine de descendre et de marcher, les porteurs étaient retombés à genoux. Comment insister pour aller de son pai[7] face à des hommes prosternés ? Comment, d'ailleurs, oser fouler ces vêtements, ces coupons de tissu et ce brocart rouge ? Les gens n'applaudissaient plus, les musiciens ne jouaient plus. Tout le monde, enfants, octogénaires, s'était agenouillé ! On lui disait qu'il était la lumière du vieux pays, qu'il l'illuminait de sa gloire, que s'il refusait d'avancer sur le tapis rouge et de s'asseoir dans le palanquin, cela signifierait qu'il n'appréciait pas l'accueil qu'on lui avait préparé. Que faire ? Sinon regagner la sente écarlate et réintégrer la chaise ? Les yeux pleins de larmes, au bout du chemin il s'était incliné devant les ancêtres et avait promis de faire coûte que coûte carrosser la route, installer l'électricité et amener l'eau courante dans le canton.

Le secrétaire départemental y avait effectué une tournée.

Il avait fait la connaissance de son chef.

« Serais-tu capable de mettre l'eau et l'électricité dans tout le district ? lui avait-il demandé.

– Je suis chef de canton et je m'occupe de mon territoire, comment pourrais-je faire quoi que ce soit à l'échelon supérieur ? »

Quelques jours plus tard, il était promu chef de district adjoint en charge des terres arables. Niu savait qu'il s'en était bien tiré : les champs avaient été aplanis et les véhicules motorisés circulaient sur les voies qui les longeaient comme des navires en train de croiser sur une mer sereine. Cet homme, ce fonctionnaire, ce chef de district adjoint, il suffisait de le regarder pour avoir une idée de l'étendue de ses connaissances. Quand il avait évoqué la possibilité de racheter la dépouille de Lénine et de l'installer aux Ames mortes, pourtant, le cœur du secrétaire s'était serré. Cela lui rappelait l'histoire de l'homme capable d'évoluer sur l'ardoise : preste et agile, il va, à chaque pas son pied laisse un trou dans la plaque mais il progresse, tout à coup il a le malheur d'ouvrir la bouche et patatras, la plaque se fissure, se fend, part en morceaux et se désintègre. Liu avait beau être grand et vigoureux, le secrétaire se demandait s'il n'avait pas devant lui un adulte qui jouerait à modeler une statue avec de la terre et de la pisse ! Dans un premier temps Niu n'avait montré que raillerie et dédain. Mais ensuite, en l'entendant faire le décompte des billets d'entrée, le sarcasme s'était mué en un pâle sourire. Et lorsque Liu s'était tu, le doigt toujours en

42

train de farfouiller dans le trou de l'accoudoir, le secrétaire affichait une mine sévère et tendue. Le regard qu'il portait sur Yingque rappelait celui du père en train de contempler l'enfant chéri qui joue avec la glaise : il a les mains sales, la figure crottée, il est maculé d'eau et de boue, il a déchiré les habits neufs qu'on avait eu tant de mal à lui faire enfiler et qui maintenant partent en lambeaux, mais que faire ? Que dire ? Manifester son amour ou lui donner une fessée ?

Après avoir un instant réfléchi, d'une voix sourde il s'était enquis : « Dis-moi, sais-tu quel était le vrai nom de Lénine ? »

Le regard rivé au sol, le chef de district adjoint avait laissé un peu de temps s'écouler avant de répondre en souriant : « Bien sûr ! Comment pourrais-je l'ignorer ? Je me suis documenté et je l'ai lu plusieurs fois pour le savoir par cœur. Ça fait quand même treize caractères en chinois ! Il s'appelait Vladimir Ilitch Oulianov. » Puis : « Lénine est né pendant le quatrième mois de l'année du Cheval, il y a deux cycles de cela ; il est mort pendant le premier mois de la treizième année de la République de Chine. » Et encore : « A trois mois près il aurait vécu cinquante-quatre ans, soit dix de moins que l'espérance de vie moyenne dans ce district. »

Question : « Qu'a-t-il écrit ? »

Réponse : « Ses œuvres les plus célèbres sont *Que faire ?*, *Matérialisme et empiriocriticisme*, *L'Impérialisme, stade suprême du capitalisme*, et *L'Etat et la Révolution*. » Ensuite : « Monsieur le secrétaire, Lénine est l'ancêtre du socialisme, le père de notre Etat, comment des enfants pourraient-ils ignorer ce qui concerne leur père ? »

Question : « Pourquoi nous vendrait-on sa dépouille ? »

De son sac, Liu avait sorti un dossier soigneusement préparé, dont il avait extrait un exemplaire des *Nouvelles de référence* et deux documents internes dont la diffusion était à l'époque limitée aux cadres à partir du niveau du district. Dans le journal – un vieux numéro datant de l'automne de l'année du Cheval – en bas à droite de la première page, se trouvait un article d'en tout et pour tout trois cent un caractères intitulé : « Les Russes veulent brûler Lénine ». On y expliquait que la question de la crémation de la momie – restée sur la place Rouge après l'effondrement de l'Union soviétique – faisait l'objet de discussions enflammées entre les partis politiques. Les partisans de l'incinération avaient, paraît-il, de puissants soutiens au sein du parti au pouvoir. Quant aux documents internes – une des sources préférées d'information du secrétaire – l'un datait du cinquième mois de l'année du Singe, trois ans après l'article, le second du trimestre précédent, soit sept ans et demi plus tard. On y répertoriait les suicides des paysans qui ne pouvaient pas payer leurs impôts et les attaques contre les comités de district de ceux qui, estimant être en butte à l'injustice, s'unissaient pour aller casser les portes, les tables et les voitures au siège du gouvernement local. On y racontait comment, dans un canton du Sud, une femme qui ne pouvait acquitter son dû avait couché avec le collecteur des contributions pour être exemptée, suite à quoi toutes les villageoises en difficulté avaient sauté au lit avec les représentants des pouvoirs publics, qui n'arrivaient plus à tenir le rythme et pour qui c'était devenu un fardeau. Ces documents internes étaient la lecture que le secrétaire s'offrait avant de dormir, comme un enfant sa tétée. Mais il n'avait pas remarqué, dans ces deux exemplaires, deux articulets de moins de cent caractères, perdus au milieu des brèves sur la situation à l'étranger et de textes qui eussent été de nature à perturber le sommeil, portant tous deux sur le même sujet : en raison de difficultés financières, il devenait malaisé de subvenir aux frais d'entretien de Lénine, la situation était critique. Le plus récent ajoutait que la momie avait commencé de se dégrader et que les responsables devaient souvent s'user les jambes à courir les organes officiels pour récupérer les frais de gestion. Un membre important du gouvernement avait proposé de confier la dépouille à un parti politique ou à une compagnie, mais les partis intéressés n'avaient pas les moyens d'acheter, et aucune grande entreprise, aucun capitaliste n'avait envie de s'en encombrer. Aussi l'idée n'avait-elle, *in fine*, rien donné. On l'avait abandonnée comme un vieux tacot qui rend l'âme sur le chemin du retour.

Le secrétaire avait examiné avec la plus grande attention les deux brèves, était revenu à l'article, l'avait lu et relu, puis avait de nouveau lu et relu les brèves. Enfin il avait posé sur la table les documents jaunis, longuement fixé Liu et articulé :

« Donne-moi à boire. »

Liu Yingque lui avait servi un verre.

Et demandé : « Croyez-vous vraiment que nous devons nous limiter aux seules ressources du district ? Le monde est plein de trésors, allons les chercher !

– Quel âge as-tu ?

– Je suis né l'année de la grande catastrophe.

– Cette eau n'est plus chaude. Va chercher une nouvelle thermos. »

Pendant qu'il s'exécutait, le secrétaire avait profité de sa solitude pour jeter encore un œil aux documents. Il les avait pris dans ses mains, mais avant de les relire, rejetés avec emportement sur la table.

Un mois plus tard l'eau courante était installée au mont Jingguang, le vieux chef de district muté dans un bureau quelconque de Jiudu, le secrétaire du comité renvoyé à ses études et Liu Yingque nommé à son poste actuel. Il était désormais à la tête de la circonscription.

Le jour où le comité permanent avait entériné, sans que cela pose le moindre problème, la décision de se porter acquéreur de la dépouille, il était allé passer la nuit seul dans la banlieue. Il y avait quelque chose de glacé et de pathétique dans cette histoire. Etait-ce Lénine qui lui inspirait une telle détresse, ou son action en tant que chef de district ? L'automne tirait à sa fin, une lune menue et avare s'était levée à l'euraie [9] des champs moissonnés dont émanait, envahissant l'univers, un parfum de céréales chaud et capiteux mâtiné d'âcre odeur de terre. Il était resté assis là, hébété, jusque tard dans la nuit. Finalement, comme s'il avait tenu à présenter des excuses aussi profondes qu'un puits, avec sauvagerie il s'était plusieurs fois pincé la cuisse et giflé avant de tomber curieusement à genoux et de faire trois koutous en se frappant le front sur le sol dans ce qui devait être la direction de la Russie, le pays natal du grand homme, répétant en son for intérieur combien il était désolé : « Pardonnez-moi, demain la *Circulaire relative aux efforts entrepris pour récolter et collecter dans le district de Shuanghuai les fonds nécessaires à l'acquisition de la dépouille de Lénine* sera envoyée à chaque comité, chaque bureau et chaque canton. »

Depuis, une année s'était cahin-caha écoulée. Les bases de l'industrie touristique avaient été posées. On avait défriché la route qui mènerait du chef-lieu au parc forestier des Ames mortes, et si elle n'était encore que sable et cailloux, l'homme d'Asie du Sud-Est qui avait fait carrosser la sente du canton des Saules et installer l'eau courante et l'électricité avait accepté de fournir la somme qui permettrait de la laquer de noir[11]. Sur le mont lui-même les rigoles avaient été regroupées pour former le ruisseau Songbai, et les rocs sur ses deux rives baptisés. Celui qui rappelait un équidé s'appelait le « rocher du Cheval qui hennit », celui qui ressemblait à un cervidé, la « Biche qui tourne la tête » ; le couple formé par un vieux cyprès et le mélia qui poussait dans son tronc était désormais l'« Etreinte conjugale ». Il y avait aussi une « falaise de la Tête cassée », un « étang du Dragon noir », la « grotte du Serpent bleu » et celle du « Serpent blanc ». Ensuite il avait fallu inventer les légendes correspondantes. Pour le « Cheval qui hennit », par exemple, on avait décidé que Li Zicheng était pendant son soulèvement passé ici avec une dizaine de fidèles après sa défaite devant le mont Funiu. Décidée à en finir une fois pour toutes, à couper l'herbe et à arracher la racine, la cour impériale avait placé plus de dix mille soldats en embuscade au pied du massif. Mais lorsqu'il était arrivé avec son escorte au niveau dudit rocher, son cheval s'était cabré et mis à hennir. Il fouaillait l'air de ses sabots et refusait d'avancer. Si bien que Li, après avoir tiré sur les rênes, avait décidé de ne pas aller plus avant. Il avait fait demi-tour et était reparti vers l'ouest, le guet-apens monté par les Qing avait fait long feu, il leur avait échappé. D'où le nom de la pierre ! Autre exemple : la « Biche qui tourne la tête ». On racontait qu'en des temps très anciens, un chasseur avait trois jours et trois nuits durant poursuivi sans relâche une biche. Enfin ils étaient arrivés au pied d'une falaise, et quand l'animal acculé avait tourné la tête, il s'était transformé en ravissante jeune fille. Elle avait épousé son poursuivant et plus jamais le chasseur n'avait chassé, il avait semé, labouré, les deux tourtereaux avaient vécu très vieux, jusqu'à l'âge des cheveux blancs. Et ainsi de suite. Le massif des Ames mortes fourmillait désormais d'histoires et de légendes. Celle de l'« Etreinte conjugale » était particulièrement émouvante, celle de la « falaise de la Tête cassée » singulièrement pathétique. L'« étang du Dragon noir » avait été la demeure d'un esprit mauvais, dans les grottes des deux serpents avaient vécu Suzhen et Xiaoqing, les héroïnes de l'opéra. Il y aurait une cascade, en cours de construction, qu'on appellerait la « chute des Neuf Dragons », il y aurait aussi des hôtels et des auberges, construits par les divers comités et bureaux gouvernementaux qui avaient été sommés de se serrer la ceinture et de dénicher d'une manière ou d'une autre les crédits nécessaires. Des bâtiments de style Ming ou Qing uniquement, qui fleureraient bon l'ancien temps et accueilleraient les touristes. Les dossiers avaient été déposés à la banque et certains bureaux – ceux des P. et T. et des communications, par exemple – avaient déjà réuni le capital. Le chantier du futur mausolée était entamé. Extérieurement il serait carré, la réplique exacte de celui de Mao. A l'intérieur il y aurait la salle principale, où reposerait un cercueil en cristal ; un hall d'entrée où seraient exposées des reliques du grand homme : des photos, une malle contenant ses principaux écrits… ; dans le fond une petite salle de cinéma où on passerait des films illustrant ses hauts faits ; à gauche et à droite, la machinerie pour garder les pièces à température constante et les déshumidificateurs qui protégeraient la momie. Il y aurait aussi une salle de repos pour les employés, un salon pour servir le thé aux grands de ce monde et une salle de réunion. Bien évidemment, devant l'entrée s'étendraient une pelouse et une esplanade, flanquées du parking, du kiosque à billets et d'une boutique. Et encore plus évidemment, il faudrait un restaurant et des toilettes. Le premier ne devrait pas pratiquer des tarifs trop exorbitants et la question de savoir si les secondes seraient ou non gratuites était encore en débat. Si là-dessus les avis divergeaient au comité permanent, il était un point sur lequel tout le monde s'accordait : il faudrait qu'elles soient impeccables. On discutait aussi du nombre de lacets que comporterait le sentier de pierre dans la montagne, fallait-il sur les panonceaux créditer les arbres centenaires de trois ou cinq siècles ? Mettre une barrière autour des ginkgos – qui eux avaient vraiment cinq cents ans – et leur en attribuer mille ou mille neuf cents ? Voire, pourquoi pas pour faire plus joli, deux mille et une années ? Sur ces détails la discussion faisait rage, on travaillait de manière méthodique.

Pour l'heure, malgré tout, le plus important était de réunir le gigantesque capital nécessaire à l'acquisition de la dépouille. Le département avait promis que, quel que soit le prix exigé, il ferait des pieds et des mains pour en fournir la moitié. Quant au reste, à Liu de trouver une solution. Au bout d'un an, à force de remuer ciel et terre, il avait réussi à amasser une somme coquette. En regard de l'achat prévu, ce n'était pourtant qu'une goutte dans la mer. Il se rongeait et

se rongeait… Où trouver les fonds qui lui permettraient de prendre dans un proche avenir la tête de la
délégation qui négocierait et établirait le contrat à
Moscou ?

COMMENTAIRES

① *De bout en bout.* – DIAL. *Totalement, en totalité.*

③ *Mitan*, n. m. – DIAL. *Le centre, le milieu. Le mot est uti-
lisé à Benaise et dans toute la chaîne des Balou.*

⑤ *Au bas, à bas* – DIAL. *A terre, par terre.*

⑦ *Aller de son pai* – DIAL. *Aller à pied, marcher.*

⑨ *Euraie* – *Le bord, l'extrémité d'un champ.*

⑪ *Laque noire* – *L'asphalte, le goudron. En raison de sa couleur, on l'appelle aussi « huile noire ».*

CHAPITRE III

Le fusil a retenti, les nuages se sont dispersés, le soleil s'est levé

Le chef de district, son secrétaire et le chef de canton étaient au départ en route pour les Ames mortes. Le premier coup de pioche y avait été donné trois mois plus tôt, l'esplanade était sortie de terre, il était désormais possible d'acheminer les blocs de pierre nécessaires à la construction. Malheureusement, les ouvriers avaient entassé le marbre blanc des futurs piliers contre le mur de leurs latrines, où il se couvrait de taches d'urine et de matières fécales. Le massif se trouvant à l'intérieur des frontières du canton des Cyprès, c'était son chef qui assurait la direction du chantier.

« Eloignez-moi ces blocs du mur des chiottes, avait-il dit.

– C'est provisoire. Qu'est-ce qui vous gêne ? Après on les lavera, on les essuiera et ils seront comme des sous neufs ! avait rétorqué le contremaître.

– C'est pour Lénine, espèce d'enculé !

– Hé ! Ça ne vous donne pas le droit de m'insulter ! Quand je pense que lorsqu'on a construit cette banque à Jiudu, on a failli se servir des lingots d'or pour les murs des gogues !

– Oui ou non, vas-tu me les déplacer, putain de ta mère ?

– Ne soyez pas grossier. Nous rendons compte au chef de district et ne pouvons effectuer la moindre modification sans son accord. »

Le chef de canton était remonté en voiture et avait roulé une bonne journée pour aller se plaindre au chef de district, qu'il avait trouvé torse nu, en train de vouer aux gémonies la mère d'un Singapourien. Elle était morte. C'était une habitante des Grenadiers, dans la banlieue ouest du chef-lieu, et son fils – qui en tant que soldat avait autrefois fini par atterrir à Taiwan – était resté des années sans donner de nouvelles. Enfin elle avait appris qu'il n'était pas mort, il était même bien vivant et avait émigré à Singapour où il s'était lancé dans les affaires. On prétendait qu'avec ce qu'il gagnait, il aurait pu se faire construire une maison en remplaçant les briques par de l'argent. Mais aussi riche fût-il, il n'avait pas réussi à faire quitter le village et traverser l'océan à sa mère. Sa sœur aînée l'avait rejoint, son petit frère l'avait rejoint, tous ceux qui pouvaient se targuer d'une relation familiale avec lui l'avaient rejoint ; elle voulait mourir chez elle. C'était arrivé deux mois plus tôt et le district en avait dûment informé son rejeton. A soixante et un ans bien tassés, celui-ci s'habillait comme une femme : il portait des vêtements fleuris qui lui donnaient des airs de jujubier du Nord sur lequel auraient poussé les mangues et les bananes du Sud. Le chef de district s'était rendu en personne à la gare de Jiudu pour l'accueillir avec tous les honneurs. Puis en chemin, évoquant ses projets à long terme, il avait tâté le terrain : « Nous voudrions acheter aux Russes la dépouille de Lénine.

– C'est possible ? » Le Singapourien en était éberlué.

« Tout est possible avec de l'argent. »

Au bout d'un instant de réflexion, l'autre s'était mis à geindre : sa pauvre maman avait quitté ce monde sans avoir jamais joui ne serait-ce que de quelques heures de bonheur à ses côtés. Il allait lui faire des funérailles grandioses ! Aucun problème pour la tombe, acheminer jusqu'au lieu de sépulture quelques briques ou pierres supplémentaires ne coûterait pas bien cher. Mais les membres de la famille restés au village étaient tous célibataires et sans enfants. Il n'y aurait pas de descendance pour suivre le cercueil, quelle tristesse ! « Trouvez-moi un fils pieux et je fais don de dix mille yuans au village, monsieur Liu, trouvez-m'en onze et je vous en donne cent dix mille ! Cela devrait vous aider à réunir les fonds qui vous manquent.

— Et si j'en trouve cent un ? avait demandé le chef de district.

— Un million dix mille, bien sûr !

— Mille et un ?

— Dix millions dix mille ! » Mais de préciser que, quoi qu'il advienne, le montant maximum ne dépasserait pas les cinquante millions de yuans, plus serait mauvais pour ses affaires. L'intéressant était qu'avec cinquante millions le chef de district disposerait d'à peu près un milliard. Or, s'il avait un milliard, la hiérarchie lui en donnerait un deuxième et il serait plus ou moins en mesure de négocier avec Moscou. Il s'était donc entièrement consacré aux problèmes du Singapourien, et le jour de la mise en terre avait mobilisé les sept cents et quelques habitants du village, tous âges et sexes confondus, qui en l'honneur de la défunte avaient défilé en tenue de grand deuil, plus le bon millier de femmes et de jeunes filles des

53

environs qui savaient pleurer et verser des larmes. Soit dans les deux mille personnes ! C'était le district qui avait fourni les habits, il avait fallu acheter l'intégralité du coton blanc disponible dans les magasins du coin et l'usine de confection avait travaillé sept jours sans réussir à pourvoir aux besoins de tous. Les costumes, dont il était entendu qu'ils demeureraient la propriété de ceux qui les avaient portés, avaient été ensuite lavés et étendus, si bien qu'on avait un temps vu partout du coton brut en train de sécher. L'un dans l'autre, c'était beaucoup plus qu'un cortège funéraire. Ces deux mille personnes habillées et chapeautées de blanc faisaient une masse telle qu'on eût pu croire les nuages du ciel tombés sur la montagne. La cohorte avait écrasé le froment presque mûr des deux côtés du chemin et aplani à force de la piétiner une petite colline dans le cimetière. Le bruit de ses pleurs avait fait une telle peur aux corbeaux et autres oiseaux des monts qu'ils avaient disparu. Mais après l'enterrement le Singapourien était rentré chez lui et de l'argent, on n'avait pas vu la couleur. Aucune nouvelle, il s'était évaporé comme un filet de brume s'évanouit dans le ciel quelque part au loin. Les boutiques et l'usine, en revanche, étaient venues solliciter leur dû.

Le chef de district s'était fait avoir. Il était dans une rage telle qu'il lui faudrait du concombre sauvage pour faire passer le bouton qui lui était poussé à la lèvre. Evidemment, on pouvait ne pas régler le coton aux magasins et considérer la somme comme leur contribution provisoire à l'effort entrepris pour l'achetis de Lénine[1]. De même pour la fabrique, si le directeur venait encore réclamer, on menacerait de le virer, il aurait si peur qu'il n'insisterait pas. Pas de problème avec les membres du cortège, tout le monde avait trouvé son bénéfice : ils héritaient du coton blanc et d'un sujet de conversation à long terme pour les jours d'ennui. Non, le fond de la chose, c'était qu'on n'avait toujours pas le montant nécessaire à l'acquisition de la dépouille.

S'il n'y avait eu que cette histoire, passe encore. Mais quelque chose d'autre faisait bouillir Liu, qui n'en trouvait plus ses mots. Son épouse lui avait la veille fait une scène aussi violente et épouvantable que la pire des chutes de neige en pleine canicule sur Benaise et les Balou. La journée avait pourtant bien commencé, mais pas de chance, les choses avaient évolué et elle s'était achevée sur une note effroyable. En début de soirée, il l'avait laissée en train de regarder la télé pour aller débattre des moyens de collecter des fonds. Ensuite il était rentré se coucher et puisque c'était le week-end, ils auraient dû se mettre benaise, ainsi que le stipulait certain document sur lequel ils avaient tous deux, comme s'il s'était agi d'une directive officielle, apposé leurs signatures et empreintes digitales : afin d'éviter que le chef de district, devenu un grand mandarin, n'oublie son épouse légitime, ils devaient obligatoirement le faire une fois par semaine. Sa femme avait sept ans de moins que lui, elle lui avait fait signer cette garantie après qu'ils avaient pris leur plaisir, à la faveur de l'émotion, la nuit où il était passé chef de canton. Aussi tous les samedis savait-il qu'il fallait la combler. Malheureusement, au cours de l'année écoulée – depuis qu'il envisageait d'acquérir la dépouille, en fait – la moitié du temps il avait oublié. La construction du mausolée lui prenait trop la cervée[3]. A présent les travaux étaient officiellement en route, mais le Singapourien s'était évanoui dans la nature et il lui manquait encore la plus grosse part du faramineux capital dont il avait besoin. Il était fatigué, exaspéré, et même si c'était le week-end, après sa réunion vespérale il s'était effondré sur l'oreiller, où il avait ronflé avec énergie jusqu'à ce que dans la seconde moitié de la nuit elle le réveille.

Pour lui faire une annonce renversante :

« Nous divorçons, Liu Yingque. »

Il s'était frotté les yeux et l'avait dévisagée : « Qu'est-ce que tu dis ?

– J'ai réfléchi toute la soirée. Mieux vaut divorcer. »

Cette fois il avait bien entendu. Alors qu'il se redressait, un vent de nuit aussi caressant que l'eau d'un puits avait frôlé ses épaules, et s'étant instinctivement saisi d'une taie d'oreiller rouge pour s'en couvrir, il donnait l'impression de brandir un drapeau qui aurait flotté dans la brise ! Elle, assise sur une chaise au milieu de la pièce, portait le caleçon couleur de lune qu'elle avait enfilé à l'heure du coucher et l'une de ces petites vestes en crêpe rose pâle qui étaient la rage chez ces dames de Shuanghuai. Sa peau veloutée et chatoyante avait la blancheur éblouissante du jade. Ses cheveux, le noir de la laque. Moins de sept ans les séparaient mais elle semblait ne pas avoir atteint la trentaine. Elle était si jolie, si gracieuse, posée là devant lui sur sa chaise. Comme une petite sœur en train de faire son chinque[5].

« Putain ! Juste parce que ces temps-ci je ne t'ai pas mise assez benaise ?

– Ce n'est pas le problème. D'ailleurs, benaise, je ne suis pas seule à l'être.

– Cherche dans l'univers, tu ne trouveras pas une institutrice d'école maternelle prête à divorcer d'un chef de district !

– Si, moi. J'y suis fermement décidée. »

« Elle devrait considérer qu'avec un mari comme vous, elle est l'épouse de l'homme qui commande à tout le district ! Et que lorsque cet homme, plus tard, sera nommé maire ou secrétaire préfectoral, il donnera des ordres à tout un département ! Sans même parler du jour où il sera gouverneur ou secrétaire de province ! » avait fait remarquer le chef de canton.

Il avait dit : « Ecoute-moi bien : en m'épousant tu as touché le gros lot. A croire que ta famille a fait brûler de l'encens pendant trois générations ! »

Mais elle : « Je ne veux pas de ce bonheur-là, je ne veux être ni ta femme ni ton épouse. »

Alors lui : « Mais tu sais bien ! Quand je serai aussi important que Lénine, on te construira un mausolée et on t'élèvera une stèle ! »

– Je me fous de ce qui se passera après ma mort, avait-elle alors hurlé. C'est ma vie qui m'intéresse ! »

Si bien qu'après un instant de silence il avait grommelé : « Je me demande comment tes parents ont pu donner le jour à une fille comme toi… »

Et le chef de canton d'ajouter : « Ne vous fâchez pas, monsieur le chef de district. Il ne faut pas se disputer avec sa moitié, surtout que c'est une femme. Par contre, il faudrait que vous alliez faire un tour aux Ames mortes, les ouvriers ont osé entreposer le marbre blanc du mémorial contre le mur des chiottes.

– Putain de ta grand-mère, mais dis-leur de le déplacer !

– J'ai eu beau les niquer sur huit générations, ils disent qu'ils ne prennent d'ordres que de vous.

– En route ! Secrétaire ! Préviens le chauffeur d'avancer la voiture. »

« Tire-toi ! Casse-toi ! avait-elle dit. Si tu étais capable de ne pas remettre les pieds ici pendant dix ou quinze jours… »

Ricanement : « Tu ne me reverras pas avant un mois. »

Hurlement : « Deux !

– Trois ! »

– Si je te revois dans les parages avant, tu es une lavette !

– Le roi des corniauds, veux-tu dire ! Si je fais avant cette date un demi-pas en ces lieux, tu auras le droit de démolir le mausolée le jour où il sera achevé ! Et même si je rapporte la dépouille de Lénine, je ne vendrai pas l'ombre d'un billet. Tu pourras me jeter à la rue pour que j'y grille au soleil d'hiver ou qu'il neige et que je gèle pendant l'été ! »

« Bon sang de bordel, ça se rafraîchit, avait dit le chauffeur. On dirait des flocons de neige sur la vitre. »

Le chef de canton : « C'est le climat de la région. Tous les ans en mars il neige sur les pêchers en fleur et certains étés il y a de grosses chutes chaudes. »

Le secrétaire : « Foutaises ! Vous ne me ferez pas avaler ça ! »

N'avait-elle pas dit : « J'ai promis d'être gentille avec vous, monsieur le secrétaire Shi. Et c'est la vérité, si je mens, qu'il neige en été et que je gèle sur pied, ou que le soleil d'hiver me consume vivante ! »

« Vraiment ? »

Le chef de canton : « Vous ne croyez pas qu'un pêcher puisse se couvrir de jujubes ? Un unijambiste battre à la course des types qui ont leurs deux jambes ? Un aveugle trouver le Sud avec ses oreilles ? Il y a des sourds à qui il suffit de vous caresser le lobe de l'oreille pour entendre avec leurs doigts ce que vous murmurez. Vous n'avez pas lu cette histoire du macchabée qui a ressuscité alors qu'il était mort depuis sept jours et enterré depuis quatre ? On peut élever des corbeaux comme des pigeons, mais monsieur ne veut pas me croire ! Quand on sera à Benaise, je vous ferai voir, et vous élargirez le champ de vos connaissances. »

Le chef de canton : « Secrétaire Shi, vous êtes peut-être allé à l'université, mais moi, ce que je viens de dire, tout le monde le sait dans les Balou. Ça donne envie de faire sur vos manuels et de frotter vos tableaux au lisier. Grâce à vos dix années d'études, vous gagnez plus que moi et vous avez tringlé plus de drôlesses, mais vous ne savez pas que dans la région les températures peuvent tomber à moins quatre, moins cinq en plein été, ou monter en hiver jusqu'à trente-quatre, trente-cinq. S'il n'y a pas de quoi chier sur vos bouquins et pisser sur vos tableaux ! »

Le secrétaire : « Monsieur le chef de canton, votre bouche est un cabinet d'aisances. »

Le chef de canton : « Demandez au chef de district si je n'ai pas raison ! »

Lorsque tous deux, d'un même mouvement, avaient tourné la tête vers Liu, assis à l'avant, ils l'avaient trouvé violet et grelottant de froid. Ayant quitté le chef-lieu en simple tee-shirt, il avait à présent la chair de poule, même en croisant les bras sur la poitrine il gelait et claquait des dents. Devant, la neige tombait à gros flocons sur le pare-brise où l'essuie-glace allait et venait en grinçant.

Les flancs de la montagne étaient d'un blanc immaculé.

« Vous avez froid, monsieur le chef de district ? » s'était inquiété le chef de canton.

Frissons, pas de réponse.

Pour monter aux Ames mortes, il faut passer par les Balou et le chemin de crête de Benaise, d'où il y a encore soixante et onze lis à parcourir. On était en plein été, toutes fenêtres ouvertes ils avaient sué à grosses gouttes, de vraies fontaines, dans leur petit tacot chargé d'ans. Les vagues de blé le long de la route leur envoyaient de grosses bouffées d'air chaud et bouillonnant, de leur siège les paysans courbés qui faisaient métives semblaient de vagues objets posés dans le mitan des champs qui un à un s'évanouissaient. Il leur faudrait un certain temps pour parcourir la centaine de lis jusqu'au pied du mont, le chauffeur avait peur de faire éclater les pneus s'il roulait trop vite. Mais lorsqu'ils avaient atteint la chaîne des Balou, au sortir d'une forêt de sophoras une petite brise s'était levée. La température baissait, le parfum du froment pâlissait. Petit à petit, la canicule avait pris un goût automnal. Et plus tard, alors qu'ils avançaient à belle allure dans la montagne, la fraîcheur s'était intensifiée, avait carrément viré à la froidure ; s'ils ne s'étaient pas empressés de tout fermer, ils auraient gelé comme dans la campagne prise par les glaces au cœur de l'hiver.

« Qu'est-ce que c'est que cette histoire ? avait dit le chauffeur. Ça pèle de plus en plus. »

Le chef de canton : « Fi d'taupin, fichu climat ! Ici parfois ça neige sur les fleurs de pêcher et le soleil tape au milieu de l'hiver. »

Le chauffeur : « C'est qu'il neige vraiment, nom de Dieu ! Va falloir que je mette l'essuie-glace en route ! »

Le secrétaire : « Vous avez froid, monsieur le chef de district ? »

Elle : « Qu'est-ce que tu en as à foutre ? Qu'il crève, de froid ou de chaud, qu'il crève ! »

Le chef de district : « Je vais bien trouver une veste quelque part à Shuanghuai, avec ce temps ? »

Elle : « Couvre-toi et crève étouffé, découvre-toi et crève jelaudé. »

Le chef de canton : « Quelle tempête ! Continuons, il faut trouver un manteau pour le chef. »

Le secrétaire : « Là au tournant, il y a un village. »

Le chef de district : « Putain, si on m'avait dit qu'aujourd'hui je gèlerais à ce point ! »

Pendant qu'ils parlaient, la voiture avait pris le tournant et atteint un hameau à flanc de montagne. Ils s'étaient arrêtés sur l'aire de battage, avaient emprunté une veste, un manteau militaire, puis intimant au chauffeur de les attendre sur place, étaient montés dans les Balou.

Depuis ils résidaient au centre d'hébergement de Benaise.

Et la neige enfin ne tombait plus.

Il faisait toujours froid, pourtant. Quand on se levait le matin, le ciel restait couvert, un air glacial, encore empreint de l'idée de la neige, continuait de s'immiscer partout. Le chef de district n'avait pas fermé l'œil de la nuit. Il dormait dans le pavillon noble de l'ancien temple, celui où hommes et femmes venaient autrefois faire leurs dévotions. Guan Gong, Bouddha et la vieille muette avaient vidé les lieux, des cloisons divisaient la salle en trois pièces, dont la sienne, la plus au nord. Il avait un lit pour lui tout seul, équipé de deux matelas de coton et couvert de deux couettes. Douillet, cela l'était ! Pourtant il n'avait pas trouvé le sommeil. Certains événements survenus dix-huit ans plus tôt alors qu'il était délégué à l'éducation socialiste lui étaient revenus en mémoire : il s'était rappelé comment une femme était tombée enceinte de bessounes. Ensuite avait imaginé l'essor retentissant que prendrait l'industrie du tourisme s'il parvenait à acheter la dépouille de Lénine et à l'installer aux Ames mortes. La circonscription croulerait sous les richesses. Il ne serait plus chef de district, alors, ni même adjoint à un commissaire ou à un secrétaire : il serait un grand de ce monde, une figure célèbre dans l'univers, auprès de qui même le secrétaire départemental viendrait prendre ses ordres. Il avait bien réfléchi : la quasi-totalité des quelques dizaines de districts que comptait la préfecture étaient extrêmement pauvres. Une fois commissaire ou secrétaire là-bas, il demanderait à chacun de construire un mausolée et ferait tourner Lénine pour attirer partout les touristes et que tous s'enrichissent de manière éclatante. Jiudu, le chef-lieu, aurait sa journée internationale de Lénine, au cours de laquelle la dépouille serait installée au milieu de la grand-place et tous ceux qui dans le monde le vénèrent et le comprennent, ont lu ses œuvres – ainsi que celles de Marx, d'Engels et bien sûr du président Mao – se rassembleraient autour. Quant à ceux qui lisent et vénèrent Staline, c'était selon, il n'avait pas encore d'idée définitive sur la question, ayant entendu dire qu'à ce sujet les opinions diffèrent quelque peu en Chine et à l'étranger. Le chef de district avait beaucoup réfléchi au fil de la nuit. Les ronflements sonores de son secrétaire et du chef de canton dans la pièce à côté avaient été à son oreille musique d'un violon à deux cordes : et zon, et zon, et zon. Comme il aurait aimé leur boucher les narines avec du coton ou de vieux chaussons et leur enfoncer une chaussette puante dans la gorge !

Mais il était chef de district, il avait vaillamment enduré.

Et au petit matin, la tête légèrement ailleurs, il s'était levé.

Les chambres donnaient sur une cour d'un demi-mu plantée de deux vieux cyprès, d'un jeune orme et d'un sterculier d'âge moyen. Le poids de la neige avait fait tomber les feuilles du sterculier et les vieux nids de corbeaux des cyprès. Le sol était jonché de branches mortes et de cadavres d'oisillons nés au cœur de l'été, qui après s'être écrasés par terre s'y étaient transformés en œufs de glace. Ces petites boules de neige éparses, d'où seul émergeait un bec pointu, faisaient penser à des poussins en train de sortir la tête de leur coquille. Le sommet du mur en pisé disparaissait sous une couche de tiges de maïs desséchées qui s'effritaient. Sur ce mur le vent avait soufflé, la pluie était tombée, et bien contre son gré au fil du temps il s'était lézardé.

Un manteau sur les épaules, le chef de district alla se planter au milieu de la cour, qu'il fouilla du regard jusque dans ses moindres recoins.

Dans la rue passait un boiteux avec son bâton, tôt levé pour aller puiser de l'eau. Sa canne ne faisait pas toc, toc, toc comme en temps normal, mais flip-flop, flip-flop dans la neige. On entendait d'abord le bruit léger de son pied malade qui se posait sur le sol, puis le valide qui se soulevait avec peine et retombait lourdement. Ce n'était pas régulier mais à bien tendre l'oreille on percevait un rythme. Pour le chef de district, cela ressemblait à deux masses de bois, une petite et une grosse, qui se seraient alternativement abattues quelque part au loin sur la terre enneigée. L'homme s'en fut et on n'entendit plus rien, il n'y eut plus un son. Il releva la tête, contempla l'horizon à l'est de la montagne, là où derrière les nuages se trouvait un pan de blanc tellement gorgé d'eau qu'on l'eût cru prêt à dégouliner s'ils ne lui avaient pas fait obstacle. Mais seules quelques gouttes argentées en filtraient, par les rares fentes entre les cumulus.

Une sève claire qu'il fixa longuement.

Puis son regard se détourna, et il vit dans la cour une pelle en fer rouillé contre un mur. Il l'arracha à la neige, la cogna sur le sol pour la nettoyer, coinça le manche dans une crevasse de l'enceinte – le métal corrodé collé contre le col de son manteau – et visa les lourds nuages qui faisaient écran à ce morceau de blanc argenté, là-bas, à l'est. Non content de viser, du doigt il faisait le geste d'appuyer sur la gâchette, coup après coup le repliant vers lui et à chaque fois lâchant un « pan » pour imiter le bruit du fusil.

Il visait, tirait : « Pan ! »

Visait, tirait : « Pan ! »

Visait, tirait : « Pan ! »

Visait, tirait : « Pan ! »

A chaque détonation les sombres nuées qui masquaient la sève à la blancheur aveuglante se dispersaient, laissant le jus argenté s'écouler.

Quand il entendit l'écho de ce flux entre les nuages, sa face vira au rouge flamboyant. Le rythme de ses tirs s'intensifia, les « pan » s'échappaient sans lachance[7] d'entre ses lèvres. L'argent virait au jaune, le soleil semblait sur le point de briller. L'univers se faisait doré.

« Le ciel s'éclaircit, monsieur le chef de district. » Derrière lui le secrétaire se frottait les yeux. « Il a suffi que vous tiriez pour donner au soleil envie de se lever !

– Il a intérêt ! » Le chef de district s'était retourné avec un sourire de général victorieux. « Allez, viens, Shi, essaye ! »

Le secrétaire s'empara de la pelle, la posa exactement comme son patron dans la brèche du mur, et visa l'est. Comme le chef de district il crocheta l'index droit en criant « pan ! pan ! pan ! ». Mais plus il tirait, plus il criait, plus les nuages qui avaient entrepris de se disperser se tassaient et revenaient voiler le pan de sève argentée et dorée.

« Avec moi, ça ne marche pas, dit-il.

– Voyons ce que ça donne avec le chef de canton », répondit le chef de district.

Ce dernier, qui sortait des toilettes, s'empressa de refermer sa braguette. Puis lui aussi prit la pelle comme il aurait pris un fusil et visa le sommet de la montagne, à l'est, là où le soleil se levait. Il eut beau tirer plusieurs coups, l'écart entre les nuages se referma, le pan de sève argentée avait complètement disparu.

Le ciel n'était plus qu'une masse nébuleuse.

L'humidité et le brouillard régnaient jusque dans la cour du temple.

Le chef de district lui donna une petite tape sur l'épaule : « Habile comme tu es, je pense qu'il va falloir attendre que j'aie rapporté Lénine pour te nommer directeur du bureau du tourisme. » Puis à nouveau il prit la pelle, changea de position pour mieux viser, tira une rafale de vingt à trente coups et la nuée se déchira.

Le fusil avait retenti, les nuages s'étaient dispersés, le soleil se levait.

Il tira encore une dizaine de fois : au sommet de la montagne, à l'est, apparut un morceau de ciel argenté.

Encore une dizaine de coups, et un jaune doré se mit à pointer.

Encore une dizaine de coups, le pan d'or et d'argent prit la taille d'un champ de blé.

Et le ciel s'éclaircit, et les nuées s'écartèrent, et le soleil se leva. En un clin d'œil à l'est au-dessus des cimes, le firmament s'était dégagé. Avait viré au jaune limpide. Le noir brouillard qui avait refusé de se dissiper s'était condensé, métallique dans le lointain. Dans la lumière du soleil la neige était d'une éclatante blancheur, ses reflets éblouissants. Les branches des arbres s'entremêlaient comme des tringles d'argent. Dans les champs, au milieu de la couche immaculée, quelques tiges de blé dressaient çà et là le col, semblables à des ronces en train de percer la couverture de la grande terre. L'air avait une fraîcheur rare, on inspirait deux ou trois coups, on le mâchait et sa saveur était telle que la gorge, à laquelle on ne trouvait auparavant rien de spécial, semblait sale, on avait envie de se la racler et de cracher pour se débarrasser des immondices.

Partout dans le village on toussait.

Quand ils eurent bien expectoré, les paysans qui étaient debout mirent la main en visière à leur front et commentèrent.

Les hommes : « Hé ! Ça s'éclaircit ! On va pouvoir récolter ce qu'il reste, en dépit de la catastrophe il doit être possible de sauver quelque chose. »

Les femmes : « Ah ! Ça s'éclaircit ! On va pouvoir mettre au soleil les édredons qui moisissaient. Ce n'est pas parce qu'on est dans le pétrin qu'il faut laisser gâter la literie. »

Les enfants : « Oh ! Quel dommage ! Ça s'éclaircit ! Il n'aurait pas pu neiger encore quelques jours ?

On serait restés sous la couette. J'aime mieux crever de faim qu'aller à l'école. »

D'autres, en regardant dans la direction de l'ancien temple : « Tiens, le chef de district arrive et le ciel s'éclaircit. On voit bien qu'il n'est pas comme nous, les gens du peuple. Il contrôle même le climat. »

De l'autre côté du mur, écoutant ces réflexions, ledit chef de district avait rangé sa pelle. Il attrapa une poignée de neige pour rafraîchir son gosier desséché à force de « pan ! pan ! pan ! », réfléchit un instant puis se tourna vers le chef de canton : « C'est courant qu'il neige en été dans la région ?

— C'est arrivé une fois avant les trois années de catastrophes naturelles, entre l'année du Rat et celle du Lièvre, et une autre avant les dix années de grande misère, entre l'année du Cheval et celle du Dragon. Mais ce n'étaient pas de grosses averses, juste de petites neiges de cinquième mois qui fondaient dans la journée dès que le soleil était revenu.

— Autrement dit, cette chute pendant les jours chauds est un événement puisque cela ne s'est pas produit depuis un siècle, commenta le secrétaire.

— Putain, tu l'as dit ! Si un phénomène de cette importance n'est pas un événement, qu'est-ce que c'est ? »

Le chef de district reprit la parole. Au chef de canton : « Il faut porter secours à ces sinistrés. Toi, tu vas filer aux Ames mortes et leur dire de m'enlever le marbre du mur des chiottes. Qu'ils me lavent ça un grand coup quand ils l'auront déplacé et tu les obligeras à boire l'eau qu'ils ont utilisée. » Puis au secrétaire : « Retourne au chef-lieu. Ils peuvent en crever mais je veux que dans tous les départements on donne dix yuans par personne pour l'aide à Benaise.

Rédige-moi une circulaire sur la nécessité d'assister de toutes nos forces les victimes et envoie-la à la préfecture et à la province. Quand les subsides seront arrivés, les villageois feront une grande benaisade[9] pour remercier le gouvernement. »

Après le petit déjeuner, le chef de canton prit à pied dans la neige le chemin des Ames mortes.

Le secrétaire regagna le chef-lieu.

Le chef de district restait à Benaise.

COMMENTAIRES

① *L'achetis de Lénine* – *Comme on s'était mis à dire vulgairement dans la région pour parler de l'acquisition de la dépouille.*

③ *Cervée*, n. f. – *La tête, la cervelle.*

⑤ *Chinque*, n. m. – *Coup de tête, caprice.*

⑦ *Sans lachance* – *Sans relâche. Il n'y a pas de rapport avec la notion de « chance ».*

⑨ *Benaisade*, n. f. – *La grande cérémonie de fin des métives à Benaise.*

CHAPITRE V

La benaisade du cinquième mois
de l'année du Tigre

La saison des champs était passée.

Dans le labeur mais sans précipitation elle s'était achevée.

L'un dans l'autre, on était encore en été. La neige s'était empressée de fondre dès que le soleil avait pointé. Mais la terre était restée humide, quand on en pressait une poignée, dix gouttes d'eau tombaient ; un brouillard épais s'était installé au moment exact où on aurait eu besoin de l'ardeur du soleil pour la sécher. Le plein jour n'était pas plus clair que la nuit, le chef de district avait beau viser le ciel avec sa pelle, les nuées continuaient de couvrir ciel et terre. Il avait tiré le premier jour, puis le deuxième… Dès qu'il était seul il s'emparait de la pelle ou d'un manche de houe et le pointait vers le firmament. Accroupi au-dessus de la fosse des toilettes, il imitait un revolver avec sa main droite, la tournait vers un point des nuages et les coups silencieux fusaient. Le brouillard continuait de déferler, en flots ininterrompus. Le cinquième jour, tellement énervé qu'un bouton lui était poussé à la lèvre, il avait emprunté au village un vrai fusil et fait feu trois fois d'affilée vers les nuées, les balles avaient toutes atteint leur but, pas une miette de fer ne s'était perdue.

Finalement les nuages s'étaient écartés, le soleil avait paru.

La terre qu'auparavant on eût pu traire avait séché jusqu'à pouvoir garder l'empreinte d'un pas.

Les grains de blé étaient noirs dans les épis moisis, le gluten d'une teinte si sombre qu'en consommer serait revenu à s'empoisonner : on aurait eu des coliques et la nausée. Les tiges aussi étaient pourries, jaunes et noires elles puaient. Même un bœuf mourant de faim n'aurait pu s'en nourrir. Cet hiver il n'y aurait pas de fourrage pour le bétail. Ni de farine fine, dans aucun foyer, aucune famille, on ne pourrait s'offrir le plaisir occasionnel d'un bol de nouilles. Il n'y aurait pas de poches-plates[1] pour le Nouvel An. Pas de graines pour les semailles d'automne.

Par quelque bout qu'on la prenne, l'année s'avérait catastrophique. Les villageois n'affichaient pas cet air réjoui qui est d'ordinaire le leur à la fin des métives. Jusqu'ici, Mao Zhi avait toujours décrété trois jours de célébration dès qu'on en avait terminé avec la récolte. Dans les cuisines, les fourneaux s'éteignaient et tout le monde se retrouvait sur la grande aire de battage. Pendant trois jours, on allait s'empiffrer et boire jusqu'à plus soif. Pendant trois jours, les uni-jambistes allaient se mesurer à la course avec de jeunes gaillards bien plantés sur leurs deux rales ; les sourds montrer qu'il suffit de caresser une oreille pour savoir ce que son propriétaire murmurait : toucher ce que les gens disent, toucher leur voix. Les aveugles feraient le concours de celui-qui-a-l'ouïe-la-plus-fine : on laisserait tomber une aiguille sur une pierre, une planche ou par terre, invisible aux yeux de tous, et on leur demanderait de deviner si elle était devant ou derrière eux. Manchots et boiteux avaient aussi leurs trucs… Ces trois jours de réjouissance rappelaient le Nouvel An. Des hameaux environnants, à plusieurs lis à la ronde, les villageois affluaient, et parmi eux de nombreux jeunes gens et jeunes filles. Or à force de se regarder on finit par lier connaissance, des garçons de l'extérieur se mariaient avec des handicapées de Benaise, des infirmes du village épousaient des belles en pleine santé. Il en résultait régulièrement des drames. Imaginez un garçon issu de ces campagnes, un fils unique parfaitement constitué venu s'amuser à la kermesse et tombé sous le charme d'une jeune bancale. Elle boîte, elle n'est pas forcément jolie mais elle sait enfiler en un battement de paupières soixante-dix à quatre-vingts aiguilles d'un coup et a brodé devant la foule son portrait sur la toile blanche. Il sent bien que sans elle il ne trouvera jamais le bonheur mais ses parents ne sont pas d'accord. Il tente de se suicider, ou vient carrément s'installer dans la famille de la fille. Le voilà dans la place, elle tombe enceinte, donne naissance à un petit gars ou une drôlesse et les beaux-parents n'ont plus le choix, ils sont bien obligés de reconnaître la parenté. Ou une ravissante demoiselle, elle aussi attirée par les festivités, qui s'éprend d'un sourd ou d'un aveugle. Le sourd bien sûr est dur d'oreille, mais il n'a qu'à observer ses lèvres pour deviner à leurs mouvements et à l'expression de son visage ce qu'elle dit. D'ailleurs, si ses oreilles manquent d'intelligence, il n'en a pas pour autant la langue dans sa poche.

La fille : « Celle qui t'épousera aura bien du malheur. »

Le sourd : « Ça c'est certain ! Je lui laverai les pieds, je lui servirai à boire, je lui ferai à manger ; que la saison soit pleine ou morte jamais elle n'ira aux champs ; il faudra qu'elle reste chez elle à se tourner les pouces, avec un cœur qui s'affolera et des mains qui la démangeront. Si ce n'est pas la guigne, ça ? »

La fille, en riant : « Tes mots ont encore plus de charme qu'une chanson. »

Le sourd : « Mais je chante encore mieux ! Ecoute ! »

Et à voix basse il entonne sur un air de madrigau des Balou[3] :

En hiver le soleil vient réchauffer la terre
Et nous nous en jouissons sans pour cela rien faire
L'homme a coupé les ongles de sa tendre et chère
Elle a curé les oreilles de son partenaire

A l'est du village vit un vieux millionnaire
Or, argent et maisons lui sont tombés du ciel
Mais tous les jours huit fois il battra sa mégère
Dis-moi : A qui les jours amers ? Les jours de miel ?

La fille ne rit plus, elle réfléchit et pose sa paume sur le bras du sourd pour lui demander : « Et si je parle comme ça, tu entends ? » Il lui prend la main : « A côté de toi je ne suis jamais sourd, mes doigts entendent tout ce que tu dis. » Elle retire sa main, il faut qu'elle rentre parler à sa mère. Elle va parlementer. Mais chez elle personne n'est d'accord. Au bout du compte pourtant elle se marie à Benaise, avec lui.

Imaginez l'aveugle et oubliez qu'à ses yeux il n'y a qu'une brume noire. Il a tant d'esprit, quelques phrases et il séduit. Sur le chemin de la fête il a buté sur une pierre, trébuché et serait tombé si elle ne l'avait rattrapé.

Lui : « A quoi bon ? Tu aurais mieux fait de me laisser m'écraser, que j'en finisse une bonne fois pour toutes. »

Elle : « Il ne faut pas dire des choses comme ça. La vie est toujours préférable à la mort. »

Lui : « Tu as de la chance, tu vois et tu es jolie, bien sûr que la vie te plaît. »

Elle, troublée : « Comment peux-tu savoir que je suis jolie ? »

Lui : « Parce que je te vois. Je vois la beauté du monde, je vois que tu es ravissante. »

Elle : « Je suis petite et grosse. »

Lui : « Ta taille est une branche de saule. »

Elle : « Tu ne vois rien, j'ai le teint basané. »

Lui : « Parce que je ne vois rien, je sais que tu as la peau blanche, tendre, selon mon cœur, comme les fées des légendes. »

Elle : « Tu ne vois rien ! Si tu avais des yeux, tu ne t'emballerais pas comme ça ! »

Lui : « Toi, tu vois : du coup tu vois toute la saleté du monde. Moi non : *a contrario* je le vois pur et propre. » Puis : « Je ne vois pas. Tous les jours je demande qu'on me laisse tomber mais jamais au fond de moi je n'ai vraiment pensé à la mort. Toi, je suis sûr que si, plusieurs fois par jour. » Allez savoir si c'est vrai, à l'écouter ses paupières rougissent, elle va pleurer. « Je vais te guider jusqu'à l'aire », dit-elle. Il lui tend le bâton qu'il avait pris pour explorer le chemin mais craignant qu'elle se salisse les mains se ravise, le retourne et prend entre ses doigts l'extrémité qui a touché le sol pour lui donner l'autre. C'est comme si elle sentait sur la canne la chaleur de son corps, elle a l'impression qu'à force de la manipuler il l'a rendue lisse et éclatante.

Ils assistent ensemble à la benaisade.

Et passent ensemble le reste de leur vie. Ont des garçons et des filles qui perpétueront la lignée.

Mais cette année-là, Mao Zhi n'organisa rien du tout, ni benaisade ni aucune célébration pour la fin des moissons. Ce fut le chef de district qui s'en occupa. Il était pourtant allé la voir. Il l'avait trouvée dans sa cour, en train de nourrir ses chiens comme elle aurait nourri des enfants. Eux aussi étaient infirmes, aveugles ou boiteux. Certains étaient pelés – le dos chauve et couvert de plaques de teigne qui faisaient penser à des mottes de terre sur un mur mal aplani. A d'autres il manquait – allez savoir pourquoi – la queue ou une oreille. La cour, carrée, donnait sur une falaise terreuse, avec sur deux côtés les pièces principales : au sud la chaumière qui tenait lieu de cuisine, au nord un bâtiment couvert de tuiles, son logement proprement dit. Les chiens nichaient dans deux grottes de la paroi rocheuse, au pied de laquelle étaient disposées une auge à cochons, une vieille bassine, une marmite sans anses et une écuelle neuve : leurs mangeoires. Ils ne se disputaient pas la nourriture comme des porcs, chacun lampait dans sa marmite, son écuelle ou son auge la bouillie de maïs qu'elle y avait versée. La cour résonnait du bruit de leur mastication. Elle fleurait bon le grain mûr jaune sombre. Une vieille bête au pelage bigarré – elle avait plus de vingt ans, soit pour un être humain quatre-vingt-onze bien tassés – n'étant plus en état de bouger, elle avait posé devant elle un demi-bol de pâtée que celle-ci pouvait laper en tirant paresseusement la langue tout en gardant la position allongée. Quand elle en avait eu fini, Mao Zhi lui avait encore versé un peu de soupe de riz et la bête avait continué de s'alimenter avec la même lenteur. Le soleil était déjà haut, le village d'un calme profond. Dans la montagne les derniers paysans s'affairaient sur leurs terres, à labourer par exemple, ou à semer pour ceux qui entendaient tirer parti de l'humidité du sol. Des vagues apportaient au village l'écho des cris qu'ils poussaient pour faire avancer le bœuf ou le bruit de la houe qui tombait en prévision de la moisson d'automne, des sons à la cadence variée, qui montaient et descendaient comme la mélodie *Le vol de l'oiseau* interprétée au violon dans un madrigau des Balou. Mao Zhi était donc en train de nourrir ses bâtards lorsqu'elle avait entendu quelqu'un pousser la porte. Elle s'était retournée et avait trouvé le chef de district sur le seuil.

Après lui avoir jeté un coup d'œil de côté, elle s'était repenchée sur ses bêtes.

Il était resté là, dans l'embrasure, comme s'il avait toujours su qu'il en irait ainsi et que cela ne le gênait pas le moins du monde. Lorsque, après avoir balayé les bâtiments latéraux, son regard s'était arrêté sur les mâtins à leurs mangeoires, ils avaient brusquement relevé la tête pour le fixer. Soudainement conscient qu'au moindre mot de leur maîtresse ils risquaient de passer à l'assaut, lui qui comptait s'avancer avait décidé de garder ses distances.

Elle lui tournait le dos.

« Qu'est-ce que tu veux ? »

Le chef de district avait tenté un pas en avant.

« Tu nourris tous ces chiens ? »

Elle : « C'est eux que tu es venu voir ? »

Lui : « Je suis venu vous aider. »

Elle : « Alors aide-nous. »

Lui : « Les subsides et les provisions seront bientôt là. Je ne suis pas allé aux Mélias, il y a deux ans, quand la grêle est tombée sur leurs champs, je ne leur ai rien donné, ni vivres ni liquide ; lorsqu'ils ont souffert de la sécheresse aux Jujubiers, l'an dernier, et que la récolte a été fichue, on leur a accordé cent livres de semences par mu mais je ne me suis pas déplacé ; cette année, même s'il a neigé à Benaise au milieu du sixième mois, les gens ont souvent réussi à récupérer pas mal de blé. Pourtant je suis là, sur place, et à tout prendre, avec l'argent et les vivres qu'on va vous distribuer, vous allez peut-être y gagner par rapport aux précédentes moissons. »

Mao Zhi avait versé la dernière cuillerée de riz dans le bol du chien. « Autrement dit, je dois te dire merci au nom des villageois. »

Le regard du chef de district était allé se perdre par-delà les cimes des jujubiers sauvages qui poussaient en face, au-dessus des grottes. Pendant la tempête ils avaient perdu leurs feuilles, mais dès que le soleil avait chauffé ils s'étaient mis à bourgeonner comme si le gai printemps venait de revenir.

« Pas à moi. C'est envers le gouvernement qu'il faut être reconnaissant. La benaisade doit avoir lieu comme d'habitude.

– Je suis trop vieille, je ne peux plus m'en occuper.

– Alors je m'en chargerai.

– Si tu en es capable. »

Dans son dos il avait eu un petit sourire : « Tu oublies que je suis chef de district. »

Mao Zhi avait elle aussi souri, mais ne s'en était pas retournée pour autant : « Comment pourrais-je l'oublier ? Je me souviens aussi que lorsque en-su[5] ils m'ont proposé de l'être, j'ai refusé et qu'à l'époque tu n'étais pas encore né et encore moins chargé de l'éducation socialiste au canton des Cyprès. » Il n'avait même pas répondu, après être resté planté là un instant encore, il avait reniflé un grand coup et était sorti.

Il n'y avait à l'origine pas de cadre villageois à Benaise. Jamais depuis la Libération il n'y en avait eu, le village fonctionnait comme une grande famille où chacun vaquait à ses affaires. Dix ou vingt ans auparavant, lorsque la commune populaire avait cherché à les incorporer au territoire de l'une ou l'autre brigade, personne n'avait voulu de ces deux cents et quelques infirmes. Qu'ils se débrouillent tout seuls ! Tant pis s'ils n'étaient pas assez nombreux pour constituer une véritable unité de production. En fin de parcours ils n'avaient été intégrés nulle part, de toute façon c'était un village naturel relevant du canton des Cyprès, et quoi qu'il arrive, Mao Zhi se chargeait de tout et de ses mille ramifications. C'est elle qui après la Libération avait ramené ce Benaise oublié dans le giron géographique du canton et du district, il était normal qu'elle s'occupe des affaires du village : l'organisation des meetings par exemple, ou la perception de l'impôt en grain et la vente du coton. A elle d'informer la population en cas d'événement politique majeur, de régler les querelles entre voisins, les disputes entre belle-mère et belle-fille : dans tous les cas elle s'en débrouillait et trouvait la solution. Si elle ne s'était pas de son plein gré fixée à Benaise, peut-être au bout d'un certain nombre d'années serait-elle devenue chef de canton, voire de district. Mais puisqu'elle avait décidé d'y rester, il était normal qu'elle soit la maitriauté[7].

Si benaisade il devait y avoir, c'était à elle qu'il revenait de l'organiser sur l'aire de battage. A part en période de disette, tous les dix ans environ, c'était toujours elle qui prenait ce genre de dispositions. Depuis plusieurs décennies, quel que soit le sujet, c'était à elle qu'il fallait s'adresser. Certes, ce n'était pas un cadre au sens où on l'entend normalement, elle n'était ni chef de village ni secrétaire ni chef de brigade de production et ne dirigeait aucune organisation populaire. Benaise n'avait pas procédé à des élections, personne du département, ni de la commune d'autrefois, ni du canton d'aujourd'hui n'avait fait le déplacement pour lui conférer l'autorité. Mais si en-su on estimait qu'une chose devait être faite, c'est elle qu'il fallait contacter. Elle réfléchissait au problème, dans certains cas le réglait, dans d'autres faisait opposition, protestait et renvoyait les représentants du pouvoir les mains vides. Il allait de soi que c'était elle qui commandait à Benaise. Sans elle il n'y aurait pas eu de leadership. Supposons qu'on ait projeté de construire une route, ou de jeter un pont au-dessus de la rivière au fond de la vallée, ou qu'un puits se soit effondré après les pluies – ou que le petit bois et les feuilles mortes s'y accumulent à longueur d'année, ou que l'enfant d'un tel y ait laissé tomber sa chaussure ou son chapeau, ou qu'un tel n'ait plus le goût de vivre et s'y jette : à force, l'eau n'était plus douce, il fallait le curer et laver les parois. Eh bien, si elle ne s'en mêlait pas, les infirmes étaient impuissants. Elle seule était capable de gérer les affaires publiques.

A fortiori, d'organiser la benaisade.

Cette année pourtant, après la catastrophe, ce serait le chef de district qui s'en occuperait. Et la fête serait aussi réussie. Quand il sortit de chez elle, cela faisait neuf jours qu'il était à Benaise. Quatre que le ciel était clair et qu'un bon soleil brillait. Dans les champs à flanc de montagne, nombre de paysans avaient déjà épandu le maïs. Dans la vallée, par contre, où sur la terre plane l'eau stagnait encore, il faudrait sans doute attendre quelques jours. L'aide du district devait arriver avant la nuit avec le secrétaire, qui aurait traité l'ensemble des données et apporterait un peu de liquide. Il fallait que la fête ait lieu très prochainement pour qu'il puisse distribuer les subsides. Le peuple ne doit jamais oublier les bontés que le gouvernement a pour lui : c'est dans l'ordre des choses depuis des millénaires. Mais Mao Zhi n'organiserait pas cette benaisade. Honnêtement, il n'avait pas envie qu'elle s'en mêle. Si elle prenait les choses en main, elle risquait d'en profiter pour dire ou faire certaines choses et il ne saurait plus sur quel pied danser. Ceci mis à part, elle avait soixante et onze ans, elle était de la génération des années trente et la seule personne du district à être allée à Yan'an. Elle faisait partie de ces vétérans qui ont été à l'origine de la Révolution et à qui on estime, en-su, que le respect est dû. Impossible de se dispenser d'une visite ou de lui en toucher quelques mots. Mais comment pouvait-elle s'imaginer que, sans elle, il ne saurait mettre sur pied cette insignifiante célébration ?

Quelle blague !

En sortant de chez elle, il voulut aller droit battre la cloche sous le vieux sophora dans le mitan du village. Le soleil étant à son plein midi, quelques boiteux s'étaient regroupés sur l'aire plane pour y prendre leur déjeuner. Parmi eux, un menuisier d'un âge avancé et quelques jeunes dont la plupart – à part celui à qui il manquait une jambe – se passaient très bien de béquilles. Les bols s'immobilisèrent dans leurs mains quand Liu Yingque fit son apparition. « Vous avez mangé, monsieur le chef de district ? s'enquirent-ils.

– Oui. Vous alliez commencer ?

– On a presque fini. Prenez un petit quelque chose avec nous.

– Non merci. » Puis : « Vous avez envie de participer à la benaisade ? »

Le visage des jeunes s'illumina.

« Bien sûr ! Tout le monde en a envie ! On attend juste que Mao Zhi l'organise. »

Le chef de district se pencha pour les scruter.

« Si ce n'est pas elle qui s'en occupe, vous n'y irez pas ?

– Qui d'autre s'en chargerait ? intervint le plus âgé.

– Moi.

– Vous aimez la plaisanterie !

– Je suis sérieux. »

Ils le dévisagèrent avec des yeux de fous, qu'ils détournèrent après l'avoir longuement scruté sans discerner le moindre signe d'insincérité. Et le vieux, en mangeant, le regard ailleurs :

« Nous sommes cent quatre-vingt-dix-sept à Benaise, monsieur le chef de district. Dont trente-cinq aveugles de tous âges, quarante-sept sourds ou muets et trente-trois boiteux. A certains il manque un bras ou une main, ou alors ils ont un doigt en plus. Il y en a sept ou huit qui n'ont même pas figure humaine et quelques dizaines à qui, s'il ne manque pas quelque chose ici, c'est qu'autre chose leur fait défaut là. Avez-vous vraiment envie d'admirer nos physionomies de mal-complets ? »

Le teint du chef de district avait viré à une légère cire. Regardant le vieux boiteux, il lui répondit : « Je te connais : tu es menuisier et tu sais graver le bois. Alors écoute : vos têtes ne m'intéressent pas, de par ma fonction je dois me conduire envers vous comme le feraient vos parents, vos propres père et mère. Les huit cent mille habitants de ce district sont mes enfants. Je dois les nourrir et les habiller. Cette année il a neigé au sixième mois, pour vous secourir j'ai des vivres et du liquide à distribuer immédiatement, je veux que la benaisade ait lieu demain et je vous remettrai ces subsides pendant la fête. Venez et vous aurez des céréales et de l'argent, peut-être plus que ce que vous récoltez en temps ordinaire. Sinon, rien. »

A nouveau on le fixa.

Mais il était parti.

Envolé avant qu'ils aient eu le temps de lire quoi que ce soit sur son visage. Le chemin du village, long, étroit et sinueux, était la seule route. C'était aussi une rue. Le soleil y tapait avec une telle violence que c'en était affolant, même les poules et les cochons s'étaient réfugiés à l'ombre des murs. Le chef de district était un type solide mais court sur pattes et rondouillard : son ombre ne faisait que la moitié de sa taille, toute noire elle semblait une boule qui aurait roulé silencieusement derrière lui. Les talons de ses sandales en cuir battaient le sol avec rigueur. Il était parti d'un pas vif, l'air furieux, sans leur accorder le moindre regard supplémentaire. La roue de charrette qui tenait la cloche était accrochée à un sophora, un arbre au tronc épais comme un tambour où poussait à hauteur d'homme une branche grosse comme un bol. C'était à cette branche – enrobée d'une semelle de chaussure de peur que le fil de fer l'étrangle – qu'elle pendait. Il les vit en même temps : la cloche et la semelle en caoutchouc. Du vieux sophora émanait une odeur de jeunes bourgeons. De la roue et de l'épais fil de fer, le parfum violent et putride de la rouille. Il va sans dire que cette cloche pendait là, au repos, depuis des

81

dizaines d'années, peut-être n'avait-elle pas servi depuis l'année du Cheval, 1987, lorsque les terres avaient été réparties entre les familles. Il était rare qu'on la batte. Ailleurs, dans les autres villages, on se servait de ses sœurs pour appeler aux meetings quand il n'y avait pas de haut-parleur. Tandis qu'à Benaise ! Personne – soit – n'aurait pu oublier son existence, mais s'y rendre en inspection… Il était à craindre que le temps d'une vie personne ne la frappe jamais. Elle sentait la rouille, un parfum qui, mêlé à celui des bourgeons, avait la fraîcheur de l'eau claire lorsqu'elle coule dans une rivière limpide. En cet instant pourtant, le chef de district s'apprêtait à sonner. A lui rendre son utilité, à appeler. Il était déjà en train de chercher par terre une brique lorsque le « Singe », celui à la patte cassée qui tout à l'heure sur l'aire était resté coi, déboula avec sa béquille.

« Chef ! » appela-t-il, la face empourprée.

Le chef de district se retourna.

« Inutile de battre la cloche. Je vais aller de maison en maison les informer. C'est toujours moi que Mao Zhi charge de faire la tournée quand il se passe quelque chose. » Aussitôt dit, aussitôt fait, appuyé sur sa canne il était parti vers les foyers des malvoyants à l'entrée du village. Il se déplaçait avec une extrême promptitude et beaucoup d'agilité : enfonçant son bâton dans le sol à sa droite, il soulevait la jambe gauche et à peine son pied était-il retombé que bâton et corps se déportaient à nouveau vers la droite. Il ne marchait pas, il sautait, aussi rapide qu'un gens-complet au pas de course, en un clin d'œil il fut devant la demeure d'un aveugle chez qui il s'engouffra par la grand-porte.

Le chef de district avait suivi son avancée d'un œil étonné : il avait l'impression de voir un cerf ou un petit cheval en train de bondir, rapide comme l'éclair, sur un chemin sauvage de la montagne.

Le Singe avertit tous les foyers du village.

Il criait : « Hé ! l'aveugle ! Demain matin c'est la benaisade, le chef de district va nous donner des céréales et de l'argent. Ceux qui ne viendront pas mourront de faim au printemps. »

Il criait : « Hé ! le Quatrième ! Demain matin c'est benaisade, mais pas la peine de venir si vous préférez crever de faim au printemps ! »

Il criait : « Hé ! la commère à la canne, tu n'as pas envie de rencontrer le chef de district ? Fais ton numéro demain à la benaisade ! »

Il disait : « Petit Zhu, file prévenir tes parents que demain, à l'aube, ce sera le début de la benaisade. »

Tout le monde fut informé.

Au point du jour, alors que l'est se teintait de rouge, les Benaisiens avalèrent leur petit déjeuner et se rendirent en masse à l'entrée du village. Le soleil était doux et chaud, un petit vent soufflait, les hommes se sentaient bien en bras de chemise. Les femmes aussi, dans leurs cotonnades colorées. L'aire était aussi plane que la surface de l'eau. Primitivement destinée au battage collectif, elle était devenue propriété des aveugles au moment de la redistribution des terres. En toutes choses c'était à eux qu'on s'efforçait de penser d'abord, tels ces bébés auxquels la mère accorde régulièrement quelques gorgées de lait supplémentaires, ils bénéficiaient d'attentions particulières. L'aire était grande, elle était proche du village, on la leur avait attribuée. Pour les besoins de la chose publique, néanmoins, en cas de meeting ou d'une occasion de ce genre, c'était elle qu'on utilisait. Elle était lieu de réunion, scène de théâtre. Faisant environ un mu de surface, d'un côté elle jouxtait la route, sur deux autres les champs, et sur le dernier un mur de terre de trois pieds de haut que surplombait un grand champ en pente. Le gaillard de cinquante-trois ans à qui il appartenait n'avait qu'un bras. L'autre, qui lui manquait depuis qu'il était sorti du ventre de sa mère, était resté à l'état de moignon, un battoir. Mais n'avoir qu'un bras et une main ne l'empêchait pas de labourer ni de lever sa pioche et de creuser. Tous les ans, au moment de la benaisade, lorsque les gens de l'extérieur ne trouvaient pas de place sur l'aire, ils s'installaient sur son lopin. La terre y était meuble, il l'avait retournée, mais à force d'être foulée pendant trois jours d'affilée elle redevenait aussi dure que la surface d'une route et, la fête finie, il fallait tout recommencer. Il menait donc son bœuf, retournant la terre une deuxième fois et se plaignant qu'on lui ait écrasé son champ et ruiné son travail. En dépit de ses lamentations, il affichait un sourire ravi. Et si quelqu'un, ayant réalisé qu'il binait toujours cette parcelle en premier, allait lui demander : « Oncle, tu retournes la terre mais c'est bientôt la benaisade, les gens vont la piétiner ! », il jetait un œil à droite, un œil à gauche pour s'assurer qu'ils étaient seuls, et à voix basse, riant, lui confiait : « Tu n'y connais rien, petiot. Quand les gens marchent sur un champ juste labouré, la poussière de leurs semelles et les pets qu'ils lâchent restent incrustés dans la terre. Un an sans avoir besoin d'engrais ! »

Cette année aussi, l'homme à un bras avait labouré. Lui qui se disait qu'en raison de la catastrophe il n'y aurait pas de benaisade, eh bien si, elle avait lieu ! Et c'était le chef de district en personne qui l'organisait ! Il fut le premier sur l'aire. Mais le reste du village suivait de près, qui avec une chaise, qui avec une natte, ou un tabouret… Ceux qui attendaient de la parentèle des villages voisins leur réservaient de bonnes places. Quand le soleil fut haut de trois à cinq cannes de bambou, à l'heure où les autres jours on partait pour les champs, le terrain était couvert de tabourets. Des traverses avaient été attachées avec du fil de fer à des pieux enfoncés dans le sol et on avait posé dessus des battants de porte, lesquels, couverts de nattes d'herbes, feraient office de scène. C'était le menuisier à la jambe cassée qui avait supervisé l'installation, il avait recruté quelques petits jeunes, pris une scie, un marteau, une hache, etc., et en un rien de temps elle avait été dressée.

A son pied, les escabeaux s'alignaient en rangées.

D'un village voisin on avait fait appeler deux chanteurs de madrigau des Balou, un homme et une femme.

L'orchestre était toujours difficile à rassembler. Il fallait s'y prendre plusieurs jours à l'avance, discuter de la rémunération et *tutti quanti*. Mais musiciens et percussionnistes avaient cette année fait comme par hasard leur apparition sans qu'il soit besoin de négocier leur rémunération. Le chef de district était aux commandes, la nouvelle s'était répandue comme la fumée des cheminées à l'heure du dîner, à peine le soleil s'était-il levé que le chemin de crête grouillait de badauds venus profiter de l'animation. Quand il fut au-dessus du village, une foule compacte se pressait, les têtes bougeaient ensemble, l'aire était noir corbeau, le champ au-dessus du mur de terre couvert de spectateurs assis, et notre manchot le parcourait en geignant : « Vous écrasez mon lopin ! Vous écrasez mon lopin ! Je venais juste de labourer, si j'avais su ! »

Il gémissait, il se lamentait mais il arborait un grand sourire et lorsque des parents ou des amis d'un autre village arrivés trop tard ne trouvaient pas de place, il leur conseillait : « Allez vous installer dans le champ, je ferai un deuxième labour quand vous aurez fini de l'aplatir sous vos fesses. »

Il y avait de plus en plus de monde.

L'épouse du boiteux qui tenait la pharmacie avait apporté son réchaud à charbon pour faire cuire des œufs au thé. Il y en avait une pleine marmite, ils étaient noirs et parfumés, d'un parfum qui se répandait alentour.

Sur un bord, une famille de sourds faisait sauter des cacahouètes.

Un peu plus loin se trouvait un étal de graines de tournesol.

Les femmes des villages voisins arrivaient les mains vides, semblait-il, pourtant en un battement de paupières on les retrouvait sur les pentes en train de cuisiner des lamelles de fromage de soja. Elles les tartinaient de gras puis les enfilaient sur une pique de bambou qu'elles plongeaient dans une marmite bouillonnante. D'eau, pas d'huile, la marmite, une eau à laquelle elles avaient ajouté du poivre du Sichuan, de l'anis étoilé, du sel, du glutamate de sodium et autres adjuvants de goût pas trop chers. Et le tofu embaumait ! Quand il bouillait, son parfum s'élevait jaune et blanc. Un marchand de ballons fit son arrivée. Puis une marchande de sifflets en pierre. Puis celui d'azeroles caramélisées et de poires au sirop. Et celui de bouddhas en terre cuite et de gros bébés en argile. Il installa une bassine d'eau sur un banc pour y immerger ses statuettes, qui y rayonnaient d'un joli rouge. Comme cette eau était chaude, quand il en sortait un nourrisson dodu, sa petite queue se dressait et il en jaillissait un filet de liquide aussi fin qu'une tête d'aiguille, on aurait vraiment cru un enfant tout nu en train de lever son zizi pour pisser vers le ciel. Le bébé urinait, les gens riaient, et quelqu'un mettait la main à la poche pour en acheter un, ou un des bouddhas qui baignaient dans la cuvette.

Sur l'aire, le brouhaha était à son comble, les gens de plus en plus nombreux. On se serait cru à une foire dans un temple de la montagne. Il y avait même un marchand d'encens et de papier-monnaie pour les morts. C'était pour célébrer le succès de la récolte que Mao Zhi avait au départ eu l'idée de cette benaisade. Les villageois avaient trimé toute l'année, qu'ils soufflent un peu ! Trois jours d'affilée on allait manger et boire, voilà. Mais cette année l'organisateur était le chef de district et sans qu'on sache comment, les gens étaient venus en masse, c'était noir de monde, il n'y avait plus une place de libre sur la pente du manchot, la foule s'entassait jusque sur le bord de route, là où on avait compté installer le grand fourneau pour cuire le riz et les pains à la vapeur. Il avait fallu le déménager sur l'aire de déjeuner des sourds-muets, en plein mitan du village.

Le soleil monta d'encore une canne de bambou.

A côté de l'estrade, les musiciens étaient prêts.

Jumei et Mao Zhi ne viendraient pas voir le spectacle cette année mais les nines s'étaient réparties sur l'aire. Le soleil était plus ardent qu'au petit matin. Sous ses rayons les hommes tombaient la veste ou la chemise, ils avaient le crâne en sueur, le dos dégoulinant, de tout leur corps ils luisaient. Il faisait si chaud que quelqu'un lança : « Ça va pas bientôt commencer ? » et qu'un autre, d'on ne sait où, lui répondit : « Comment voudrais-tu ? Le chef de district et son secrétaire ne sont pas encore arrivés ! » Au pied de l'estrade, ce fut alors un tumulte de tous les diables, au point que même les moutons en train de paître au fond de la montagne en eurent un coup au cœur et tournèrent la tête, ahuris, pour voir d'où le bruit venait. Un bœuf attaché à un arbre dans une venelle poussa un mugissement pâteux comme une eau en crue.

Dans le ciel d'un bleu d'ardoise, les nuages blancs étaient pâles, leur blanc se faisait coton, le bleu l'eau d'un lac profond. L'univers exsudait le calme, seule l'aire à l'orée du village était en ébullition. C'était une gigantesque effervescence et une très grande solitude. Une marmite d'eau bouillante au milieu de la quiétude. Grimpés dans les arbres qui bordaient la route, les enfants n'en pouvaient plus d'attendre, ils se balançaient sur leurs branches, et les feuilles sèches gelées par la neige tombaient en s'éparpillant. C'est alors que quelqu'un, avec force mais calmement, cria :

« Le chef de district et son secrétaire sont arrivés ! Le chef de district et son secrétaire sont arrivés ! »

Spontanément la foule leur ouvrit un chemin. Les boiteux et les manchots, ceux à qui il manquait une main mais qui pouvaient voir et entendre, s'étaient regroupés devant la scène ; les sourds et les muets, qui voyaient certes mais n'entendaient rien, étaient d'eux-mêmes allés se placer derrière ; quant aux aveugles, qui ne voyaient rien mais avaient l'ouïe fine, ils ne disputaient la place à personne, contents s'ils trouvaient un coin tranquille d'où ils pourraient apprécier le madrigau. Bien sûr, collés à l'estrade, on trouvait d'abord quelques vieux parmi les plus durs

d'oreille. Car, sourds ils ne l'étaient pas complètement, pas définitivement, ils entendaient très bien
quand on gueulait à pleins poumons, aussi les avait-
on d'office laissés s'installer au premier rang. Qu'il
s'agisse d'un meeting, d'un opéra ou de la benaisade,
les places étaient toujours réparties de la même
manière.

« Qu'est-ce que tu fiches ici puisque tu ne vois
rien ? » demandait-on à l'aveugle qui se glissait sur le
devant. Alors avec un sourire il rebroussait chemin et
regagnait le fond.

De même pour les muets : ils sont presque toujours sourds. Aussi, si l'un d'entre eux se faufilait au
premier rang, on lui demandait pourquoi il occupait
une bonne place alors qu'il n'entendait rien. Et de lui-
même il cédait le siège au pied de l'estrade.

Mais si malgré tout il pouvait saisir à moitié ce qui
se racontait, il se trouvait quelqu'un pour l'appeler :
« Installe-toi ici, tu seras bien ! »

« Venez, tante, mettez-vous à côté de la
musique ! »

Telles étaient les grandes lignes selon lesquelles les
spectateurs s'asseyaient. Les gens-complets étaient
bien sûr eux aussi à l'avant, ils arrivaient normalement assez tôt pour choisir leur place, parfois aussi ils
s'en dispensaient : les enfants venaient les garder et
personne ne s'en offusquait. Impossible de récrimi-
ner, quand on est tous du même village, les parents
des uns sont toujours un peu les parents des autres.
Les gens de l'extérieur, cependant, devaient se plier à
certaine règle de base : c'est notre benaisade, pas la
vôtre, mettez-vous sur le côté ou autour de l'aire.

On voyait et on entendait d'ailleurs tout aussi bien
des cercles extérieurs, le seul inconvénient était la

proximité des marchands de ci ou de ça, ils faisaient de la fumée, du feu et les gosses qui tournaient autour des étals ou zigzaguaient entre vos jambes vous empêchaient de vous concentrer, difficile de se laisser captiver par les démonstrations d'art[9] des gens de Benaise. Bon, à bien y réfléchir, on était là pour l'ambiance, il ne se passerait rien de spécial, si bien qu'au fond ils restaient à la périphérie le cœur en paix.

De toute façon, où que se porte le regard, les gens semblaient des graines de soja noir étalées à l'automne, les bruits de discussions et les cris de ceux qui cherchaient quelqu'un étaient si forts qu'ils dérangeaient jusqu'à la terre jaune du sol, qui s'envolait en nuages épais.

Le chef de district et son secrétaire étaient arrivés. Alors qu'on n'aurait plus su estimer en cannes de bambou la hauteur du soleil, ils faisaient leur apparition, souriants, en compagnie du Singe Une-patte. D'eux-mêmes les gens avaient libéré un chemin. Tout aussi spontanément les musiciens qui procédaient à des essais de cordes et de tambours avaient fait taire leurs violons, flûtes et percussions. Les deux meilleures places les attendaient au pied de la scène : deux chaises de quelques pouces de haut laquées d'un vermillon sur lequel on pouvait encore déchiffrer, en jaune, le caractère *double bonheur*. De toute évidence, c'était la dot de quelque fille mariée au village qui avait l'honneur de leur servir de fauteuils.

Depuis plusieurs jours, Liu n'avait plus besoin de son manteau militaire. Il portait à présent un tee-shirt blanc à col rond rentré dans un grand short en toile grise. Avec sa chevelure coupée en brosse et semée de mèches blanches, sa face rougeaude et son ventre légèrement renflé, il avait ainsi vêtu tout à fait l'allure d'un chef de district, rien à voir avec les paysans des Balou ni avec les messieurs haut placés de la capitale provinciale qui passent leur temps à aller et venir d'un restaurant à l'autre. Soit, c'était un bouseux, si à côté des Benaisiens il avait de la classe, comparé aux gens de l'extérieur, rien à faire. Oui mais : qu'il soit chic ou pas, peu importait, ce qui comptait c'était son long et mince secrétaire, tout blanc et tout propre avec son pantalon en lainage au pli impeccable, sa chemise immaculée rentrée dans la ceinture, ses cheveux noirs brillantinés et séparés par une raie : un être venu du vaste monde. Et avec cette allure-là, il n'était que le secrétaire ? Voilà qui en rajoutait sérieusement à la classe de son patron. D'ailleurs le chef de district allait devant, les mains vides, le secrétaire suivait en portant un verre d'eau. Le chef de district avançait la tête haute, le secrétaire regardait ce qui se trouvait à son niveau – quant aux Benaisiens et autres spectateurs, ils devaient lever les yeux pour les admirer. Ils étaient le point de mire de toutes les attentions, les marchands d'œufs au thé, de fromage de soja ou d'azeroles ne criaient plus, les enfants ne sautaient plus en tous sens au milieu de la foule. Sur l'aire le silence était tel qu'on entendit le bruit de la baguette qu'un musicien laissa par inadvertance tomber par terre.

La benaisade allait commencer.

Mais avant, il fallait qu'il y ait un discours. D'habitude Mao Zhi s'avançait pour dire quelques phrases. Presque toujours : « Un chien aveugle a débarqué hier soir chez moi. Je ne sais pas d'où il sort mais on lui avait arraché les deux yeux, le pauvre ! Le sang dégoulinait de ses orbites, il faut que je rentre m'occuper de lui. Chantez et écoutez l'opéra, pendant ces trois jours personne n'a le droit de travailler, interdit de faire la cuisine ! Si vous avez de la famille en visite, elle a le droit de manger sur l'aire avec nous. »

Ou alors : « Je ne dirai rien, à vous de décider : votre premier madrigau, comment est-ce que vous le préférez ? Des Balou ou de Yangfu[11] ? »

Une voix criait : « Du Balou ! » Et on chantait du Balou. Mais si quelqu'un se levait pour réclamer à pleins poumons du Yangfu, eh bien c'était du Yangfu.

Il arrivait qu'elle ne monte même pas sur la scène, qu'elle reste au pied et annonce : « Ça y est ! C'est commencé ! » On considérait que le discours était fini et les violons se mettaient à jouer, les chants s'élevaient. Il va sans dire que les démonstrations des gens de Benaise venaient après la pièce.

Mais aujourd'hui, Mao Zhi n'était pas là. A sa place on vit le Singe s'avancer, dégageant pour le chef de district un chemin déjà ouvert, puis quand il fut tout devant, au pied des tréteaux, frapper le sol de sa canne et sauter sur l'estrade – un mètre plus haut – pour annoncer : « Nous prions à présent le chef de district de prendre la parole ! » Puis il redescendit.

Une fois à terre il tapa sur l'épaule d'un sourd, retira le tabouret de dessous ses fesses et l'installa en guise d'échale[13].

Liu Yingque la gravit.

Il alla se planter sur le devant de la scène, en plein centre, et contempla l'aire noire de tout ce monde des Balou venu assister à la benaisade. Le soleil était d'un jaune éblouissant, il brûlait comme du feu au-dessus des têtes brillantes et lumineuses. Sur la pente au-dessus du mur de terre, on tendait le cou pour mieux voir. Sur le point de se mettre à parler, il ouvrit les lèvres, puis les referma. Un détail venait de lui revenir :

aucun membre de cette audience de plusieurs centaines de personnes n'avait encore applaudi. Calmement, il attendit.

Mais, est-ce parce que les Benaisiens n'assistent
que rarement à des meetings, ou parce que c'était la
première fois qu'ils voyaient un chef de district organiser la benaisade ? En tout cas ils ignoraient que tout
discours doit être précédé d'un concert d'applaudissements, à la manière des plats, qu'il faut bien mettre
sur la table si l'on veut manger. En plus ils se demandaient pourquoi Mao Zhi ne venait pas dire quelques
mots, pourquoi elle n'était pas présente aux côtés du
chef de district et son secrétaire. Ces affaires-là, c'était
à elle de s'en occuper. Pourquoi les laisser à ce Singe
Une-patte qui n'était rien au village ? L'atmosphère
était tendue. Le chef de district attendait qu'on l'ap-
plaudisse, les villageois attendaient qu'il se mette à
parler. Quant au secrétaire, il n'y comprenait rien.
Resté au pied de l'estrade, il regardait son patron et
les spectateurs.

Un moineau passa en volant au-dessus de l'aire, le
flip-flop de ses ailes battantes tomba sur la foule.

Liu Yingque s'énervait, il toussa un petit coup
pour réveiller l'audience.

En bas, en l'entendant se racler la gorge, on se dit
que c'était le prélude à son discours, le silence se fit
plus profond. On entendait glouglouter le thé où
bouillaient les œufs en bordure de l'aire. Entre le chef
de district, inflexible sur l'estrade, et les gens en dessous, c'était comme si une eau courante eût subite-
ment gelé. Un peu inquiet, incapable de comprendre
ce qui se passait, le secrétaire s'approcha de la scène
et, levant le verre : « Vous avez soif ? » Aucune
réponse, un visage de bronze. C'est l'instant que

choisit le Singe pour bondir sur son unique jambe dans un coin et, sans perdre de temps en parlottes, se mettre à applaudir. Le secrétaire retrouva ses esprits. Lui aussi se mit à battre des mains comme un fou en criant : « Applaudissons le chef de district qui va nous faire un discours ! »

Ce fut comme le coup de tonnerre qui déclenche l'averse, les spectateurs sortirent de leur torpeur et les applaudissements se mirent à crépiter, plus ou moins forts, plus ou moins serrés, mais au final tout se mêlait. Tant que les mains du secrétaire ne se seraient pas immobilisées, ils n'oseraient pas s'arrêter. A force, le Singe et lui avaient les paumes rouges, et celles du public commençaient à être douloureuses. Les moineaux perchés dans les arbres environnants avaient pris la fuite, effrayés. Poules et cochons, terrifiés, étaient partis au grand galop se réfugier chez eux. Le gris se mit alors à refluer du visage du chef de district, qui reprit une teinte entre jaune et rouge. Il étendit les mains et fit le geste d'appuyer pour que les gens arrêtent, le secrétaire s'interrompit.

Les applaudissements s'éteignirent.

Il revint se planter sur le devant de la scène. En dépit d'une ombre légère qui ne trahissait pas le ravissement, on pouvait estimer que ses joues étaient en train de recouvrer leur vermeil originel. A nouveau il toussa et après s'être éclairci la gorge commença lentement, d'une voix puissante :

« Chers paysans, chers anciens, je suis Liu, votre chef de district. Vous ne m'aviez jamais vu auparavant, je ne vous en veux pas. » Ensuite il haussa le ton : « La grosse neige chaude qui est tombée ici, à Benaise, est une catastrophe naturelle. En dépit de sa gravité chacun a réussi à moissonner un petit quelque chose, mais parmi les cent quatre-vingt-dix-sept habitants du village, trente-cinq sont aveugles, quarante-cinq sourds-muets, à plus de cinquante il manque un bras ou une jambe, et une dizaine d'entre eux sont fous, ou débiles, ou innocents ou paralytiques. Les gens-complets constituent moins d'un septième de la population, aussi est-ce pour vous un désastre. »

Il fit ici une pause et du regard explora le public.

« Chers villageois, chers anciens, notre district compte huit cent dix mille habitants et qu'ils s'appellent Zhao ou Li, Sun ou Wang, du moment qu'ils résident à l'intérieur de nos frontières, ces hommes et ces femmes, les jeunes comme les vieillards, sont mes enfants. Moi, Liu, je suis le père et la mère de ces huit cent dix mille individus ! Je ne saurais voir les habitants d'un seul de ces villages, hameaux, lieux-dits et vallées aller le ventre vide à cause d'une catastrophe. Il n'est pas question qu'une seule famille crie famine, et encore moins qu'un enfant meure de faim. »

A nouveau il scruta la foule.

Idem pour le secrétaire. Alors le Singe et lui, dans un même mouvement et en même temps, levèrent les mains pour applaudir. Au pied de l'estrade, une fois de plus, on les imita avec frénésie.

Nouveau geste d'apaisement du chef de district.

« J'ai d'ores et déjà classé cette grosse neige chaude parmi les catastrophes majeures. Quelques dommages qu'ait subis votre production de blé, pour chaque famille je compenserai la différence. »

Nouveau regard au peuple sur l'aire, aux aveugles, boiteux, sourds et autres handicapés. Mais cette fois, inutile que le secrétaire et le Singe les y incitent, le concert fut sans fin, cela crépitait comme une violente averse sur un toit, le village en tremblait, le bruit recouvrait tout, c'était une ovation prolongée, ininterrompue, qui faisait trembler et tomber jusqu'aux feuilles neuves des arbres. Liu Yingque contemplait ces faces empourprées et la tristesse qui un instant plus tôt avait empreint la sienne en était rincée, il n'était plus que satisfaction et affichait en réponse à la tempête un sourire éclatant. « Arrêtez, arrêtez, dit-il, quand on applaudit trop longtemps, cela fait mal aux mains. Le fait est qu'en ce monde jamais des parents ne laisseront leurs enfants mourir de faim. Tant que je serai le père de ce district et que j'aurai un pain de maïs, tous les enfants de Benaise auront droit à une bouchée ; si j'ai un demi-bol de soupe, à une cuillerée. En sus des céréales, j'ai demandé à tous ceux qui dans notre juridiction touchent un salaire de mettre la main au porte-monnaie. Les vivres nous parviendront dans quelques jours et seront répartis entre les divers foyers, mais l'argent, mon secrétaire l'a apporté. Dès que la benaisade sera finie, je le distribuerai de manière égalitaire entre tous les habitants. Cela fera un peu plus de cinquante-cinq yuans par personne, dans les cent dix donc, si vous êtes deux ; cent soixante-cinq si vous êtes trois ; dans les deux cent vingt pour quatre ; et pour six, ou sept... »

Il aurait volontiers continué sur sa lancée, mais au pied de l'estrade, à nouveau les applaudissements étaient frénétiques, comme une pluie torrentielle après plusieurs jours de temps couvert. Ainsi ce n'était pas une simple benaisade ! En plus on allait distribuer des vivres et de l'argent. Dans son coin d'estrade le Singe s'était dressé sur son unique jambe pour mettre les mains au-dessus de sa tête – on aurait cru qu'il cherchait à attraper quelque chose – et il les battait si fort qu'il eût pu renverser des assiettes et faire tomber des bols. Il n'était pas grand, en temps normal pour se tenir debout il coinçait la béquille sous son coude et prenait de tout son poids appui dessus en s'inclinant légèrement. Mais aujourd'hui, en s'étirant, il l'avait laissée s'échapper, elle gisait sur les planches et il n'avait plus que son unique jambe. Or il tenait, il tenait, personne n'aurait imaginé qu'il puisse garder autant la position, sur un espace de temps semblable à une corde enroulée qui n'aurait ni début ni fin. C'était comme s'il lui avait suffi de continuer à applaudir pour ne jamais tomber. Et tant qu'il ne tombait pas, sur l'aire aussi on continuait – toujours cette histoire de corde sans début ni fin – avec la même frénésie. Le soleil était presque à son zénith. Les visages étaient rouges, les têtes et les corps en sueur, les mains qui battaient sur le point de gonfler. Emu, le chef de district leur fit signe d'arrêter, mais plus il insistait et plus ils applaudissaient à tout rompre. L'univers résonnait de ces claquements de mains sonores qui oscillaient entre la plus belle des pagailles et une parfaite régularité : clap ! clap ! clap ! L'écho réverbéré par les parois de la ravine allait se perdre dans le lointain. On aurait dit… Ah ! On aurait dit que ni la pièce ni le reste du spectacle n'avaient d'importance, que tout ce qui comptait dans une benaisade c'étaient les applaudissements. Liu était au comble du bonheur, il se sentait tel le champ arrosé par une eau pure et fraîche après une longue sécheresse. Se retournant, il attrapa une chaise sous les fesses d'un musicien, l'installa au milieu de la scène et grimpa dessus, puis cria à s'en érailler la voix pour couvrir le tumulte : « J'en vois qui n'applaudissent pas ! Ceux-là ne sont pas de Benaise ! »

Du coup le ban se clairsema, on tourna la tête pour regarder derrière soi les gens de l'extérieur. Le calme revint. Un filet de froidure se condensa dans l'air. Dans le fond, certains essayaient de se cacher dans la foule ou derrière les arbres. Le chef de district souriait toujours, il rayonnait toujours.

Debout sur sa chaise au milieu de la scène, il attrapa le verre que le secrétaire lui tendait, but quelques gorgées et se remit à hurler en dépit d'une gorge qui à force frisait l'inflammation :

« Chers villageois des environs, ne croyez pas que c'est par favoritisme que les subsides ont été attribués aux seuls Benaisiens. Je sais que vous avez tous, partout, peu ou prou souffert de la neige chaude. Que là où elle n'est pas tombée la bourrasque a soufflé et que la récolte de blé a souffert. J'ai une bonne nouvelle à vous annoncer : on vous a dit que je voulais aller à Moscou acheter la dépouille de Lénine ? Vous savez que le massif des Ames mortes a été classé parc forestier et que le chantier du mausolée est en train ? Alors voilà : j'ai réuni la première partie du capital nécessaire à cette acquisition et le département est d'accord pour m'accorder un crédit équivalent à la somme que j'aurai réussi à récolter. Si nous trouvons dix millions de yuans, ils nous en prêteront autant, ce qui nous mènera à vingt millions, et si nous en trouvons cinquante, nous en aurons cent. Lénine étant un leader international, il ne sera pas bon marché, sa dépouille vaut au moins dans les cent millions. Aussi ai-je cette année demandé un effort supplémentaire à tout le district. On prétend que certains parmi vous ont dû vendre un cochon ou leurs poules pour payer leur écot, qu'on aurait même apporté au marché le cercueil d'un vieillard et que d'autres auraient sacrifié jusqu'aux semences de la prochaine récolte, ou marié avant l'heure les filles qui étaient en âge – et là, je présente mes excuses à tout le petit peuple des Balou, à toute la population de ma circonscription. En tant que chef de district je suis désolé. Je demande pardon à nos huit cent mille concitoyens… »

Au beau milieu de son discours il s'était incliné, à ses pieds régnait un silence de plus en plus profond. Il reprit : « Quelle est donc cette heureuse nouvelle que je veux à présent vous annoncer ? Je vous le dis : les fonds que j'ai réunis sont d'ores et déjà très importants, il ne nous manque plus que cinquante millions, et nous les aurons, nos cent millions !

Cent millions, ça ne se transporte pas dans une palanche, ni avec un char à bœufs ou en charrette à cheval, il faudra un gros camion pour que tout rentre dedans. Dès que j'aurai ce camion, je partirai pour ce pays qu'on appelle la Russie y négocier le contrat d'acquisition de la dépouille. Si l'argent ne suffit pas, je verserai un acompte, je signerai une reconnaissance de dette et je rapporterai Lénine. Après, lorsqu'il sera installé aux Ames mortes… Chers villageois, chers anciens, quand ce moment sera venu, les touristes seront chez nous plus nombreux que les fourmis. Ceux qui vendront des œufs au thé sur le bord de la route pourront en demander vingt fens pièce, mais les mettraient-ils à trente, à cinquante ou à un yuan, ils n'en auront jamais assez. Ceux qui auront ouvert un restaurant ne pourront pas fermer de la journée, les gens feront la queue pour manger comme les gamins à la sortie de l'école. Si c'est un hôtel, même si les lits sont sales et qu'il pleut dans la chambre, même si au lieu de coton ils mettent de l'herbe dans les couettes, même s'il y a des poux et des puces, ils pourront bien leur briser les jambes que les clients refuseront de se laisser chasser. »

Il dit : « Vous avez le droit de ne pas m'applaudir aujourd'hui, mais peut-être que lorsque j'aurai rapporté la dépouille, vous n'aurez plus le temps de me présenter vos respects. »

Il dit : « Aujourd'hui commence la benaisade que chacun appelait depuis longtemps de ses vœux, aussi vais-je m'arrêter là et me joindre à vous pour écouter le madrigau des Balou. Considérez ce que je viens de dire comme le discours d'inauguration ! »

Puis il se tut et sauta de la chaise.

Au pied de l'estrade le silence était total.

Cela ne dura guère, le temps que tombe une feuille morte, d'abord on applaudit, puis les tambours et les trompettes résonnèrent. Ensuite vinrent les sonas, les cuivres, les flûtes, les cordes. Enfin les musiciens pouvaient jouer. Ceux qui avaient un instrument à vent rejetaient la tête en arrière pour souffler vers le ciel ; dans l'impossibilité de les imiter, violons et percussions regardaient le public mais lançaient de temps à autre un œil au firmament, comme s'il y avait là-haut quelque chose d'exceptionnel. Ils jouaient *Les oiseaux saluent le phénix*, cet air qui fait penser à une myriade de volatiles en train de gazouiller dans la forêt sur fond d'eau qui clapote à la lumière du soleil. Celui-ci tombait pour l'heure droit sur les crânes. L'aire sentait la chaleur, le monde dégoulinait de sueur. Sur leurs chaises rouges, au premier rang, le chef de district et son secrétaire ne cessaient de sortir leur mouchoir pour s'éponger. Quant au Singe, n'ayant pas trouvé de siège il était resté debout dans son coin de scène et fouillait la foule du regard dans l'espoir d'y dénicher l'éventail qu'il pourrait présenter au chef.

Mais tout ce qu'il trouva fut la petite Huaihua, la fille de Jumei, apparue comme par magie. Elle portait un chemisier de coton rose et son visage, rose lui aussi, affichait un sourire de fleur. A la main deux éventails en feuilles de massette, elle s'était faufilée pour en fourrer un dans les mains du chef de district, l'autre dans celles du secrétaire. Celui-ci sourit – le Singe le vit distinctement – et lui adressa même un petit signe de tête ; sourire et salut qu'elle lui rendit comme s'ils s'étaient rencontrés et avaient lié connaissance des centaines d'années plus tôt.

Le Singe était désemparé : on lui avait volé son emploi. Aussi, quand Huaihua passa devant lui, il l'apostropha à voix basse : « Petit démon ! » dit-il. Mais elle, avec un regard froid : « Tu t'imagines qu'en l'absence de grand-mère c'est toi qui es le cadre du village ? » Et chacun partit de son côté. L'air des *Oiseaux saluent le phénix* tirait à sa fin, après vint un morceau allègre, qui s'amarrait comme une eau vive dans les cœurs, après ce serait la pièce, l'opéra proprement dit. Il serait aujourd'hui interprété par Cao'Er, une cantatrice renommée qu'on avait fait venir de loin. Ce n'était pas son vrai nom mais un nom de scène, acquis lorsque, âgée d'une dizaine d'années, elle était devenue célèbre en jouant l'héroïne éponyme de *Sept fois elle se retourne*. A quarante-sept ans, elle en avait trente-trois de carrière derrière elle et était plus célèbre dans les Balou que tous les chefs de district qui s'y étaient succédé. Mais si grand fût son renom, elle n'en restait pas moins une des administrées, aussi avait-elle suivi le secrétaire lorsqu'il lui avait transmis l'invitation de Liu Yingque.

Si la benaisade était aussi animée, c'était également grâce à elle.

101

Vêtue d'un de ces costumes à la vieille mode tels qu'on en voit souvent sur scène, elle avait amené son violoniste, l'accompagnateur qui ne jouait que pour elle. Le silence se fit sur l'aire dès qu'elle apparut. On n'applaudissait plus, on tendait le cou. Même les marchands à leur étal avaient les yeux rivés à la scène. Les enfants – qui n'attendaient que cela – en profitèrent pour chiper quelques œufs au thé dans la marmite, quelques brochettes de tofu déjà cuites qui attendaient sur la planche, ou deux bâtons d'azeroles caramélisées plantés dans une botte de paille de riz. Le marchand d'azeroles eut beau beugler à s'en écorcher la gorge : « Au voleur ! Au voleur ! » force lui fut de s'en tenir là, il n'osa pas se lancer à la poursuite des gamins qui détalaient en riant et se régalant. Parce que la pièce venait de commencer. Personne ne se souciait de ses pertes et il craignait, s'il quittait l'étal pour se jeter à leurs trousses, de ne plus retrouver un seul bâton lorsqu'il reviendrait. Mais il n'écoutait que d'une oreille, impossible d'accorder toute son attention à la pièce, il lui fallait garder un œil sur son commerce. Pourtant c'était *Sept fois elle se retourne*, ou *Le chemin de l'entre-deux*[15], l'histoire d'une infirme prénommée Cao'Er : aveugle, sourde, muette et cul-de-jatte, après avoir enduré de son vivant toutes les peines du monde, à sa mort elle avait le droit de devenir gens-complète et de ne plus souffrir ni de surdité, ni de cécité, ni d'aucun handicap. Au contraire elle saurait s'exprimer et chanterait merveilleusement. Donc elle meurt, et en route pour le paradis. De notre monde à l'autre, le trajet dure sept jours, la chaussée est tapissée d'herbe verte et de fleurs fraîches qui la font ressembler à un brocart, il suffit de respecter les consignes et de marcher ces sept jours durant sans tourner la tête pour échapper à la mer des douleurs. Oui, mais voilà, plus Cao'Er avance et moins elle se fait à l'idée d'abandonner son mari, qui comme elle a perdu la vue ; son fils, sourd et muet ; sa fille paraplégique ; ou son cochon, ses poules, et le chat, le chien, le bœuf et le cheval. A chaque pas elle se retourne et lorsqu'à la fin du septième jour elle atteint le seuil du paradis, elle se trompe de porte et de réincarnation. Elle sera à nouveau infirme lorsqu'elle reviendra sur terre.

Cao'Er l'actrice interprétait le rôle de cette Cao'Er handicapée, un acolyte le moine chargé de la guider. Elle chantait dans le monde des humains, pendant la veillée funèbre ; il chantait dans le monde des esprits, avançant sans répit. Sans cesse ils dialoguaient, discutaient et échangeaient.

Le moine
Bouddha et les dieux dans leur grande bonté
La mer des douleurs nous aident à passer
Cao'Er malheureuse handicapée
L'a enfin quittée pour le monde des fées

Sur la sente fleurie il est si doux d'aller
Que tout droit elle ira, oubliant le passé
Sept jours durant, dont voici le premier
Dans sept jours l'entre-deux elle aura traversé

Cao'Er
L'entre-deux suave est odorant
Dans l'azur flottent des parfums charmants
Las, mon pauvre époux pleure mon trépas
Je hume la senteur des fleurs
Lui de l'encens les sombres vapeurs
Pour au paradis jouir du bonheur

Dois-je laisser l'aveugle et les enfants ?
(Elle tourne la tête – parlé) : *O mon époux !*

Le moine
Entends-moi bien sur le chemin
Au deuxième de ces sept jours
Les fleurs embaument, encore toujours,
Tu ne peux plus te retourner

Cao'Er
Le ciel, ce deuxième jour est éclatant
Soleil d'or, lune d'argent
A gauche les pêchers sont rouges
A droite les poiriers renaissants
Rouge, blanche, est la voie du paradis
Mais le sourd-muet n'a plus de mère
Comment endurer de partir sans lui
De laisser l'enfant sans sa maman ?
Qui traduira, pour lui avec les mains ?
Qui parlera, dira pour lui les bruits ?
Qui coudra les habits de ses jeunes années ?
Qui l'aidera, plus tard à se marier ?
(Elle tourne la tête – parlé) : *O mon enfant !*

Le moine
Troisième jour sur le chemin
Sur ce chemin entends-moi bien
La sente verte et fleurie
Mène aux portes du paradis
Le jus de la grenade calmera ta pépie
De beignets parfumés tu pourras te nourrir
Plus que trois jours jusqu'au bonheur
Retourne-toi, l'entrée se fermera
Souviens-t'en, souviens-t'en bien
Le destin est au creux de tes mains

Cao'Er
Sur le chemin de l'entre-deux
Chaque jour est un jour heureux
Au ciel d'azur lumière dorée
Mais ma fille aux jambes brisées
Qui lui tendra le fil quand elle coudra ?
Qui aux repas baguettes lui passera ?
Pleure, pleure, petite enfant
Pleure la mort de ta maman
(Elle tourne la tête – parlé) : *O mon enfant aimée !*

Le moine, inquiet
Cao'Er, Cao'Er, obéis-moi
De sept parts tu as perdu les trois
Bientôt quatre jours, l'essentiel est derrière
Retourne-toi : adieu la rive et la lumière
De ton vivant sans jambes tu te traînais
Ici tu files semblable au vent
En vie n'as connu que l'obscurité
Ici le monde t'est clarté
En vie au tonnerre restais sourde
Ici une aiguille entendrais tomber
En vie jamais un son n'as pu articuler
Ici tu chantes et puis tu ris
Souviens-t'en, souviens-t'en bien
Retourne-toi, à tout jamais le regretteras
Telle une herbe sans racines
Comme l'arbre sans son tronc
La céréale mal irriguée
Ou le fleuve sans rive et flot
Retourne-toi, à tout jamais tu souffriras
Va de l'avant, et ton bonheur sera profond
Réfléchis bien et résous-toi
Saisis ta chance en l'entre-deux

Cao'Er

Je viens et vais, je vais et freine
Entre la pluie et l'embellie
Ici des fleurs à l'infini
Là-bas des pleurs et de la peine
Au paradis je coulerai comme les fleuves vers la mer
En bas sont les douleurs, larmes cruelles sur cette terre
Je vais, j'hésite et puis je doute
De l'avant, de l'arrière, mon cœur redoute
De mon époux, qui le linge lavera ?
De mes enfants, qui la soupe cuisinera ?
Les porcs, qui dans l'enclos les enfermera ?
Qui aux poules le grain distribuera ?
Qui aux canards la pâtée donnera ?
Qui pour le bœuf l'herbe coupera ?
Qui au cheval fourrage portera ?
Qui à mon chat à boire versera ?
Qui du chien le pelage peignera ?
Qui à l'automne la cour balaiera ?
Qui l'été la porte gardera ?
Foyer, foyer, ô mon foyer
Comment être heureuse et t'abandonner ?
(Elle tourne la tête – parlé) : *O mon foyer !*

Le moine

Dans l'entre-deux il faut marcher
Cinq jours et la pluie commence à tomber
Ta chance, voudrais-tu la manquer ?
Retourne-toi, elle est perdue
Le paradis sera fermé

Cao'Er

Des fleurs la senteur s'évanouit
Des herbes la verdeur s'affaiblit

106

J'hésite et la chance est perdue
Non, me retourner je ne puis.

Le moine
Voici la sixième journée
Tu ne t'es pas retournée, le vent s'est tu, la pluie a cessé
L'herbe a recommencé de verdoyer
Toutes les fleurs à embaumer
Dieux et bouddhas vont t'accueillir
Vois-tu la porte resplendir ?

Cao'Er
Un sixième jour est passé
Au crépuscule, dans ses reflets diaprés
J'en suis encore à m'interroger
Me tourner ? Je n'arrive à m'y décider

Le moine
Au soir du septième jour
Dans les nuages du couchant
Vers la porte ouverte en grand
Va, va, encore et toujours
Pas à pas vers la mer des bonheurs
Ne fais pas celui à rebours
Vers les blessures et la douleur

Cao'Er
Au soir du septième jour
Dans les nuages du couchant
La porte est là, ouverte en grand
Las, mon pauvre cœur atermoie
Pas à pas vers la mer des bonheurs
Ou faire celui à rebours
Vers les blessures et la douleur
La grisaille et l'obscurité ?
Je vois Poussah, figure de joie

Quelle resplendissante entrée
La route est large et d'or pavée
Sur les murs l'argent chatoie
Près du Bouddha les dieux sont alignés
Larges ceintures et larges manches
Visages rayonnant de bonté
Je vois des fossettes aux joues des bébés
Et les fées qui sourient, leurs longs cheveux tressés
Va, c'est la route du paradis
Recule, ce sont les portes de l'enfer
Va, ce sont les portes du paradis
Recule, c'est le gouffre de l'enfer
Va, au paradis t'attend le bonheur infini
Recule, et les ténèbres t'auront engloutie
Pourtant… Ah ! Pourtant…
Comment accepter de savoir mon homme
Aveugle à la cuisine
Seul à semer dans le printemps
Seul en automne à moissonner
A récolter le blé fauché
A couper le soja endeuillé ?
Lorsque sa faucille il voudra aiguiser
Ou ses vêtements lessiver
Qui l'aidera, qui sera là ?
Comment souffrir, comment souffrir
De voir mon fils, mon sourd-muet,
Seul dans la rue en train d'errer
Incapable de demander où aller
Quand on lui parle, le regard affolé ?
Comment souffrir, comment souffrir
De voir ma fille sur sa couche paralysée
Pour chaque mouvement s'affoler
Incapable d'aller fermer le poulailler
De porter aux cochons leur pâtée

Au bœuf le fourrage haché ?
Elle laisse le cheval harnaché
A la porte le chien affamé
Mon chat a perdu son foyer
O ma demeure, ô ma maison
Ma pauvre chaumière délabrée
Cette chaumière est mon foyer
Ma basse-cour, la soue de mes cochons
Les oublier ? Je ne le peux
Je ne le peux et ne le veux
Aveugle, infirme ou sourd et muet, ce sont les miens
Je suis la femme de cet homme, la mère de ces enfants
Du bonheur au paradis je ne veux
Le chemin d'or et d'argent a cessé d'être éclatant
Dans ma peine à demeurer je consens
Dans la mer des douleurs à tout jamais benaise

(Brusque volte-face – crié) : *O mon époux, mes enfants, mon bœuf, mon cheval, mes cochons, mon chien et mes poules et mes moutons !*

COMMENTAIRES

① *Poche-plate*, n. f. – *Une sorte de raviolis, ainsi appelés parce qu'ils sont plats.*

③ *Le madrigau des Balou* – *Cette forme d'opéra, en vogue dans la chaîne des Balou, est un mélange d'opéra du Henan et de ballades chantées. Il permet d'interpréter les grands livrets classiques, mais est plus orienté sur le chant que sur le jeu, si bien qu'il est difficile de réunir plusieurs personnes sur scène.*

⑤ *En-su* – *Désigne les échelons supérieurs des organismes administratifs. A Benaise, dans les Balou et dans tout le Henan, le terme désigne de manière générique tous ceux qui sont au sommet de la hiérarchie. C'est une marque du respect qu'éprouvent pour les autorités supérieures les populations de la Plaine centrale.*

⑦ **Maitriauté**, n. f. – Autorité. Les habitants de Benaise appellent ainsi les cadres ruraux et tous ceux qui gèrent les affaires.

⑨ **Art** – Soit ici un « truc », un savoir-faire particulier. Les gens de Benaise et des Balou disent par exemple une « troupe d'art » pour une « troupe de cirque ». Dans ces conditions, l'« art », c'est le talent spécifique que possède certaine personne.

⑪ **Le madrigau de Xiangfu** – Le genre à l'origine de l'opéra du Henan, né dans le district de Xiangfu, région de Kaifeng.

⑬ **Echale**, n. f. – Une marche, un escalier.

⑮ **Entre-deux**, n. m. – Le territoire entre le monde des vivants et celui des esprits. Quand on a traversé l'entre-deux, on entre dans le domaine des morts.

CHAPITRE VII

Cao'Er s'en va,
l'attention se reporte sur le chef de district

Le chef de district ressentait une curieuse irritation.

Sept fois elle se retourne était terminé, la vraie Cao'Er avait chanté à ne plus en avoir de voix, elle avait pleuré, ses larmes avaient trempé deux mouchoirs mais au lieu d'entrer au paradis, l'infirme aveugle, cul-de-jatte, sourde et muette qu'elle interprétait s'était montrée incapable de renoncer au fardeau de son existence terrestre. Devant les portes d'or et d'argent, elle s'était encore une fois retournée pour un dernier coup d'œil à notre ici-bas : elle continuerait de vivre dans la peine et la douleur. Comment une telle histoire n'aurait-elle pas arraché des larmes aux gens des Balou et aux handicapés de Benaise ? Le public était en pleurs, même les aveugles et les estropiés, c'était un concert de sanglots. Puis, quand on eut bien gémi, vint le moment du rappel : ce fut une marée d'applaudissements, clap, clap ! clap, clap ! Un crépitement sans fin comme la chute des feuilles de peuplier à l'automne.

Cette ovation était bien plus longue que celle qui avait salué le discours du chef de district, elle devait faire au moins une corde de plus : Cao'Er était sortie de scène, elle s'était changée et avait remis ses habits de tous les jours qu'on faisait toujours cercle autour d'elle. Le chef de district en était assez enneuyé[1]. Il était absolument certain de ne pas avoir été applaudi aussi fort et aussi longtemps. Bon, il avait plus de tripes qu'un poulet et plus d'estomac qu'un canard, il retourna se planter au milieu de la scène et lança : « Chers villageois, chers anciens, Benaise a été victime d'une catastrophe naturelle, veuillez à présent faire la queue pour recevoir vos subsides. Cinquante et un yuan par personne, à toucher ici. »

Cinquante et un ! Plus de cinquante yuans ! Qui plus est, distribués sur scène par le chef de district en personne : une coupure de cinquante et une de un pour tout le monde. Les chefs de famille se mirent à défiler devant sa table. Lorsque le foyer comptait deux habitants, il donnait un billet de cent et deux billets de un, quand il y en avait cinq, deux de cent, un de cinquante et cinq de un. Jamais ni plus ni moins, toujours cinquante et un par personne. Sur l'aire régnait un joyeux tohu-bohu, les gens de l'extérieur qui avaient de la famille sur place étaient partis avec elle manger à la grosse marmite. Ceux qui n'en avaient pas s'étaient acheté un casse-croûte pour attendre les numéros d'art qui viendraient après le déjeuner. Ce n'était pas la même chose que l'opéra. Ils ne vous arracheraient pas de larmes, vous ririez à perdre haleine ou vous esbaudiriez et en resteriez bouche bée. Prenez cet homme du fond du village, il avait perdu un œil, il ne lui en restait qu'un pour reconnaître le monde mais si vous lui présentiez cinq aiguilles, il était encore capable de les enfiler d'un coup. S'il échouait, l'assemblée s'esclaffait mais quand il réussissait, les spectatrices de sexe féminin en étaient abasourdies. Il y avait aussi, autre exemple, ce Singe Une-patte qui suivait le chef de district comme son ombre. Celui qu'on appelait aussi le Singe-sauteur ou l'Unijambiste. S'il avait le toupet de défier à la course les jeunes ingambes, avec une bonne canne il était fichu de gagner. Ou certaine paralytique, capable de broder des motifs exactement semblables des deux côtés de la toile, chat, chien ou moineau, ce qu'en beau langage on appelle la technique du « double envers ». Elle savait même décorer les feuilles des arbres quand elles étaient assez grandes, celles de sterculiers et des peupliers, par exemple.

Les arts des gens de Benaise étaient célèbres dans la région.

Le chef de district distribuait l'argent sans rien dire aux gens-complets, mais quand il voyait un infirme il lui demandait : « Et toi, c'est quoi ton art ? »

L'infirme souriait, protestait, non, il n'avait pas de talent particulier, en revanche :

« Vous ne voulez pas demander à Cao'Er de nous chanter encore quelque chose cet après-midi ? »

La face de Liu se rembrunissait.

Un aveugle, la quarantaine, palpa les coupures qu'on lui tendait et les leva pour les mettre à contre-jour.

« De quoi t'inquiètes-tu ? Tu n'imagines pas que je distribuerais de la fausse monnaie ! »

L'aveugle rit, rangea ses billets et enchaîna d'un ton implorant :

« Cao'Er a une si jolie voix, on ne peut pas lui proposer de revenir cet après-midi ?

– Tu préfères l'argent ou l'opéra ?

– Je vous laisserais volontiers les sous si ça pouvait la faire chanter ! » s'exclama-t-il. Comme si le chef de district ne lui avait pas attribué ce qui allait l'aider à survivre au printemps mais quelques bouts bruissants de papier neuf.

La brodeuse paralytique reçut dans le centre du village les subsides destinés à sa famille. La planche à roulettes sur laquelle elle était installée grinçait chaque fois qu'elle avançait. « Tu devrais la graisser, lui dit-il.

– Je n'ai plus de larmes pour pleurer, répondit-elle. C'était trop beau comme elle a chanté.

– Tu vas broder sur les feuilles cet après-midi ?

– Vous croyez que ça va intéresser les gens, maintenant qu'ils l'ont entendue ? »

Elle empocha les deux cent cinquante-cinq yuans alloués aux siens et s'en alla. Elle n'avait pas eu un mot ni un geste de remerciement. Pas un instant elle n'avait cessé de couver d'un œil admiratif Cao'Er, occupée à ranger son costume de scène.

Liu Yingque était vraiment irrité.

Il fit appeler la cantatrice : « Vous m'avez fait honneur, vous avez merveilleusement chanté. » Puis il lui tendit un billet de cent en ajoutant : « Vous pouvez rentrer chez vous. Vous avez le temps d'être sortie des monts avant la tombée de la nuit. »

Elle, un peu surprise :

« Je n'y ai pas mis assez de cœur ?

– Vous pouvez y aller. »

Elle lissait le billet entre ses doigts.

« Si ma prestation ne vous a pas convaincu, je peux chanter *Le grief de la phalène* cet après-midi. »

Le chef de district reprit calmement :

« Vous y allez, oui ou non ? Soit c'est vous qui partez, soit c'est moi. Vous distribuez les subsides et l'an prochain, quand les gens de Benaise réclameront des céréales, je vous ferai appeler. »

Le secrétaire Shi se trouvant à côté, elle lui jeta un coup d'œil et comme il lui faisait un signe de la tête, elle finit son bagage et s'en fut avec son violoniste. Au moment où elle quitta Benaise, le soleil était plein sud et baignait la chaîne d'une chaude lumière jaune. Au-dessus de l'aire flottaient comme des étoiles de poussière. Puis Cao'Er étant partie, l'attention des gens se reporta sur le chef de district et il se remit à distribuer les subsides. Chaque fois qu'arrivait un chef de famille, le Singe, installé à côté, notait son nom dans un petit carnet. On échangeait quelques mots, le secrétaire tendait cent cinquante-trois yuans à Liu Yingque qui commentait :

« Ce n'est pas grand-chose, juste un petit geste des autorités. Mais avec les céréales, vous devriez pouvoir tenir l'hiver et le printemps. »

Les gens empochant avec des regards reconnaissants, voire quelques paroles de gratitude, son visage avait repris des couleurs, le sang y affluait et lorsque parfois un vieillard, sexagénaire ou septuagénaire, s'inclinait devant lui, il y devenait si épais qu'il semblait ne plus pouvoir se liquéfier. Ses joues resplendissaient comme une feuille de plaqueminier à l'automne. Mais, au bout du compte, il n'y avait à Benaise qu'une quarantaine de foyers et l'essentiel d'entre eux avaient défilé avant le départ de Cao'Er, la face du chef de district ne garda pas longtemps ce joli rouge, la dernière famille eut vite reçu son dû. Après avoir expédié le déjeuner, les gens étaient de retour sur l'aire. Chaises et tabourets n'avaient pas bougé, les briques et les pierres qui servaient de sièges additionnels étaient toujours en place, alignées de manière régulière, mais les premiers revenus étaient en train de subrepticement modifier cet ordre. Celui

115

qui s'estimait placé trop bas prenait un peu de hauteur, celui qui s'était senti à l'écart se rapprochait du centre. Quant à ceux qui n'ayant pas de famille au village s'étaient sustentés sur place, eux aussi de retour, ils s'installaient en plein mitan.

Ils attendaient que les gens de Benaise fassent leurs numéros.

Comment auraient-ils pu deviner, d'où auraient-ils su que le chef de district n'avait pas déjeuné ? Pendant qu'il distribuait l'argent, les villageois lui avaient mitonné quelques plats : du poulet à l'étouffée, des œufs frits, de la ciboule sautée et – où avaient-ils déniché ça ? – du faisan et du lapin. Une pleine table, dressée dans l'ancien temple. Il avait été prévu que Cao'Er et son musicien se joignent à lui, mais finalement il était seul avec son secrétaire. A l'extérieur les feuilles et les bourgeons neufs se racornissaient sous le soleil, à l'intérieur il faisait frais, la pièce restait dans l'ombre. Lorsque Liu Yingque se fut passé de l'eau sur la figure et eut effectué un saut aux toilettes, Shi l'invita à entamer le repas.

Il ne bougea pas.

« Voulez-vous que j'aille réclamer des plats plus appétissants ?

– Non, non. Ça ira. »

Il avait ouvert la bouche mais ne bougeait toujours pas. Le dos collé au dossier de sa chaise, il avait penché la tête en arrière et croisé les mains derrière sa nuque comme s'il craignait qu'à force de s'incliner elle finisse par tomber. Cette tête et ces mains donnaient l'impression de lutter, arc-boutées qu'elles étaient, à contre-courant l'une des autres. Le regard du chef de district restait rivé au mur blanc encollé de journaux.

« C'est fini, inutile de vous tracasser, Cao'Er est partie. »

Pas de réponse.

« Cet après-midi, ils font leurs numéros. Vous devriez prononcer un nouveau discours. »

Il semblait s'être perdu dans la contemplation des deux mouches dorées qui voletaient en bourdonnant autour de lui et se posaient sur les plats pour les goûter.

Le secrétaire les chassa.

« Sinon, nous pourrions aller aux Ames mortes voir le mémorial de Lénine. Là-bas rien ne vous chagrinera. »

Liu se tourna vers son subordonné : « Tu crois que ce n'était pas assez, cinquante et un yuans ?

– Mais si. C'est l'équivalent d'un quintal de céréales.

– Je m'imaginais qu'ils allaient se prosterner de gratitude, et puis rien. »

Le secrétaire eut une illumination, il se leva.

« Où vas-tu ?

– Réclamer un potage aux cuisiniers. »

Il partit.

Puis revint.

Avec entre les mains un bol de soupe où flottait un étincelant hachis de bulbes de ciboule et de verte coriandre. Un parfum de poivre en montait, chatouillant les narines. Sur ses talons, à quelques pas derrière lui, venaient aussi une dizaine de Benaisiens, hommes et femmes à la quarantaine bien tassée. A peine eurent-ils mis le pied dans la cour que sans même prendre la peine d'entrer dans la pièce, ils tombèrent à genoux devant le chef de district et sa table chargée de mets. En bons enseignes, le Singe et le menuisier boiteux – qui avaient ouvert la marche et se trouvaient de ce fait au premier rang – prirent la parole :

« Monsieur le chef de district, nous ne nous sommes pas prosternés ce matin sur l'aire pour vous remercier quand vous nous avez distribué les subsides mais le village tient à vous exprimer sa gratitude. »

Et tout ce monde d'effectuer trois koutous d'affilée pour bien montrer sa reconnaissance.

Liu en lâcha ses baguettes sous le coup de l'affolement. Aux joues un rouge aussi brillant et scintillant que celui des nuages du petit matin, il s'empressa de s'interposer : « Qu'est-ce que vous faites ? Mais qu'est-ce que vous faites ? » Il se rua sur le menuisier pour le remettre debout, releva les autres villageois et les tança d'un ton sévère. Ensuite il les força à venir s'asseoir à sa table. Mais comment auraient-ils osé partager le repas d'un chef de district ? Aussi les raccompagna-t-il jusque dans la cour. Puis, de retour dans la pièce, il admonesta d'abondance son secrétaire : interdiction d'inciter les gens à se prosterner, ce sont des manières d'autrefois. Enfin ils attaquèrent le poulet, le lapin, les ailes de faisan aux champignons et les légumes.

Le chef de district dévorait comme un ogre, en deux temps trois mouvements il fut rassasié.

« Vous mangez avec un lance-pierres, monsieur, remarqua le secrétaire.

– Les gens sont de retour et veulent la suite. On ne peut pas les laisser moisir indéfiniment. »

Lâchant bols et baguettes, de toute la vitesse de leurs jambes ils regagnèrent l'entrée du village. Effectivement, l'aire était noire de monde et les Benaisiens qui devaient faire un numéro attendaient au pied des tréteaux.

Pendant ce spectacle, le soleil devait se lever sur beaucoup de choses, ce fut le rideau qu'on tire au début de la pièce. Liu Yingque eut une inspiration subite : ce n'était pas lui venait au secours des Benaisiens, c'était la neige chaude qui était venue au sien. Elle le secondait dans son grandiose plan, l'aidait à réaliser l'acquisition de la dépouille de Lénine.

COMMENTAIRE

① *Enneuyé, adj. –* DIAL. *(monts Balou). Qui a du mal à supporter. Le contraire de « benaise ».*

CHAPITRE IX

Un arbre gigantesque pousse sur une plume

Le spectacle comporta de nombreux numéros. La course entre l'unijambiste et le gens-complet était un grand classique : le Singe Une-patte et un certain Niuzi allèrent se placer au bord de l'aire, on cria « Partez ! » et ils s'élancèrent comme des flèches vers l'arête. Il va de soi que le jeune homme fonçait comme s'il avait des ailes mais le Singe s'était muni d'une canne en santal rouge, brillante, très solide et très souple. A peine la pointe touchait-elle le sol qu'imperceptiblement elle s'incurvait. Il pesait alors dessus de toutes ses forces, la contraignant à ployer jusqu'à être sur le point de se rompre. On croyait qu'elle allait casser et qu'il tomberait, en fait à chaque saut elle agissait comme un ressort et le propulsait dans l'espace. Il progressait par bonds très longs et très hauts. C'était inimaginable : devancé par le garçon sur la plus grande partie du trajet, finalement, en bout de parcours, au milieu des encouragements qui emplissaient la montagne, ce fut lui qui arriva en tête.

Le chef de district le récompensa, devant tout le monde il lui remit un billet de cent yuans et promit d'attribuer un quintal de blé supplémentaire à sa famille. Il y eut aussi le borgne, celui qui l'année précédente avait en tordant bien son fil réussi à le faire passer dans cinq aiguilles d'un coup : ce jour-là il en enfila huit ou dix. La brodeuse paralytique sut non seulement orner de grossiers bouts de papier ou des torchons en lambeaux de cochons, de chiens et de chats, mais aussi des feuilles d'arbre d'animaux à double envers. Ma le sourd, du fond du village, osa du fait de son infirmité faire partir des pétards accrochés à son oreille. Et il y eut Tonghua, l'aînée des bessounes de Jumei. Tout le village la savait aveugle. A dix-sept ans elle ignorait que les arbres sont verts, que les nuages sont blancs et que la rouille teinte les pelles et les houes de rouge. Elle ignorait qu'au petit matin les brumes sont dorées, elle n'avait jamais vu le couchant s'empourprer au crépuscule. Si Phalène lui disait : « Le rouge, c'est la couleur du sang », elle demandait :

« Mais le sang, de quelle couleur est-il ?

— De la couleur des sentences parallèles qu'on colle de chaque côté de la porte pour le Nouvel An.

— Et ces sentences, de quelle couleur sont-elles ?

— De la couleur des feuilles de plaqueminier au neuvième mois.

— Et ces feuilles, de quelle couleur sont-elles ? Pauvre aveugle, les feuilles de plaqueminier sont couleur feuilles de plaqueminier. »

Puis la cadette s'en allait, lasse de ces discussions oiseuses.

Tonghua vivait au milieu des ténèbres, dans une obscurité absolue. Le soleil avait beau briller avec ardeur sur son entourage, du jour de sa naissance elle n'avait jamais vu que du noir. Le jour était noir, la nuit était noire. Noir le soleil et noire la lune. Au cours de ces dix-sept années, pour elle tout avait toujours été

121

noir et le demeurait. Depuis ses cinq ans elle se promenait avec un bâton en bois de jujubier et tapotant ici, frappant là, à l'intérieur et à l'extérieur, jusqu'à l'orée du village, elle allait tambourinant. Cela faisait plus de dix ans qu'elle vivait ainsi. La canne était ses yeux. Pendant les benaisades, d'habitude, elle et son bâton se réfugiaient avec Jumei dans un coin à l'écart. Avec concentration elle écoutait le madrigau, qu'il soit des Balou ou de Xiangfu, puis l'opéra et les ballades populaires. Mais lorsque les démonstrations d'art commençaient, elle avait disparu. Elle laissait sa mère regarder. Elle n'aurait rien vu, sinon les ténèbres. Or, cette année, Jumei avait prétexté qu'elle avait trop à faire et refusé de venir. Huaihua, Yuhua et Phalène étaient parties, elle était restée sur le pas de la porte à écouter les bruits de la rue et le brouhaha qui se faisait à l'orée du village. Puis, toc-toc, toc-toc, elle et sa canne avaient gagné seules les bords de l'aire. De bout en bout elle avait suivi le déroulement des démonstrations d'art. Elle avait entendu les sombres et ardentes clameurs de la foule, ses rires sombres et écarlates, le bruit sombre et blanc comme un nuage de ses mains quand elle applaudissait, des mains qui battaient, flottaient, dansaient dans l'air à ses oreilles. Entendu le chef de district encourager le Singe en criant : « Allez ! Allez ! Si tu gagnes, tu auras un billet de cent ! » Les mots avaient volé à ses oreilles et devant ses yeux comme une paire d'ailes noires. Puis Liu lui avait remis sa récompense, l'unijambiste s'était prosterné pour remercier et son front avait eu en frappant le sol un écho noir et brillant. Le chef de district en avait été si touché qu'il avait ajouté un billet de cinquante. Elle avait entendu la paralytique broder sur une feuille de sterculier un éclatant moineau noir à double envers, puis la question que lui avait posée Liu quand elle était allée chercher sa récompense : « Est-ce que tu sais aussi décorer les feuilles de peuplier ? », et la réponse : « Elles sont trop petites, il n'y aurait de place que pour une fourmi. » Il lui avait serré la main : « Celles de sophora ? – Ce serait encore pire, elles sont juste bonnes pour des têtes de bébé ! » Il lui tenait toujours la main, en y glissant une prime d'un montant inconnu, il avait conclu : « Doigts agiles, doigts agiles… Avant que je m'en aille, il faut absolument que j'écrive une calligraphie pour toi : *Aux doigts les plus agiles de l'univers.* » Ses oreilles lui avaient aussi dit qu'il y avait des gens partout, à flanc de montagne, dans les champs. Leurs cris se bousculaient, le brouhaha de leurs voix formait un magma aussi noir et dense que si une averse noire et battante était tombée sur l'univers. La pluie ne s'arrêtait que lorsque le chef de district distribuait les primes, à ces moments-là le public devenait muet, il régnait un silence tel que si une aiguille était tombée par terre, les feuilles des arbres en auraient tremblé et se seraient envolées. Mais après, quand la personne récompensée s'inclinait ou se prosternait, les applaudissements étaient si violents qu'ils dégoulinaient comme une eau noire, la montagne, le village, les arbres et les maisons s'y noyaient tels des moustiques dans les ténèbres de la nuit.

C'était la première fois qu'elle suivait jusqu'au bout une benaisade et cela lui fit comme une blanche fulgurance. Le Singe avait couru, le sourd fait partir ses pétards, le borgne enfilé des aiguilles, la paralytique brodé, et deux manchots croisé leurs moignons pour une partie de bras de fer. Ensuite était venu le fils du menuisier du fond, cette petite chose d'une dizaine d'années qui devait à la polio contractée pendant sa prime enfance un pied gros comme une tête d'oiseau au bout d'une jambe épaisse comme une tige de chanvre. Quand il le recroquevillait, il arrivait à le faire passer par le goulot d'une bouteille et à déambuler ainsi chaussé.

Ce spectacle ouvrait des horizons au chef de district, Tonghua l'entendait applaudir à tout rompre, ses mains ne cessaient de battre et ses paumes avaient pris un rouge noirâtre ; elle l'entendait distribuer les récompenses, discourir et plaisanter d'une voix noire et éraillée qui donnait à chacun de ses mots la sonorité rugueuse, noire et brillante d'une scie de menuisier. A la fin, alors que le soleil allait tomber et que la touffeur cédait le pas à la fraîcheur, comme les gens de l'extérieur s'apprêtaient en plaisantant à regagner par petits groupes leurs villages, Liu Yingque monta sur scène pour crier de sa voix noire :

« Est-ce que quelqu'un a encore un numéro à présenter ? C'est maintenant ou jamais. Demain, mon secrétaire et moi serons partis, il n'y aura plus de primes. »

Elle monta sur un côté de l'estrade et, toc-toc, toc-toc, avança avec sa canne de jujubier jusqu'au milieu. Alla exactement là où les autres s'étaient mis pour faire leur démonstration et resta là, toute droite, tandis que ses sœurs stupéfaites se ruaient au premier rang en criant son nom. Le soleil était doux, rouge et noir, il tombait à l'ouest de la crête des monts. Un vent frais et noir soufflait de l'arrière de la scène. Avec son chemisier à col cassé en dacron rose, son pantalon bleu et ses chaussons à ouverture carrée, elle semblait dans cette brise un arbuste au tronc immobile dont seules les feuilles – en l'occurrence le pantalon et le chemisier – auraient tremblé. C'était une gamine, et une gamine aveugle en dépit de ses yeux noirs et brillants qui resplendissaient comme des raisins dans la brume. Elle était pure, elle était propre, même la poussière n'aurait pu la souiller. Enfin, si elle n'avait pas la beauté et la délicatesse évidentes de Huaihua, tout en elle était d'une joliesse et d'une méticulosité charmantes. Pour toutes ces raisons, au pied des tréteaux le vacarme cessa, le silence se fit. Huaihua, Yuhua et Phalène s'étaient tues, un calme profond s'installa et perdura. La foule attendait de voir ce que le chef de district allait lui demander et ce qu'elle allait répondre.

Le monde n'était vraiment que silence. Liu Yingque la regardait comme il eût regardé l'univers se fondre dans une clarté liquide en cet instant où le soleil disparaît et la lune se lève.

Immobile dans son calme obscur, elle restait là, entendant bien que le chef de district se trouvait au centre de la scène, un peu au sud par rapport à elle, le secrétaire légèrement en retrait à sa gauche et le Singe – celui qui avait empoché une si jolie prime – à droite. Tout n'était sur l'estrade et à ses pieds que faisceaux de regards noirs qui pesaient sur elle comme des herbes noires. Elle entendait la surprise des gens s'abattre en pluie de tuiles noires comme les feuilles à la fin de l'automne. Elle entendait le regard de ses sœurs, il s'envolait du pied de l'estrade pour se poser comme le vent par une fenêtre entrebâillée sur son visage.

« Comment t'appelles-tu ? lui demanda le chef de district.

– Tonghua.

– Quel âge as-tu ?

125

« – Dix-sept ans.

– Qui sont tes parents ?

– Ma mère s'appelle Jumei et ma grand-mère Mao Zhi. »

Un instant livide, il reprit vite contenance.

« Quel art possèdes-tu ?

– Je ne vois rien mais j'entends tout.

– Tu entends quoi ?

– J'entends tomber les plumes des poules. Elles font le même bruit qu'une feuille qui chute d'un arbre. »

Il demanda qu'on lui trouve une plume de moineau au bord de l'aire. C'en fut une d'un noir grisé, avec du blanc neigeux au niveau de la hampe. Il la serra fort dans sa paume pour la cacher, puis leva le poing devant elle et lui demanda en l'agitant : « Dans la main je tiens une plume, de quelle couleur est-elle ?

– Noire. »

Puis il sortit un stylo blanc et le fit passer devant ses yeux.

« Qu'est-ce que c'est ?

– Rien.

– Un stylo. De quelle couleur est-il ?

– Noir. »

La plume de moineau refit alors surface entre ses doigts, il la fit passer d'une main à l'autre, la glissa derrière sa nuque et lui dit : « Ecoute et dis-moi où elle tombe. » Tonghua écarquilla des pupilles qui n'avaient plus rien de vague, elles brillaient comme des feux, pleines d'une émotion et d'une séduction indicibles. Sur l'aire planait un calme étrange et profond, les gens de l'extérieur qui s'apprêtaient à partir avaient fait demi-tour. Ceux qui avaient des chaises étaient montés dessus. Les enfants avaient regrimpé dans les arbres dont ils venaient juste de descendre. Quant aux paralytiques et aux boiteux – plus les aveugles qui n'y voyaient goutte – ils n'avaient pas bougé. Ils attendaient qu'on leur dise la conclusion. L'univers était d'un silence tel qu'on entendait l'écho du soleil en train de se coucher de l'autre côté de la montagne. Tous les regards étaient braqués sur l'estrade, sur la main du chef de district qui tenait la plume.

Il écarta les doigts et elle tomba, après avoir décrit quelques cercles, à côté du pied droit de Tonghua.

« Où est-elle ? » demanda-t-il.

Sans répondre elle se pencha, tête en arrière, et à tâtons la ramassa.

Stupéfaction et murmures dans l'assistance. Le visage de Yuhua avait viré au brique, même chose pour Phalène. Quant à Huaihua, éberluée, c'était l'envie qui l'empourprait, au rouge de ses joues se mêlaient des éclats dorés et argentés. Au milieu du concert de ces chuchotements, le chef de district regardait Tonghua dans les yeux. Il lui reprit la plume, l'agita à nouveau devant elle pour vérifier que ses grandes pupilles noires restaient toujours sans réaction, puis l'envoya à son secrétaire, lui signifiant sans bruit de la lâcher au pied des tréteaux.

Le jeune homme s'exécuta et elle tomba, comme une légère exhalaison.

« Où est-elle ? demanda Liu.

– Dans un trou devant moi. »

On pria quelqu'un de la ramasser, le chef de district fit semblant de la lancer et demanda encore : « Et cette fois ? »

Tonghua réfléchit un moment, puis l'air désemparée secoua la tête : « Je n'ai rien entendu. » Il alla alors se planter devant elle, et au bout d'un long moment lui glissa trois billets dans la main : « Tu as entendu juste les trois fois, trois cents yuans. » Comme elle prenait les coupures neuves et craquantes et les palpait comme elle palpait toute chose d'un air réjoui, toujours planté devant elle, toujours la fixant, il ajouta : « Il y a d'autres choses que tu entends ?

— Vous me donnerez encore de l'argent ? répondit-elle en pliant les billets pour les ranger dans sa poche.

— Seulement si ce n'est pas affaire d'écouter mais un autre art. »

Elle sourit : « Je sais si un arbre est un sterculier, un saule, un sophora, un orme ou un cèdre en tapant dessus avec mon bâton. » Il l'emmena au bord de l'aire, lui fit frapper un orme, un mélia et deux vieux sophoras. Effectivement elle devina lequel était lequel, si bien qu'il lui donna encore un billet de cent. Puis il fit apporter une pierre, une brique et un bloc d'ardoise, lui demanda de cogner dessus avec sa canne et comme là encore elle réussissait à les identifier, en ajouta cent de plus. Sur l'aire désormais le brouhaha était complet. En voyant Tonghua gagner en un battement de paupières cinq billets flambant neufs, on soupirait et commentait. Huaihua fut la première à se précipiter sur scène pour la prendre par les mains, lui tirer le bras et dire : « Sœur ! Sœur ! Demain je t'emmène au marché du bourg et on achètera tout ce que tu veux ! »

Le soleil était définitivement tombé derrière les monts de l'ouest, sur Benaise planait comme une fumée rouge. Il était trop tard pour que quiconque se produise encore. Les gens de l'extérieur rentrèrent chez eux en soupirant de satisfaction. Les villageois qui avaient mis la grande marmite à bouillir sur l'aire

128

centrale appelèrent les autres à venir manger le porc aux choux et la soupe de riz. En cet instant précis, le minuscule bourgeon qui avait germé sans qu'il le comprenne dans le cœur du chef de district s'épanouit brusquement, il explosa pour donner un gigantesque arbre à sapèques d'une clarté et d'une évidence retentissantes.

Il allait monter une troupe d'art qui irait jouer aux quatre coins du monde et gagnerait la faramineuse somme qui lui manquait encore pour la dépouille de Lénine.

LIVRE CINQ

TRONC

CHAPITRE PREMIER

*Il se fait une grande effervescence,
on a l'impression de tomber sur un arbre
au sortir de chez soi*

Benaise était en ébullition. On aurait cru qu'au milieu de la nuit, à la place de la lune le soleil était apparu. Qu'il ne soit plus l'astre à la clarté millénaire, mais qu'une étoile d'un jaune resplendissant brille dans l'obscurité. Il avait été décidé qu'on monterait une troupe et courrait le monde à l'extérieur des Balou. Comme les grands de ce monde, les villageois paraîtraient en costumes de scène dans les théâtres des métropoles… Tous ceux qui avaient un soupçon d'art devaient s'inscrire auprès du chef de district. Le secrétaire notait dans son carnet la ribambelle des noms et leurs talents particuliers :

Le Singe Une-patte : court sur une seule jambe.
Ma le sourd : pétards accrochés à l'oreille.
Le borgne : enfile les aiguilles.
La paralytique : brode sur les feuilles d'arbre.
Tonghua l'aveugle : oreille fine.
Le petit polio : chausse les bouteilles.

Il y avait aussi le quatrième grand-père, un aveugle de l'entrée du village, qui à force de ne rien voir avec ses yeux inutiles en était venu à ne plus craindre d'y laisser goutter la cire des bougies. Ou, toujours de l'entrée du village, cette troisième belle-sœur qui

133

depuis qu'elle s'était cassé le poignet coupait avec une seule main navets et choux en tranches encore plus fines et régulières que si elle en avait eu deux. Du fond de Benaise, un six-doigts : il en avait un de trop à la main gauche, un pouce qui lui poussait sur le pouce – autant dire qu'on ne le considérait pas comme un handicapé mais comme un gens-complet. Il haïssait cette excroissance, au point qu'il passait ses jours à la mordiller : à force, ce n'était plus qu'un ongle sur une boule de chair aussi dure qu'un cor, qui ne craignait ni les pinçons ni les coups de dent et qu'il pouvait plonger dans le feu comme un morceau de vieux bois ou de fer. Quel que soit votre âge, si vous étiez du village, que vous aviez une infirmité et du fait de celle-ci développé une bonne[1], le secrétaire vous inscrivait dans son registre et vous vous retrouviez membre de la troupe.

Vous alliez quitter Benaise, fini le travail des champs, tous les mois vous toucheriez un salaire d'un montant effrayant. Le chef de district avait promis que les numéros qui auraient du succès rapporteraient cent yuans par représentation. Si on se produisait une fois par jour, en vingt-neuf jours cela ferait vingt-neuf représentations, en trente et un jours trente et une ! Alors un gros billet à chaque fois : quel beau paquet cela ferait à la fin du mois ! Au village, à supposer qu'il y ait deux gens-complets dans une famille, que les conditions climatiques aient été favorables toute l'année, que les terres soient des champs paradisiaques[3] et que vous viviez comme des jours châlis[5], il y avait peu de chances que vous tiriez autant de vos semences.

Comment ne pas sauter sur l'occasion ?

La famille du Singe Une-patte avait commandé une nouvelle canne au menuisier. La paralytique était rentrée chez sa mère pour y emprunter l'argent dont elle aurait besoin pour l'aventure. Ma le sourd s'était mis à la recherche de cyprès bien dur pour tailler les plaquettes avec lesquelles il se protégeait des pétards. Quant au petit polio – treize ans –, ses père et mère préparaient son bagage.

La troupe avait été fondée en l'espace d'une nuit. Demain elle quitterait le village. Parmi ses soixante-sept membres, on comptait onze aveugles, trois sourds, dix-sept boiteux, trois unijambistes, sept manchots ou mains-botes, un six-doigts, trois borgnes et un gueule-brûlée. Plus quelques gens-complets, ou à peu près. Ils ne joueraient que les seconds rôles, les vedettes étaient les infirmes. Du fait qu'ils étaient complets ils devraient se contenter d'accomplir quelques besognes en coulisses : déplacer les caisses, par exemple, ou faire la lessive et la cuisine, ou réparer et modifier les accessoires. A la fin de la représentation, ou lorsqu'on changerait de ville, c'est encore à eux qu'incomberait la tâche harassante de tout déménager.

Il allait de soi que la star serait Tonghua. Mais Huaihua était allée trouver le secrétaire Shi dès qu'elle avait eu vent du projet. « Quel don as-tu ? » lui avait-il demandé. « Aucun, mais je sais peigner et apprêter, je ferai une beauté aux artistes avant leur passage en scène. » Shi l'avait inscrite dans le carnet et gratifiée en souriant d'une paternelle caresse sur la joue. Ce sourire et cette caresse lui avaient ôté le sommeil, le lendemain elle rayonnait, rose et jolie comme un papillon elle déambulait dans la rue en claironnant à tous vents qu'elle était la maquilleuse de la troupe et n'en avait pas fermé l'œil de la nuit tellement elle était excitée. Au petit matin elle avait fait un rêve : elle s'était vu prendre son essor du haut d'une falaise.

Elle demandait : « Oncle, à ton avis, j'ai grandi ? »

Elle disait : « Belle-sœur, il paraît que rêver qu'on s'envole veut dire qu'on grandit. Tu ne trouves pas que j'ai grandi ? »

Et les oncles et les belles-sœurs d'approuver, effectivement, elle avait un peu poussé. Elle était de plus en plus jolie, plus belle que Tonghua, Yuhua et Phalène. Ses sœurs étaient des fleurs de la prairie au printemps, pas encore complètement épanouies, elle était pivoine herbacée, rose de Chine, rouge fleur de prunier à sa plénitude. On ne voyait plus en elle une nine, mais une exquise et délicate adolescente, un papillon ou un moineau qui aguichait l'œil. A la maison, s'étant mesurée avec Tonghua et Yuhua, elle décida qu'elle les dépassait un peu. Elle avait l'impression d'avoir commencé à grandir quand le secrétaire lui avait caressé la joue. S'il pouvait recommencer ! Voire l'embrasser, qui sait ? De nine elle deviendrait gens-complète et pourrait présenter le spectacle.

Il allait de soi que tel rôle ne pouvait être attribué qu'à une ravissante jeune fille.

Quant à Yuhua, même si elle n'était pas aussi grande que Huaihua, on lui avait confié la billetterie. Seule Phalène, sur ordre de ses mère et grand-mère – qui disaient non, non et non –, resterait à la maison. Sur les deux cents et quelques habitants que comptait le village, plus de la moitié allait partir. On laissait les vieillards et les enfants, ceux qui étaient trop handicapés, les idiots : s'ils étaient trop bêtes pour avoir développé un art, mieux valait qu'ils restent à garder la maison et travailler les champs.

Il régnait au village la même confusion que dans un entrepôt dévalisé. La rue fourmillait de gens qui avaient ceci ou cela à emprunter. Le borgne s'était procuré des jeux d'aiguilles neuves et allait de famille en famille pour les échanger contre des vieilles : du moment que l'usage les avait faites, peu importait la taille, elles avaient beaucoup servi, beaucoup cousu de vêtements ou piqué de semelles, le chas était lisse et le fil y passait mieux. La mère du petit polio s'était installée sur le pas de sa porte et fabriquait des chaussons pour son pied gauche : puisque désormais au droit il porterait une bouteille, il fallait que le dessous de l'autre soit dur et solide si on voulait qu'il tienne sur ses jambes. Dans nombre de foyers on s'apercevait soudain, au moment de se mettre en route, que n'étant depuis des générations jamais allé plus loin que le marché du bourg, on n'avait pas le moindre sac ni balluchon, même pas une poche où mettre son bagage. Il fallait aller de maison en maison pour se faire dépanner, quémander à l'est, emprunter à l'ouest…

Mises de toutes parts à contribution, les bonnes couturières étaient débordées.

Les menuisiers aussi avaient du pain sur la planche : dix-sept boiteux et deux unijambistes, plus les douze aveugles, cela faisait trente et une personnes, dont dix-huit ne pouvaient vivre sans béquille. Autrement dit : dix-huit qui ne pouvaient s'en passer et treize qui en voulaient une neuve ! Ils avaient dû se mettre à l'ouvrage, et pan ! et pan ! le village résonnait des coups sonores qu'ils assenaient. Quel raffut cela faisait, avec ce flot ininterrompu de gens qui arpentaient la rue à la recherche d'une chose ou d'une autre, et ce gosse à moitié aveugle que le chef de district et son secrétaire avaient écarté de la liste parce qu'il ne possédait aucun art et qui braillait à s'en déchirer le gosier en tapant du pied et faisant voler des nuages de poussière par terre au milieu de la rue.

Les choses en étaient là.

Demain de bon matin, les soixante-sept habitants de Benaise dont les noms avaient été retenus s'en iraient. Jumei quant à elle n'avait pas mis le nez dehors depuis dix jours, depuis en fait que le chef de district et son secrétaire s'étaient installés dans les chambres d'hôte du vieux temple.

Tonghua, Huaihua et Yuhua vibrionnaient dans la demeure comme une eau jaillissante, elles rangeaient leurs affaires, préparaient leurs bagages. Toutes trois partaient avec la troupe.

Assise sur une pierre au milieu de cette cour sans vent que le soleil de midi transformait en étuve, leur mère était en eau. L'ombre des arbres l'avait en se déplaçant abandonnée dans la lumière comme une poignée de légumes dans un wok. La maison était composée de deux bâtiments de quatre travées, plus un de trois pour les communs. Elle logeait dans l'un avec Tonghua, son aveugle, Huaihua, Yuhua et Pha-lène dans l'autre : il n'y avait que les lits dans les chambres, les filles rangeaient leurs vêtements sous leurs oreillers, elles n'avaient pas de coffre et en auraient-elles eu un qu'elles n'auraient pas su où le mettre. Cela faisait plus de dix ans qu'elles vivaient entassées les unes sur les autres comme une couvée d'oiseaux dans son nid, à attendre d'avoir l'âge d'en sortir. « Où est passé mon chemisier rose ? demandait celle-ci. Hier il était bien en évidence, plié à la tête de mon lit, aujourd'hui je ne le vois plus. – Tu n'as pas vu mes chaussons de velours ? s'inquiétait l'autre. Je les avais serrés sous le sommier il y a deux jours. »

Elle ne répondait pas, se contentant de les regarder aller et venir. Son cœur était dans les ténèbres, comme ces friches à flanc de montagne où autrefois on cultivait des céréales, les saisons y étaient nettes, au printemps on semait et à l'automne on moissonnait, à l'automne on ensemençait et l'été on récoltait, puis d'un coup les laboureurs s'en étaient allés, le champ était redevenu jachère, le cœur stérile. Elle savait qu'il s'était passé ces jours-ci au village des événements d'une exceptionnelle importance. Une troupe allait changer le destin de Benaise comme autrefois un homme avait changé le sien. Le tour des villageois était venu. Dit comme ça, cela faisait penser à la pluie une année de sécheresse, elle pouvait bien tourner au déluge, personne n'empêcherait les gens de se ruer pour l'accueillir. Qu'elles partent, se disait-elle, l'eau doit s'écouler, moineaux et corbeaux finissent toujours par quitter le nid, qu'elles fassent comme il leur chante. Puis elle poussa un long soupir et se leva de sa pierre en plein soleil.

Elle sortit.

Elle ne pouvait pas ne pas aller le voir.

En route pour le vieux temple.

C'était l'heure où d'ordinaire chacun se repose, l'heure de la sieste, mais ce jour-là, en plein midi, la rue était aussi animée que s'il y avait eu un grand spectacle en préparation. Hier encore tous étaient à la benaisade, aujourd'hui ses acteurs s'apprêtaient à partir au loin, à devenir autres, à changer de vie. Qu'ils soient aveugles, boiteux ou gens-complets, tous avaient les joues roses et l'air réjoui.

« Trois filles sur quatre de prises, tu en as de la chance ! » s'exclamaient ceux qui la rencontraient.

Ne trouvant rien à répondre, elle leur souriait d'un sourire pâle.

« Vous n'allez plus savoir comment dépenser votre argent, j'espère que tu seras là si je me retrouve à devoir emprunter », remarquaient les autres.

De son pauvre sourire pâle elle souriait, toujours incapable de savoir quoi leur dire.

Elle atteignit le temple. Un couple y était déjà, à genoux : deux gens-complets venus implorer pour leur enfant le chef de district. Lequel affalé sur sa chaise au milieu de la pièce se sentait en ce milieu de journée d'humeur somnolente. La torpeur s'attachait à sa personne comme de la glaise jaune. Le secrétaire l'avait laissé pour vaquer à quelque occupation, il posa sur le couple un œil exaspéré : « Debout, si vous avez quelque chose à dire ! »

Obstinément ils restèrent agenouillés.

« Plutôt mourir que nous relever si vous n'acceptez pas ! »

Il s'adoucit un peu :

« Qu'est-ce qu'il sait faire, votre gosse ?

– Il est laid, mais à plusieurs lis il sent l'odeur du blé.

– Moi aussi. »

Le couple commençait à s'inquiéter.

« Dans le village à vue de nez il vous dit dans quelle maison on fait cuire les pains de maïs à la vapeur, et même lesquels sont au sésame, à l'oignon haché ou à l'aillet. »

Le chef de district réfléchit un instant : « Vraiment ?

– Nous allons le chercher, vous verrez vous-même. Rien que dans ces pièces il saura trouver l'humidité, la fumée de charbon et les crottes de rat. » Mais ils eurent beau insister, d'un geste il refusa et leur intima de partir, « amenez-le-moi après la sieste, on fera un essai ». Ils se prosternèrent encore et une fois sur leurs jambes sortirent à reculons. L'ombre des vieux cyprès qui poussaient dans la cour en couvrait plus de la moitié. Il faisait frais sous ce feuillage, Jumei ne transpirait plus. Elle vit le couple se retirer. C'était le couvreur et sa femme. De part et d'autre on se regarda, hésitant à dire quelque chose, puis finalement non : Jumei les contemplait d'un œil si triste, sans doute ses filles partaient-elles toutes avec la troupe ; eux avaient du ressentiment parce que leur gosse n'avait pas été sélectionné, on se battit froid. Leur pas sonnait sur les briques de la cour comme la chute d'un morceau de sterculier mou sur une dalle, creux et pourtant éclatant il se répercutait dans le lointain.

Jumei s'arrêta à l'entrée de la pièce qu'elle fouilla du regard. Le chef de district avait fermé les yeux et s'apprêtait à faire un petit somme. Appuyé au dossier de sa chaise, les mains comme d'habitude croisées derrière sa nuque, il se balançait doucement. Cela va sans dire, corps et âme il était en train de glisser avec allégresse dans le sommeil. La troupe avait été sur pied en moins de temps qu'il n'en fallait pour le dire, c'était comme si en sortant de chez lui il avait trouvé un arbre à sapèques, les fonds nécessaires à l'acquisition de la dépouille de Lénine lui tombaient tout crus dans les mains, sans qu'il ait besoin de lever le petit doigt. Comment n'aurait-il pas été détendu, benaise ? Le corps principal du temple n'avait pas changé, trois pièces séparées par des cloisons encollées de vieux journaux au-dessus desquelles les poutres étaient peintes de motifs de dragons, de phénix et de dieux. Au mur derrière lui pendaient des portraits, dont les trois premiers – Marx, Lénine et le président Mao – remontaient à des jours très anciens. Les moustachus avaient de la poussière plein la moustache, l'autre plein le creux entre la lèvre supérieure et le nez. Le temps avait rendu le papier si jaune et cassant qu'au moindre attouchement il menaçait de s'effriter et de tomber en lambeaux. Sur le quatrième, flambant neuf, un homme d'âge mûr aux cheveux coupés en brosse souriait de toutes ses dents. Dans un premier temps elle eut du mal à contenir son émotion. Dommage qu'elle ne se soit pas peignée ni changée avant de sortir. Mais à la vue de ces portraits, elle fut ahurie. Le quatrième n'était autre que celui de Liu Yingque. Il donnait l'impression d'avoir été accroché là exprès pour la choquer et faire tomber l'ébullition dans son cœur, plus rien n'y bougeait. Comme une bûche elle resta plantée sur le seuil, à bonne distance. Elle retrouvait une vieille connaissance, il n'avait pas trop changé mais elle sentait bien que si elle s'était si vite calmée, c'était d'abord parce qu'il avait grossi, difficile avec ses bajoues de se rappeler qu'il avait eu une silhouette émaciée ; ensuite, cette photo accrochée au mur à côté des trois autres lui avait fait prendre conscience du fossé qui les séparait désormais. Entre eux la distance était aussi incommensurable qu'entre le ciel et la terre. Aussi se tenait-elle là, paralysée, tentant de faire le pas en avant que ses pieds lui refusaient, à le fixer, à regarder les murs et les coins de la pièce. Au bout d'un certain temps elle toussa discrètement.

En fait il ne dormait pas. Il l'entendit, mais trop exténué pour ouvrir les yeux, en se balançant avec impatience il assena :

« Ça ne peut pas attendre la fin de ma sieste ?

– Je suis Jumei. »

Les quatre pieds de sa chaise vacillante s'immobilisèrent, il leva les paupières, chercha la porte, et son regard troublé s'arrêta un instant sur elle. Puis, le détournant pour se plonger dans l'observation du porche, froidement il s'enquit :

« Qu'est-ce que tu veux ? Je ne t'ai pas convoquée.

– Je voulais te voir.

– J'ai pris tes filles dans la troupe. Elles vont toucher un salaire, à toi la belle vie. » Une pause, un coup d'œil et il reprit : « Quand j'aurai rapporté la dépouille de Lénine et qu'elle sera installée aux Ames, les touristes vont défiler en un flot ininterrompu sur le chemin de crête au-dessus du village. Anticipe, ouvre un restaurant ou un hôtel et tu vivras comme au paradis. Encore mieux que moi. »

Elle aurait aimé lui poser deux ou trois questions, lui dire deux ou trois choses, un tel discours lui enlevait les mots de la bouche. Elle releva la tête pour encore une fois contempler le portrait à côté des trois autres, puis après un dernier coup d'œil tourna les talons et prit lentement le chemin de la sortie.

Un instant hésitant, il se leva de sa chaise, regarda lui aussi le portrait sur le mur, puis la suivant des yeux crut bon de préciser : « C'est le secrétaire qui l'a mis pour me faire plaisir. »

Elle ralentit le pas.

Pourtant : « Va, je ne te raccompagne pas », dit-il.

Elle quitta le temple. Dans la rue le soleil était jaune et étincelant, au sortir de cette cour à l'ombre fraîche, les vagues de chaleur qui se succédaient lui donnèrent le vertige. C'était comme si on l'avait immergée dans une marmite d'eau bouillante. Elle ne regrettait pas d'être allée le voir et n'en sentait pas d'émotion particulière, mais quand elle tourna dans la ruelle qui la ramenait chez elle, après avoir vérifié qu'il n'y avait personne, elle s'immobilisa et les larmes ruisselèrent sur ses joues jusqu'à ce qu'elle lève la main pour s'assener une claque en s'insultant :

« Mauvaise ! Mauvaise ! Pourquoi y es-tu allée, hein ? Fichue crétine ! »

La gifle suffit à tarir ses pleurs, quelques secondes plus tard elle était de retour chez elle.

COMMENTAIRES

① *Bonne*, n. f. – DIAL. *Une spécialité, une compétence. Les Benaisiens sont obligés de développer un talent sur un plan ou un autre pour compenser leur handicap. Cela les aide à vivre. Ainsi les aveugles sont intelligents, les sourds-muets habiles de leurs mains, etc.*

③ *Les champs paradisiaques – Les champs paradisiaques ne sont pas les champs du paradis mais les terres qui, comme l'idée du paradis, donnent de l'espoir. Ainsi que nous l'avons dit plus haut, la vallée de Benaise est fertile et bien arrosée. Bien des années plus tôt, on y trouvait des terrains plats et irrigués, et pour les jours où ils étaient inondés, des lopins à flanc de coteau. Quelle que soit leur infirmité, les paysans qui travaillaient avec énergie récoltaient toujours ici ou là et avaient à longueur d'année plus à manger qu'il ne leur en fallait. Semant et moissonnant largement, ils ne craignaient pas les catastrophes naturelles. Que la saison soit pleine ou morte, ils étaient toujours aux champs, ensemençant avec ardeur et fauchant sans souci. Ils vivaient dans l'aisance, avec décontraction. Mais pendant l'année du Tigre de 1950, les terres devinrent propriété de l'Etat et ce fut la fin de cette existence paisible et désinvolte. Le temps où chacun cultivait son champ sans contraintes, librement et tranquillement, n'était plus qu'un beau rêve, un mode de vie perdu, une chimère. C'est pour cela que Mao Zhi se bat et s'est battue : recommencer à cultiver les champs paradisiaques est l'un de* ses objectifs, car là résident tous les espoirs de bonheur pour les villageois.

⑤ **Les jours châlis** – Un temps révolu. Le concept des jours châlis est étroitement lié à celui des champs paradisiaques. Les jours châlis constituent un mode de vie spécifique que seuls les Benaisiens qui en ont fait l'expérience peuvent comprendre. Leurs particularités : liberté, décontraction, aisance, absence de compétition et tranquillité. Les habitants du village les appellent aussi les « jours perdus ».

CHAPITRE III

Mao Zhi s'effondre comme une botte d'herbe

Quand Mao Zhi sortit de chez elle, le jaune plombé de ses profondes rides évoquait la boue prise dans les glaces de l'hiver. Sa béquille en aluminium arrachait au sol des échos retentissants. Semblable au morceau de bambou emporté par la rivière, sans mot dire elle fonçait. Le soleil s'était légèrement incliné à l'ouest, la rue s'était calmée. Les villageois sur le point de partir, ceux qui maîtrisaient un art, en avaient apparemment fini avec leurs préparatifs. Pour faire son ballot on avait emprunté du tissu, si on n'en avait pas trouvé, déchiré le drap du lit – deux balluchons d'un coup – et on y avait entassé les habits et le reste des affaires. Les femmes prises plus tôt par des travaux de couture ne maniaient plus leur aiguille dans la rue. Les menuisiers obligés de tailler des cannes à la hâte avaient laissé là les haches et les scies pour redresser leurs échines endolories. Oui, le calme était revenu, poules et cochons vaquaient comme à l'ordinaire, comme si de rien n'était.

Les choses étaient déjà bien en train lorsqu'elle avait finalement eu vent de cette troupe fondée par le chef de district et appris qu'il avait recruté soixante-sept personnes, toutes aveugles, sourdes et boiteuses à part quelques gens-complets. Dix jours plus tôt elle lui avait craché à la figure mais quand il avait décidé, avec son secrétaire et le chef de canton, de rester au village, elle avait demandé au Singe de les installer dans les chambres d'hôte du temple et l'avait chargé de s'assurer qu'ils soient à tour de rôle nourris par les diverses familles. Ceux dont l'intérieur était propre n'auraient qu'à aller passer leur invitation quand la soupe serait prête, les autres, ceux chez qui c'était sale et désordonné, feraient mieux de la mettre dans un pot et de l'apporter au temple avec les pains à la vapeur et les plats cuisinés.

Elle pouvait le haïr, il n'en était pas moins chef de district et s'il logeait à Benaise il fallait lui assurer le couvert. Le Singe y pourvoirait. C'était son voisin de l'est, il était intelligent et rapide sur son unique jambe, dès qu'il se passait quelque chose c'était lui qu'elle envoyait faire le porte-à-porte pour avertir les gens, ou sonner la cloche et monter sur la pierre pour crier un grand coup. Il n'était pas une personnalité du village, mais il suffisait qu'elle lui confie une mission pour qu'il en devienne une.

Elle avait dit : « Le chef de district habite au temple, c'est toi qui t'en occupes. »

Il s'en était occupé.

Mais dix jours plus tard, c'est-à-dire un tiers de mois, elle avait réalisé que pas une seule fois depuis qu'il était aux petits soins pour eux, il n'avait franchi sa porte pour lui en parler, comme si de toute façon c'eut été son affaire et qu'il eut été inutile de lui poser des questions. Comme s'il avait été un vrai cadre rural, le cadre du village. Il n'y avait qu'un mur entre leurs demeures et il avait eu le toupet de mettre sur pied un projet de cette importance sans lui en toucher mot. Le village allait partir, abandonnant à des handicapés âgés, en bas âge ou idiots le soin de travailler les champs, et il ne lui avait rien dit.

C'était Phalène qui avait mangé le morceau. Elle était venue jacasser. Mao Zhi avait étendu une natte sous l'arbre au milieu de la cour et travaillait à sa tenue de tombe : satin et soie, noir et vert, toile grossière et fine étoffe, elle coupait et cousait, à l'aiguille point après point, pièce après pièce, dès qu'elle en avait fini une, elle la pliait et la rangeait dans le coffre laqué de rouge à la tête de son lit, si bien que nul ne sachant où elle en était ni ce qu'elle avait déjà, personne n'était en mesure de lui dire que c'était bien assez. Elle s'y était mise une dizaine d'années plus tôt, quand elle avait eu cinquante-neuf ans. Depuis douze ans exactement, dès qu'elle avait une minute de libre elle s'attelait à la tâche. Et ces derniers temps, comme elle ne tenait pas à croiser le chef de district dans la rue, elle était restée enfermée et s'y était consacrée. A ses côtés la meute des chiens couchés, aussi silencieuse qu'une petite fille, paisible et un peu solitaire, elle avait ainsi passé dix jours entiers, et c'était au moment où elle allait terminer l'ourlet d'une robe noire que Phalène avait fait irruption en criant d'une voix aiguë :

« Grand-mère, grand-mère ! Dépêche-toi ! Maman refuse d'autoriser mes sœurs à partir avec la troupe et elles, elles ne veulent pas en démordre, maman a pleuré, elles se disputent comme des chiffonnières. »

Mao Zhi avait laissé son aiguille et posé diverses questions sur les événements de ces derniers jours. Au bout d'un certain temps les profondes rides de son visage s'étaient figées, prises dans une glace d'un jaune aussi plombé qu'une eau boueuse.

Elle était sortie.

Les chiens lui auraient volontiers emboîté le pas mais levant la tête et constatant sa fureur, ceux qui s'étaient mis debout se recouchèrent. Elle claqua un grand coup la porte de sa cour, si fort que Phalène, sur ses talons, en sursauta. La grand-mère allait devant, sa petite-fille la suivait en sautillant, persuadée qu'on allait chez elle. Au lieu de quoi la vieille se planta devant la demeure du Singe.

« Une-patte ! Sors, viens m'expliquer. »

Il habitait une maison en pisé délabrée dont la porte menaçait de s'effondrer mais tenait encore bon. Assis à l'entrée de sa pièce principale, il était en train d'envelopper dans un chiffon doux la poignée de la canne que le menuisier venait de lui fabriquer quand elle frappa. Le temps de la caler contre le chambranle, il sautilla pour aller lui ouvrir.

« C'est vous ? Le ciel n'est pas tombé, pourquoi vous fâchez-vous comme ça ?

— Est-il exact que le chef de district a trouvé soixante-sept personnes qu'il veut emmener faire des numéros à longueur de journée dans le reste du monde ?

— Soixante-sept, oui. Il dit que ça s'appelle une troupe d'art. »

Mao Zhi le regardait comme si elle ne l'avait jamais vu.

« Et tu oses ne pas m'en informer ? »

Il lui rendit son regard : « Il a dit que vous n'étiez pas cadre et que ce n'était pas la peine que je vous en parle. »

Elle s'étrangla :

« Je ne suis peut-être pas cadre, mais on va bien voir s'il est capable de les éloigner de Benaise si je ne leur dis pas d'y aller ! »

Le Singe, en riant :

« Qu'est-ce qui pourrait l'en empêcher ? »

Mao Zhi :

« Tu y vas ?

– Bien sûr ! Je suis le vice-directeur ! Comment pourrais-je ne pas y aller ?

– Et si je t'en empêchais ?

– Mao Zhi, le chef de district a dit que vous étiez trop vieille pour vous occuper des affaires du village et que désormais c'est moi qui suis en charge de tout, les bricoles comme les choses importantes. Il dit que dans quelques jours il classera Benaise village administratif et m'en nommera chef. C'est si moi je ne veux pas qu'ils s'en aillent que les gens ne partiront pas ! »

Elle en était complètement éberluée, sur son seuil. Le soleil étouffant et rougeâtre de cette fin d'après-midi avait plaqué ses cheveux grisonnants d'une couche métallique. Un or dans lequel elle donnait l'impression d'être fondue, sa silhouette s'était raidie, son visage aussi, figée et rigide elle semblait un pieu maçonné dans la pierre et l'adobe, c'était comme s'il eut suffi d'une poussée pour la faire tomber. La voyant pétrifiée, le Singe lui dit avec un sourire baveux comme celui des enfants : « Vous êtes vieille, Mao Zhi, vous travaillez à vos habits de tombe. Laissez-moi essayer quelques jours. Je vous assure que tout ira bien, Benaise vivra encore mieux qu'au temps des champs paradisiaques, huit cents générations plus tôt. » Puis il tourna les talons et rentra chez lui, lui fermant la porte au nez et la laissant là, dehors, comme une mendiante en train de quémander.

Sur le village et la montagne régnait un calme tel que rien n'y frémissait.

Le bruit de l'huis qui se refermait sonna comme un coup de poinçon dans la rue.

Phalène, livide de frayeur, se précipita en criant « Grand-mère ! » pour soutenir son aïeule, qu'elle craignait de voir s'effondrer comme un bout de bois vermoulu.

Mais si Mao Zhi s'était raidie, tel un arbre elle tenait fermement sur ses jambes. Elle contempla le battant en bois de saule, leva sa béquille et cogna dessus jusqu'à y faire un trou par lequel elle hurla :

« Tu rêves, le Singe ! Arrête de te faire des illusions ! »

Puis elle fit volte-face, et reprenant appui sur sa béquille gagna clopin-clopant le centre du village. Elle avançait à plus grands pas et sa claudication était plus marquée que lorsqu'elle était sortie de chez elle, la canne s'écrasait sur le sol avec un bruit lourd, on aurait pu croire que sa boiterie était un leurre, une invention pour la galerie, ou qu'elle cherchait à tirer profit de son infirmité pour affirmer son prestige et faire obstacle à quiconque aurait soudainement eu un mouvement pour sortir de Benaise. Elle se rendait chez Ma le sourd. Son numéro de pétards à l'oreille devait être un clou du spectacle, s'il ne partait pas, la troupe aurait un pilier de moins. Il était justement en train de ranger ses chaussures, chaussettes, pantalons et chemises dans un sac de voyage, les planchettes de la taille d'une pelle qui serviraient à isoler sa joue attendaient appuyées contre le pied de la table. Elle entra, se planta derrière lui et lâcha en criant : « Ma le sourd ! »

Il s'immobilisa.

« Retourne-toi ! »

Il tendit vers elle son oreille gauche, celle qui entendait un peu.

« Tu pars avec la troupe ? »

Parlant à son habitude trop fort, comme s'il craignait que les autres ne l'entendent pas, il répondit : « Pour plusieurs centaines de milliers de yuans par mois, je ne vois pas comment je pourrais refuser.

— Tu le regretteras.

— Il n'y a pas de risque. Regretter de vivre mieux qu'aux jours châlis avec les champs paradisiaques ? Plutôt crever !

— Ecoute-moi. Ne pars pour rien au monde. »

Cette fois il gueula : « Toute ma vie je vous ai écoutée, et jamais je ne l'ai eue, la belle vie ! Alors cette fois, rien ne m'arrêtera ! »

Mao Zhi se rendit ensuite chez le borgne. Ses bagages étaient prêts, il était en train d'essayer les chaussons neufs que sa mère lui avait confectionnés. « Tu vas enfiler des aiguilles devant les gens ? lui déclara-t-elle. C'est te déshonorer, déshonorer ton œil et perdre la face. Faire le singe savant.

— D'accord, si je restais à Benaise, personne ne risquerait de m'humilier, mais j'ai vingt-neuf ans et toujours pas de femme. Vous croyez que j'ai le choix ? »

Elle alla voir la paralytique :

« Tu ne vas quand même pas y aller ?

— Vous voulez que je reste ici à crever de faim ?

— Tu oublies pourquoi tu as perdu tes jambes et es arrivée à Benaise !

— Je m'en souviens. Je me souviens aussi que plus jamais je ne refuserai de suivre quelqu'un d'en-su. »

Elle alla voir le petit polio.

« Cet enfant n'a que treize ans, dit-elle à ses parents.

— Dans quelques années son pied ne passera plus par le goulot, répondirent-ils. Ce n'est plus un gamin, il est temps qu'il se frotte au monde.

– Ce n'est pas possible de montrer en spectacle l'infirmité d'un gosse.

– Qu'est-ce que vous voulez qu'on montre, alors ? »

Elle sortit. Le village était de plus en plus calme. Le soleil, qui s'était incliné à l'ouest, faisait rougeoyer les nouvelles feuilles poussées au cœur de la grosse chaleur, elles en étaient luminescentes. Le temple semblait dans cette lumière assis, comme un vieillard taciturne pour qui le temps a passé et tant d'années se sont écoulées que plus rien ne vaut la peine d'être dit, il lui suffit de rester là à regarder. Les hauts cyprès tapissaient la rue de leur ombre, la teintant, elle si claire, à moitié de noir. Mao Zhi avait ralenti l'allure, mais si elle était moins rapide, sa boiterie n'en était pas moins prononcée. Le jaune froid et dense qui plus tôt noyait ses traits figés perdait de son intensité, il tournait à la cendre flottante et hésitante. Aussi molle sur son bâton que si on lui avait sectionné les tendons, elle se traînait avec lenteur, une mèche blanche sur le front. Lorsqu'elle eut atteint l'entrée du temple, elle s'arrêta et jeta un œil à l'intérieur avant de se décider.

Le chef de district buvait du thé, le secrétaire pliait les caleçons et chemises qu'il avait lavés pour son patron afin de les mettre dans la malle. « Je vais m'en occuper », avait dit Liu. Mais le secrétaire : « Pas question ! De toute façon, votre linge est si propre qu'on pourrait tapisser un panier à vapeur avec ! » Alors, content et serein, il l'avait laissé faire. Il le couvait des yeux comme un père son fils bientôt grand : bien sûr il aurait pu l'aider, mais il pouvait aussi se contenter de prodiguer des conseils, les fesses tranquillement collées à sa chaise. Quelque chose lui revint. Il jeta un œil à son portrait accroché au mur et dit à Shi :

« Il faut me décrocher ça, ce n'est pas correct. »

Le secrétaire : « Laissons-le, il est très bien là. »

Le chef de district : « Si tu veux, mais alors déplace-le un peu vers le bas, que je ne sois pas à leur niveau. »

Et le secrétaire de grimper sur la table juste en dessous, de détacher la photo de Liu et de la déplacer d'environ une demi-baguette – ce qui mettait la tête du chef de district à hauteur de l'épaule de Mao Zedong. « Ça devrait aller », dit-il. « Un peu plus haut », lui enjoignit-on après vérification. Le secrétaire s'exécuta, installa le portrait de son patron une demi-tête plus bas que le président et le fixa avec des punaises. Mao Zhi s'encadra alors dans la porte. Elle ne bougeait pas, ne disait rien, se contentant de soupeser Liu d'un œil où ne se lisait plus le dédain affiché dix jours plus tôt sur la crête enneigée, ni cette autorité de mère face à son enfant. On aurait plutôt dit une pitoyable vieillarde qui a quelque chose à demander à son fils et craint de se heurter à un refus, éventuellement de le voir lever la main pour la frapper. Anxieuse, fatiguée, elle donnait l'impression d'être prête à s'effondrer si on lui retirait sa béquille. Le chef de district la dévisagea comme elle l'avait dévisagé lors de leur dernière rencontre, il n'était que morgue et impatience. Assis, le coude sur la table, à la main cette tasse de thé dans laquelle il ne buvait plus, il ne disait mot et restait immobile, le regard aussi buté que s'il ne l'avait pas vue.

« Tu montes une troupe avec des infirmes ?

– Une troupe d'art. Nous partons demain, d'abord pour le chef-lieu du district, des affiches ont été collées dans tous les coins.

– Tu veux la ruine de Benaise ? »

Il sourit.

« Quelle ruine ? Ils vont pouvoir se construire des maisons aux murs carrelés, tes handicapés auront de l'argent à ne plus savoir qu'en faire, ils vivront des jours paradisiaques.

– Renonce à les emmener et je me prosternerai devant toi. »

Il sourit encore.

« J'ai eu mon compte ! De toute façon, dès que j'aurai rapporté la dépouille de Lénine, tous ceux qui croiseront mon chemin se mettront à plat ventre.

– Si tu laisses ces gens au village, j'accrocherai ta photo dans ma pièce principale. Je n'y ai jamais mis personne, il n'y aura que toi. Tous les jours, je te ferai brûler de l'encens. »

Nouveau sourire. Mais le ton restait froid : « Tu voudrais qu'ils en brûlent tous les jours en ton honneur depuis que tu les as jointés[1] à la commune ! Mais toute ta vie tu les as déçus, jamais ils n'ont connu de jours meilleurs avec toi. Moi je ne suis pas comme ça, qu'on me rende grâce ne fait pas partie de mes intentions. Je me moque du renom. Qu'on se souvienne de moi me suffit. Je sais qu'à cause de ta jambe tu peux prédire le temps avec exactitude, tu pourrais nous faire un numéro de météorologie ? Viens avec nous et je te donne le salaire le plus élevé de la troupe, tu auras moitié plus que les autres, le double si tu veux. »

Il la regardait à présent comme une jeune fille qu'il faut sermonner, comme si les mots qu'il prononçait devaient lui aller droit au cœur, être capables de la faire changer de rive. Sa face rubiconde rayonnait de satisfaction. Mao Zhi ne répondit pas, à la manière

155

dont elle l'examinait on aurait dit qu'il l'avait giflée, ses joues avaient viré au pourpre sombre, on sentait qu'elle avait envie de faire valser sa béquille comme dix jours plus tôt, de la brandir et de frapper, mais lorsqu'elle voulut passer à l'action, son corps n'eut pas la force, avant même que la canne ait quitté le sol, brusquement, soudainement, comme une botte d'herbe elle s'effondra. Pas comme un chevron, qui tombe d'un coup, lourdement, non, vraiment comme une botte d'herbe : avec faiblesse, presque voletant. Et une fois au sol elle fut prise de convulsions, sa face était agitée de spasmes, de la bave blanche suintait aux commissures de ses lèvres, elle crachait. Et pleurait et hurlait d'une voix éraillée des mots qu'elle seule et les habitants de Benaise pouvaient comprendre.

« C'est moi qui leur ai fait du tort ! Je les ai jointés ! C'est moi qui ai fait du tort aux Benaisiens, je les ai jointés ! »

Cela ressemblait à une crise d'épilepsie. Phalène, qui l'avait vue s'effondrer, voulut dans un premier mouvement se précipiter dans la pièce, mais à peine y avait-elle mis le pied qu'elle faisait demi-tour et courait chez elle. Elle criait :

« Maman ! Maman ! Viens vite, vite ! Grand-mère ne va pas bien ! Vite ! Vite ! Grand-mère va mal ! »

Les villageois se précipitèrent à l'intérieur du temple. Jumei et ses filles également. Tout Benaise retentit du déferlement de leurs pas.

CHAPITRE V

COMMENTAIRE : *La jointaie*

① **Jointer** – *Formulation abrégée que seuls les Benaisiens peuvent comprendre car elle se réfère à un moment d'histoire qui leur appartient en propre.*

Prenons les choses à leur commencement et remontons quelques décennies plus tôt, pendant l'année du Bœuf de 1949, au cours de laquelle il s'était de par le monde passé de grandes choses. Mao Zhi était encore jeune, elle n'avait que vingt-sept ou vingt-huit ans à l'époque, et bien qu'elle fût depuis des années l'épouse du tailleur de pierre, une femme donc, comme elle n'avait pas d'enfant, sa silhouette était restée souple et gracieuse. Elle boitait, soit, mais pas tant que cela, si elle marchait lentement, personne ne le remarquait. Le tailleur l'avait trouvée pendant une tournée dans les Balou où il était allé nettoyer les meules. Personne ne savait d'où elle venait et où elle voulait aller, mais elle avait si faim qu'elle était maigre comme une brindille et que la tête lui tournait. Il l'avait portée sur son dos pendant plus de vingt lis, lui avait donné à boire, fait manger de la soupe, et quelques années plus tard elle était devenue sa femme. Epouser une jeune fille ramenée de l'extérieur était à l'époque chose courante, il n'y avait rien d'étonnant à cela. Ce qui était surprenant, c'était que cette dénommée Mao Zhi ne ressemblait pas à une paysanne : elle avait beau s'habiller comme elles, tout à fait normalement, à dix-sept ans elle ne savait ni travailler la terre, ni coudre mais elle savait lire. Le tailleur lui ayant sauvé la vie et étant encore célibataire à trente et un ans – ce qui lui en faisait presque quinze de plus –, en bonne logique ils auraient dû se marier sur-le-champ. Mais il était grand, elle petite, ils ne se mirent pas tout de suite en ménage. Ils vécurent chez lui chacun de son côté, faisant

157

longtemps couche à part. Elle avait beau s'être installée à Benaise, on sentait chez elle une envie de partir, de quitter les Balou. Son corps habitait au village, ses pensées flottaient dans le vaste monde. Si elle n'eut finalement pas le cœur de s'en aller, même si dans les faits il en alla un peu différemment, ce fut de l'avis commun parce qu'il était bon avec elle. Depuis sa petite enfance elle avait parcouru des kilomètres et des kilomètres, d'abord avec sa génitrice, ensuite avec l'Armée rouge. C'était pendant la cinquième tentative pour briser l'encerclement, une nuit, que des soldats étaient brusquement venus arrêter sa mère dans la grotte où elles dormaient, pour la fusiller au petit matin sur la berge d'une rivière avec deux autres condamnés. Trois jours plus tard elle apprit que l'homme qui avait tiré était un chef de régiment à qui elle donnait du « tonton » et qu'ils avaient été exécutés en tant que traîtres : si depuis un mois la troupe n'arrivait pas à briser le blocus, c'était parce qu'ils mouchardaient auprès de l'ennemi. Fille de délatrice, elle était restée trois jours sans manger dans sa grotte, aucun de ses « oncles » n'avait osé lui faire passer ne serait-ce qu'un demi-bol de soupe. Au quatrième, un chef de bataillon l'avait sortie de là. Il lui avait apporté du potage, trois œufs durs, et annoncé que non, sa mère n'avait pas trahi, c'était quelqu'un d'autre, les vrais coupables avaient eux aussi été fusillés, la troupe pouvait en toute sécurité repousser l'ennemi et rejoindre l'armée du Comité central. Sa mère était déclarée à titre posthume martyre de la Révolution, elle devenait la plus jeune combattante de l'Armée rouge.

Elle avait suivi l'armée quand elle avait quitté le Sichuan, et après bien des tours et détours, le temps passant, quand elle avait été assez grande pour ressembler à une adulte, en mesure de tenir un fusil et de se battre, les combattants étaient arrivés dans le Nord-Ouest et avaient été dispersés à l'issue d'une rude bataille. Ses compagnons étaient partis chacun de son côté, elle avait fui dans une autre direction. Au cours de ces années passées avec la troupe, elle avait grandi dans une peur constante, le bruit des fusils et la détonation qui avait tué sa mère ne cessaient de retentir dans ses rêves. Aussi, vivant dans une terreur dont personne ne savait rien, elle disait qu'elle allait partir mais jour après jour restait à Benaise, restait mais continuait de rêver de départ. Dès qu'elle avait un peu de temps, elle montait

158

sur la crête et bombardait de questions les passants qu'elle y rencontrait : comment était le monde ailleurs, est-ce qu'on se battait toujours ? Les Japonais étaient-ils arrivés dans le Shandong et le Henan ? La plupart étant incapables de lui répondre, elle avait fini par réaliser à quel point les Balou étaient coupés de l'univers. Comme un éclat de pierre oublié au fond d'un ravin ; comme un brin d'herbe qui pousserait au milieu d'une forêt. Les voyageurs qui empruntaient le chemin de crête étaient de la région, ils ignoraient presque tout des affaires du monde. Deux ou trois ans s'écoulèrent ainsi, on racontait toutes sortes de choses quant aux Japonais, les rumeurs allaient et venaient, rien n'était sûr, rien n'était certain. Les Benaisiens avaient peu à peu compris qu'elle avait marché avec la troupe. Bon, mais c'était le passé. Elle avait des blessures au cœur, des cicatrices sur le corps, elle boitait, elle s'était fixée chez eux et même en pensée avait du mal à s'en éloigner. Cet isolement, cette totale ignorance de ce qu'il advenait de la Révolution, était à la fois ce qui lui donnait envie de partir et la raison pour laquelle elle restait. Mieux valait laisser le temps ensevelir le passé. A Benaise il y avait des champs plus qu'en suffisance, de la nourriture en abondance, au fil des jours elle s'y était habituée, elle avait appris à coudre et labourer, elle devenait une paysanne. A soixante-treize ans, la mère du tailleur était la doyenne du village, celle qui connaissait le mieux ses tenants et aboutissants, ses origines et sa légende, les histoires coulaient toutes seules d'entre ses lèvres. Mao Zhi passait ses jours auprès d'elle et l'appelait grand-mère. Aux gens du village qui suggéraient qu'elle lui donne simplement du « mère », la vieille répondait qu'il n'y avait pas de souci à se faire, la jeune fille savait très bien ce qui convenait. Certains suggéraient aussi : « Dis donc à ton garçon de coucher avec elle. » Elle les fixait d'un œil froid : « Donne des vacances à ta langue, si tu n'as rien de plus intelligent à raconter. Les choses du cœur ne poussent pas dans le ventre. »

Les villageois n'en respectaient qu'encore plus la vieille dame.

C'est au moment où tous étaient persuadés que jamais Mao Zhi et le tailleur ne s'uniraient qu'ils devinrent intimes, certain hiver. Ils ne l'apprirent que plus tard. Cet hiver-là la grand-mère était tombée malade. Sentant sa fin approcher, elle avait pris la jeune fille dans ses bras, pleuré et lui avait raconté toutes sortes de choses. Mao Zhi avait pleuré avec elle, et elle aussi avait raconté bien des choses. Des dizaines d'années plus tard, on ignorait encore ce qu'elles s'étaient dit, mais au bout du compte elle avait accepté de se marier.

Dès qu'elle eut donné son consentement, l'aïeule partit en paix.

Elle partagea la nuit même la couche du tailleur.

Elle avait dix-neuf ans, il en avait presque trente-cinq.

Et ils vécurent ainsi. Ils fixèrent la date de l'enterrement et plus jamais il ne partit en tournée dans les monts. Jour et nuit il resta chez lui à s'occuper d'elle. Ils cultivaient la terre. Mao Zhi continuait de s'enquérir du monde extérieur. Le jour où elle apprit que les Japonais étaient arrivés à Jiudu, son visage devint livide. Lorsqu'on prétendait qu'ils quittaient les villes pour aller chercher de la nourriture dans les campagnes et qu'ils distribuaient des bonbons aux enfants, elle devenait perplexe. Tout en continuant d'aimer avec ardeur s'informer des guerres et des tempêtes, elle ne parlait pourtant plus de quitter Benaise.

Elle faisait désormais partie du village. Quand le tailleur de pierre labourait les champs, elle tirait la longe du bœuf. Quand il coupait le blé, elle suivait et l'assemblait en bottes. Quand il avait de la fièvre, elle lui préparait une soupe au gingembre et à l'oignon. Ils vivaient exactement comme les autres, qui même s'ils étaient aveugles ou sourds semaient et récoltaient, travaillaient d'arrache-pied à l'automne et en été. La saison venue ils avaient des céréales à ne plus savoir qu'en faire, des légumes plus qu'ils n'en pouvaient manger, ils vivaient dans l'aisance et la prospérité. Ce qui se passait ailleurs ne les concernait pas, tout leur semblait à des milliers de kilomètres. Il arrivait que l'un ou l'autre rapporte des nouvelles du bourg, quelques dizaines de lis plus loin, mais sinon, Benaise était coupé du monde.

Le village subsistait, jour après jour, dans un total isolement.

Un à un les mois s'écoulaient.

Printemps, été, automne, hiver, les saisons se succédaient.

Après l'année du Bœuf, 1949, vint 1950, celle du Tigre. Soit l'an trente, d'après le calendrier de la République de Chine. C'est au cours de cet automne-là que Mao Zhi prit le chemin du *marché. Cela avait toujours été l'affaire des hommes jusque-là, surtout des gens-complets, ceux qui n'étaient ni aveugles ni boiteux partaient avec sur l'épaule tout ce que le pays voulait vendre et en revenaient ayant fait les courses.*

Mais à l'automne, quand le sol fut tapissé de feuilles mortes, un jour qu'elle était allée aux champs cueillir des kakis, elle avait aperçu, au loin, un homme qui gravissait la montagne en suivant la route. Du haut de son plaqueminier, elle l'avait interrogé :

« Hé ! Qu'est-ce qui se passe dans le reste du monde ? »

L'homme avait levé la tête :

« Comment ça, ce qui se passe ?

– Où en sont les Japonais ? »

Surpris, il avait expliqué qu'ils étaient depuis longtemps rentrés chez eux. Ils avaient capitulé cinq ans plus tôt, en août 1945, pendant l'année du Coq. Le gouvernement de Tchang Kai-Chek était tombé, les hameaux et les villages s'étaient organisés en coopératives.

Il était loin d'imaginer à quel point ces phrases banales stu-péfiaient et remuaient la femme dans l'arbre, jamais il n'aurait pensé que, de son fait, une page allait être tournée dans l'his-toire d'un village et d'un individu. Il était reparti, de sa branche elle avait contemplé le vaste monde qui s'étendait au-delà des monts. Les blancs nuages de l'automne flottaient avec légèreté au firmament, le soleil était aussi clair que si on l'avait rincé, la terre et les dix mille êtres avaient dans sa lumière d'étranges distorsions, des variations au milieu desquelles elle avait fini par repérer la silhouette de l'homme en costume Mao. Elle était descendue de son arbre et rentrée chez elle.

Le lendemain, elle prenait de bon matin la route du marché. De Benaise à ce bourg qu'on disait des Cyprès, il y avait un peu plus de cent lis aller-retour. Aussi s'était-elle levée au premier chant du coq et mise en chemin au deuxième. Quand il avait appelé pour la troisième fois, elle avait déjà parcouru une dizaine de lis seule dans la montagne.

Au quatrième chant elle en descendait.

Lorsqu'il fit assez clair pour voir à une certaine distance devant soi, elle tomba sur un spectacle inattendu. Il y avait un village, des champs, et dans l'un d'eux, une parcelle de blé à flanc de coteau qui devait faire plusieurs mus, une dizaine d'hommes et de femmes en train de sarcler. Avançant en ligne régulière, ils avaient fini le premier mu et s'attaquaient au second. Elle ne comprenait pas : quelle famille pouvait posséder un lopin d'une telle taille et compter autant de membres ? A Benaise, le plus grand champ appartenait à Ma le sourd et ne faisait même pas un mu. Celui-là était si vaste qu'il couvrait toute la pente ! Il en faisait au moins plusieurs. Qui plus est, comment une famille, même nombreuse, pouvait-elle disposer d'une vingtaine d'individus en âge de travailler ? En ajoutant les vieillards et les enfants, cela devait faire une tribu d'au moins cinquante individus.

Etait-il possible qu'ils ne soient pas séparés en plusieurs foyers ?

Comment cuisiner pour cinquante ?

Coudre les habits pour cinquante ?

Loger et faire dormir ces cinquante ?

Elle restait plantée là, dans la lumière du soleil qui telle une eau la baignait. La terre fraîchement binée était rouge sombre, humide et onctueuse comme si du ciel avait coulé une invisible rivière. Sur l'euraie était planté un panneau de bois qui annonçait : Deuxième groupe d'entraide du village de la Pente aux sapins. La pluie l'avait détrempé, le vent l'avait battu, les caractères étaient un peu flous, il devait être là depuis au moins un ou deux ans. Qu'est-ce que cela voulait dire, « groupe d'entraide » ? Elle fixait bêtement l'inscription lorsqu'un jeune homme sortit tout à coup du fossé qui bordait le champ. « Hé ! La femme ! Qu'est-ce que tu regardes ? » lui demanda-t-il.

Elle lui demanda ce que signifiait « groupe d'entraide ».

« Tu sais lire ? » Il était surpris.

Coup d'œil un rien dédaigneux : « Et pourquoi je ne saurais pas ?

– Comment ça se fait, alors, que tu ne comprennes pas ? »

Elle rougit.

« Vous n'avez pas de groupe d'entraide et de coopérative, chez vous ? Un groupe d'entraide, c'est quand on met ensemble les familles qui ont un bœuf et celles qui n'en ont pas, celles où il y a des travailleurs vigoureux et celles chez qui ils sont chétifs, celles qui ont beaucoup de terres et celles qui n'en ont pas, celles qui ont une charrue et celles qui ont une herse, tout le monde sème ensemble, moissonne ensemble et on se partage les céréales. Il n'y aura plus jamais ni propriétaire foncier ni ouvrier agricole, on ne verra plus les pauvres faire commerce de leurs enfants, chaque jour est un jour de la nouvelle société, et la terre, c'est la terre de la nouvelle société. » Tout en parlant, le jeune homme avait rajusté sa ceinture de pantalon, il récupéra la houe qu'il avait plantée dans le sol pour la prendre sur son épaule et retourna sarcler avec les autres.

Mao Zhi restait toujours là, le regard perdu. Ces quelques phrases lui avaient fait comprendre bien des choses, c'était comme si on avait ouvert une fenêtre dans une pièce noire, un faisceau de lumière s'était brusquement engouffré et avait illuminé le coin le plus ténébreux de son cœur. Elle regarda l'homme qui s'éloignait, regarda ces gens en train de lever et d'abattre leur houe, et d'un coup réalisa que de grands événements s'étaient produits en ce monde. Mais Benaise l'ignorait. On aurait cru que la Terre entière bénéficiait du soleil et de la lune, sauf le village qui stagnait depuis des années et des générations dans l'obscurité, un isolement tel que pas un soupçon de vent n'y avait soufflé. Elle se demandait pourquoi les gens-complets n'avaient jamais parlé des groupes d'entraide et des coopératives à leur retour du marché. Etait-ce qu'ils n'avaient rien vu en chemin ? Ou est-ce qu'ils n'en avaient rien dit ? Ou alors, se pouvait-il qu'ils en aient parlé en faisant grand tapage un jour où justement elle n'était pas sur l'aire à l'heure du déjeuner ?

Le monde était tellement différent.

Sous le ciel les hommes avaient été libérés.

Pékin était devenue capitale et les autorités centrales avaient appelé les paysans de tous les coins du pays à se partager les terres et à coopérer pour les travailler. Les champs appartenaient au gouvernement, ils n'étaient plus la propriété d'une famille ou d'un individu, les céréales que vous plantiez et cultiviez étaient pour vous, vous les mangiez, mais la terre n'était plus votre terre, comme la literie est votre literie. Le monde avait connu des bouleversements renversants, l'être humain aussi. Les familles avaient été classées selon une stricte hiérarchie : il y avait les propriétaires fonciers, les paysans riches, les paysans pauvres et moyens-pauvres. A Benaise on ne savait rien de tout cela, on n'en avait pas eu le moindre vent.

Dans le monde de grandes choses s'étaient produites, Benaise les ignorait.

Le cœur lourd elle se remit en marche : elle avait l'impression de vivre en dehors de tout. Elle s'éloigna du village. Lorsqu'elle atteignit le suivant, le soleil avait fini son ascension, dans l'air flottait une douce chaleur et elle vit des gens qui revenaient de la pente derrière les maisons avec des houes et des panières. Ils allaient vers les habitations et derrière eux, quasi sur leurs talons et dans la même direction, venait une équipe, qui la bêche ou la pelle à l'épaule, qui le panier à fumier. Il va sans dire qu'il s'agissait d'un groupe d'entraide, ils étaient partis au travail ensemble, ils en revenaient ensemble. On aurait dit les soldats d'une troupe victorieuse qui rentrent au camp en ordre dispersé, leur butin à l'épaule, et chantent tout au long du chemin. Ceux-ci avaient entonné un air d'opéra du Henan. Sans même en saisir les paroles, on savait que c'était une chanson gaie : elle coulait comme l'eau dans l'air du matin. D'une éminence sur le chemin de crête, débordante d'admiration, Mao Zhi les regarda rentrer chez eux. Mais l'admiration est une chose, bientôt, lentement, elle en sentit une autre, une sensation oubliée sourdait du fond de son cœur. Une douleur intime. Dans un autre village, de grands slogans à la chaux blanche vantaient sur les murs les mérites des coopératives et des groupes d'entraide. Rien de nouveau, elle les connaissait déjà quand elle avait une dizaine d'années et avait même aidé à les écrire : ils parlaient de renverser les despotes locaux et de partager les terres, ce genre de choses. La peinture était défraîchie mais les caractères avaient dans la lumière du soleil autant d'éclat qu'autrefois. A leur vue son cœur frissonna, ce fut comme l'eau d'une source souterraine qu'on libère d'un coup et qui ruisselle en gazouillant. Elle jaillissait de son enfance au son des fusils et sous la pluie, dans les monts enneigés et les prairies du Nord et du Sud, sur les épaules des hommes ou le dos des chevaux. Elle était petite à l'époque, prématurément fatiguée elle aspirait au repos, aussi lorsqu'elle s'était lancée dans la marche solitaire qui allait la mener des pentes en terre jaune du Shanxi jusque dans l'Ouest du Henan, elle s'était mêlée à tous les groupes de voyageurs qu'elle avait rencontrés et s'était tenue prête, elle s'arrêterait dans le premier foyer convenable qu'elle trouverait. C'était ainsi qu'à force de marcher et marcher encore, d'un village à l'autre, elle avait atteint les Balou et y avait rencontré un tailleur de pierre. Qu'elle avait trouvé Benaise. Le village donnait l'impression de l'attendre depuis des centaines, des milliers d'années. Quand il l'avait vue, il l'avait gardée, on aurait pu croire que c'était à sa recherche qu'elle avait parcouru le chemin qui l'avait menée du Shanxi au Henan : elle l'avait découvert à l'instant exact où elle était devenue incapable d'avancer.

Il avait suffi d'y passer quelques années pour que ses blessures cicatrisent. Depuis qu'entre les bras de la mère du tailleur, juste avant sa mort, elle avait tant parlé, les souffrances qu'elle n'avait jamais avouées avaient commencé de s'estomper. Plus personne en ce monde n'en savait rien. Qui aurait deviné que lorsqu'elle était dans l'Armée rouge elle avait connu un chef de peloton originaire du Hubei qu'elle considérait comme un grand frère ? Quand la troupe avait reçu l'ordre de se débander en secret, comme il faisait partie des blessés légers, ils avaient pris la route ensemble et quand ils étaient tombés sur l'ennemi, s'étaient cachés ensemble dans une tombe. Il avait plu plusieurs jours d'affilée, brûlante d'une fièvre qui refusait de tomber, elle avait fini par perdre connaissance. Combien de temps s'était-il écoulé avant que le déluge cesse, le soleil revienne et qu'elle retrouve ses esprits ? L'homme qui l'appelait sa petite sœur n'était plus dans le caveau. Il y avait pire : en se réveillant elle s'était aperçue que son bas-ventre était gluant et qu'il en émanait une odeur qui lui rappelait ses menstrues. Il lui avait fallu du temps pour comprendre qu'elle avait été déflorée pendant son évanouissement. Violée par ce chef de peloton qui la chérissait. Elle était restée un jour entier à pleurer dans le tombeau vide, puis comme il ne revenait pas et qu'elle ne voyait personne passer devant le tertre, la nuit venue, elle avait traîné dehors son corps abîmé.

En boitillant, pris le chemin de son pays natal.

Et était tombée sur le tailleur de pierre, son homme. Tombée sur ce village qui depuis des centaines, des milliers d'années l'attendait. Elle y était restée, guérissant peu à peu les blessures qu'elle n'avait pas de larmes pour pleurer. Aujourd'hui ses plaies étaient cicatrisées, elle avait terminé sa croissance et elle était enfin reposée de ses fatigues. Le monde était différent, il fallait agir, faire quelque chose à Benaise, inciter le village à bouger.

Elle ne devait pas oublier qu'elle était allée à Yan'an. L'un dans l'autre elle avait fait la Révolution, y avait un tout petit peu contribué. Tant d'années plus tard, même si elle était l'épouse d'un tailleur de pierre, même si elle était devenue une authentique Benaisienne, quelque part au fond d'elle-même elle restait une rebelle de la Quatrième rouge[1] dont elle avait gardé l'uniforme, plié et proprement emballé au fond d'un coffre. Elle était encore jeune, elle débordait d'énergie, comment aurait-elle pu rester les bras croisés ?

Je vais faire la Révolution, se dit-elle. Je vais jointer Benaise à la société.

Jointaie, *n. f. – Action de se jointer.*

CHAPITRE VII

COMMENTAIRE : *La Quatrième rouge*

① **La Quatrième rouge** – *Comme l'expression « faire la join-taie », la Quatrième rouge correspond à un fragment de la vie et de l'histoire de Mao Zhi. Parce qu'elle avait dans ses jeunes années combattu dans l'Armée du Quatrième front, elle se sen-tait depuis l'automne de l'année du Rat, soit 1936, telle une pierre qui aurait déboulé de la montagne et serait condamnée à attendre en silence à son pied, à tout jamais incapable de regagner les hauteurs. Cela faisait plus de dix ans qu'elle atten-dait, dix années au cours desquelles de l'état de gamine elle était passée à celui de femme mariée et était devenue une habi-tante de Benaise, le village des infirmes. Elle n'était plus une soldate rouge depuis si longtemps que même chez elle le sou-venir avait tendance à s'en estomper. Pourtant, planté comme une graine dans son cœur, il y avait jeté de vigoureuses racines.*

Elle allait faire la Révolution. Jointer Benaise au monde des groupes d'entraide et des coopératives.

Il y avait plus de soixante-neuf lis entre Benaise et les Cyprès, soit dans les cent trente-neuf aller-retour. Tous ceux qui s'y étaient avant elle rendus étaient partis le matin et revenus le lendemain, ils passaient la nuit sur place, ou se reposaient en cours de route. Mao Zhi fut de retour la nuit même. Son mari l'attendait au clair de lune à l'entrée du village. Lorsqu'elle arriva gambadant comme une biche, il l'accueillit en lui deman-dant où elle avait disparu : ne la trouvant pas à son réveil, il avait passé la journée à la chercher et la plus grande partie de la nuit à l'espérer. Elle l'avait vu de loin, son homme, son aîné de quatorze ans. Elle lui dit : « Tu sais ce qu'ils font ailleurs, dans les villages et les hameaux ? Ils mettent leurs champs ensemble, cinq foyers forment une équipe, huit un groupe, on partage même le bœuf et la charrue, aucun foyer, personne ne possède un pouce de terre en propre, quand les gens ont mangé, la cloche sonne et ils partent travailler la terre ensemble en riant et plaisantant, ils sèment ensemble, ils sarclent ensemble. S'ils sont dans les champs éloignés, l'un d'eux rentre au village chercher l'eau pour tout le monde, il y ajoute des feuilles de bambou et des racines de roseau pour combattre l'échauffement et quand les gens ont bu ils chantent des madrigaux de Xiangfu ou des morceaux d'opéra du Henan. Dis-moi, tu n'as pas vu tout ça en allant au marché ? Tu n'as rien vu ni entendu ? »

Sans attendre la réponse elle avança pour lui prendre la main. « Je suis morte de fatigue, dit-elle en posant ses fesses sur la pierre à côté de lui, j'ai parcouru plus de cent lis dans la journée, mes pieds sont couverts d'ampoules. Porte-moi, plutôt mourir que marcher jusqu'à la maison. » Cela faisait longtemps qu'ils faisaient lit commun, mais avouons-le, c'était la première fois qu'il lui voyait autant d'entrain. Quand il se leva du rocher où ils étaient assis et essaya de l'entraîner par la main, comme une paralytique elle s'effondra contre son sein... Il la prit dans ses bras et sous la lune claire la rapporta à la maison. Il fit tiédir de l'eau, il lui lava les pieds dont doucement il caressa la plante et les orteils. Il creva les ampoules. « Es-tu allée au marché pour regarder les gens travailler en communauté ? » s'enquit-il. « Le monde a changé, tu sais, répondit-elle. Devine qui gouverne aujourd'hui l'univers ? » Il l'ignorait. « Le Parti communiste ! Sais-tu comment ça s'appelle, quand on cultive ensemble ? » Il l'ignorait. « Sais-tu comment les familles des villages qui le font appellent ça ? » Il l'ignorait aussi. Un peu déçue – mais d'une déception qui l'excitait et la stimulait –, elle s'exclama : « Tu n'es pas le seul ! Je suis prête à parier que personne ne le sait à Benaise ! A présent nous sommes libres, dit-elle. Le Parti et le président Mao sont les maîtres. Les familles qui se mettent ensemble pour cultiver constituent des groupes d'entraide. Une association de groupes d'entraide est une coopérative. » Elle dit : « Tailleur ! Je veux nous organiser, nous, gens de Benaise, nous jointer en coopérative, faire semer et récolter tous les foyers ensemble, qu'on se partage les céréales ! » Elle allait pendre une cloche à l'arbre à l'entrée du village, quand on la frapperait les paysans lâcheraient leurs

bols et leurs baguettes pour aller aux champs, à midi elle crie-
rait un grand coup sur l'euraie et ils rentreraient déjeuner. Elle
dit : « Dans les villes les gens ont l'eau courante, ils tournent un
robinet et elle tombe toute seule dans la casserole, le seau ou la
lessiveuse, nous il faut tous les jours que nous descendions en
chercher à la ravine. » Elle dit : « On m'a raconté qu'à Jiudu ils
commencent à avoir des lampes qui brûlent sans pétrole, on
accroche un lacet de chaussure à côté de la porte, quand on
entre on tire dessus et le monde s'illumine, ça brille comme
lorsqu'on sort de la maison en plein jour. » Elle dit : « Porte-
moi au lit, on fera ce que tu voudras, je suis ta femme, tu es
mon mari, fais comme il te plaira » ; elle dit : « Je vais intégrer
Benaise à la société, ses habitants vivront des jours paradisiaques, je te donnerai des garçons et des filles, nous en aurons
une vraie couvée » ; elle dit : « Il faut que tous aient à manger
plus que leur compte, des habits plus qu'il n'en faut, il faut
qu'ils puissent s'éclairer sans huile, qu'ils n'aient plus besoin
de moudre la farine pour manger, ni de porter la palanche, ni
de se déplacer en char à bœufs, je veux qu'ils vivent bien. » Le
tailleur ne lui avait jamais connu une telle fougue, avant,
quand elle n'avait pas envie il n'osait même pas la toucher.
Mais cette nuit-là il put la marteler et la buriner comme les
meules qu'il nettoyait, son corps était aussi souple et flexible
que la glaise chaude sous le sien. Et quand elle fut benaise, en
haletant elle s'inquiéta de savoir s'il l'était aussi.

Il l'était.

Elle dit : « Tu le seras toutes les nuits quand nous aurons
fait la jointaie. »

Lui : « Quand est-ce qu'on la fait ? »

Elle : « Demain. On fait une réunion et on se jointe. »

Lui : « Tu crois qu'il va suffire de le dire ? Il n'y a pas de
maitriauté à Benaise. Si nous en avions une, une réunion, un
coup de gueule et l'affaire serait dans le sac. Mais sans personne d'en-su, comment vas-tu faire s'il y en a qui refusent ? »

Mao Zhi s'était tue.

Au bout du compte, Benaise n'était qu'un hameau oublié du
monde au fond des Balou, un lieu-dit à la jonction de trois districts et au moins à une dizaine de lis du village le plus proche.
Depuis sa fondation sous les Ming, il n'avait jamais été peuplé
que d'aveugles, de boiteux et de sourds-muets. Les garçons qui

169

ne naissaient pas handicapés partaient vivre dans la famille de leur femme quand ils avaient atteint l'âge adulte, de même les filles, elles se mariaient hors du village. Les infirmes y affluaient du monde extérieur, les gens-complets en partaient. Plusieurs siècles s'étaient écoulés, et à ce jour personne, aucune préfecture, aucun district, n'en avait voulu, personne n'avait été prêt à l'admettre dans son territoire.

Le temps avait filé, des Ming aux Qing, année après année, génération après génération, il y avait eu Kangxi, Yongzheng, Qianlong et Cixi, puis cette République de Chine qui avait suivi la Révolution de 1911... Jamais Benaise n'avait payé la taxe impériale à quelque cour, province, département, circonscription ou district que ce soit. Des zones administratives, fortins ou gros villages dépendant des trois circonscriptions environnantes – Dayu, Gaoliu et Shuanghuai –, personne n'était jamais venu collecter l'impôt.

C'était un lieu à l'extérieur du monde.

Mao Zhi resta cette nuit-là un moment assise sur le lit, troublée. Puis, brusquement, elle se leva et s'habilla.

« Qu'est-ce que tu fais ? demanda le tailleur.

– Je vais à Gaoliu, tu m'accompagnes ?

– Pour quoi faire ?

– Voir les gens d'en-su. »

Pétrir la pâte. Ranimer le feu. Mettre la tôle à chauffer. Il fit cuire cinq pains de maïs à l'huile, et avant que le ciel soit clair, ils étaient partis, direction le chef-lieu du district.

Il y avait trois cent neuf lis de Benaise à Gaoliu. De jour ils profitaient de la clarté du soleil pour avancer, glanant çà et là quelques informations, lorsque la nuit tombait ils se couchaient et se reposaient, quand ils avaient faim ils mangeaient, quand ils avaient soif ils buvaient, en cas de besoin le tailleur nettoyait une meule. Vingt-cinq jours plus tard ils atteignirent leur but. La ville ne comptait que deux rues au carrefour desquelles se dressait le bâtiment de l'administration. Yamen à la fin des Qing, préfecture du temps de la République de Chine, en ces temps nouveaux il portait désormais le titre de gouvernement du district. Le tailleur s'assit sur les marches qui menaient au jardin, Mao Zhi entra dans la deuxième cour et y tomba sur le chef de district, qui s'apprêtait à partir pour la campagne en poussant sa véloce[1]. Elle expliqua qu'elle venait de Benaise dans les Balou. « Le monde entier a été libéré, partout on a fondé des coopératives, pourquoi est-ce que chez nous on continue de travailler chacun pour soi ? Pourquoi personne n'est-il venu nous socialiser ? »

Le chef de district en était abasourdi, il la fit entrer dans son bureau, lui posa toutes sortes de questions et finalement resta un long moment à chercher sur une carte accrochée au mur. Dans un coin à la périphérie il trouva plusieurs des noms que Mao Zhi lui avait cités, mais pas celui de Benaise. En fin de compte il sortit, dit quelque chose à quelqu'un dans la pièce à côté, puis revint pour annoncer solennellement : « Vous vous êtes trompée, d'après le cadastre vous dépendez sans doute de Dayu. C'est eux qui vous ont oubliés, leur chef ne manque pas d'air. »

En route donc pour de nouvelles pérégrinations. Un mois plus tard ils atteignaient le chef-lieu de Dayu. Le gouvernement avait établi son siège dans une ancienne résidence de propriétaires fonciers et son chef, un homme du cru un peu plus âgé que celui de Gaoliu, connaissait sur le bout du doigt les hameaux et lieux-dits relevant de sa juridiction. Il comprit de quoi il retournait avant que Mao Zhi ait fini de lui exposer la situation, il dit : « Merde, il a un sacré culot, votre chef à Shuanghuai : oublier un village de sa circonscription ! Partout on se met en coopératives, et il vous laisse tranquillement continuer de travailler en indépendants. Il vous néglige, il ne sait même pas de quelle administration vous dépendez. » Tout en jurant il déploya sur la table une carte de son district pour montrer à Mao Zhi ; après avoir pris les mesures avec une règle, il marqua un point sur le papier à l'extérieur des frontières. « Regardez : les Balou sont ici, Benaise est là. De votre village jusqu'à celui des Mélias rouges, qui est chez nous, il y a cinq pouces et trois dixièmes, de chez vous à celui des Cyprès, dans le district de Shuanghuai, trois pouces et trois dixièmes, de qui voulez-vous dépendre si ce n'est de Shuanghuai ? »

Ils y arrivèrent enfin, quinze jours plus tard. Yang, le chef de district, s'étant absenté pour participer à une réunion sur les coopératives et les groupes d'entraide, ils durent attendre quelque temps dans un moulin près de la porte de l'administration. Quand il rentra chevauchant son mulet, c'était l'été et il faisait si chaud que le monde menaçait de bouillir. Mais Yang étant un ancien militaire, il avait regagné Shuanghuai en uniforme sur sa monture. Dès qu'il fut dans son bureau, son secrétaire – un petit jeune du nom de Liu – lui servit à boire et lui fit son rapport, signalant entre autres choses qu'une femme répondant au nom de Mao Zhi logeait au moulin. Elle ignorait de quel district et de quel département dépendait son village mais les paysans y travaillaient encore chacun pour soi, depuis des générations ils n'avaient jamais payé ni taxe ni impôt en céréales et ignoraient ce qu'était un propriétaire foncier, un paysan riche ou un ouvrier agricole. Il énonçait les faits avec le plus grand sérieux, son supérieur écoutait de l'air placide et désintéressé de celui qui est déjà au courant.

« Fais-la venir », intima-t-il.

Elle arriva dégoulinante de sueur dans le bureau. Il était meublé d'une table, d'un grand fauteuil à l'ancienne, et décoré d'un portrait du président Mao accroché au mur, avec à côté un fusil pendant dans son étui. Quand elle entra, Yang était en train de se rincer le visage à l'eau froide, il rangea la serviette sur la barre d'un support en bois de pin conçu à cet effet et se tourna vers elle : « Combien y a-t-il d'aveugles dans ton village ?

– Complètement ? Pas tant que ça, cinq ou six. »

Yang : « Et de boiteux ? »

Mao Zhi : « Pas tant que ça non plus, une dizaine, tous capables de travailler la terre. »

Yang : « Combien de sourds-muets ? »

Mao Zhi : « Neuf familles de sourds, sept de muets. »

Yang : « Tous héréditaires ? »

Mao Zhi : « Sauf ceux qui ont atterri chez nous en fuyant la famine il y a quelques années. Ils se sont dit que puisqu'à Benaise tout le monde était handicapé, on ne leur ferait pas de misères et ils sont restés. »

Yang : « En gros, quelle est la proportion d'infirmes chez vous ? »

Mao Zhi : « Disons les deux tiers. »

Yang : « J'ai rencontré les chefs des districts de Gaoliu et Dayu à la préfecture. Vingt dieux ! En voilà de drôles de cocos ! Celui de Gaoliu prétend que votre Benaise n'est qu'à cent vingt-trois lis de nos Cyprès, et qu'il y en aurait cent soixante-trois jusqu'à ses Mélias rouges. Mais il n'y en a que quatre-vingt-treize jusqu'à la vallée des Cédrels, qui dépend de lui ! Ça fait quand même trente et un lis de moins ! Passons à Dayu, leur chef-lieu, c'est vrai, est très éloigné, mais en l'an onze de la République, soit en 1922, année du Chien, quand il y a eu cette grande sécheresse dans le Henan au cinquième mois et que les gens mouraient de faim, ils sont venus vous demander de l'aide parce que la ravine faisait partie des rares vallées des Balou où il restait des céréales. Tu vois, d'un point de vue géographique, Benaise est plus près de la vallée des Cédrels qui appartient à Gaoliu, logiquement vous devriez dépendre d'eux ; ceci dit, du point de vue historique, puisque Dayu vous a déjà réquisitionné des vivres, vous pourriez éventuellement leur appartenir. Ils veulent absolument vous pousser chez nous alors que nous n'avons aucun rapport. »

Le soleil était alors à son zénith, dans la cour les sophoras baissaient la tête, le secrétaire les arrosait. Le chef de district se tourna vers la porte pour l'appeler : « Préviens la cantine que nous aurons deux personnes de plus à déjeuner. Qu'au moins nos hôtes fassent un bon repas chez nous ! »

A ce point Mao Zhi le contempla longuement, puis, d'un coup, elle se dressa et déclara : « Monsieur le chef de district, vous œuvrez pour la Révolution, moi aussi. C'est pour Elle que nous faisons tous deux ce que nous faisons. J'aimerais vous poser une question. »

Un peu surpris, il acquiesça.

« Alors, monsieur le chef de district, sommes-nous oui ou non sur le territoire chinois à Benaise ?

– Bien sûr, dit-il.

– Sommes-nous oui ou non des habitants du Henan ?

– Oui.

– Dans le département dont la capitale est Jiudu ?

– Personne ne prétend le contraire.

– Alors pourquoi est-ce que personne, ni Shuanghuai, ni Gaoliu, ni Dayu, ne veut de nous ? Vous n'avez pas peur que je vous dénonce à la préfecture ? »

Il était sidéré : une paysanne, une béquillarde lui parler ainsi ? Il jeta un œil à l'arme accrochée au mur, renifla et répliqua : « Eh bien vas-y, dénonce-moi, bordel ! Va voir le secrétaire de cellule, c'est moi qui l'ai parrainé quand il est entré au Parti à Yan'an. » Il la dévisageait, aussi glacial que s'il avait voulu l'avaler toute crue.

173

Pas le moins du monde impressionnée, elle marqua un silence avant de lui répondre : « Monsieur le chef de district, vous êtes allé à Yan'an, moi aussi. Si les femmes de ma compagnie n'avaient pas été démobilisées à l'automne 36, je ne serais pas ici en train de vous supplier. » Elle avait dit ces mots sans le quitter du regard, on la sentait prête à tourner les talons au premier coup d'œil un peu froid qu'il lui retournerait. Mais juste comme elle en examinait l'éventualité, elle le vit changer de couleur. L'air incrédule, comme s'il n'en croyait pas ses oreilles, comme s'il venait brusquement de la reconnaître, il éructa : « Dans quelle armée étais-tu ? Tu y es vraiment allée ?

– Vous ne me croyez pas, c'est ça ? » Elle fit demi-tour, sortit clopin-clopant du bureau et regagna le moulin où elle intima au tailleur de lui sortir son ballot, avec lequel elle revint. Elle le posa sur la table, le défit, en sortit une paire de chaussures qu'elle plaça dans un coin puis un petit paquet de coton blanc impeccablement fermé. Elle l'ouvrit, en extirpa un vieil uniforme jaune et délavé et le déploya. La veste avait à l'épaule une pièce d'un tissu différent, en grosse toile noire teinte à la machine. Dessous, bien proprement plié, se trouvait un vrai pantalon de l'armée, lui aussi jauni et délavé. Sur les bords la laine était un peu trouée : il allait sans dire qu'il n'était plus de première jeunesse. Après avoir étalé cette tenue et le reste de son balluchon sur la table, elle fit un demi-pas en arrière.

« J'ai payé cher, en 1936. Si la Quatrième rouge n'avait pas été démobilisée, pensez-vous vraiment que je serais ici à vous supplier ? »

Le visage du chef de district avait rosi. Il regarda l'uniforme, puis Mao Zhi, puis l'uniforme, puis encore Mao Zhi. Enfin il leva la tête pour crier en direction de la porte :

« Liu ! Préviens la cantine qu'il nous faudra quelques plats supplémentaires et une bonne bouteille ! »

A la fin du cinquième mois du calendrier lunaire, Mao Zhi et le tailleur de pierre rentrèrent à Benaise en compagnie du secrétaire du chef de district, du chef du canton des Cyprès et de deux miliciens dudit canton. Ils étaient armés, à l'entrée du village ils tirèrent deux coups et tous les habitants, aveugles, sourds ou boiteux, furent rassemblés sur l'aire centrale où se tint le premier meeting populaire de leur histoire.

Ils dépendaient désormais officiellement du canton des Cyprès dans le district de Shuanghuai.

Toujours au son du fusil, on fonda des groupes d'entraide et une coopérative. Les gens allaient vivre des jours paradisiaques[3].

CHAPITRE IX

COMMENTAIRES : *Les jours paradisiaques*

① **Véloce**, n. f. – Bicyclette. *Le terme date de l'apparition du véhicule dans l'Ouest du Henan et la chaîne des Balou. Il y eut ensuite* **vréciclette**, *qu'on ne remplaça par* **vélo** *qu'au moment de l'éradication des « Quatre vieilleries » pendant la Révolution culturelle. Aujourd'hui encore, les vieilles gens parlent souvent de* **véloce** *ou de* **vréciclette**.

③ **Les jours paradisiaques** – *Soit les jours qui suivirent la fondation du groupe d'entraide à l'automne 1950, au cours desquels les Benaisiens travaillèrent sur un mode collectiviste bien particulier.*

Les champs avaient été mis ensemble, les bœufs et les charrues, les semoirs, les houes et les herses confisqués. Bien sûr, ceux qui possédaient du bétail, une charrue ou une charrette y perdaient, ils avaient commencé par se plaindre et protester, mais après quelques coups de fusil ils s'étaient calmés et avaient remis leur bête, leur charrette, leur charrue et leur herse.

Quoi qu'il en soit, le groupe était fondé. Le chef de canton et les miliciens restèrent trois jours au village puis repartirent avec un seul fusil, l'autre ils le laissaient.

Ils l'avaient donné à Mao Zhi.

Elle avait appartenu à l'armée, elle s'était battue. Son expérience était supérieure à celle d'un cadre local, elle avait quasiment le niveau d'un chef de canton.

Depuis l'enfance c'était une révolutionnaire. Le pouvoir lui revenait de droit.

Ensuite on accrocha la cloche dans sa roue de char au centre du village, et quand Mao Zhi la frappait, les villageois prenaient ensemble le chemin des champs. Si elle disait qu'on allait biner dans la montagne de l'est, on allait biner dans la montagne de l'est ; si elle voulait épandre l'engrais à l'ouest, on allait épandre l'engrais à l'ouest. C'était vraiment bien, au début : de toute éternité chacun travaillait seul dans son coin, l'un labourant, l'autre ensemençant, certains au sommet de la pente, d'autres au fond de la ravine, pour la moindre chose il fallait hurler à s'en arracher les poumons. En plus, mettons qu'un boiteux ait besoin d'emprunter une corbeille à un sourd : donner de la voix eût été vain, il lui fallait monter en claudiquant et redescendre de même. Avec le groupe d'entraide, plus la peine : Mao Zhi sonnait la cloche, intimait de prendre les pelles – vous mettiez votre pelle sur votre épaule, en route et voilà. Elle demandait une corbeille, vous arriviez avec une corbeille et le tour était joué.

On n'était plus isolé sur son lopin, même le moins bavard des Benaisiens savait que faire de ses oreilles.

Sur le chemin du retour, que vous préfériez le madrigau des Balou ou celui de Xiangfu, l'opéra ou le bangzi, vous pouviez chanter sans risque de gaspiller faute d'auditeurs votre talent et vos cordes vocales.

L'hiver s'écoula, le printemps arriva, la cloche retentissait et appelait au travail les hommes et les femmes, les jeunes et les vieux. Hormis les aveugles et les paralytiques, tout le monde alla sarcler le blé. On commença par le lopin le plus étendu, à l'est du village, une dizaine de mus accrochés à l'oblique, comme un bout de ciel perdu là sur le flanc de la montagne. Peu importait l'âge, peu importait le sexe, boiteux, bancroches, sourds et muets, tous ceux qui pouvaient porter une herse sarclaient. Ils étaient une bonne dizaine qui avançaient en rang serré, levaient et baissaient leur instrument avec des raclements stridents dont la crête retentissait.

Mao Zhi avait prié certaine paralytique – qui, bien sûr, ne pouvait porter la herse ni biner – de venir chanter pour eux sur l'euraie. Elle connaissait aussi un aveugle, de ceux qui de leur vie n'ont jamais su la couleur du ciel ni celle de la terre mais qui à force d'écouter les chansons des autres finissent par les apprendre. Elle lui demanda de lui donner la réplique :

L'aveugle
J'ai vingt et un tas de blé, une aire
Hélas, pas d'épouse pour le frère
Personne ne vient partager l'ail
Pauvre de moi, le célibataire.

La paralytique
Même au soufflet il est deux becs
Pourquoi suis-je célibataire ?
J'ai mulet et un cheval de trait
Mais seule je reste, et solitaire.

L'aveugle
Homme sans femme, cheval sans harnais
Dans les monts de l'ouest sont mes terres
Le soleil tombe sur la vallée
Qui retiendra le célibataire ?

La paralytique
Le poêle fume, le seuil est balayé
Pauvre esseulée célibataire
La lune monte et brille au ciel
Je dors seule dans un lit désert
Vibrent ma porte, la jarre et la fenêtre
Entre le vent, je reste solitaire
Une oie perdue nichée dans le désert
Est-il pire misère que ma misère ?

L'aveugle
Le soleil tombe sur la vallée
Sans épouse qui m'y retiendra ?
Il souffle à vide le soufflet
Sans épouse qui me chérira ?
A mi-pente, à mi-chemin
Ma souffrance, nul ne saura
J'ai des chevrons à ma chaumière
Mais ma peine, qui la comprendra ?
Plantez oignons, moi c'est l'ail
Célibat, misère de toutes les misères.

A force de chanter et de sarcler, l'été finit par arriver et avec résolution un demi-mois on moissonna. Quand il fallait de la pluie, il pleuvait ; quand il fallait du soleil, il brillait. Jamais on n'aurait cru que 1950 était la première année de Benaise dans le système des coopératives, la récolte fut si abondante que dans les champs les tiges faillirent se casser le col sous le poids des épis. On avait décidé de battre et de partager le blé au jour le jour, pas question de le laisser s'entasser sur l'aire : il y fallut deux semaines. Pendant deux semaines tous les soirs chacun rentra chez soi avec une palanche sur l'épaule ou un sac sur le dos.

Quand les jarres furent pleines, quand les corbeilles débordèrent, on rangea le blé dans les cercueils des vieillards. Ceux chez qui il n'y en avait pas le versaient sur la natte de leur lit. A la fin, on en distribuait encore et il n'y avait plus nulle part où le stocker, les sacs s'empilaient dans les coins et recoins, même les latrines ne puaient plus : elles sentaient bon le blé. En dernier lieu il fallut entasser ce qui restait dans les greniers des deux côtés de l'aire et on se dit qu'en coopérative les jours étaient paradisiaques. Malheureusement, ce qui suivit fut le fléau du fer[1].

CHAPITRE XI

COMMENTAIRE : *Le fléau du fer*

① *Le fléau du fer* – Soit le désastre consécutif à la production d'acier pendant la période du Grand Bond en avant. Dans les Balou, on dit simplement fléau du fer. Ce qui différencie ce fléau de ceux de l'eau et du feu, c'est que ces deux derniers sont des catastrophes naturelles, tandis que le premier est d'origine humaine. Tout commença en 1951. A Benaise et au-delà, dans toute la chaîne des Balou, le temps avait été favorable, en été le blé avait bien donné, à l'automne le sorgho de même. Au point que c'en était surprenant. Il va sans dire qu'avec des provisions en abondance, la vie suivit un temps son cours, ils furent encore nombreux, les jours paradisiaques. Puis Mao Zhi fut en 1952 convoquée au chef-lieu du district pour une réunion qui la retint un certain temps. A son retour, elle sonna la cloche et dit deux choses aux villageois. La première : elle avait rapporté une palanche de vieux flacons à fructose en verre avec un couvercle en plastique, il y en aurait un par famille pour mettre l'huile de sésame ; la seconde : le canton s'appelait désormais une commune populaire, la coopérative et le groupe d'entraide devenaient la grande et la petite brigade, et comme cultiver, c'est produire, on disait même une brigade de production. Les grandes avaient à leur tête un chef de brigade, un secrétaire du Parti et un chef de la milice ; les petites seulement un chef, plus un comptable et un contrôleur des points de travail. Du fait de son isolement, Benaise était les deux à la fois et la commune l'avait chargée d'assumer les fonctions susdites.

Vint 1958, l'Etat décida d'accélérer son édification suivant les principes de quantité, rapidité, qualité et économie. L'univers devait se lancer dans la fabrication de l'acier à grande échelle.

Les arbres du monde furent coupés.

A Benaise aussi, on se démenait. Mao Zhi avait fini par tomber enceinte, son ventre grossissait. La commune exigeait que tous les dix jours, chaque village et chaque hameau fonde une certaine quantité d'acier et la porte sur le terrain vide devant les bureaux de l'administration. Lorsqu'elle arriva avec son ventre proéminent, accompagnée de villageois qui menaient le char à bœufs, pour livrer la première fournée – composée de morceaux qui ressemblaient à des bouts de tourteau de soja –, il apparut que même en trimant jour et nuit, les infirmes de Benaise n'avaient pas produit la moitié de ce qu'apportaient en moyenne les autres villages. Le secrétaire les força, elle et ses compagnons, à rester tête baissée devant le portrait du président Mao le temps de l'inspection. « Mao Zhi, lui dit-il, tu as eu la chance d'aller à Yan'an, on raconte que tu y as vu le président, et tu ne te frappes pas la poitrine en te demandant comment ne pas le décevoir ? »

Il dit : « A compter d'aujourd'hui, si votre village n'arrive pas à fondre plus et que vous êtes toujours à la traîne, je vous exclus, vous ne ferez plus partie de la commune des Cyprès. »

A son retour, Mao Zhi exhorta chacun à lui remettre les ustensiles en fer dont il ne se servait plus. Les vieilles casseroles, seaux percés, houes abîmées, pelles émoussées et vieilles pioches, plus les bassines en fer ou en cuivre, les tisons en métal et les chevilles pour accrocher des choses au mur, les loquets des coffres qu'on garde toute l'année à la tête du lit. Le tout fut envoyé en-su, et la commune remit à Benaise un diplôme dans un grand cadre métallique, attestant qu'il était village modèle de troisième catégorie de la commune des Cyprès. Mais quinze jours plus tard, elle envoya aussi deux miliciens armés avec un certificat de deuxième catégorie et un char à bœufs qui repartit plein à ras bords d'outils agraires. Et quelques jours plus tard, quatre gens-complets, toujours avec des fusils mais cette fois deux charrettes, firent leur entrée dans le village, porteurs d'un certificat de première catégorie et d'une lettre signée du secrétaire de la commune en personne. Mao Zhi la lut, resta longtemps sans rien dire puis, ventre en avant, les emmena faire la tournée du village, où ils raflèrent tout ce qui était en fer.

Ils allèrent chez un aveugle, en train de faire du feu pour le déjeuner, son enfant accroupi à son côté. « Qui est là ? » demanda-t-il. « Des gens-complets, dit l'enfant, ils ont des fusils. » De frayeur il leur remit sans mot dire la marmite dans laquelle il était en train de cuisiner.

Ils profitèrent du temps qu'il mit à la vider pour fouiller la cour, trouvèrent un clou dans un mur et l'arrachèrent. Puis, voyant deux houes dans un coin, ils firent aussi main basse dessus. L'aveugle prit Mao Zhi à part :

« S'ils prennent même les casseroles, je vais déjointer ma famille. Autant ne pas être membre. »

Vite, elle lui plaqua la main sur la bouche.

Ils vinrent ensuite chez une boiteuse qui aimait broder. Elle leur donna sa marmite mais elle avait une bassine en cuivre, la seule chose qu'elle ait apportée en dot quand elle s'était mariée à Benaise, et refusait de s'en défaire. Les miliciens entreprirent alors d'entasser dans les charrettes qui étaient garées devant la porte toutes les casseroles, cuillères et spatules qui restaient dans la maison. Et comme en pleurant elle lâchait sa bassine pour essayer de récupérer sa batterie de cuisine, ils s'en emparèrent. En larmes elle se pendit au cou de Mao Zhi : « Ma bassine, mes casseroles – si on ne me les rend pas, je ne veux plus être membre de cette commune ! »

Aux regards outrés que lui jetèrent les gens-complets, elle s'empressa de se taire, plus un mot ne franchit ses lèvres.

Au fond du village ils arrivèrent chez un sourd. C'était un homme intelligent, il n'entendait pas mais avait de bons yeux. Avant que les miliciens s'arrêtent avec leurs carrioles et leurs fusils devant chez lui, il leur avait déjà remis sa marmite et arraché les serrures de son coffre. Il prit même sous leurs yeux les moraillons de son portail pour les jeter sur le tas. Et comme ils lui demandaient s'il avait encore quelque chose à ajouter, il réfléchit un peu et leur donna les anneaux en fer de ses chaussons.

Les charrettes s'éloignèrent.

Dès qu'ils furent partis, il attrapa Mao Zhi par la main et lui dit d'un air de conspirateur : « Belle-sœur, c'est ça la commune populaire ? » Elle jeta un œil aux hommes qui s'en allaient et lui plaqua à toute vitesse la main sur la bouche.

Quand le ciel fut d'un rouge sombre, les deux voitures venues du siège de la commune débordaient. De serrures de *coffres, de moraillons de portes, de cuillères, de marmites, de socs de charrue, de clous et de râteaux, neufs ou anciens, tous en fer, ayant appartenu aux gens de Benaise. Au point que les bœufs, le jaune comme le brun, étaient déjà à bout de forces et le souffle court en partant.*

Lorsque Mao Zhi, après leur avoir fait un bout de chemin, redescendit de la crête en boitillant, elle vit tout le village : aveugles et boiteux, vieillards et enfants en bas âge, beaucoup de femmes au foyer, ils étaient tous là, debout, assis ou affalés par terre, à la fixer et lui faire grief. Certains regards étaient haineux, ils venaient surtout de ménagères dans la force de l'âge : dressées au milieu de la foule, elles se mordaient la lèvre inférieure et la dévisageaient comme si elles attendaient qu'elle soit à proximité pour se jeter sur elle et la réduire en charpie. Elle remarqua alors que le tailleur de pierre l'attendait au coin d'une maison, à bonne distance des autres villageois. La face grise, il lui faisait des signes de la main. Elle s'immobilisa un instant, puis se traîna jusqu'à lui. Inutile de dire les coups d'œil froids qui la suivirent. Elle progressait avec une extrême lenteur, un pas après l'autre elle les fuyait mais si dans son dos on s'était mis à crier et l'insulter, elle se serait arrêtée pour écouter.

Il n'y eut pas un bruit.

Le monde avait sombré dans un silence tel que les regards projetés sur elle retentissaient comme un vent d'hiver par la fenêtre. Le soleil s'était couché sur les monts, de l'autre côté desquels des fourneaux à acier s'étaient allumés. Celui de Benaise, un trou creusé dans la montagne à l'arrière du village, brûlait aussi. C'est dans sa direction que partirent Mao Zhi et son époux. La distance s'étant un peu creusée entre eux et les culs-de-jatte, les boiteux et les aveugles, ils se croyaient tirés d'affaire, lorsque les premiers cris s'élevèrent.

« Ne t'en va pas comme ça, Mao Zhi ! Maintenant qu'on est jointés, chez nous on fait la cuisine dans un baquet. On ne peut pas se déjointer [1] *?*

— Mao Zhi ! Nous c'est dans une marmite en terre qu'on fait la cuisine. Tu nous as jointés, débrouille-toi pour nous déjointer !

– Hé ! Chez nous, il n'y a ni baquet ni marmite en terre, demain il faudra faire à manger dans l'auge aux cochons. Je te

préviens, Mao Zhi : ne compte pas profiter de l'existence si tu ne nous sors pas de là ! »

Au milieu de ces clameurs, elle se tenait aussi seule qu'à la surface d'un fleuve impétueux.

COMMENTAIRE

① **Déjointer**, *v. – Le contraire de se jointer. Si s'intégrer dans le système social des groupes d'entraide et des coopératives était jointer, quitter la commune populaire fut appelé déjointer.*

Déjointaie, *n. f. – Action de se déjointer.*

BRANCHES

C'est arrivé comme ça, d'un coup

Enfin, le chef de district et la troupe qu'il avait fondée allaient quitter Benaise.

C'était la première étape avant d'aller jouer dans les villes et d'y récolter la faramineuse somme qui permettrait d'acquérir la dépouille de Lénine.

Le Singe Une-patte courrait comme une flèche sur son unique jambe ; le sourd se ferait partir des pétards à l'oreille ; le borgne enfilerait des aiguilles ; la paralytique broderait sur des feuilles ; Tonghua démontrerait la finesse de son ouïe ; le petit polio chausserait une bouteille ; un vieux muet lirait les pensées. Si vous étiez handicapé et que vous maîtrisiez un art, vous vous apprêtiez à suivre Liu Yingque. Il y avait aussi Huaihua. Elle était si jolie, d'une telle délicatesse, le secrétaire Shi avait estimé que c'était jouable et l'avait engagée comme présentatrice. Quel beau rôle pour être le point de mire ! Il avait caressé son délicieux visage et non seulement elle l'avait laissé faire mais avec le plus séduisant des sourires avait réclamé un baiser.

Le gros camion arrivé le matin même du chef-lieu se reposait pour l'heure à l'entrée du village. Sourds, aveugles, boiteux et muets doués d'un art s'apprê-taient à s'y installer et à quitter les Balou. On n'avait pas dépêché de voiture pour Liu, il avait dit que cela ferait des économies d'essence et qu'il serait aussi bien dans la cabine à côté du chauffeur, ce qui signifiait que le secrétaire et lui seraient également du voyage.

Le soleil était déjà haut de plusieurs cannes de bambou, le village avait expédié le petit déjeuner et terminé ses préparatifs, on avait chargé les bagages. Le feu du ciel se faisait ardent et Tonghua, Huaihua et Yuhua venaient de sortir leur balluchon dans la cour lorsque la cloche sonna. Un instant plus tard la voix sonore du secrétaire retentissait dans l'air au-dessus du village :

« Les membres de la troupe ! En voiture ! Ne traînez pas, sinon le camion sera parti et vous ne pourrez plus monter ! »

Il avait crié à gorge déployée, sa voix avait le croquant d'une pomme ou d'une poire et la suavité gluante d'un bonbon. Huaihua rougit rien qu'à l'entendre. A Yuhua qui lui jetait un regard en coin, elle asséna un « Et alors ? Qu'est-ce qui te gêne ? » et comme sa sœur ne répondait pas, avec un coup d'œil froid elle prit son balluchon et le chemin de la porte.

Yuhua tenait Tonghua par la main. On allait partir, il fallait prendre congé de leur mère qui levée de bon matin était depuis restée assise, comme pétrifiée, dans la cour. Elle avait quelque chose du pieu sec et usé avec son visage couleur de cendre. Comme abrutie elle restait là, à fixer le porche, et lorsque son regard se posa sur Tonghua, sa fille aveugle, on eût dit celui d'une morte immobilisée sur son siège.

« On nous appelle, maman, il faut y aller, dit Yuhua.

– Pourquoi es-tu triste, maman ? demanda Huaihua. Tu as encore Phalène. » Puis : « Ne t'en fais pas,

188

dans un mois on t'enverra de l'argent. Je suis sûre que je vais gagner plus que les autres, je ne vois pas comment ça pourrait être autrement. Plus la peine que tu ailles aux champs si tu n'en as pas envie. »

Tonghua savait que c'était pour elle que sa mère s'inquiétait. Elle s'accroupit devant elle et lui prit les doigts. Ce fut assez pour faire jaillir les pleurs de Jumei mais comme, dehors, le Singe les pressait comme un cadre rural : « Tonghua, Huaihua, qu'est-ce que vous faites ? Tout le monde vous attend ! », à cet appel qui avait l'impatience d'un fouet, elle essuya ses larmes et à grand renfort de signes de la main les congédia.

Elles s'en allèrent.

Dans la cour ne restait que la solitude. Le soleil avait dépassé le portique, tapissant le sol de verre étincelant, il étalait sa lumière au pied du mur d'en face. On était à la fin du sixième mois, le temps où d'ordinaire on battait et partageait le blé. Cette année, pas un filet de son parfum ne flottait dans l'air, on ne sentait que la terre, humide de neige. Lorsqu'un moineau se mit à pépier sur le toit, le ciel et la terre en tressautèrent. Un corbeau apportait brins et brindilles dans un arbre de la cour pour reconstruire le nid que les intempéries avaient quelque temps plus tôt détruit. Jumei restait comme une bûche sur le seuil de sa pièce principale. Un geste, et ses filles étaient parties. Elle aurait dû les accompagner au camion, mais de crainte d'y rencontrer quelqu'un, elle avait préféré ne pas bouger.

Elle avait peur de le voir, pourtant comme elle en avait envie ! Elle ouvrit grand les battants du portail et s'installa face à cette trouée sur l'extérieur.

L'hôte du temple devrait passer par là quand il s'en irait.

189

Elle avait déjà vu le secrétaire avec ses sacs, un petit et un gros, juste avant que le bruit de la cloche qui appelait au rassemblement envahisse l'espace. Pourquoi Liu Yingque n'était-il pas encore apparu ? Tout s'embrouillait dans sa tête, ce n'était qu'un magma, flou et gluant, elle se dit que peut-être il était déjà à l'entrée du village et que dans un instant il aurait quitté Benaise. Le brouhaha des pas qui plus tôt meublait la rue s'était calmé, les bagages, pots et bols, vêtements et couvertures qu'elle avait vus défiler s'entassaient à présent dans des sacs de toutes tailles à l'arrière du camion. Finis aussi les cris de joie et les pleurs que ces au revoir déclenchaient, on les avait dits, à part le silence il ne restait que le silence. Et les piaillements des moineaux.

A l'instant où, n'escomptant plus le voir passer, elle s'apprêtait à se lever pour ranger le désordre laissé par ses filles, en un éclair deux jambes firent leur apparition, venant de l'entrée principale du temple. Emballées sur leur partie supérieure dans un short de l'armée, elles étaient en dessous, là où la peau était nue, d'un brun rougeâtre, et prises encore plus bas dans des sandales en cuir et des socquettes en nylon. Celles-ci jetaient dans la lumière du soleil des éclats d'un gris si lumineux qu'elle en fut éblouie.

Le premier instant de stupéfaction passé, en un bond elle fut debout, et bien qu'elle n'eût au départ aucune intention d'adresser la parole à cette personne – elle voulait juste le regarder tranquillement –, lorsqu'elle le vit sur le point de disparaître, d'une voix anxieuse elle l'interpella :

« Hé ! Hé ! »

Les sandales de cuir s'immobilisèrent, on se retourna.

« Qu'y a-t-il ? »

Elle réfléchit un peu, sans doute n'aurait-elle pas dû sortir et lui parler, comme à regret elle finit par articuler :

« Rien. Je te confie les filles. »

Il la fixa d'un air contrarié.

« C'est à la troupe qu'il faut les confier, pas au chef de district. »

Un instant estomaquée, muette et désarçonnée, elle baissa la tête.

« Va », dit-elle.

Il tourna les talons et s'en fut d'un pas pressé, comme s'il fuyait. Une foule serrée se pressait à la sortie du village, tout le monde était là. Les artistes étaient montés dans la remorque et s'étaient installés sur les bagages empilés contre les parois. Au milieu s'élevait un gros tas d'objets hétéroclites, cela allait des pots pour monter la cantine à la farine pour les nouilles. Plus des paniers à vapeur pour les pains de maïs, des bassines où pétrir la pâte, des jarres pour transporter l'eau, de la balle et des céréales. On attendait le chef de district. Le secrétaire et le chauffeur surveillaient les ruelles, ceux qui étaient juchés plus haut en profitaient pour le guetter en tendant des cous aux veines saillantes. Tant qu'il ne serait pas là, il allait de soi qu'on ne pourrait pas partir. Et plus le camion tarderait à démarrer, plus ceux qui étaient venus dire au revoir s'énerveraient. Il y avait des mères qui se séparaient de leurs enfants : ils voulaient monter se serrer dans leurs bras et comme on le leur interdisait, ils se mettaient à brailler ; une femme noyait son mari sous un tel déluge de recommandations qu'on l'eût cru parti pour ne jamais revenir ; les vieilles gens dont les garçons ou les filles étaient du

191

voyage radotaient à qui mieux mieux : « Surtout lavez bien vos vêtements, sinon ils vont sentir l'aigre, se déchirer ou moisir quand vous voudrez les mettre » ; à la jeune femme qui ferait la cuisine pour la troupe on recommandait de ne jamais oublier le bicarbonate de soude quand elle pétrirait une pâte : avec, elle se mettrait tout de suite à vivre et lèverait toute seule, sans, elle resterait morte. « Quand on n'est pas chez soi, il ne faut boire que de l'eau bouillie, et que ce soit dans une casserole ou une bouilloire, rappelez-vous : eau bouillie ne chante pas, eau qui chante n'est pas bouillue. » S'il pleuvait, il faudrait prendre le parapluie, ceux qui n'en avaient pas feraient bien dès le dernier jour du premier mois, quand la paye serait tombée, de s'acheter un imperméable. C'est pratique un imperméable, en cas de besoin on peut l'étaler comme une natte devant la porte pour mettre le grain à sécher, pour ça c'est mieux qu'un parapluie.

Parmi les passagers de la remorque, seule Huaihua ne disait rien. Elle bombardait la cabine de coups d'œil furtifs : Shi s'y trouvait et lorsque personne ne faisait attention, il lui jetait lui aussi des regards et des sourires.

Le chef de district arriva enfin.

Dans le camion et à son pied, le silence se fit.

Il n'était en retard que parce qu'au moment de sortir, il avait eu besoin d'aller aux toilettes et qu'une fois accroupi, il s'était senti si benaise qu'il avait attendu d'avoir les jambes engourdies pour lentement en émerger. Une fois sur place il regarda en haut, en bas, demanda si tout le monde était arrivé, ce que le secrétaire lui confirma. « Il ne manque rien ? » Le secrétaire les avait priés de vérifier qu'ils n'avaient oublié aucun accessoire.

« En route ! » dit-il au chauffeur.

Celui-ci se précipita dans la cabine pour mettre le moteur en marche.

Il n'y avait à perte de vue pas un nuage dans le ciel, il était d'une telle pureté qu'on voyait à cent lis à la ronde. Le soleil dardait jaune et ardent, les voyageurs étaient en eau. Huaihua ayant cueilli une feuille et s'en éventant, les autres se rapprochèrent au point que, assaillie par les relents de leur sueur, elle la déchira, scratch ! scratch ! et la jeta par terre. Des champs à l'extérieur du village, le parfum vert des tiges de maïs montait en tournoyant comme des filaments de soie. On allait partir. Benaise allait connaître une révolution. En cet instant précis, tant ceux qui étaient dans le camion que ceux qui restaient comprirent enfin que même s'il s'agissait de jouer dans une troupe, une séparation restait une séparation. Ils s'en allaient faire des choses époustouflantes, tout le monde se tut, le silence se fit. Les ronflements du moteur imposaient aux feuilles un incessant tremblement, dans les cœurs des hommes l'effet était le même.

Mais le calme régnait.

Effrayées par cette soudaine paix, les poules qui jusqu'ici picoraient au milieu de la foule, tête basse et gloussantes, dressèrent le col et se turent elles aussi.

Les chiens qui s'étaient réfugiés au pied des murs pour y dormir au frais en ouvraient de grands yeux avec lesquels ils contemplaient ces Benaisiens sur le départ.

Même les enfants ne pleuraient plus, personne ne recommandait plus quoi que ce soit à quiconque. Le ronflement du moteur se fit plus discret, le camion allait s'ébranler. Le chef de district devant être assis près de la porte, le secrétaire monta le premier. Et Huaihua avait beau le regarder, il n'avait plus d'yeux que pour son patron et s'en souciait bien. Il tendit la main à Liu pour l'aider mais celui-ci, refusant d'un geste, grimpa d'un bond en s'accrochant à la porte.

Elle se ferma.

Le camion démarra.

Il était parti.

Or, or, à peine était-il lancé que, d'un coup, cette chose se produisit. Comme selon un plan préarrangé, il s'était à peine ébranlé que, brusquement, alors qu'il passait devant la falaise du côté des aveugles, cela arriva. Patatras ! Mao Zhi bondit avec sa béquille. On aurait dit qu'elle revenait d'entre les morts : en dépit du plein été, elle avait revêtu ses neuf couches d'habits de tombe – les trois couches internes (la tenue simple pour les jours chauds) ; les trois couches intermédiaires (des vêtements doublés pour le printemps et l'automne) ; et les trois couches extérieures (pantalon, veste et robe molletonnés des grands froids). La robe était en soie noire, avec des ourlets et des poignets brodés d'or comme le grand *Dian* (« sacrifice aux mânes des défunts ») de la taille d'une bassine qui décorait son dos. Le tissu avait dans la lumière du soleil un éclat sombre, les broderies des reflets vermeils. Environnée de ce halo mi-or mi-argent, elle avait surgi comme une boule de feu du pied de la montagne et, vlan, était venue en boitillant s'affaler au milieu de la chaussée.

Juste devant les roues du camion.

« Maman ! » hurla le chauffeur en pilant.

Le village fit cercle autour d'elle. « Mao Zhi ! Mao Zhi ! » criait-on. « Grand-mère ! Belle-sœur ! » Ce fut vite une belle cacophonie.

Elle était indemne, entre elle et les roues avant il restait encore deux pieds de distance. Deux pieds, oui, mais qu'elle parcourut en roulant pour s'accrocher à un pneu. Tourné vers le ciel, le *Dian* dans son dos brillait de tous ses feux, il éblouissait comme un soleil.

Les paysans étaient médusés, tout Benaise, toute la crête, sidérés et en état de choc.

D'abord éberlué, le visage du chef de district se plomba lorsqu'il la reconnut. Sombre et métallique, il se ferma.

« Et merde ! Elle en a marre de la vie ? » gueulait le chauffeur.

« Grand-mère ! Grand-mère ! » s'époumonaient Huaihua et Yuhua. Et Tonghua l'aveugle de joindre sa voix au concert : « Grand-mère ! Qu'est-ce qui lui est arrivé ? Huaihua, dis-moi ce qu'il y a avec grand-mère. »

Au milieu du tumulte, le secrétaire ouvrit la porte et sauta à terre. Vert de rage, il allait pour la déloger mais le spectacle de la robe de tombe avec ce caractère qui flamboyait dans le dos l'arrêta net. Il était furieux, il devint hésitant.

« Mao Zhi, sortez de là, intima-t-il. Et si vous avez quelque chose à dire, dites-le ! »

Pas de réponse. Elle s'était agrippée des deux mains au chapeau de roue.

« Vous devriez être plus raisonnable, à votre âge ! »

Toujours sans mot dire, elle restait fermement accrochée.

« Si vous ne bougez pas, je vais être obligé de vous tirer. »

Silence. Elle serrait obstinément la jante.

« Vous faites obstacle au véhicule du chef de district, vous contrevenez à la loi, je vais vous sortir de là. »

Comme, après un coup d'œil à son patron, il voulait mettre sa menace à exécution, déjà il s'était penché et tendait la main, de sa robe elle sortit une paire de ciseaux – des « Wang le grêlé » d'excellente qualité et scintillants –, tourna la tête et appuya la pointe sur sa gorge en annonçant d'une voix forte : « Vas-y ! Si tu me touches, j'enfonce la lame. J'ai soixante et onze ans, cela fait longtemps que je n'ai plus le goût de vivre, mon cercueil et mes habits de tombe sont prêts. »

Se redressant, il supplia du regard le chef de district et le chauffeur restés dans la cabine. « Eh bien qu'elle l'enfonce, si c'est ce qu'elle veut ! » cria le second. Puis de murmurer à l'intention du premier qui s'était contenté de toussoter d'un air froid : « Elle n'osera pas, c'est juste pour nous faire peur. »

Liu Yingque ne disait rien. Après avoir un moment réfléchi, il descendit.

Le cercle des Benaisiens s'ouvrit pour le laisser passer.

Il se faufila au milieu.

Les rayons du soleil tombant justement de ce côté du camion, la tenue de tombe jetait des éclats qui l'éblouirent. L'univers n'était plus qu'un silence épais. Les villageois avaient beau retenir leur haleine, elle sonnait comme un soufflet. La lumière dardait du ciel telle une pluie de verre. Un chien qui s'était par curiosité glissé entre les jambes se ramassa un coup de pied dans le museau, cadeau d'un aveugle, et battit en retraite en glapissant. Le visage de Liu Yingque avait la couleur de l'écorce des arbres au printemps. Il se mordait la lèvre inférieure avec une telle force qu'il risquait d'y laisser la marque de ses dents. Les deux mains à hauteur de poitrine, il avait fermé le poing gauche et pressait violemment sur les jointures avec la droite pour leur faire émettre des craquements sonores. Quand elles eurent toutes craqué, il fit l'échange, la main droite se ferma, la gauche appuya sur les jointures, et à nouveau les craquements retentirent. A la fin, quand les dix articulations y furent passées, ses dents relâchèrent sa lèvre – où effectivement elles laissèrent des marques en forme de demi-lune d'où s'échappaient des filets de sang semblables aux veines qui sillonnaient ses joues.

Il s'accroupit à côté de la roue.

Mao Zhi baissa ses ciseaux.

« Qu'est-ce qu'il y a ? Parle !

– Laisse les Benaisiens à Benaise.

– Je ne veux que leur bien.

– Ils ne tireront aucun bien de quitter le village.

– Fais-moi confiance ! Fais confiance au gouvernement.

– Laisse les Benaisiens à Benaise.

– Ils sont là de leur plein gré, même tes trois petites-filles.

– Laisse les Benaisiens à Benaise.

– Elles sont là-haut dans la remorque, tout le monde est là parce qu'il le veut bien.

– Peu importe. Il faut les laisser au village. Cela finit toujours mal quand les Benaisiens quittent les Balou.

– Pour les huit cent dix mille habitants du district, pour l'acquisition de la dépouille de Lénine, je ne peux pas me passer de cette troupe.

– Eh bien emmène-les. Le camion n'aura qu'à me passer sur le corps.

– Bon, laisse-nous partir. Quelles sont tes conditions ?

– Si je le disais, tu n'oserais pas accepter. »

Il ricana :

« Tu crois que je ne suis pas chef de district ?

– Je sais que tu as besoin d'argent pour acheter Lénine. Que tu comptes leur faire gagner à ta place, soit. Mais il faut déjointer Benaise. Qu'à dater d'aujourd'hui, le village ne dépende plus de Shuanghuai ni des Cyprès.

– Tu ne t'es toujours pas enlevé cette histoire de la tête, depuis le temps ?

– Si Benaise est déjointé, je n'aurai plus rien à me faire pardonner. »

Au bout d'un instant de réflexion, il se redressa et dit :

« Tu crois vraiment que Shuanghuai doit quelque chose au village ? Qu'il tient à ces quelques kilomètres carrés de montagne ? Debout ! J'accepte. »

La lueur qui s'était allumée dans le regard de Mao Zhi brillait plus fort que sa robe.

« Si tu es vraiment d'accord, il faut l'écrire noir sur blanc. Dès que j'ai le papier, je vous laisse partir. »

Il prit un stylo, sortit un carnet de la sacoche du secrétaire et remplit d'un seul jet une demi-page :

J'accepte qu'à dater du Nouvel An prochain le village de Benaise ne relève plus du canton des Cyprès. Ledit canton n'aura plus aucune autorité sur le village. A partir du Nouvel An prochain, il ne dépendra plus non plus du district de Shuanghuai, lequel fera dans l'année imprimer une nouvelle carte où Benaise n'apparaîtra plus à l'intérieur des frontières de son territoire administratif. Mais tout habitant de Benaise désireux d'être membre de la troupe d'art du district de Shuanghuai ne saurait en être empêché ou gêné par un autre habitant du village.

En dernière ligne, sa signature et la date.

Quand il eut fini, à nouveau il s'accroupit et déchira la feuille pour lui donner à lire en commentant : « Ça fait des dizaines d'années, et ça te turlupine toujours – ça ne va pas être une mince affaire. Donne-moi six mois, le temps que je fasse mon rapport et que je m'explique en-su avec la préfecture. » Après avoir accusé réception, elle réfléchit un instant, le regarda et tout à coup les larmes lui montèrent aux yeux. Cet écrit pesait entre ses doigts comme s'il n'y avait rien de plus important au monde, comme s'il était lourd d'un faix de plusieurs milliers de livres dont la densité se serait automatiquement transmise au papier. Elle n'arrivait pas à y croire, sa main tremblait un peu, la page aussi et dans l'affaire, les neuf couches de la tenue de tombe qu'elle portait s'étaient mises à vibrer et froufrouter. Elle avait si chaud que la couche la plus interne de ses vêtements était trempée de sueur mais son visage n'avait pas bougé, il était toujours aussi vieux, aussi livide, aussi sec, aucune transpiration n'y perlait, à peine discernait-on sous le jaune blafard et sénescent une légère rougeur sanguine. L'un dans l'autre, elle avait beaucoup vécu, elle avait dû surmonter au fil des ans des épreuves en nombre plus serré que l'herbe sur les flancs de la montagne, elle examina la feuille et prononça une phrase de la plus haute importance :

« Tu dois me mettre là-dessus le sceau du gouvernement du district et celui du comité du Parti, dit-elle.

– Non seulement je vais y apposer les sceaux, mais dès que je suis de retour au chef-lieu, j'envoie une circulaire à en-tête rouge pour informer les cantons, les départements et les bureaux.

– Quand ?

– A la fin du mois. Tu pourras passer le chercher dans dix jours.

– Et qu'est-ce que je fais si ça ne marche pas ?

– Tu n'as qu'à venir, habillée comme tu l'es, coucher chez moi et dormir en habit de tombe dans mon lit. Tue un coq à sang rouge[1] et enterre-le devant les bureaux de l'administration. »

Elle compta et recompta, d'ici la fin du mois il ne restait que treize jours, elle consentit à sortir de dessous le camion.

Il repartit avec fracas, Benaise était retombé dans sa solitude.

COMMENTAIRE

① *Un coq à sang rouge* – *Dans la région des Balou, et à plus large échelle le canton de Shuanghuai et l'Ouest du Henan, on sacrifie souvent des coqs aux esprits des morts, d'où la superstition : enterrer un coq devant la porte de quelqu'un, c'est attirer un grand malheur sur sa tête. A l'entrée d'une unité de travail, cela veut dire que ses principaux dirigeants rencontreront des difficultés dans leur carrière et que le sort leur sera contraire.*

CHAPITRE III

On applaudit à tout rompre et l'alcool coule à flots

La nuit était aussi profonde qu'un puits tari, la lune engourdie dans le ciel tel un bloc de glace.

La première représentation de la troupe, au district, avait obtenu un succès qui dépassait toutes les espérances.

On avait opté pour le début du septième mois du calendrier lunaire, le trois, le six ou le neuf qui sont des chiffres de bon augure, et le chef de district s'était décidé pour le neuf : il espérait faire un gros chiffre, une espèce de double-neuf.

Jamais les Benaisiens n'oublieraient ce crépuscule. Le théâtre était au départ relativement désert, à peine quelques spectateurs ici et là en train d'agiter des feuilles de massette pour lutter contre la chaleur. On se serait cru en pleine canicule, dans la journée le goudron des rues avait cuit et s'était transformé en huile noire, quand on marchait dessus, le talon y restait collé, les pneus des voitures s'y enfonçaient avec des couinements de cuir déchiré. On prétendait qu'à midi quelqu'un s'était évanoui, mais qu'il avait suffi de l'asperger d'eau froide pour le ranimer quand il était arrivé à l'hôpital. On disait aussi que l'aspersion avait provoqué un chaud et froid dont la personne était morte. Qui eût espéré remplir une salle par un jour aussi torride ? C'était juste une répétition, le public n'avait pas été informé, Liu Yingque se contentant d'intimer à son secrétaire d'en toucher un mot au bureau, lequel devait avertir les sections concernées – celle en charge du développement de l'industrie touristique, par exemple, plus le bureau et le Palais de la culture qui avaient aidé à mettre le spectacle sur pied –, ainsi qu'à divers employés et départements du gouvernement du district et du comité du Parti. Une centaine de spectateurs feraient amplement l'affaire. Mais le chef de district serait au premier rang, au milieu, et les cadres – dûment sommés de faire acte de présence – se répartiraient autour de lui en ordre hiérarchique. Or, eu égard à sa présence, les ventilateurs fonctionnaient, si bien qu'il faisait frais et les gens avaient commencé d'affluer. En plus c'était gratuit : la foule qui baguenaudait dans les rues eut tôt fait de se réfugier dans le théâtre pour profiter de l'aubaine.

Si bien que la salle était pleine.

Noire de monde.

Et que ce monde faisait un beau charivari.

Le chef de district était arrivé à l'heure pile et il avait suffi qu'il fasse son entrée pour que le public se calme, comme s'il n'avait pas été là pour assister à un spectacle ou profiter de la température mais pour l'attendre. Il avait une autre allure, ici. A peine était-il apparu que les gens s'étaient levés et avaient applaudi comme dans les grands théâtres de Pékin lorsqu'on accueille un dirigeant. En fait, Liu Yingque était dans son chef-lieu un empereur, un président d'Etat, rien de plus normal pour le peuple que de se lever et l'ovationner, l'habitude était ancrée. Resplendissant, il avait donc fait son entrée sous les applaudissements et était allé s'installer à la place numéro un du troisième rang. Ensuite il s'était retourné, avait fait de la main un geste d'apaisement pour leur signifier qu'ils pouvaient s'asseoir et appelé le secrétaire à qui il avait murmuré quelque chose à l'oreille. Shi était allé rapporter ses propos dans les coulisses où l'énervement avait crû dix, vingt, des centaines et des centaines de fois. La réalisation était assurée par d'anciens employés d'une troupe de madrigau de Balou dont le rôle, depuis que celle-ci avait été dissoute, se bornait à préparer des chants et des danses pour les mariages et les enterrements. Lorsqu'ils avaient, quelques jours plus tôt, appris que le district avait fondé une troupe d'art dont les acteurs seraient des paysans du fin fond de la campagne – des infirmes de Benaise, aveugles, boiteux, sourds, muets, unijambistes ou poliomyélitiques pêchés dans ce trou perdu dont tout le monde avait entendu parler mais que personne n'avait jamais visité –, cela ne leur avait fait ni chaud ni froid, il avait fallu que le chef de district leur enjoigne de s'atteler sérieusement à la mise en scène et de ne rien négliger. Il fallait harmoniser les tonalités des costumes de scène, répartir les noirs, les verts, les rouges et les violets. Shi ayant suggéré de confier la présentation à la jeune Huaihua, ils l'avaient fait venir et certes elle était petite, mais plutôt mignonne, ils lui avaient montré comment s'y prendre. Le neuf, jour de la générale, le public ne serait cependant là que pour l'air brassé par les ventilateurs. Ils n'avaient pas mis grand cœur à l'ouvrage, et voilà que tout à coup le chef de district s'annonçait ! Alors qu'il avait dit qu'il ne viendrait pas parce que ce n'était qu'une répétition et qu'on le prétendait enrhumé, il avait paraît-il du mal à respirer, comme s'il avait une plume de poule coincée dans les narines. Tout le monde disait que, trop occupé depuis son retour, il ne se déplacerait que pour la première, et voilà que malgré tout il avait décidé de venir ! Dans ce cas, tous les cadres du gouvernement seraient également présents. La générale prenait des allures de première. Le secrétaire avait expliqué au directeur, un homme de cinquante et un ans, que le chef de district avait pris du bouillon de gingembre avant de venir mais qu'ayant le nez encore un peu pris, il ne ferait pas de discours. « Par contre, le comité permanent doit encore se réunir ce soir pour discuter du chantier du mausolée, il n'y a pas une minute à perdre, commencez ! »

Le directeur était parti comme un dératé et avait regroupé les Benaisiens dans un coin de la scène. Il ne leur avait donné que trois consignes : premièrement, quand vous êtes sur scène, surtout gardez votre calme, dites-vous que vous êtes chez vous pendant une benaisade ; deuxièmement, ne regardez pas les spectateurs, sinon vous allez paniquer, regardez dans le vide, c'est bien mieux ; troisièmement, à la fin de votre numéro vous devez vous incliner devant le public, mais comme le chef de district est au milieu du troisième rang, soyez toujours tournés dans sa direction pour qu'il ait l'impression que le salut s'adresse à lui et que le reste de la foule croie que vous le destinez à l'ensemble de la salle. Ensuite il avait pris Huaihua à part : « Tu as le trac ? – Un peu », avait-elle admis. « Ce n'est pas la peine, tu es la plus jolie fille de la troupe. Une fois maquillée, tu seras comme un paon sur la scène, ta beauté va les éblouir, alors exprime-toi posément en prenant bien ton temps : "A présent le spectacle va commencer, voici d'abord truc ou machin", et tout se passera très bien. »

Toute rouge, elle avait hoché la tête en signe d'assentiment.

Il lui avait passé la main sur la joue, donné un baiser et avait fait appeler la maquilleuse.

Le spectacle allait commencer. Qui l'eût dit, chaussée d'escarpins et vêtue d'une robe de soie bleue, poudrée et les lèvres fardées de rouge, la nine semblait un loriot juste parti du nid. Une fois juchée sur des talons, elle faisait moins minuscule, malgré tout elle n'était pas très grande et on ne lui aurait jamais donné ses dix-sept ans, les gens croyaient qu'elle en avait onze ou douze. Ses yeux avaient un éclat noir et profond, ses lèvres un carmin onctueux, son nez était droit et fin comme l'arête d'un couteau. Ajoutez à cela la robe en crêpe couleur d'eau claire, elle était dans ce théâtre trop chaud comme un souffle de vent qui se serait posé. Le public était éberlué, même le chef de district la regardait d'un œil un peu fixe. Comme elle était petite, personne ne lui aurait imaginé une voix si douce et flûtée. Personne non plus n'aurait osé rêver qu'en deux à trois leçons auprès de l'ex-présentatrice de la troupe d'opéra elle perdrait son accent des Balou. Elle s'exprimait comme une fille de la ville, mot après mot, phrase après phrase, l'annonce avait coulé méthodiquement d'entre ses lèvres.

Après être restée un instant plantée là sans rien dire, à attendre que la salle se calme, d'un ton suave elle avait déclaré : « Le spectacle va commencer. Premier numéro : le saut en longueur de l'unijambiste. »

Puis elle avait quitté la scène, comme emportée par une brise légère. Le directeur l'avait prise par les mains, il était aussi excité que si sa propre fille venait à la surprise générale de réaliser un exploit. Il lui avait caressé la joue, tapoté l'épaule et l'avait même embrassée. A peine était-elle sortie que les applaudissements crépitaient. Comme des nuages qui se dispersent, les rideaux rouges s'étaient lentement écartés, tel un soleil qui se lève, les projecteurs s'étaient allumés.

Disons-le, il n'y avait rien d'exceptionnel dans les bonds du Singe : comme il avait perdu sa jambe très tôt, il lui avait fallu apprendre à marcher, à porter la palanche et à escalader la montagne sur l'autre, qui s'était dans l'histoire considérablement fortifiée et le propulsait à chaque pas très haut et très loin. Mais le directeur avait apporté son grain de sel et pimenté la chose. Le rideau s'était levé sur l'ex-clown de la troupe en train de jongler avec trois grands chapeaux qu'il lançait et rattrapait à tour de rôle afin qu'il y en eût toujours un dans l'air et un dans chacune de ses mains, pendant que deux hommes répandaient des pois sur le sol : des pois jaunes, des pois verts, des petits pois, en tout un tapis coloré d'une surface équivalente à trois nattes qu'Une-patte, qui avait fait son entrée, devrait franchir d'un seul bond sur son unique jambe. Un peu plus loin, sur le bord, l'attendaient les deux couettes sur lesquelles il retomberait. C'était Yuhua qui les avait apportées. Elle aussi habillée pour la circonstance, elle avait également du rouge aux joues et aux lèvres : on l'avait maquillée pour lui donner cet air pur et innocent qui plaît au public. D'un côté la petite paysanne qui gambadait en tous sens, de l'autre l'homme à la jambe cassée, on aurait dit une fleur et une herbe fanée. Il va sans dire que s'il ne franchissait pas l'obstacle et n'atterrissait pas sur les édredons, il déraperait et risquerait de se casser quelque chose. Dans le théâtre flottait une désagréable odeur de légumineuses. Fameuse, cette idée des pois, le chef de district s'était inopinément laissé aller à sourire. D'autant que l'homme qui venait de faire son entrée était un estropié, la jambe gauche de son pantalon flottait sur du vide. Comme il n'était pas bien beau, on lui avait collé une tartine de fond de teint sur la figure pour qu'on ne la voie plus, mais il restait cette patte, le public était choqué. A la différence de Liu, il ne l'avait jamais vu à l'œuvre et était éberlué. Quelqu'un s'était avancé pour expliquer qu'il allait franchir le tapis de deux mètres sur trois : s'il ratait son coup, il tomberait sur les pois, les spectateurs étaient priés d'attendre la suite des événements. Ils en transpiraient à grosses gouttes pour lui. Qu'il était petit et malingre, vu de leurs sièges, cet éclopé arrivé en claudiquant sur sa canne ! Et l'annonceuse prétendait qu'il allait bondir par-dessus ça, autrement dit effectuer un saut de trois mètres de long, neuf pieds ! Ce dont beaucoup de gens-complets auraient été incapables, un infirme allait le faire. Spontanément, le public s'était mis à angoisser pour lui. D'autant plus que le Singe – était-ce parce que les neuf pieds l'inquiétaient vraiment ou pour la galerie ? – était allé vérifier avec la main les distances et comme s'il avait trouvé un pouce de trop, avait légèrement resserré les pois et rapproché d'autant les couettes. « Fais bien attention », lui avait dit, ni trop bas, ni trop fort, Yuhua. Et lui, au comble de l'anxiété, de répondre d'un simple signe de tête. Le cœur du public s'était serré, il battait pour l'infirme.

Finalement, il lui avait bien fallu se lancer.

Les projecteurs brillaient comme des soleils. Les spectateurs retenaient leur souffle. Le chef de district s'était redressé et penché en avant. Puis une musique avait retenti, au son des gongs et des tambours, tel le héros qui part au front, le Singe avait déboulé en prenant appui sur sa béquille, semblable au cerf à la patte brisée il avait volé comme une flèche d'un bout à l'autre de la scène. Pan ! pan ! Son pied droit tombait sur les planches avec un bruit de masse qui s'abat, tandis que du côté gauche cela faisait juste un petit ploc, comme un caillou sur une dalle. Au bout de quelques coups, silhouette vacillante et tordue au-dessus de la scène, dans sa veste de kung-fu verte et son pantalon rouge serré aux chevilles, il avait hésité, en suspension dans l'air. La béquille s'était plantée à la lisière exacte du tapis de pois. En cet instant précis, alors que tout le monde croyait qu'il allait tomber tant il penchait comme un arbre au cou ployé, usant de l'élasticité de sa canne il avait bondi et passé l'obstacle pour retomber sur les édredons de l'autre côté.

La salle avait d'abord chuchoté, puis un silence de mort s'était instauré et enfin, quand il avait atterri, elle avait applaudi à tout rompre. Si fort que les poutres du plafond avaient menacé d'éclater. Le chef de district, plus tôt penché en avant, s'était redressé et c'était lui qui avait donné le signal de l'ovation. Il avait montré l'exemple, après on avait eu l'impression que cela ne s'arrêterait plus, il avait fallu que Yuhua revienne en traînant deux lattes de trois pieds sur cinq couvertes de bossettes de plusieurs centimètres plantées à un pouce les unes des autres. En toute simplicité, une fois dans le bon sens : deux étincelantes planches à clous. Les gens ne s'étaient pas encore aperçus qu'elle était nine, mais lorsqu'elle avait été près de la rampe, impossible de ne plus le remarquer : elle était si petite qu'on eût dit un moineau. Etonnés, ils l'avaient regardée poser l'une et l'autre planche sur les pois, et compris qu'après avoir passé ce simple tapis, le bancal allait devoir sauter par-dessus une bonne toise de pointes. Une mer plus longue que le champ de billes qui avait précédé, couverte d'aiguilles scintillantes. A nouveau le silence s'était fait.

Il n'y avait plus que des regards abasourdis.

Encore une fois, claudiquant, le Singe et sa canne avaient franchi l'obstacle. La suite avait été encore plus époustouflante. Cela s'appelait : « Le dragon solitaire traverse un océan de feu ». Des plaques de tôle encore plus longues et plus larges que les planches avaient été disposées sur le plateau et recouvertes de torchons imbibés de kérosène. Après, une allumette et hop ! les flammes avaient illuminé le théâtre. Béquillant, Une-patte était remonté sur scène, avait serré les lèvres et s'était incliné devant le public d'un air déterminé, béquillant, il avait récolté des applaudissements et était reparti pour galoper et s'envoler, à nouveau semblable au cerf. Il y avait néanmoins eu un incident : sa jambe de pantalon vide s'était embrasée quand il était passé au-dessus du brasier, il en pleurait presque lorsqu'il avait atterri sur les édredons. Yuhua et Huaihua hurlaient. Dans leur affolement les spectateurs s'étaient levés de leurs sièges. Le feu avait vite été étouffé mais lorsqu'il était allé saluer le chef de district et le public avant de se retirer, plus rien, sinon un bout de tissu brûlé, ne flottait autour du vide.

Du fait de ce lambeau roussi, évident sous les projecteurs, du fait du moignon qui dépassait comme un battoir par ce trou noir et de ces grosses cloques d'une aquatique luminosité qui indiscutablement le marquaient, quand il avait salué et s'était incliné, il y avait eu un tonnerre d'applaudissements.

Les spectateurs en avaient les mains rouges, la chaux des murs en tombait.

Clopin-clopant il avait regagné les coulisses, où le directeur de la troupe l'attendait, tout sourires et excitation. « Félicitations ! s'était-il exclamé. Belle entrée en matière, vous êtes célèbre ! Même le chef de district s'est répandu en vivats. – Où sont les toilettes ? avait répondu le Singe. J'ai pissé dans mon froc. »

Bien sûr, le directeur l'avait immédiatement pris par le bras pour lui montrer le chemin, et d'expliquer qu'il ne fallait pas s'en faire, que c'était normal, que lui aussi avait mouillé sa culotte la première fois qu'il était monté sur scène dans sa jeunesse.

Par quelque bout qu'on la prenne, la générale du neuvième jour du septième mois avait été un succès éblouissant. Du début, au crépuscule, jusqu'à l'instant où la lune et les étoiles avaient empli le ciel, la salle n'avait cessé d'applaudir. Qui avait jamais entendu parler d'une troupe dont tous les artistes étaient aveugles, boiteux, paralysés, sourds ou muets ? Qui avait jamais vu sur scène des pieux en différents bois – saule, sterculier, sophora et mélia – et une aveugle – cette Tonghua qui ignorait que les nuages étaient blancs et que le crépuscule les teintait de rouge – à qui il suffisait de taper dessus avec sa canne pour les différencier, savoir si c'était de l'orme ou du sterculier, du mélia ou du cédrel ? Qui avait jamais rencontré une paralytique capable de broder des oiseaux, des chrysanthèmes et des fleurs de prunier sur une feuille d'arbre, qu'elle soit d'orme ou de sterculier, voire aussi fine et fragile que celle du sophora ? Qui avait jamais vu un jeune poliomyélitique recroqueviller son pied malade pour l'introduire dans une

210

bouteille, effectuer un tour de scène ainsi chaussé, repartir dans l'autre sens puis faire des roues et des culbutes ? Il y avait aussi ce borgne, qui le temps d'un balbutiement passait un fil de soie rouge par le chas de dix aiguilles. Pour revenir à cette Tonghua, elle était petite et jolie en dépit de sa cécité ; et elle avait l'ouïe fine. La salle avait fait silence, on l'avait guidée jusqu'au milieu de la scène, et il avait suffi de lâcher une épingle pour qu'elle devine qu'elle était en fer et tombée à l'est, une pièce blanche sur un tapis, que c'était de la petite monnaie sur du tissu. Refusant d'admettre qu'elle était vraiment aveugle, persuadés qu'elle avait tout vu, des spectateurs étaient montés sur scène. Après lui avoir mis un bandeau noir sur les yeux, ils avaient déchiré une cigarette et l'avaient lancée en l'air : elle avait entendu des feuilles qui tombaient en tourbillonnant.

L'ouïe magique de Tonghua avait été le clou de la soirée, un zénith avait été atteint lorsque le public avait participé, après le spectacle s'était arrêté net. Huaihua avait annoncé la fin de la représentation : ils avaient dépassé d'une bonne demi-heure le temps imparti, le chef de district et les artistes avaient besoin de se reposer.

Ainsi s'était achevée la séance.

C'était comme manger à cœur joie et se retrouver devant une assiette vide, voir le fond de la bouteille à l'instant où on commence à goûter le parfum de l'alcool. Mais les gens étaient bien obligés de se lever. Le chef de district et les cadres des premiers rangs s'étaient eux aussi mis debout, on applaudissait, les visages éblouis brillaient d'enthousiasme. Qui eût cru qu'il suffirait à Liu Yingque d'un voyage à la campagne pour ramener une telle troupe, avec des numéros d'une nouveauté telle qu'on en croyait à peine ses yeux, et des artistes dont on avait du mal à imaginer qu'ils fussent infirmes et issus d'un trou perdu. Surtout, pendant le spectacle des Benaisiens, les cadres du comité et du gouvernement avaient vu se lever l'aube du rayonnement de Lénine, enfin on avait trouvé l'arbre à sapèques qui leur fournirait les fonds nécessaires à l'acquisition de sa dépouille, ils étaient désormais sûrs de pouvoir l'installer aux Ames mortes, transformées en banque d'où l'on pourrait indéfiniment retirer de l'argent.

Le succès de la générale avait mis le sang du chef de district en ébullition, il était monté sur scène pour serrer les mains une à une, leur avait suggéré de vite rentrer et de faire un excellent repas. Egalement, vu la chaleur, il recommandait de se munir la prochaine fois d'un éventail, qu'ils se fassent délivrer une facture, l'administration les rembourserait, ce serait leur premier bonus. Après avoir distribué félicitations et conseils, avec son escorte de cadres il avait quitté la salle sous les applaudissements, direction le centre d'accueil.

Une fois qu'ils avaient été sur place, le directeur du centre avait échangé quelques mots avec Shi, qui en moins de temps qu'il n'en faut pour le dire avait rédigé sur le papier idoine un rapport de demande d'instruction et l'avait fait passer à son patron.

En voici les termes :

Demande d'instruction relative au banquet donné
pour célébrer le succès de la troupe
Monsieur le chef de district,
Pour célébrer le succès remporté par la troupe d'art de Benaise à l'occasion de sa répétition générale, je propose le menu suivant, que je soumets à votre approbation :

Dix entrées froides : cœurs de chou chinois, tofu aux petits oignons, cacahouètes bouillies, cacahouètes sautées, pois à l'eau, julienne de légumes et gingembre, bâtonnets de concombre et leur sauce, oignons à la sauce rouge, salade de céleri, duo de cœurs de lis.

Dix plats chauds : lapin à la sauce de soja, faisan à l'étuvée, canard aux champignons, pousses d'ail sautées avec leurs tripes, ragoût de bœuf, mouton aux navets, porc aux trois saveurs, fricassée de poulet aux foies de volaille, sauterelles aux jujubes, duo d'anguilles vapeur.

Trois soupes : bouillon aux trois saveurs, potage aigre-doux et brouet de lotus à la saveur sucrée.

Le chef de district avait examiné le rapport, pris un stylo pour y apporter une ou deux modifications, écrit *approuvé* et signé. Quelques instants plus tard ces instructions se trouvaient entre les mains du directeur et en moins de temps qu'il n'en faut pour le dire les dix plats froids et les dix plats chauds étaient sur la table.

On avait trinqué au succès de l'entreprise. Bien éméché, Liu allait se laisser aller aux confidences, dire des choses étonnantes et en faire d'autres renversantes.

C'était une vaste salle de deux travées, quand on eut fini de boire et de manger, la nuit était profonde comme un puits tari, cuisiniers et serveurs somnolaient à côté de la porte, le chef de district se resservit. Il se leva, balaya du regard ses subordonnés et déclara : « Prenez vos verres, j'ai encore une ou deux choses à vous demander. »

Les cadres remplirent leurs verres et se levèrent.

« Considérons que nous tenons ce soir une réunion élargie du comité permanent. En tant que numéro un, j'ai une question à vous poser. Si je sollicite votre avis, c'est en espérant que vous me le donnerez carrément, que vous irez au bout de votre pensée. »

Ils se tenaient là, debout, le verre à la main : « Dites, monsieur le chef de district, dites, nous faisons bloc autour de vous.

– Que pensez-vous de ma décision d'acheter la dépouille de Lénine ? C'est brillant ou pas ? »

D'une même voix on répondit : « Brillant, très brillant, la décision la plus sage jamais prise dans l'histoire de Shuanghuai. Les huit cent mille habitants du district jouiront du bonheur pendant des milliers d'années, des dizaines de milliers de générations.

– Trouvez-vous que je me donne du mal pour la création du parc forestier et la construction du mausolée ?

– Beaucoup, beaucoup de mal. On a des yeux pour voir !

– Et la troupe de Benaise, c'est un arbre à sapèques, oui ou non ?

– Mieux que ça ! Cet arbre, il suffit de le secouer un grand coup, et la troupe se transformera en fleuve d'or, plus la peine de se fatiguer, l'argent coulera tout seul au fil des mois.

– Maintenant, tout le monde a compris que nous avons bon espoir d'acquérir la dépouille de Lénine ? »

Ils sourirent sans rien dire. Tout le monde se rappelait qu'au début on avait discrètement plaisanté : le chef de district rêvait. Un certain remords s'affichait sur les visages, le respect qu'on éprouvait pour lui était désormais infini. Il se rembrunit alors, la mine soudain sévère. Planté là, en plein milieu, il rejeta la tête en arrière pour s'envoyer le contenu de son verre dans le ventre et d'un air grave déclara : « Puisqu'il en est ainsi, je vais vous faire une proposition. A vous d'accepter ou pas. Ceux qui sont d'accord boiront comme moi, les autres poseront leur verre. Aujourd'hui nous aurons assisté à un spectacle, nous aurons mangé, point à la ligne, il n'y aura jamais eu de réunion. »

Tous les regards avaient convergé vers lui. On attendait qu'il pose son époustouflante question.

Avec la plus grande solennité, il dit : « Je suggère qu'aux Ames mortes, à droite du mausolée de Lénine, on creuse une annexe de la dimension d'une pièce, à la même hauteur que la salle principale. Et qu'ensuite, quand on aura rapporté la dépouille, on procède à un vote anonyme et démocratique pour élire celui de nous qui aura le plus contribué à cette acquisition et à la création du parc forestier. Autrement dit, celui qui aura le plus fait pour le bonheur de la population du district. Et que celui-là soit à sa mort enterré avec Lénine, dans cette annexe, en guise de remerciement et pour que sa mémoire soit à jamais préservée. »

Il dit, puis il les regarda. Abasourdis, les cadres restèrent un instant sans savoir s'ils étaient d'accord ou pas. Dans la salle le fumet des plats et des alcools le disputait à l'odeur fraîche de la nuit d'été. La lune entrait par les fenêtres mais sa lumière était immédiatement balayée par la clarté des lampes. On la voyait, pourtant, elle montait, étroitement collée au ciel de Shuanghuai où elle s'accrochait comme un disque de soie fine et scintillante. Son verre vide à la main, le chef de district regardait l'assemblée ; ses subordonnés, un verre plein à la main, se regardaient entre eux.

Dans l'air passa un courant glacé, on entendit le parfum du vin galoper dans la pièce, il y soufflait comme un vent léger. A cet instant, après de longues, longues minutes, comme s'il retrouvait ses esprits, Liu balança son verre sur la table. Un éclat qui décida un secrétaire adjoint du comité du district. Avec le plus grand sérieux, il demanda :

« Monsieur, ce ne sont pas des paroles d'ivrogne ?

– Jamais de ma vie je n'ai été saoul.

– Je suis d'accord. »

Et le secrétaire adjoint de renverser le col en arrière pour vider son verre. La table entière se réveilla, ils semblaient sortir d'un rêve, une fois qu'ils furent revenus à eux, tous clamèrent leur approbation : « D'accord ! D'accord ! » Ils firent cul sec.

Lorsque la nuit fut encore plus profonde qu'un puits tari et qu'ils sortirent, se soutenant les uns les autres et piétinant le clair de lune, ils tombèrent sur les Benaisiens qui, boitant et clopinant, se traînant et tirant, quittaient la ville en chantant des madrigaux des Balou après avoir rangé la scène et pris leur dîner.

Ils étaient logés dans un village de l'ouest.

CHAPITRE V

A la porte il y a des vélos dans les arbres

Sur cette terre il est des êtres nés pour faire des miracles, des êtres qui vivent pour les accomplir. D'autres ne sont là que pour les attendre, et ce jusqu'au dernier jour de leur banale existence. Prenons le cas de Liu Yingque : en un tournemain il venait de mettre sur pied une troupe qui remportait dès sa première représentation un immense succès. Prenons la population de la ville : cette nuit-là, enfin, elle avait vécu l'événement extraordinaire qu'elle espérait depuis des siècles. Le lendemain on ne parlait plus que de cela dans les rues et les venelles. A force, le saut du Singe par-dessus les clous devenait la traversée sur une seule jambe d'une montagne de couteaux, celui par-dessus les flammes le passage d'une mer de feu. Le borgne, capable le temps d'inhaler une bouffée de cigarette d'enfiler sept à neuf aiguilles, se retrouvait au fur et à mesure doué du talent d'en enfiler dix-sept ou dix-neuf le temps d'une exhalaison. Les petits pétards à l'oreille de Ma le sourd tournaient aux bâtons de dynamite capables de tout faire sauter. Les sauterelles et les cigales brodées par la paralytique sur les feuilles de sterculier se faisaient dragons et phénix. Même chose pour Tonghua l'aveugle et le vieux muet, on n'en finissait pas

217

de fabuler sur leur art, comme s'ils n'étaient pas de vrais infirmes mais s'étaient volontairement mutilés pour pouvoir se produire. En gros, en simple et en résumé, la démonstration des Benaisiens avait ébranlé l'univers, lorsque les représentations commencèrent officiellement, l'entrée fut à titre expérimental fixée à cinq yuans, trois pour les enfants. Cinq yuans : cela ne s'était jusqu'ici vu à Shuanghuai que pour les films les plus fameux au box-office planétaire, personne n'aurait imaginé qu'à un tel tarif les places s'enlèveraient en un rien de temps. Dans l'interminable queue on se poussait, on se pressait, il fallut faire appel à la police pour y mettre un peu d'ordre, mais une fois cet ordre remis on trouva plusieurs dizaines des chaussures entassées devant le guichet. Certains en récupéraient une en achetant leur entrée et repartaient le sourire aux lèvres ; d'autres achetaient sans se servir dans la pile et repartaient eux aussi le sourire aux lèvres et un pied nu. Les petits jeunes qui avaient perdu les leurs dans la bousculade sans réussir pour autant à se procurer une place se plantaient devant l'entrée du théâtre, en plein soleil, pour pleurer et jurer :

« Où est-ce que vous avez foutu ma chaussure, bordel ? »

« Putain, quelle chaleur et même pas de billet ! »

Au crépuscule la police était de retour pour le contrôle des entrées. Les petits malins qui avaient réussi à en rafler plusieurs à trois yuans les revendaient cinq, ceux qui en avaient à cinq avaient le toupet d'en demander sept, voire neuf.

Le lendemain les prix avaient fait un bond : il en coûtait désormais entre neuf et treize yuans.

Encore plus tard, ils gonflèrent carrément : quinze

yuans. Quinze yuans ! D'accord c'était cher, mais il n'y avait pas un fauteuil libre dans la salle.

Au bout de trois représentations, la troupe se retrouva au centre des préoccupations du comité du district et du gouvernement, l'axe de leur travail s'était subrepticement déplacé. Non seulement on annonça officiellement sa fondation, mais elle fut dotée d'un directeur honoraire, d'un directeur effectif, d'un vice-directeur professionnel, d'un chargé de publicité et d'un service comptable. On nomma aussi un metteur en scène, des maquilleurs, des éclairagistes, un contrôleur et nombre d'acolytes dont il n'est pas nécessaire d'énumérer ici les fonctions. Le directeur honoraire était le chef de district, le directeur exécutif celui de l'ex-troupe de madrigau des Balou. Côté artistes, si les Benaisiens s'étaient montrés anxieux au moment de leur premier passage sur scène, dès le deuxième ils étaient plus décontractés, et lors du troisième carrément à leur affaire. On faisait son numéro comme on aurait raconté une histoire à l'entrée du village. Le spectacle rapportait assez pour que chacun touche un cachet de cent yuans. Ils l'empochaient en parlant et riant, en sautant et dansant. Certains se ruaient dans les boutiques acheter des vêtements pour leurs vieux qu'ils leur feraient ensuite passer ; d'autres, des jouets d'enfants des villes pour leur drôle ; les jeunes s'offraient des cigarettes et de l'alcool ; Huaihua, du rouge à lèvres et de la crème pour le visage comme une citadine. Et, oh ! une nuit elle ne rentra pas dormir, prétendant à son retour s'être perdue dans les rues et avoir tourné jusqu'à ce qu'elle tombe sur le secrétaire qui l'avait fait admettre au centre d'accueil du gouvernement du district. « C'est drôlement bien, disait-elle, il y a de l'eau

chaude même aux heures où vous ne vous lavez pas. »
Plus tard elle se marierait avec quelqu'un comme Shi,
un gens-complet beau et intelligent.

Les Benaisiens se moquèrent : elle oubliait qu'elle
n'était qu'une nine.

Furieuse, elle les traita d'avortons. Et protesta
qu'elle grandissait et avait dépassé ses sœurs. On les
mesura, effectivement elle faisait un doigt de plus,
aussi tout le monde se mit-il à répéter bien content
que Huaihua avait repris sa croissance, qu'il lui avait
suffi de quelques jours en dehors du village pour se
mettre à pousser et que si, semblable au sorgho entre
deux nœuds, elle continuait sur cette folle lancée,
dans moins de trois mois ce ne serait plus une nine
mais une gens-complète. Ils parlaient, ils parlaient,
mais en fait, qu'elle se développe à sa guise, la troupe
au grand complet aurait bientôt quitté la ville.

La veille du départ, une fois de plus elle ne rentra
pas et, le lendemain, assura qu'elle avait passé la nuit
chez une amie qu'elle venait de se faire. A part Yuhua,
qui lorsqu'elles furent seules cracha à ses pieds, personne ne dit rien, parce que personne n'avait rien
trouvé à dire. On fut bientôt à la préfecture, Jiudu.

A cette occasion, les choses avaient été minutieusement planifiées. La première serait gratuite, c'était
un dimanche. Le chef de district et son équipe, qui
avaient suivi la troupe, avaient rameuté parents et
amis, c'était à qui distribuerait le plus de billets gra-
tuits, qui racolerait les personnalités les plus en vue.
Liu Yingque avait ainsi invité le secrétaire départemental, d'autres leurs amis de la télé, de la radio ou
de l'agence de presse. Comme le secrétaire de
Shuanghuai, dont la préfecture faisait grand cas,
serait présent, les dirigeants des divers organes vinrent

presque tous, en famille, petits et grands. Inutile de raconter leur surprise, ni de préciser que les applaudissements furent nourris. Niu fut tellement bluffé qu'il finit avec des mains rouges et gonflées à force de les battre. Plus important encore : le lendemain, les quotidiens régionaux et le journal de la ville consacraient un demi-mu au spectacle ! La radio, la télé, tous les médias clamaient à l'envi que les numéros étaient uniques, grâce à cette troupe l'économie de Shuanghuai se voyait dotée d'ailes plus puissantes que celles d'un aigle, plus belles que celles d'un phénix. Résultat : la performance des Benaisiens se retrouva à tenir du prodige, la nouvelle s'en répandit dans les rues et les ruelles, même les enfants de trois ans savaient qu'un groupe de handicapés venus du bout du monde s'étaient arrêtés chez eux, ils pleuraient et braillaient pour qu'on les y emmène.

Dans les écoles, les cours furent interrompus afin que les classes puissent y aller.

Dans les usines, les ouvriers eurent droit à tour de rôle à un congé.

Les fils pieux y apportaient sur leur dos leurs vieux parents grabataires. Au retour ils se plaignaient : « Toi aussi tu as gardé le lit la moitié de ton existence, pourquoi est-ce que tu ne sais pas broder sur des feuilles ? Pourquoi est-ce que même les repas, il faut que je te les porte au lit ? »

Les parents qui avaient un enfant sourd ou muet l'emmenaient voir le spectacle pour lui apprendre ensuite à « pénétrer les intentions en observant les physionomies », ou à « se faire partir des pétards à l'oreille ». Il en résulta tant de tympans crevés et infectés que le journal finit par en parler et consacra un long article à la mise en garde des populations :

tout le monde pouvait admirer les démonstrations des artistes, mais il ne fallait surtout pas forcer ses vieux ou ses enfants handicapés à les imiter. A partir de là, la troupe jouit dans Jiudu d'un renom retentissant. Le quatrième jour, quand les représentations payantes commencèrent, les places coûtaient quarante-neuf yuans et une heure plus tard il n'y en avait plus. Exactement comme lorsque les gens du district avaient volé les provisions des Benaisiens et les avaient dévalisés quelques années plus tôt. Le lendemain les prix avaient fait un bond : le fauteuil coûtait désormais soixante-dix-neuf yuans.

Le surlendemain, ils s'étaient carrément envolés : c'était cent yuans !

Ils se stabilisèrent un temps à cent quatre-vingt-cinq pour la première catégorie, cent soixante-cinq pour la deuxième et cent quarante-cinq pour la troisième, soit une moyenne de cent soixante-cinq. C'était inimaginable. Les trafiquants revendaient à deux cent quatre-vingt-cinq. Même lorsqu'on atteignit les deux cent cinq, ils arrivaient toujours à en tirer deux cent soixante-cinq. Une véritable inflation. Les habitants de la ville étaient devenus fous, adultes et enfants également pris d'épilepsie, il suffisait qu'on parle des infirmes de Shuanghuai pour qu'ils laissent tomber bols et baguettes et se mettent à baver d'excitation. Qu'on évoque l'unijambiste capable de voler au-dessus d'une mer de feu pour que les petits garçons des écoles se lancent, sac sur le dos, dans des culbutes au bord de la route qui obligeaient les conducteurs, livides, à écraser la pédale du frein en espérant avoir le temps de piler ; ou la paralytique : « tu lui donnes une feuille, elle te brode un oiseau ou un chat », pour que les demoiselles se ruent sur leurs cahiers et y dessinent des chats, des dragons, des phénix ou autres volatiles.

Vraiment, le spectacle des Benaisiens faisait courir un vent de folie dans les rues de la ville. Excités par ce que racontaient leurs voisins de droite ou de gauche, galvanisés par les récits des mieux nantis, persuadés que s'ils n'y allaient pas ils auraient vécu en vain, même les ouvriers au chômage technique, ceux dont le salaire n'était plus versé depuis des années et qui étaient à la saison des légumes obligés pour survivre d'aller à la campagne ramasser les feuilles dans les champs, sortaient en grinçant des dents de sous leur matelas les économies accumulées à force de trier les poubelles ou de revendre les vieux cartons et les bouteilles vides pour s'offrir les billets les moins onéreux. On vit des malades qui venaient de passer plusieurs mois sans bouger de leur lit, le genre à sans cesse calculer si la médecine chinoise revenait moins cher que la médecine occidentale ou le contraire, prendre l'argent de leurs médicaments pour se payer une place. Quelle que soit la gravité de leur état et si efficaces fussent les prescriptions, rien ne valait un peu de plaisir, disaient-ils ; un moral au beau fixe guérit de tous les maux, disaient-ils. Et sans plus se soucier de rien, ils y allaient. Vraiment les gens avaient perdu la tête, les transports étaient fous : même lorsque la porte du théâtre n'était pas sur leur ligne, les bus déviaient de leur trajectoire pour y passer. Celui de la ceinture était bondé depuis qu'il s'y arrêtait, les receveurs toucheraient une plus grosse prime en fin de mois.

Les voitures étaient folles, les véloces étaient folles. Pour voir le spectacle, à cause du spectacle, elles se garaient n'importe où. Quand il n'y avait plus de place, on les accrochait dans les arbres. Ou à un mur. Ou à un panneau publicitaire. Les gardiens de parkings n'avaient plus assez de plaquettes en bambou, ils avaient découpé de petits morceaux de carton sur lesquels ils apposaient leur empreinte digitale ou leur signature, les remettaient en certificat aux cyclistes et avec de la ficelle attachaient ensemble, par grappes, ces bicyclettes garées par terre, dans les branches ou sur les murs.

Les véloces étaient folles, les lampadaires également. Supposés s'éteindre au milieu de la nuit, plongeant la ville dans les ténèbres, depuis quelque temps ils continuaient de brûler. Les ampoules furent vite grillées, et aussi vite remplacées : puisque la troupe donnait tous les soirs deux représentations, il fallait tous les soirs éclairer le chemin des gens qui rentraient chez eux après la seconde.

Vraiment, plus personne ne voulait entendre raison. L'intention première avait été de ne jouer qu'une semaine dans ce théâtre, on y resta quinze jours, et quand on déménagea le directeur se mit en colère, il envoya valser son verre d'eau en criant :

« En quoi est-ce que je vous ai désobligés ? Vous ne pouvez pas partir comme ça ! »

Mais le contrat avec le suivant était signé, impossible de ne pas s'en aller.

Personne n'aurait imaginé le grabuge qui se fit entre les différentes salles, on se disputait la troupe. On chuchota que deux directeurs en étaient venus aux mains. Quand il fallut se décider, les gens de Shuanghuai n'optèrent pas pour la salle avec air conditionné, mais pour celle qui n'était équipée que de ventilateurs. Parce qu'elle était plus grande, on pouvait y accueillir mille cinq cent soixante-dix-neuf spectateurs, l'autre ne comptait que mille deux cent un fauteuils.

Le spectacle des Benaisiens était devenu la folie de Jiudu, une folie grandiose, retentissante, qui faisait trembler l'univers. Tel un arbre estropié et manchot du fin fond des Balou, il était entré dans la ville et y avait en quelques jours acquis une telle envergure qu'il montait jusqu'au ciel. C'était un brin d'herbe jaune, maladif à l'abri d'un auvent, à qui il avait suffi de quitter son village pour se transformer en plante vigoureuse et luxuriante à grosses fleurs multicolores.

C'était insensé. Totalement dément. Après que les Benaisiens eurent donné leur trente-troisième représentation en vingt et un jours, Liu Yingque rentra au district. Sans même passer par chez lui, il alla droit à la petite salle de réunion du comité permanent et y convoqua les cadres. Située au deuxième étage du bâtiment, la pièce était meublée d'une table ovale, d'une dizaine de chaises en bois dur, et décorée de quelques portraits de grands hommes, d'une carte de la Chine et du territoire administratif de Shuanghuai. Les murs étaient blancs et pelés, le sol pavé d'un granit grossier, c'était un décor simple et rudimentaire, nettement supérieur cependant à celui des ateliers de réparation de machines agricoles qui bordent les routes de campagne. Lorsque le soleil de l'après-midi, qui dehors brillait avec ardeur, tentait d'éclairer ses trois travées, il donnait l'impression d'être voilé par des nuages. Heureusement il y avait du vent, il suffisait d'ouvrir la fenêtre pour qu'il s'engouffre, frais, dans la salle qui en fut soulagée. Comme il n'avait pas fait la sieste, trop excité par le succès de la troupe, et qu'il avait passé les cent lis du trajet le cœur en émoi, l'énervement finissait par lui donner sommeil. Il se déchaussa et s'allongea sur la table où il s'endormit les pieds nus, tournés vers la fenêtre. Ses ronflements faisaient penser au tonnerre à la saison du Réveil des insectes, un coup long, un coup bref, ils résonnaient, faisant trembler et bruire les cartes sur les murs.

Les sept membres du comité permanent se présentèrent peu après à la porte.

Il était conscient de leur présence, ce n'était pas cela qui allait l'empêcher de ronfler, qu'ils attendent que son accès de somnolence soit passé ! Enfin il s'éveilla, se frotta les yeux, bâilla, s'étira, et lorsqu'il eut retrouvé ses esprits, posa les pieds sur une chaise en bout de table, fit asseoir tout le monde, puis comme à son habitude avant d'ouvrir une séance, entreprit de se gratter les orteils. Non pas qu'ils soient sales ou le démangent. Mais les autres n'étaient jamais que secrétaire adjoint du comité du district ou vice-directeur du bureau de l'exécutif, alors il se frottait les pieds et les laissait mijoter. En cas de réunion plénière, ce n'est pas pour rien que les plus hauts dirigeants sont en retard. Liu n'était jamais en retard, toujours le premier dans la salle, mais il attendait que les autres participants soient installés, assis et prêts à commencer pour se tripoter les orteils. C'était sa manière de leur rappeler qu'aussi capables et prestigieux soient-ils, ils n'étaient que ses subordonnés et devaient filer plus doux que des agneaux. Cela ne lui prenait pas longtemps, juste celui nécessaire à l'infusion du thé. A peu près la longueur d'une paire de baguettes. Enfin il frappa des deux mains sur la table, comme les gens des Balou qui raclent leur houe quand ils arrêtent de sarcler, enleva ses pieds de la chaise, enfila ses chaussures, avala une gorgée de la tasse qu'on lui avait servie et dit en souriant : « Excusez-moi, je suis un malpropre, j'ai des manières de louveteau dans sa tanière[1]. » Puis sa mine se fit sérieuse et solennellement il articula : « Sortez vos stylos, vos carnets et notez, j'ai un calcul à vous soumettre. »

Ils prirent un stylo, un carnet et se penchèrent sur la table pour être prêts à écrire.

« Comptez vous-mêmes : deux cent cinquante-cinq yuans pour un billet de première catégorie, deux cent trente-cinq pour la deuxième, et deux cent cinq pour la troisième. Etablissons la moyenne au plus bas et disons deux cent trente et un. A une représentation quotidienne, c'est-à-dire mille cent cinq entrées environ, combien gagne-t-on par jour ? Faites vite, j'ai besoin de votre aide. » Puis il se tut, les regarda, vit qu'ils avaient tous noté les chiffres qu'il venait de donner dans leur cahier et s'apprêtaient à poser les opérations : on se serait cru dans une salle de classe devant des enfants en train de faire leurs devoirs, cela faisait le même bruit. Alors il toussa et d'une voix plus claire annonça : « Inutile de vous fatiguer, j'ai la réponse. Si on vend en moyenne mille cinq cents billets par représentation et que chaque billet rapporte, toujours en moyenne, deux cent trente et un yuans, cette représentation nous fait gagner deux cent cinquante-cinq mille et deux cent cinquante-cinq yuans. Vingt dieux, voyons large ! Laissons tomber ces cinq mille deux cent cinquante-cinq ! Oublions-les ! Cela nous laisse deux cent cinquante mille yuans par représentation. Autrement dit cinq cent mille si on en donne deux par jour ! Soit un million en deux jours, dix millions en dix, cent en deux cents ! Quelle quantité d'argent représentent cent millions ? Rangez les billets neufs distribués par la banque en paquets de dix mille, vous aurez dix fois mille liasses.

Quelle hauteur cela ferait-il si on les empilait ? Elles monteraient jusqu'au toit de l'immeuble ! »

Comme au mot « toit » il avait levé les yeux vers le plafond, en les baissant il s'aperçut qu'ils avaient tous suivi son regard et que ces têtes jetées en arrière étaient du même rouge que le ciel quand le soleil se lève à l'orient au petit matin, leurs yeux brillaient comme des billes de verre dans la lumière. Il remarqua également qu'il avait parlé tellement vite, en s'égosillant il avait envoyé sur la table une pluie de postillons. Le vice-chef de district le plus proche avait dû se pencher pour éviter d'être éclaboussé. Cela ne lui plut pas beaucoup, il le regarda et vite, comme impatient de se faire arroser, l'autre rapprocha sa chaise. Ah, tu as peur que je te crache dessus ! Et de se tourner pour lui parler bien en face, afin qu'au lieu de tomber sur le plateau sa salive s'écrase sur lui. Puis, après avoir pris soin de se racler la gorge, il tendit le col pour que toute la salle, le couloir, la planète et l'univers entendent son discours. Il parlait comme si le public n'avait pas été composé des quelques membres du comité permanent, mais de tous les habitants du district réunis en une grande assemblée. Un rassemblement auquel participeraient des centaines de milliers d'auditeurs ! Il comptait à grand renfort de salves généreuses, sa voix était puissante, retentissante, l'univers vibrait de ses rugissements.

« Le district de Shuanghuai va enfin prendre son envol ! Une troupe qui joue deux cents jours peut rapporter cent millions, soit en quatre cents jours plus de deux cents millions ! Bien sûr, nous ne saurions garantir qu'elle donnera quotidiennement ses deux représentations, quand on change de théâtre il faut décorer la scène, arranger les lumières, tout un tralala qui prend du temps, la journée y passe, et cinq cent mille yuans en moins. En plus il faut aller de ville en ville, de département en département, même avec une planification rigoureuse, il faut prendre en compte ces déplacements et les trajets, on risque de perdre quelques jours, soit plusieurs centaines de milliers de yuans. Il faut aussi déduire un demi-fauteuil par artiste à chaque séance, soit cent yuans pour deux. Or cent en une journée, ça fait trois mille par mois : plus que ce que je touche en tant que chef de district ! Bon, quand on travaille plus, on gagne plus. S'ils nous rapportent tous les jours cinq cent mille yuans, ils peuvent bien en empocher deux à trois mille tous les mois mais nos comptes doivent être exacts : trois mille yuans par personne font trente mille pour dix, soit deux cent un mille pour soixante-sept. Vous avez compris, j'espère, que nous ne gagnerons jamais nos cent millions en deux cents jours. Mais en trois cents ? Ou en un an si ça ne suffit pas ? »

Si la question était posée, la réponse était incluse : oui, en un an on était assuré d'empocher cent millions. Comme c'était garanti, à ce point de son discours le chef de district se leva brusquement pour monter sur son siège en gesticulant tel un aigle dans le ciel.

« Autant que je vous le dise : en rentrant de Jiudu j'ai passé mon temps à calculer. Du fait que tous les membres de la troupe sont handicapés, l'Etat ne nous prendra pas un sou d'impôt. Pas de taxe, cela signifie que chaque fen que nous gagnons est un revenu pour nos finances. Pendant les vingt et un jours qu'a duré mon absence, les Benaisiens ont donné trente-trois représentations, ce qui veut dire qu'il y a déjà sept millions et dix mille yuans sur le compte du service financier. Alors, vous craignez encore que nous ne soyons pas capables de réunir le capital nécessaire à l'acquisition de la dépouille de Lénine ? Sans compter que la préfecture nous a encore promis un beau paquet. Mais, même sans eux, nous n'avons plus à nous inquiéter. »

Le chef de district avait levé les bras au ciel pour annoncer qu'il n'y avait plus de souci à se faire, brusquement il les laissa retomber, plongea récupérer sa tasse, but une gorgée de thé et bondit de sa chaise pour atterrir sur la table de la salle de réunion du comité permanent. Ses membres eurent un tel choc qu'ils se penchèrent en arrière et repoussèrent leur chaise. Il n'en avait cure, il était le chef de tout le district, cela ne lui faisait ni chaud ni froid. Dressé sur le plateau laqué de rouge, il ne prit même pas la peine de s'incliner vers eux. Comme, plus on est haut, plus le regard porte loin, il vit par la lucarne que le couloir était bondé de cadres des organes du comité. C'était noir de monde, ils s'étaient massés à la porte et à la fenêtre, allongeant le cou pour surveiller ce qui se passait à l'intérieur. Ils étaient venus assister à sa prestation comme les citadins étaient allés admirer les Benaisiens. Ils l'écoutaient. Dehors aussi, l'espace devant l'immeuble était plein. Comment les gens avaient-ils fait pour savoir que le chef de district était de retour avec de bonnes nouvelles ? En tout cas, ils ouvraient l'oreille pour saisir ce qu'il racontait à son deuxième étage. Cadres et employés, le personnel du gouvernement et du comité s'était dans son intégralité regroupé dans la cour.

Le soleil du septième mois restait cruel, il avait tellement tapé dans la journée qu'on aurait pu faire cuire un œuf sur le béton de l'esplanade. Pourtant ils restaient là, debout, la figure dégoulinante de sueur, sur la pointe des pieds et le cou tendu, tous leurs muscles bandés dans la direction du chef de district dont ils suivaient le discours flamboyant.

Il criait, il hurlait :

« Qu'on se le dise : à la fin de l'année, au plus tard au début de la suivante, le district de Shuanghuai ne sera plus ce qu'il est ! A la fin de cette année ou au début de la suivante, nous aurons acheté la dépouille de Lénine et l'aurons installée dans le mausolée du parc forestier. Les touristes afflueront tous les jours par centaines de milliers. A cent yuans l'entrée, dix personnes nous rapporteront mille yuans ; cent, dix mille ; mille, cent mille ; et dix mille, un million ! »

Toujours dressé sur la table de la salle de réunion du comité permanent, le chef de district s'époumonait, sa voix tombait comme l'orage dans une bassine, elle inondait les auditeurs dans la cour et les locaux du gouvernement, submergeait la planète. Calculant, discourant, il avait écarté les doigts, puis lorsque tout le monde eut bien compris l'énormité de la somme, quand il fut bien clair qu'on pourrait acheter Lénine et que les entrées dans le parc rapporteraient chaque jour un million de yuans, il s'interrompit et serra les poings sur sa poitrine, tel l'aigle qui domine la terre du regard en planant ailes ramenées. Un coup d'œil en bas : les membres du comité avaient encore reculé leurs chaises, cette fois pour mieux admirer sa gestuelle et le jeu de ses expressions. Dans le couloir quelqu'un avait entrebâillé la porte : les visages y dessinaient un ruban. Quant à la lucarne, ce n'était plus qu'un pan de faces aplaties. La vaste place devant l'immeuble était bondée, il y avait des gens debout dans la cour, d'autres sur la margelle et les rochers artificiels de la pièce d'eau en son centre. Il constata que tous les faciès reflétaient l'étonnement, les yeux brillaient comme le soleil et la lune. Alors il s'éclaircit le gosier et éleva la voix, s'exprimant à gorge aussi largement déployée que les portes ouvertes d'une ville, sur un ton aussi haut que les nuages au sommet de la montagne, à nouveau il semblait un aigle en train de tournoyer les ailes déployées.

Il hurla :

« Un million par jour, dix millions en dix jours, cent millions en trois mois, trois cent soixante-dix millions par an ! Mais ces trois cent soixante-dix millions, ce ne sera que le prix des entrées dans le parc ! Et dans ce parc, à part le mausolée, il y aura la cascade des Neuf Dragons et la forêt de Mille Mus. Imaginez ! Un parc animalier de dix mille arpents ! On organisera des excursions pour admirer le lever du soleil en haut de la montagne, avec le lac céleste à son pied, le rocher de la Biche qui se retourne, l'étang des Immortels, les grottes du Serpent blanc et du Serpent bleu, le jardin des Herbes odorantes – les attractions seront innombrables, ceux qui viendront aux Ames mortes visiter le mausolée passeront leur temps à acheter des billets pour entrer ici ou là et seront obligés de rester une ou deux nuits. Or pour se loger, pour trouver un hôtel où passer la nuit, il faudra qu'ils mettent la main au porte-monnaie. De même pour se nourrir. S'ils veulent s'essuyer la bouche, le plus petit paquet de serviettes en papier coûtera deux yuans – faites le calcul, si un touriste laisse au moins cinq cents yuans par visite, combien dix mille touristes nous rapporteront-ils ? Cinq millions ! Mais s'ils ne s'arrêtent pas à cent et qu'ils en dépensent mille, ou mille trois cents, ou mille cinq cents ? Et au printemps, à la haute saison, ils ne seront pas forcément dix mille : pourquoi n'en viendrait-il pas quinze mille ? Vingt-cinq mille ? Trente mille ? »

Encore une fois il balaya du regard la cour au pied de l'immeuble, les cadres à ses côtés et tous les auditeurs. Il reprit une gorgée de thé, et d'une voix un peu moins forte, comme si la conclusion approchait, désarmé il se mit à rire :

« Je n'arrive vraiment pas à imaginer ce que ça va donner. Faites les calculs vous-mêmes et dites-moi quels seront les revenus du district à ce moment-là. Le problème ne sera plus de savoir combien nous gagnons, mais comment dépenser cet argent. Hé oui : le dépenser, là sera la difficulté ! »

Nouveau coup d'œil à la foule des spectateurs tout ouïe et à leurs faces enluminées, et de nouveau, brusquement il s'époumonait, la gorge plus grande ouverte que les portes d'une ville, d'une voix qui montait plus haut que les nues :

« Dépenser notre argent deviendra la chose la plus difficile au monde ! On élargira les rues, on construira des maisons, et alors ? Même si les nouveaux locaux du gouvernement et du comité montent jusqu'au milieu du ciel, s'il y a un immeuble pour chaque bureau, si on tapisse les murs d'or et en recouvre le plancher, l'argent continuera de couler à flots dans les caisses. Comme un fleuve qui chaque jour charrierait des flots de richesse. Quelle quantité de nourriture un être humain peut-il ingurgiter ? Combien peut-il dépenser ? Les paysans n'auront plus besoin de cultiver leurs terres, tous les mois on leur distribuera leur salaire sur l'euraie mais ils n'arriveront pas à l'écouler ; comme ils n'auront rien à faire

233

ils s'ennuieront, à force d'impatience ils finiront par transformer les champs en pelouses et y planter des fleurs, la campagne sera toujours verte et bleue, égayée de corolles jaunes et rouges, les quatre saisons embaumeront, et si à longueur d'année cela embaume et qu'il y a partout des fleurs, les touristes seront encore plus nombreux, et s'ils sont encore plus nombreux, nous serons encore plus riches et saurons encore moins à quoi utiliser cette fortune… L'argent sera facile à gagner et difficile à dilapider. Comment faire ? vous demanderez-vous. Comment faire ? J'ai beau être chef de district, je ne sais pas non plus. Tout ce que je sais, c'est que lorsque nous aurons acheté la dépouille de Lénine et achevé l'aménagement du parc forestier, nous aurons plus d'argent qu'il n'en faut, ce sera comme à l'automne les feuilles mortes qu'on n'en finit pas de balayer, vous vous casserez la tête pour trouver comment le dépenser, tout le monde sera si riche qu'on en perdra le sommeil et le goût de la nourriture. Tout le monde se plaindra de ne pas savoir où le mettre. Ce ne sera plus mon problème, ce sera le vôtre, l'affaire de chacun, un de ces nouveaux dilemmes qui résultent de la Révolution et de l'Edification. Il vous faudra un chef de district plus à même que moi d'y répondre, la préfecture aura beau envoyer groupes d'étude et équipes de recherche, ils mettront des jours et des mois à résoudre le problème… »

COMMENTAIRE

① *Avoir des manières de louveteau* – DIAL. *Ne pas savoir se tenir, comme un jeune loup dans sa tanière.*

CHAPITRE VII

Deux troupes et le ciel s'éclaircit

Quand à l'ouest le soleil déclina, la réunion s'acheva. La cour s'était calmée. Une fois la séance levée, les gens s'en étaient allés l'ivresse au cœur. A l'étage les ventilateurs avaient été éteints, tiroirs et portes verrouillés. Les couloirs étaient déserts, seul y traînait encore l'intérimaire chargé de balayer et de vider les poubelles. Piétinant le silence comme un tapis de coton, le chef de district s'apprêtait à sortir de son bureau.

Il voulait rentrer à la maison, visiter sa salle de dévotions[1] et dormir avec son épouse.

Cela faisait tellement, tellement longtemps qu'il n'était pas passé chez lui. Ni allé dans cette pièce.

La troupe de Benaise faisait sensation, il avait discouru sans interruption pendant la réunion du comité permanent, à présent son enthousiasme retombait, il était fatigué et avait soif. Il avait regagné son bureau, y avait bu un verre d'eau, avait renvoyé le secrétaire et les divers employés. Seul il pouvait savourer l'exaltation que lui procuraient le fait d'avoir parlé si longtemps et les derniers développements relatifs à l'acquisition de la dépouille. Pris entre excitation et fatigue, maintenant que tel un rideau de soie rouge le soleil déclinant se retirait de la fenêtre, enfin il pouvait se reposer.

Dehors le ciel était sombre et mélancolique, tout était calme dans la grand-rue. De temps à autre on entendait ou entrapercevait une chauve-souris qui venait avec le crépuscule de prendre son envol. Il lui revint que cela faisait plus de deux mois qu'il n'avait pas mis les pieds chez lui, dans un accès de mauvaise humeur il s'était engagé auprès de sa femme à tenir un trimestre, mais l'un dans l'autre ce n'était que serment d'homme en colère qu'il ne se sentait pas obligé de tenir. Il fallait qu'il rentre. Avec ce qui s'était passé au cours de ces deux mois, la fondation de la troupe et la représentation à Jiudu, il avait besoin de se recueillir quelques instants devant le mur de sa salle de dévotions. Ensuite il dînerait, il regarderait la télévision et irait au lit avec son épouse.

Brusquement il eut envie de cette chose qui rend les femmes benaises.

Il ne l'avait pas fait depuis si longtemps ! Il se sentit comme ces gosses à qui l'on donne des bonbons et qui n'osent pas les manger : ils les cachent, et parfois c'est tout juste s'ils se souviennent de leur existence. Le sourire aux lèvres il se leva de sa chaise, but à grosses gorgées l'eau de sa tasse et voulut s'en aller.

Cependant, cependant, par une coïncidence comme il en arrive dans les pièces de théâtre, au moment où il allait partir, quand il ouvrit la porte, ce fut pour tomber sur l'être qu'il exécrait le plus au monde. Dans l'embrasure, appuyée sur sa béquille, se tenait Mao Zhi de Benaise, un ballot à la main. Il resta un instant pétrifié. Elle l'attendait certainement pour discuter de cette affaire de déjointaie. Un mois plus tôt il lui avait donné un papier l'autorisant à venir une dizaine ou une quinzaine de jours plus tard remplir les formalités. Son envie de rentrer chez lui benaiser avec sa femme s'évapora, c'était comme si on lui avait balancé une bassine d'eau froide en pleine figure. Il sourit pourtant, feignant la surprise : « Mao Zhi ! C'est toi ! Entre donc ! »

Elle le suivit à l'intérieur du bureau. Les lieux ne lui étaient pas étrangers, depuis qu'en 1952, pendant l'année du Dragon, elle y était pour la première fois entrée avec le tailleur de pierre en quête de ce secrétaire du comité qui avait appartenu à la Quatrième rouge pour jointer Benaise aux coopératives. Par la suite, jusqu'au décès de son époux en 1960 et au cours des décennies qui avaient suivi, elle était venue à intervalles réguliers réclamer du chef de district et du secrétaire l'autorisation de se déjointer. Cela faisait plus de trente ans qu'elle faisait du tapage à ce sujet, entretemps l'immeuble aux tuiles rouges était devenu un bâtiment à étages qui déjà se délabrait. Yang, le premier secrétaire, avait été muté à la préfecture avant de prendre sa retraite quelque part. Le poste de secrétaire départemental avait changé plusieurs fois de titulaire, il y avait eu un Mao, un Liu, un Li, et à présent Niu. Et cet immeuble, au sol bétonné autrefois si brillant que les arbres s'y reflétaient, corrompu par le temps, était à présent complètement gâté, la chaux blanche de ses murs s'écaillait et jaunissait. Le tube au néon qu'elle avait vu pour la première fois d'un blanc aussi ardent que celui de la neige pendait dans le vide couvert de toiles d'araignées, il brillait sans qu'on ait une impression de lumière, brûlé et noir aux deux bouts comme un fond de casserole, il n'avait plus qu'un tronçon de la longueur d'un demi-rouleau à pâtisserie en état de marche.

Quand elle fut à l'intérieur, son regard fit le tour de la pièce et s'arrêta sur la carte de Shuanghuai accrochée au-dessus de la table. Elle posa sur le bureau du chef de district le papier qu'il avait rédigé et qui promettait de détacher aussi vite que possible Benaise de la juridiction de Shuanghuai et des Cyprès. « Cela fait quinze jours que j'attends, dit-elle. Il paraît que tu as emmené les Benaisiens à la préfecture. Ça s'est bien passé ? »

Un sourire vint flotter sur les lèvres du chef de district.

« Devine combien ils gagnent par mois ? »

Mao Zhi posa son ballot par terre et s'assit en face de lui.

« L'argent, je m'en moque. Je suis venue remplir les papiers pour nous déjointer. »

Il prit la note qu'il avait griffonnée et l'examina un instant avant de reprendre :

« Trois mille yuans par mois et par personne. Avec deux mille tu construis une maison, bientôt ils pourront rentrer à Benaise et ériger des immeubles. »

Comme si quelqu'un avait essayé de le lui voler, Mao Zhi reprit le volumineux paquet qui était sur le sol et le mit sur ses genoux. Puis, avec un coup d'œil dédaigneux :

« Tu racontes tes salades. Moi je suis là pour les formalités de la déjointaie. »

Le cou de Liu se raidit.

« Je te jure, tous les gens qui ont vu le spectacle en sont fous. La salle est tout le temps bondée, toi aussi, si tu acceptais de nous rejoindre, tu te ferais dans les deux à trois mille yuans par mois. »

Elle commençait à tripoter son balluchon.

« C'est hors de question.

– Pourquoi ?

– Même pour dix mille yuans.

– Ce sont tes habits de tombe, là-dedans ?

– J'ai réfléchi et décidé que si tu ne me donnais pas le papier qui déjointe Benaise, je les enfilerais et me laisserais mourir chez toi ou dans ton bureau. »

Le chef de district se fit grave :

« A ce sujet, le comité permanent vient de se réunir et nous avons étudié la question. Les membres sont d'accord. A la fin de l'année ou au début de la suivante, nous laisserons Benaise se détacher du district de Shuanghuai et du canton des Cyprès. A compter du premier jour de la nouvelle année, le village ne dépendra plus ni de l'un ni de l'autre. »

Elle le regardait comme si elle n'arrivait pas à y croire. Immédiatement elle enchaîna :

« Ce sera irrévocable ?

– Je n'ai qu'une parole.

– Il fait déjà noir. Est-ce que je pourrais remplir les formalités et avoir l'acte demain ?

– Nous nous apprêtons à publier un document officiel qui devra être transmis à tous les comités des villages et des cantons, ainsi qu'à tous les bureaux du district. Mais aujourd'hui, certains membres ont fait une petite difficulté. »

Le regard toujours un peu flou de Mao Zhi s'aiguisa sur-le-champ.

« Ils ont posé une condition, continua-t-il. Ils ont remarqué qu'il y avait au village cent soixante-neuf infirmes, hommes, femmes, enfants et vieillards, alors que la troupe ne compte que soixante-sept membres. Ils suggèrent que vous en montiez une deuxième : on pourrait demander à un autre sourd d'apprendre à se faire partir des pétards à l'oreille. Un autre estropié pourrait s'entraîner à franchir des montagnes de couteaux et des mers de feu. Une autre aveugle affiner son ouïe. Le comité a dit qu'il suffirait que vous acceptiez de monter cette deuxième troupe pour qu'à la fin du douzième mois il émette l'acte officiel. Dès le premier jour de l'année nouvelle, Benaise ne serait plus le Benaise des Cyprès et de Shuanghuai. Vous seriez complètement libres. Plus rien ni personne n'aurait quoi que ce soit à vous réclamer, vous pourriez vivre les jours paradisiaques d'autrefois.

Quand il eut fini, il la regarda fixement. Il n'y avait entre eux qu'une table, quelques pieds à peine. Le soleil tombant était déjà bien à l'ouest, le crépuscule se déversait par la fenêtre, dehors les chauves-souris se succédaient à tire-d'aile. A l'intérieur il commençait à faire sombre, mais même ainsi il pouvait constater le tremblement qui agitait les commissures de ses lèvres, la lumière et la perplexité s'étaient effacées de son visage pour laisser place à une cendre qui se fondait dans le couchant.

Il dit :

« Le comité et le gouvernement du district n'ont que votre bien en vue. Avec une deuxième troupe, tous les foyers de Benaise participeraient, tout le monde aurait à la fin de l'année touché un coquet revenu et serait en mesure de construire une maison, partout dans le village il y aurait des toits neufs et brillants ! »

Il dit :

« Réfléchis : l'an prochain, quand vous serez déjointés, vous n'aurez plus ni sceau officiel ni certificat de résidence. Vous vivrez toujours dans notre monde, mais ce sera comme si vous n'y existiez pas. Bien sûr, vous pourrez encore aller au marché, mais sans sceau, pas de lettres d'introduction, plus question de partir faire du commerce au loin. Ne parlons même pas d'envoyer une ou deux troupes en tournée sous la bannière de Shuanghuai. »

Il dit :

« Pèse bien la chose. Si tu es d'accord, nous pouvons signer l'accord dès cette nuit. Tu acceptes de monter une nouvelle troupe, les deux tournent jusqu'à la fin de l'année pour le compte du district, je garantis à chaque artiste un salaire minimum de trois mille yuans, à la fin de l'année je publie le document et au début de la suivante Benaise est définitivement et radicalement déjointé des Cyprès et de Shuanghuai. »

Il dit :

« Shuanghuai a changé sept fois de chef de district et neuf fois de secrétaire depuis la Libération, cela fait trente-sept ans que tu cours en tous sens pour cette histoire, et le temps d'un battement de paupières je viens d'accepter. »

Il dit :

« Si tu veux que je t'aide, il faut que tu m'aides. En toute chose il y a des tenants et des aboutissants. Tu acceptes de monter une troupe, j'accepte qu'au début de l'année prochaine Benaise se déjointe. C'est juste et raisonnable, nous y trouvons tous deux notre compte. »

Il dit :

« C'est d'accord, oui ou non ? Il fait noir. »

Il dit :

« Réfléchis encore : je veux faire un dernier geste pour les Benaisiens avant qu'ils soient déjointés. Quand vous serez indépendants, quand j'aurai rapporté la dépouille de Lénine et l'aurai installée aux Ames, le district n'aura plus à se soucier du manque d'argent, le problème sera qu'on en aura tant qu'on ne saura pas à quoi l'employer. Et vous, vous resterez si pauvres que vous n'aurez même pas de quoi acheter le sel ou le vinaigre. Même si vous le regrettez et voulez vous rejointer, cela ne sera plus possible. C'est pour cela que tu dois monter une nouvelle troupe ! Pour que les Benaisiens gagnent immédiatement de l'argent. Si tu agis ainsi, tu m'aides à atteindre mon but, et cela vous aide, toi et les villageois, à atteindre le vôtre. »

Il dit :

« Bon, je te laisse réfléchir. Tu me donneras ton accord demain quand j'arriverai au bureau. »

Il dit :

« Tu vois, le soleil a complètement disparu. Où loges-tu ? Je vais charger quelqu'un de te raccompagner et d'améliorer tes conditions de séjour. »

Il dit :

« Allons-y. Il faut partir. »

Et il se mit debout. En réponse à ses paroles, le soleil du couchant se contracta sur le mur et fana sur le sol, le néon en parut plus lumineux. Mao Zhi le regarda. Elle reposa le paquet contenant ses habits de tombe à côté de la chaise. Un bout de soie noire dépassait dans un coin, et comme la robe était brodée de fil d'un jaune étincelant, une fleur mortuaire noire aux pistils dorés s'y épanouissait.

Le chef de district contempla cette fleur noire.

Elle le regardait toujours.

« Cela ferait combien de personnes à se donner en spectacle dans le monde extérieur ? »

Ses yeux se détachèrent de la fleur.

« Aveugles, sourds, estropiés, boiteux et muets. Disons qu'entre trente et cinquante devraient faire l'affaire.

– Mais s'ils n'ont pas d'art ? »

Il ricana.

« On se contentera d'un minimum. »

Elle éleva la voix :

« Bon, je t'en choisis quelques dizaines, mais aujourd'hui tu ne te contentes pas de noter sur le papier ce que tu viens de dire. Tu y apposes les sceaux du gouvernement et du comité, plus ton empreinte digitale. Que tu rapportes ou non la dépouille de Lénine, dès que l'année sera finie, plus de représentations. De toute façon au début de la suivante nous ne dépendrons plus ni du district ni du canton. Et de toute façon tu leur verseras tous les mois un salaire de trois mille yuans. »

A ce point, l'accord pouvait être immédiatement rédigé. Mao Zhi n'avait aucune raison de refuser, elle approuva d'un bloc. De son côté, le chef de district consentit lui aussi à tout ce qu'elle avait dit.

Dans l'immeuble l'obscurité régnait, même le balayeur avait disparu des couloirs. Il semblait ne plus y avoir ombre humaine dans les locaux mais Liu n'eut qu'à ouvrir la porte et crier : « Il y a quelqu'un ? » pour qu'un employé apparût d'on ne savait où. Il le chargea d'avertir ses collègues de bureau qu'ils feraient mieux de laisser tomber leur dîner pour accourir immédiatement. C'est ainsi que cette nuit-là, Mao Zhi signa à toute vitesse un contrat avec le comité et le gouvernement du district. Elle le signait aussi avec son chef, responsable de toutes les affaires de la circonscription. Les différents points de leur accord y étaient clairement stipulés, chaque mot et chaque phrase avaient force de loi.

Il faisait deux pages, ainsi libellées :

Partie A : Le village de Benaise dans la chaîne des Balou.

Partie B : Le comité et le gouvernement du district de Shuanghuai.

Pour des raisons historiques, Benaise réclame avec insistance depuis plusieurs décennies la permission de se déjointer, soit de recouvrer sa liberté et un mode de vie indépendant. Eu égard à cette situation, après négociation et accord entre les deux parties, le comité et le gouvernement ont décidé ce qui suit :

1) Benaise doit monter deux troupes d'art, soit la troupe n° 1 et la troupe n° 2 du district de Shuanghuai, qui ne doivent ni l'une ni l'autre compter moins de cinquante membres. La première étant déjà établie, la seconde sera fondée au plus tard dans les dix jours qui suivent.

2) Les droits de management et de représentation des deux troupes reviennent entièrement au district de Shuanghuai, lequel garantit à chaque Benaisien un salaire minimum de trois mille yuans.

3) La date de la fin des représentations est fixée au dernier jour de l'année en cours, soit le trente du douzième mois selon le calendrier lunaire. Ce jour passé, les deux troupes n'auront plus aucun rapport, ni économique ni administratif, avec le district de Shuanghuai.

4) A dater du dernier jour de l'année en cours, Benaise ne relèvera plus de la juridiction du canton des Cyprès, ni de celle du district de Shuanghuai. Il sera un village autonome. Aucun individu, aucune terre, aucune plante, aucune rivière, etc. de son territoire n'aura plus sur aucun plan quelque rapport que ce soit avec le district et le canton. Aucune personne du district ou du canton n'aura le droit d'interférer dans les affaires de Benaise, quelles qu'elles soient. Si Benaise est victime

d'une catastrophe, naturelle ou due à la main de l'homme, ni le district de Shuanghuai ni le canton des Cyprès ne seront tenus de lui prêter assistance.

5) Peu avant la date de la dernière représentation, telle que stipulée par le présent contrat, des troupes n° 1 et n° 2, le district aura envoyé l'acte officiel afférent à tous les gouvernements de canton, à tous les comités de bureau et à tous les départements du district, ainsi qu'à tous les comités de village.

Bien entendu, on trouvait sur la dernière page les cachets rouges du département et du comité du district, la signature de Mao Zhi et celle de Liu Yingque, désignés comme représentants des deux parties. Ce n'était pas tout, à la demande expresse et véhémente de la vieille boiteuse, le chef de district dut en dessous de son paraphe apposer son sceau personnel et son empreinte digitale. Elle fit de même sous le sien. La feuille blanche était couverte de rouge, on aurait dit des prunes sauvages semées dans les Balou enneigés.

Tout allait pour le mieux, les dispositions qui permettraient de loger Mao Zhi au centre d'accueil avaient été prises et il était entendu qu'elle reprendrait dès le lendemain le chemin de Benaise, où elle monterait la troupe d'art n° 2 du district de Shuanghuai. Ce qui revenait à dire que d'unique, cette machine à cracher l'or et l'argent allait devenir double. Le temps nécessaire à l'accumulation du capital qui servirait à acquérir la dépouille de Lénine était réduit de moitié. Il était désormais certain qu'il serait possible de l'installer dans l'année aux Ames mortes.

C'était une grande victoire, un immense succès. Liu Yingque ne pouvait plus repousser sa visite à la salle de dévotions.

CHAPITRE IX

COMMENTAIRE : *La salle de dévotions*

① *La salle de dévotions, ou salle sacrée* – *Pour expliquer la salle sacrée, il faut remonter à 1960, 1961, et à la grande famine qui fut cause de l'adoption de Liu Yingque par le professeur de l'école socialiste. Il était devenu l'enfant de l'établissement, son « pupille ». A l'heure des repas on le voyait au réfectoire avec son bol ; à celle des cours, son tabouret à la main dans la salle de classe à côté des cadres et des membres du Parti. Pendant que l'enseignant lisait phrase après phrase les documents officiels, analysait la presse et les éditoriaux, ou épluchait les œuvres des grands dirigeants, décryptant et glosant, si certains étudiants fumaient, voire faisaient la sieste, lui suivait sans broncher. Il regardait son père adoptif écrire à la craie au tableau, soigneusement et lisiblement dans une belle calligraphie régulière. Puisque c'était une école socialiste, l'enseignement portait surtout sur les théories des grands hommes, on y parlait philosophie, science politique et économie marxiste-léniniste. Yingque n'y comprenait rien, mais à force il avait fini par apprendre à déchiffrer et dessiner les caractères, si bien qu'avant ses dix ans il parcourait les articles des journaux aussi facilement qu'il eût cueilli des pêches et qu'à douze, quand l'épouse du professeur l'eut abandonné pour un cadre d'un district voisin et que Yingque perdit officiellement le statut de pupille d'école socialiste pour prendre celui d'enfant adopté, il put entamer des études en règle. Or, c'est à cette époque, en 1966, que débuta la grande « Révolution culturelle », laquelle se rappela que l'unique enseignant de cet établissement sis dans la banlieue de la ville était fils de paysan riche. C'était un ennemi ! Dire qu'il montait tous les jours sur l'estrade pour y lire les ouvrages les plus grandioses ! Une circulaire frappée au* sceau rouge du comité de district arriva. Elle exonérait Liu de son titre de professeur et faisait de lui le concierge et balayeur de l'école. Le pauvre sombra dans la neurasthénie, il ne tenait que grâce à la pharmacopée chinoise dont il se bourrait du matin au soir. Quelque temps plus tard, alors que Yingque venait d'avoir seize ans et sa petite sœur neuf, le jour de son cinquante-sixième anniversaire il fut pris d'une angine de poitrine et dut garder le lit. Il transpirait tant que la literie était trempée. C'était aux champs la saison d'automne, à l'école de ce fait une saison creuse. Les cadres étaient rentrés chez eux, la petite Liu Xu séjournait chez une camarade de la ville, sur le campus ne restaient que Liu Yingque et son père adoptif. Il faisait lourd, les feuilles des arbres pendaient d'un air maladif, les stridulations des cigales sonnaient comme de longs coups de fouet. Accroupi à la tête de son lit, le professeur avait agrippé à deux mains sa chemise de coton et gardait les poings crispés sur son torse. Il n'y avait plus un filet de sang dans ce visage voilé de nuages blancs. « Père ! Père ! » s'exclama l'adolescent en entrant. Il voulut le prendre sur son dos pour l'emmener à l'hôpital.

D'un geste de la main l'enseignant refusa. Il le regarda un moment, puis lui dit : « Yingque, tu as seize ans et tu es plus grand que moi, je te confie ta petite sœur, seras-tu capable de finir son éducation ? »

Réalisant la gravité de la situation, il avait hoché la tête en signe d'assentiment. Mais le discours qui suivit le désorienta complètement : « Si tu es d'accord, lui dit Liu, je te la confie pour la vie. J'ai peur qu'en grandissant elle ressemble à sa mère, qu'elle soit légère et volage ; toi tu as grandi dans une école socialiste, à treize ans tu écrivais les mêmes devoirs que ceux des cadres, à mon avis tu as de l'avenir. Et plus tu as d'avenir, moins elle sera comme sa mère. C'est parce qu'elle me considérait comme un bon à rien qu'elle s'est enfuie. Mais tu es sûrement promis à une haute destinée, si tu l'épouses je mourrai l'âme en paix. Je ne t'aurai pas ramassé pour rien devant la porte. Je ne me serai pas fait tant de souci pour vous depuis dix ans en vain. » Etait-ce la douleur physique, ou sentait-il trop profondément le tragique de la destinée humaine ? Son regard se mouilla. Son visage était jaune et livide, les larmes y roulèrent comme des lambeaux de papier que le vent fait voler sur une tombe.

247

Le fixant droit dans les yeux, Yingque hocha de nouveau la tête avant de s'inquiéter : « Quel avenir pourrais-je avoir ? »

Un calme infini régnait sur le campus, les croassements des corbeaux tombaient noirs des arbres dans la cour, quand le gamin eut donné son assentiment, un sourire, semblable à la lueur de la luciole par une nuit d'été, apparut sur les lèvres du professeur. Il vint s'asseoir au bord du lit, épongea la sueur de son front et prit la main du garçon pour y déposer une clef : celle du hangar le plus à l'est dans les entrepôts. « Vas-y et le succès viendra à toi, du moins tu sauras comment le trouver. Le reste ne dépendra pas seulement de toi, il y a aussi le destin, ton étoile. Mais va dans cette pièce et si en cette vie tu deviens ne serait-ce que secrétaire de commune populaire, j'aurai réussi quelque chose. Moi que des fonctionnaires ont appelé Maître toute mon existence, j'aurai appris à mon fils comment décrocher un poste gouvernemental. »

Il prit la clef trempée de sueur et, semblable à celui qui aurait trouvé la voie qui mène au lieu sacré mais n'oserait la fouler, resta planté, l'air dégne[1], devant le lit.

Le père lui dit : « La moisson de ma vie se trouve dans ce hangar. Vas-y. Tu sauras faire les efforts nécessaires pour t'en sortir. »

Que vit-il dans cette pièce ? A priori rien. Mais peut-être aussi une route qui menait vers le lointain, une lampe qui brillait confusément au milieu des ténèbres. Le soleil était clair, il inondait l'école d'une éblouissante lumière qui brûlait les yeux et les doigts. Il traversa la cour et s'approcha de la remise sans avoir aucune idée de ce qu'elle recelait, ni de ce qui pourrait s'y passer. Son cœur battait lorsqu'il l'atteignit. Il s'arrêta, se calma, fit jouer la serrure, poussa la porte, et dans un premier temps ne vit que le soleil, qui un instant plus tôt pesait sur le battant, en train de tomber avec fracas à l'intérieur, de s'y déployer comme une natte sur le sol. A mieux y regarder, c'était un hangar comme les autres, à un détail près : dans les trois autres s'entassaient des capotes de charrette, des roues, de vieilles échelles, d'antiques tableaux noirs, de vieux bancs, de vieilles chaises, des pupitres, ainsi que les casseroles, bols, baguettes, plats et assiettes qu'on rangeait là quand il n'y avait pas de cadre en stage de perfectionnement. Ici, rien de tout ce fatras. La pièce était pleine de documents et de manuels de

l'école. C'était plutôt une grande salle de lecture, une bibliothèque. Seule différence : les livres n'étaient pas rangés sur des
étagères mais empilés sur des tables appuyées aux murs. Ceux-
ci étaient encollés de vieux journaux, le sol pavé de briques, le
plafond doublé d'osier et de roseaux tressés. L'air avait des
relents de moisissure sèche. Liu Yingque restait planté sur le
seuil, aussi stupide que s'il s'était trompé de chemin. De prime
abord il n'y avait rien d'étrange là-dedans, il ne voyait pas cette
chose que son père adoptif affirmait capable d'assurer son avenir et devinait encore moins où elle pouvait se trouver.

Une paix extrême régnait. Dans ce silence il fit son entrée,
s'approcha de la première table pour mieux la regarder et
s'aperçut que les livres n'étaient pas disposés comme dans une
bibliothèque ou une salle de documentation. S'ils étaient classés par auteur, ils étaient entassés en pyramides : la première
couche couvrait la moitié du plateau, la seconde avait deux
pouces de moins de largeur, la troisième de même et ainsi de
suite jusqu'à la dernière, au sommet, qui ne comportait que
quelques volumes. Comme on était dans une école socialiste, il
ne s'agissait évidemment pas de littérature divertissante, il n'y
avait pas de romans, les ouvrages se rapportaient tous à la politique, à l'économie ou la philosophie. Il y avait les œuvres complètes de Marx et d'Engels, reliées en tissu, ainsi que divers
fascicules de leurs écrits. Il y avait les intégrales de Lénine et de
Staline. Et puis Hegel, Kant, Feuerbach, Saint-Simon, Fourier,
Ho Chi Minh, Dimitrov, Tito, Kim Il-sung, etc. Pour certains en
plus de cent exemplaires : le Manifeste du Parti communiste, le
Capital, la Théorie de la plus-value et les Œuvres de Lénine.
D'autres ne faisaient qu'un volume et demi : le Christianisme
dévoilé de Paul d'Holbach, Principe de la philosophie de l'avenir de Feuerbach, Essai sur l'entendement humain de Locke ou
Recherche sur la nature et les causes de la richesse des nations
d'Adam Smith. A part ceux que son père adoptif avait extraits
pour les poser en évidence au sommet de la pile, ils s'entassaient comme les feuilles mortes dans une forêt. Est-il besoin
de le préciser, l'auteur le mieux représenté était Mao Zedong,
des quatre tomes de ses Œuvres au Petit Livre rouge avec sa
couverture en plastique, il devait y en avoir au bas mot plusieurs milliers d'exemplaires, il occupait à lui seul trois tables
et demie sur les huit que comptait la pièce, et même si chaque

249

étage ne faisait qu'un pouce de moins par rapport au précédent, le dernier touchait presque le plafond. Il allait de soi que si les livres avaient été simplement empilés, jamais le professeur n'aurait pu prétendre que la moisson d'une existence passée pour la grande moitié à enseigner dans une école socialiste se trouvait dans cette pièce. Quand Yingque examina les tables, il nota que le premier tas était consacré aux œuvres de Marx, le deuxième à celles d'Engels, le troisième à celles de Lénine, le quatrième à celles de Staline, le cinquième aux livres de Mao Zedong, le sixième à Dimitrov, le septième à Ho Chi Minh et le huitième à Tito. Ensuite venaient Hegel, Kant et Feuerbach. Puis, continuant dans cet ordre d'idées, il s'aperçut qu'une feuille de papier avait été insérée dans les volumes du sommet.

Il sortit celle qui se trouvait en haut des Marx : comme les livres, les lignes y faisaient une pyramide. Tout en bas, cela disait :

Marx est né en 1818 à Trèves (Prusse rhénane) en Allemagne.

La deuxième :

Entre à onze ans, en 1929, au lycée Frédéric-Guillaume de Trèves.

La troisième :

Entame en 1835, à dix-sept ans, des études de droit à l'université de Bonn, où il devient membre du cercle des hégéliens de gauche.

La quatrième :

Ecrit son premier essai, *Remarques sur la censure*, et devient rédacteur en chef de la *Gazette rhénane* à vingt-trois ans, en 1842. Epouse Jenny un an plus tard.

La septième :

En 1845, à vingt-sept ans, expulsé de France il s'installe à Bruxelles.

La dix-septième :

Se lance dans la rédaction du *Capital* à quarante-trois ans, en 1861.

Et la trentième :

Meurt en 1883, à moins de soixante-treize ans, entre la période de la *Pluie* et celle du *Réveil des insectes*. Fut un des plus grands leaders de la Révolution prolétarienne mondiale.

Yingque retira le papier coincé au sommet de la pile des Engels.

Celui sur Lénine.

Celui sur Staline.

Celui dans les œuvres du président Mao.

Le premier alinéa consacré à Engels – né dans une famille capitaliste à Barmen (Rhénanie) en 1820 – *avait été souligné au crayon à papier.*

Sous la note parlant de la naissance de Lénine – dans une famille ouvrière en 1870 – *il y avait un trait rouge. Sous la trente-cinquième* – laquelle informait qu'en 1917, année du Serpent et de la Révolution d'octobre, il était à quarante-sept ans devenu secrétaire général du Parti communiste de l'Union soviétique – *il y en avait deux.*

En bas de la page sur Staline, sous la ligne qui le disait issu d'un milieu pauvre, né en 1879 de parents moujiks dans une famille qui ne subsistait que grâce aux travaux de cordonnerie du père, il y en avait trois ; sous celle du sommet, annonçant qu'à la mort de Lénine, soit en 1924, treizième année de la République de Chine, il devenait à son tour secrétaire général du PCUS, à nouveau trois traits ; sous la première ligne de la pyramide de Mao – né dans une famille de paysans à Shaoshan en 1893, année du Serpent –, *deux ; sous la neuvième, précisant qu'en 1927, alors que Tchang Kai-Chek faisait son coup d'Etat contre-révolutionnaire et que la terreur blanche s'installait, il était nommé au cours d'une élection partielle membre du Politburo du Comité central, deux ; sous la dixième* – soulèvement de la Moisson d'automne –, *trois traits rouges ; sous celle qui indiquait qu'à la conférence de Zunyi, en 1935, à quarante et un ans, il avait affermi sa position de leader au sein du Comité central, trois encore ; sous celle qui disait qu'à cinquante et un ans, en 1945, il était élu président du Comité central du Parti communiste chinois, cinq ; enfin sous la dernière, annonçant son accession en 1972 aux fonctions de président du Parti, président de la République et président de la Commission militaire, neuf traits rouges...*

De la dernière pile, composée de livres d'auteurs divers, il sortit une autre feuille, toujours avec une pyramide de plusieurs lignes, mais celle-ci ne se référait à aucun grand homme, aucune biographie. Le nom était resté en blanc, un vide semblable à la campagne par un jour d'automne. Pour qui son père adoptif l'avait-il conçue ? Les étages en étaient prosaïques et réguliers, la première ligne ne comportait que quelques caractères aussi fades que de l'eau plate : agent de liaison à la commune.

La deuxième : instructeur socialiste.

La troisième : cadre d'Etat. *La quatrième :* secrétaire de commune, *la huitième :* chef de district adjoint, *et la neuvième :* chef de district *tout court. Au-dessus les carreaux étaient vierges, rien n'était écrit dedans, on n'avait noté ni les postes de commissaire préfectoral, ni celui de gouverneur de province. Peut-être le professeur considérait-il la dernière position indiquée comme étant si élevée qu'il suffisait d'en arriver là, que c'était comme empereur, en quelque sorte, inutile d'aller plus loin. Il aurait laissé les lignes en blanc pour cette raison. Liu Yingque les compta : la pyramide avait dix-neuf étages en tout. Au dix-neuvième, au sommet, il eût fallu pour respecter l'échelle hiérarchique insérer le titre prestigieux :* président du Comité central, de l'Etat et de la Commission des affaires militaires. *Or il n'y avait rien. Du vide. Pourtant, qu'il l'ait ou non rempli, le professeur avait souligné chaque étage de rouge, le dernier trait était si épais qu'on aurait presque dit un rectangle.*

Que trouva-t-il encore dans la pièce ? Rien. Des livres, des pyramides de livres, des feuilles de papier insérées au sommet de ces pyramides, sur les feuilles, des pyramides de carreaux et dans ces pyramides de carreaux, les biographies et les exploits d'hommes hors du commun. Il y avait aussi les traits rouges, plus nombreux quand la personne était de basse extraction, et encore plus nombreux quand elle atteignait les fonctions les plus élevées et accédait au pouvoir suprême.

Découvrit-il autre chose ? Définitivement, non. Juste des piles d'écrits et des morceaux de papier couverts d'échafaudages de carrés où s'inscrivait la vie des grands hommes, toutes choses qu'il avait l'impression de savoir : ces gens, ces textes, il les connaissait, il en avait plus ou moins entendu parler en cours. Certaines choses, cependant, dépassaient son entendement : jamais il n'aurait imaginé qu'un personnage de la stature d'Engels fut issu d'une famille capitaliste. Comment supposer qu'un fils de bourgeois consacrerait sa vie à parler et agir au nom de la classe des misérables prolétaires ? Jamais non plus il n'aurait pensé que les parents de Lénine étaient ouvriers, qu'un aussi grand personnage puisse être issu d'une famille aussi banale qu'un arbre au milieu de la forêt. Ou que ceux de Staline aient été serfs, et le père cordonnier ; que c'était devant un enfant d'artisan que le monde avait écarquillé les yeux. Ni que le plus puissant de tous, le président Mao, était né parmi des gens qui semaient et battaient le blé. Il resta là, calme et silencieux, tandis que le soleil tombait par la fenêtre et la porte à plat sur le sol. Longuement il contempla les pyramides de livres et ces biographies soulignées au crayon rouge, et ce fut comme s'il comprenait ce que son père adoptif avait voulu lui dire – « regarde et tu sauras faire les efforts nécessaires pour t'en sortir ». En même temps ce fut comme si rien ne s'était passé, le vent avait soufflé en bourrasque devant ses yeux, il était parti sans laisser trace de son passage alors qu'il aurait dû y saisir quelque chose. Il était là, debout, impavide, et il réfléchissait quand tout à coup, rompant le silence du campus, il y eut un bruit lourd.

Comme un arbre creux qui s'effondrerait.

Comme un ballot de coton ou de soie qui choirait.

Le premier choc passé, de toute la vitesse de ses jambes il quitta la pièce et traversa en volant la cour de l'école. A la porte de la loge qui gardait l'école, il se figea.

Son père adoptif était tombé du lit.

Son père adoptif était mort.

Les deux mains toujours crispées sur sa chemise au niveau de la poitrine.

C'était le plus vieil enseignant de l'établissement. Même le chef de district et le secrétaire actuellement en poste avaient été ses élèves lorsqu'ils avaient étudié ici. Le premier était présent à l'enterrement. Il dit à Yingque que le professeur lui avait écrit trois jours plus tôt pour exprimer son espoir qu'au nom d'une existence passée à inculquer la théorie du marxisme-léninisme aux membres du Parti et aux cadres du district, on aiderait sa fille à finir ses études et qu'on trouverait vite un bon emploi pour son fils. Chez lui, à la commune des Cyprès, de préférence. Il était encore jeune, il suffisait de le nommer agent de liaison, quand il aurait deux ans de plus, instructeur socialiste, et s'il obtenait des résultats, songer à en faire un cadre.

253

Le district le nomma agent de liaison aux Cyprès.

Bien sûr, à ce moment-là il avait compris que le tableau anonyme établi par son père était le diagramme de la vie de travail acharné qu'il avait planifiée pour lui. Compris qu'il avait placé en lui de gigantesques espoirs, au point d'établir un parallèle entre son existence et celles des plus grands hommes : à grand renfort de traits rouges il avait souligné le fait qu'eux aussi étaient au départ des gens très ordinaires. Il suffisait de faire des efforts, de s'atteler avec acharnement à la tâche et on pouvait devenir aussi éminent qu'eux.

Le jour où il quitta l'école, il alla retirer des pyramides les feuilles qui y étaient insérées et prêta une attention particulière à celle qui donnait en première ligne : agent de liaison dans une commune populaire, *puis* instructeur socialiste, *puis en cinquième* secrétaire de commune *et en neuvième* chef de district. Celle qui plus haut, jusqu'au dix-neuvième étage, restait vierge. Quelque chose frétilla en lui. Une bouffée d'énergie partit de ses pieds, elle remonta le long de ses mollets, s'insinua dans ses viscères et courut dans ses os. En cet instant, il ne sentait plus le deuil que lui avait causé la mort du professeur, comme au lever du soleil par temps clair, il n'avait devant lui que la lumière. D'un coup il eut l'impression d'être adulte, à seize ans il se sentait plus vieux qu'à vingt-six, ce trépas lui ouvrait une porte, il suffisait de la pousser pour accéder à la route qui mène au ciel.

C'est donc avec dans ses bagages un paquet de diagrammes pyramidaux qu'il alla aux Cyprès distribuer lettres et journaux, faire chauffer l'eau et balayer les cours en tant qu'agent de liaison.

Dix ans plus tard, le jour où il fut nommé secrétaire de la commune, tel un empereur qui fait la pluie et le beau temps il réquisitionna une chambre et l'aménagea sur le modèle du hangar à livres de son père adoptif. A un mur il accrocha les portraits des dix leaders – Marx, Engels, Lénine, Staline, Mao, Tito, Ho Chi Minh, Kim Il-sung, etc. –, sous ces portraits ceux des dix grands maréchaux – Zhu De, Chen Yi, He Long, Liu Bocheng, Lin Biao, Peng Dehuai, Ye Jianying, Xu Xiangqian, Luo Ronghuan et Nie Rongzhen. Encore en dessous se trouvaient les tableaux biographiques indiquant leurs diverses promotions. Sur le mur d'en face, un agrandissement d'une photo du professeur qu'il avait fait monter dans un cadre de miroir.

Plus, juste à côté, un diagramme en forme de pyramide à dix-neuf étages de la même taille que le cadre, qui commençait en bas par quelques lignes de caractères serrés : Liu Yingque, né dans le district de Shuanghuai pendant la grande famine de 1960 et abandonné par ses parents dans la banlieue de la ville. Adopté par un enseignant de l'école socialiste du district, a dès sa prime enfance fait montre d'une grande intelligence. Apprend à reconnaître les caractères, à lire le journal et à rédiger des lettres sans être passé par l'école primaire. Assimile très vite les grandes lignes de la théorie marxiste-léniniste.

Le deuxième étage ne comprenait que deux lignes : Obligé de gagner sa vie après le décès de son père adoptif pendant l'année du Lièvre de 1975, l'année de ses quinze ans, participe au travail révolutionnaire en tant qu'agent de liaison de la commune des Cyprès.

Le troisième : A dix-neuf ans, en 1978, année du Cheval, devient officiellement cadre d'Etat et est nommé instructeur socialiste d'avant-garde.

Le cinquième étage notait qu'à vingt-neuf ans, en 1988, année du Dragon, déjà secrétaire du comité du Parti au canton des Saules, il s'était distingué par sa capacité à attirer investisseurs et capitaux.

A partir du sixième et jusqu'au sommet, les blancs restaient blancs, ils attendaient d'être un jour remplis.

Les portraits des grands hommes, leurs biographies, la photo du père adoptif de Liu Yingque et l'ébauche de l'histoire de sa vie avaient déménagé au fur et à mesure de ses promotions, du canton ils étaient passés au bourg, puis du bourg à cette pièce de trois travées dans l'aile sud de la résidence des membres du gouvernement et du Parti de Shuanghuai. L'atmosphère y était sacrée, empreinte de solennité, il était normal qu'en son cœur il l'appelle sa salle de dévotions.

COMMENTAIRE

① **Dégne**, adj. – Digne, solennel.

CHAPITRE XI

Les grands hommes devant,
son père adoptif derrière

Il venait de remporter un grand succès, il était normal que le chef de district se rende à la salle de dévotions. Au cours de son existence, chaque fois qu'il avait accompli quelque chose il s'était senti obligé d'y faire un saut.

La nuit allait lentement vers sa profondeur. Le clair de lune s'était perdu, même les étoiles étaient cachées. Des nuages couvraient la ville comme un brouillard. On aurait dit qu'il allait pleuvoir, l'univers était plongé dans d'épaisses et gluantes ténèbres qui le cernaient comme une muraille. Çà et là un réverbère brillait, mais la plupart étaient éteints, soit l'ampoule avait grillé, soit l'alimentation était coupée. Même si elle avait beaucoup changé depuis qu'il la gouvernait – il avait soustrait un peu d'argent au capital destiné à l'achetis pour élargir les rues et aménager les carrefours –, la ville faisait encore vétuste et décrépite, elle n'était éclairée le soir que devant le siège du gouvernement et du comité. Or, il n'avait pas envie de passer par là. La rue était neuve, on y croisait des gens âgés et des plus jeunes venus profiter de la fraîcheur nocturne, tout le monde l'aurait reconnu. C'était un peu comme en 1966, au début de la Révolution culturelle, quand plus personne dans l'univers n'ignorait qui était le président Mao. Depuis qu'il avait été nommé à son poste et avait juré de transformer le massif des Ames mortes en parc forestier pour y construire un mausolée à la gloire de Lénine, dont il rachèterait la dépouille, le monde des rues et des venelles, tous âges confondus, savait à quoi il ressemblait. Un document rédigé de sa main avait promis que dès que la momie serait arrivée dans la montagne, la visite médicale deviendrait gratuite pour les habitants des zones rurales ; les enfants iraient à l'école sans qu'il en coûte rien, l'eau et l'électricité seraient gracieusement fournies aux citadins ; les paysans n'auraient plus à payer le car pour aller au marché ; et dans les deux années qui suivraient l'inauguration du mémorial, toutes les familles se verraient attribuer une maison. Cet écrit était tombé dans les cœurs des administrés comme une fine bruine dans les cours, il les avait pénétrés et tout naturellement ils s'étaient mis à le vénérer. Au fin fond des campagnes on avait vu des villageois accrocher sa photo au mur à côté du président Mao, du dieu du foyer et du Poussah. En ville, les gens qui collaient encore des gardiens à leur porte pour le Nouvel An mettaient d'un côté Guan Gong, le dieu de la guerre, de l'autre le chef de district ; ou alors Liu Yingque d'un côté et le vaillant Zhao Ziyun de l'autre.

Le petit restaurant, *La Maison des Hôtes*, où il s'était arrêté pendant une tournée et pour lequel il avait rédigé une dédicace s'était mis à prospérer, les chalands y défilaient et le chiffre d'affaires avait fait un bond. Il y avait aussi cet hôtel en bordure de route, où il était descendu pour la plus grande partie d'une nuit : le tenancier avait enveloppé de tissu rouge la bassine, la serviette et l'étui à savon dont il s'était servi pour les ranger dans son coffre en souvenance. A la porte il avait accroché un panonceau : *En tel mois de telle année, le chef de district Liu Yingque a séjourné ici*, et pouvait se permettre de demander vingt yuans d'une chambre qui n'en valait que dix : les clients, à l'origine plutôt rares, s'y succédaient en file ininterrompue, tous voulaient s'allonger sur le lit où il avait dormi, s'asseoir sur la chaise où il s'était assis. Les routiers n'hésitaient pas à parcourir cent lis de plus en appuyant sur le champignon pour s'y faire héberger.

Le chef de district était à Shuanghuai un personnage aussi formidable que les empereurs Qianlong ou Kangxi de leur temps, Zhu Yuanzhang et Song Taizu sous les Ming et les Song.

Il ne pouvait pas se promener seul dans les rues. Les gens auraient été capables de le prendre d'assaut pour lui raconter ci ou demander ça, de se battre pour lui serrer la main ou de lui fourrer leur bébé dans les bras, histoire de pouvoir ensuite courir partout en répétant que tel jour de tel mois, en tel endroit, il l'avait serré sur son cœur.

Il était à présent de notoriété publique que grâce à la troupe de Benaise qui gagnait autant d'argent qu'un vent d'automne récolte de feuilles mortes, l'acquisition de la dépouille devenait réalisable. Si les beaux jours n'étaient pas pour demain, ils seraient pour après-demain mais une chose était sûre : ils viendraient. Le chef de district ayant été promu au rang de dieu vénéré par les huit cent mille habitants de la circonscription, il ne lui était plus possible de se promener seul. Heureusement, il faisait noir comme dans un four. Il gagna les quartiers des employés gouvernementaux par des ruelles détournées où il ne rencontra rien ni personne dont il aurait eu du mal à se débarrasser.

Par rapport aux locaux du gouvernement, la résidence était au nord. La salle de dévotions aussi, bien entendu. Mais alors que son appartement se trouvait en fond de cour, elle était dans l'aile sud, où elle occupait une pièce de trois travées, à l'origine salle de réunion d'un quelconque bureau qui avait dû vider les lieux pour qu'il puisse la récupérer et l'aménager. La nuit avait atteint son point le profond, les gens sortis prendre le frais dans la rue rentraient un à un chez eux. Le sexagénaire qui faisait office de concierge n'était pas encore couché quand le chef de district passa, l'apercevant par la fenêtre, il se précipita pour s'incliner devant lui.

« Tu ne dors pas encore ?

— J'ai entendu le discours que vous avez fait cet après-midi sur la table à l'étage de l'immeuble du comité. Ça m'a coupé le sommeil, cette idée que bientôt on ne saura plus comment dépenser notre argent ! »

Tout sourire, Liu hocha la tête. Après quelques paroles apaisantes, il prit à droite, direction l'aile sud. Chaque pas qu'il faisait sonnait dans le silence. Arrivé à la porte il examina les alentours avant de sortir la clef d'une fente du chambranle, puis il ouvrit, entra, ferma derrière lui et appuya sur l'interrupteur.

La pièce s'illumina, d'un coup elle fut neigeuse. Les trois néons du plafond baignaient les trois travées d'une resplendissante lumière. Les murs avaient été passés à une éclatante chaux blanche et les fenêtres restant constamment verrouillées, la poussière n'entrait pas facilement. Comme meubles il n'y avait qu'une table et une chaise, rien d'autre. Il va de soi que les portraits des grands hommes pendaient au mur en face de lui. Sur une rangée Marx, Lénine, Staline, Mao et Tito, Ho Chi Minh, Kim Il-sung, etc. Dix en tout. Sur l'autre, en dessous, les grands maréchaux de Chine. Cependant, alors qu'ils ne sont que dix, il y avait onze photos : la dernière était celle de Liu Yingque. Derrière, dans son dos, une seule, celle de son père adoptif, surmontée d'une phrase dans la calligraphie du chef de district : *Propageons le marxisme-léninisme à Shuanghuai.* Il va également de soi que sur le mur en face de lui, sous chaque cadre étaient épinglés les hauts faits et les curriculums de ces grands hommes. On y lisait à quel âge ils avaient occupé telle fonction ou conquis tel pouvoir, les faits les plus marquants étant, comme dans les tableaux du professeur, soulignés en rouge. Par exemple : *Lin Biao, commandant de division à tout juste vingt-trois ans.* Par exemple : *He Long, général à trente et un ans ; Zhu De : a participé en 1929, année du Serpent, alors qu'il n'avait que dix-neuf ans, au grand soulèvement contre Yuan Shikai qui voulait se déclarer empereur, puis en 1930, année du Cheval, à vingt ans donc, à la guerre contre Duan Qirui pour rétablir la légalité.* Tout cela était souligné en rouge. Ainsi mis en valeur, ces éléments constituaient des avertissements, chaque fois que Liu entrait dans la salle, son respect pour les éminents personnages qui décoraient le mur redoublait, il se sentait obligé de faire encore plus d'efforts à son propre niveau. Surtout, lorsqu'il lisait que Lin Biao avait à peine vingt-trois ans quand il avait remporté la fameuse victoire de Pingxingguan – un véritable coup de tonnerre en Chine comme à l'étranger. Il lui fallait admettre que lui, à vingt et un ans, n'était encore qu'un instructeur socialiste de la commune des Cyprès, obligé de parcourir à pied des kilomètres de routes de campagne pour inciter les paysans à acheter plus souvent le journal et à étudier la théorie du socialisme. Au temps des métives il devait aiguiser sa faux, en automne, à celui des semailles, labourer les champs. S'il en concevait une certaine aigreur, l'énergie montait quand même du sol et lui permettait d'aborder la vie quotidienne le zèle au cœur, non seulement il s'arrangeait pour que le grain des différents villages soit engrangé avant la saison des pluies et que les pousses sortent de terre avant le givre d'hiver, mais en plus il arrivait à les informer des réunions qui s'étaient tenues tel mois de telle année en tel lieu à Pékin, des directives qui en avaient résulté et des quelques lignes qui en résumaient l'essentiel. Si quelqu'un avait de la famille à Hong Kong ou à Taiwan, il savait l'aider à entrer en contact avec elle et la convaincre, par tous les moyens et les ruses possibles, de faire un tour au vieux pays. Ensuite il fallait s'assurer que les émigrés arrivent le sourire aux lèvres et repartent en larmes, la morve au nez, brûlant de rapatrier les économies de toute une vie pour ouvrir des routes, installer l'électricité ou construire des usines. En fin de parcours, comme tous les villages où Liu Yingque avait fait halte étaient un peu plus riches que leurs voisins, de cadre à l'éducation socialiste il était passé secrétaire adjoint de la commune, avait été nommé membre du comité du Parti et s'était retrouvé tout jeune en mesure d'exercer son autorité sur des cadres qui avaient dix ou vingt ans de plus que lui. Il avait donc pu, sous la ligne de ses vingt-trois ans, tirer un trait rouge.

Trois ans après que les communes populaires furent devenues des cantons, il avait été muté à celui des Cédrels. En tant qu'adjoint, certes, mais le titulaire étant malade et hospitalisé, c'était lui qui administrait la circonscription. Dès sa prise de fonctions, il avait réuni les chefs des villages et exigé de chacun qu'il ne garde que dix hommes pour s'occuper avec les femmes et les vieillards des semailles printanières et des métives automnales. Le reste, les jeunes, devait partir chercher du travail ailleurs dans le monde. Qu'ils pillent, qu'ils volent, c'était égal, mais interdiction de rester chez soi à labourer. A chacun d'eux il avait remis une lettre d'introduction et après, garçons et filles, gamins et gamines avaient été expédiés en camion jusqu'aux gares de la préfecture et de la capitale provinciale où on leur avait intimé de descendre, et débrouillez-vous. Sous aucun prétexte ils ne devaient rentrer avant trois ou six mois, même s'ils crevaient de faim. Si Liu s'apercevait que l'un d'eux avait regagné la maison alors que personne n'était malade et qu'aucune catastrophe ne s'était produite, c'était cent yuans d'amende. Pas d'argent ? On prenait les cochons, les moutons, jusqu'à ce que le fautif, pleurant et criant, soit à nouveau sur les routes.

Un an plus tard, nombre de Cédreliens, hommes, femmes, voire enfants, avaient trouvé du travail, quitte à faire la plonge, la cuisine ou trier les poubelles des villes. Le moindre hameau avait de quoi s'acheter le sel et le charbon pour faire tourner les fourneaux. Les gens commençaient à bâtir des maisons neuves. Après avoir en quinze jours épuisé leur fortune, les deux aînées de certaine famille des Loriots, qui ne comptait que des filles, s'étant décidées à faire le taupin[1] – et ayant ainsi permis à leurs parents de se faire construire un nouveau toit en moins de six mois –, le chef de district avait réuni chez eux les cadres de la circonscription : on avait offert des fleurs, accroché un panneau au dessus de la porte et au nom du canton envoyé aux deux putines une lettre de félicitations, très élogieuse et dûment marquée du sceau du gouvernement. Il était exact que Liu Yingque avait craché par terre en sortant du village, mais ensuite les autres garçons et filles avaient fait des pieds et des mains pour aller courir le monde, la région avait connu des jours meilleurs.

Lorsque le vieux chef de canton était sorti de l'hôpital un an plus tard, le district ne l'avait pas rétabli dans ses fonctions. Liu Yingque avait été promu à sa place.

Une fois officiellement nommé, il avait pu se comporter de manière plus conforme à sa position. Il agissait et décidait de tout comme un demi-empereur.

Il arrivait que des gens des villages lui soient ramenés par la police. « Qu'est-ce qui se passe ? demandait-il.

— Il a volé, lui répondait-on. Vous avez une fabrique à malfrats chez vous ou quoi ?

— Ligotez-moi ça ! » criait-il alors en assenant une grande gifle au malfaiteur. Les agents locaux allaient chercher une corde pour l'attacher, il invitait ceux de la ville au restaurant, les raccompagnait jusqu'à leur véhicule et dès qu'ils avaient le dos tourné, rendait sa liberté au prisonnier.

« Qu'est-ce que tu as volé ? »

Le garçon baissait la tête.

« Tu vas me le dire, oui ou non ? hurlait-il alors.

— Des moteurs dans une usine.

— Débarrasse-moi le plancher ! rétorquait-il de son ton le plus sévère. Pour ta punition, je te condamne à construire dans les trois ans une usine dans ton bled. Si tu n'y arrives pas et que tu me reviens encore accompagné, je te colle au trou. »

Le type repartait. Il regagnait la ville après avoir salué ses père et mère. Ou alors il allait traîner du côté de la capitale provinciale et dans les régions méridionales. Et assurément, peu de temps après il montait au pays une petite fabrique de farine, de cordes ou de clous.

Il y avait aussi les filles qui lui téléphonaient de la préfecture. Il leur était arrivé un pépin, est-ce qu'il pouvait venir les récupérer ? Généralement il évitait de faire le déplacement. Mais quand il n'y avait pas d'autre moyen, il prenait le car et débarquait au poste de police pour y trouver une dizaine de gamines de dix-sept, dix-huit ans qui putinaient dans des lieux de plaisir. Elles étaient toujours nues, accroupies au pied du mur devant leur tas de vêtements. « C'est vous le chef de canton ? » lui demandaient les hommes de la Sécurité publique en le voyant débarquer. Il confirmait. On lui balançait un œil froid, on lui crachait au visage et on disait : « Bordel ! La catin donne mieux que le blé, dans votre coin ! » Il se figeait, baissait la tête, essuyait le glaviot et serrait les dents en maugréant des insultes en son for intérieur, puis se redressait et avec un beau sourire : « Laissez-moi les embarquer et je vous promets qu'au village je vais faire défiler ces roulures pour que tout le monde soit au courant ! »

Il ressortait du poste avec les gamines et une fois dans la rue les regardait droit dans les yeux : « Vous avez la capacité de pousser des hommes au divorce et de leur faire quitter leur bonne femme. Vous pouvez foutre un tel bordel que la famille s'égaillera aux

quatre vents. Vous avez tout ce qu'il faut pour devenir maquerelles et faire travailler à votre place des
filles d'ailleurs. Vous devez être fichues d'envoyer de
l'argent chez vous, de payer des maisons neuves à vos
parents et de faire installer l'électricité et l'eau courante dans tout le village. Vos compatriotes érigeront
des stèles à votre vertu ! » Ensuite ? Ensuite, il leur
crachait dessus, chacune à son tour, puis tournait les
talons et regagnait la gare routière.

Elles ? Après un moment d'ahurissement, elles
éclataient de rire et s'éparpillaient gaiement dans les
rues de la préfecture.

Plus tard, il y en avait eu qui effectivement avaient
ouvert des salons de coiffure ou de massage dont elles
étaient les patronnes et où elles employaient des filles
d'ailleurs qu'elles faisaient loger ensemble. Parmi les
garçons, on en avait vu ayant commencé par faire les
poubelles, qui avaient monté à la ville des sociétés de
récupération des objets de rebut dont ils étaient le
président ; d'autres qui, à force de transporter les
briques et de soulever la poussière pour le compte
d'un tiers, s'étaient retrouvés à la tête d'une de ces
équipes qui construisent les cuisines des gens des
villes, réparent leurs murs effondrés et élèvent leurs
toits à poules. Ceux-là finissaient généralement par
diriger les maçons. Si entre le premier et le deuxième
étage d'un immeuble le bâtiment se mettait à pencher
un peu à l'est, entre le deuxième et le troisième on
l'inclinait à l'ouest, et on en montait ainsi cinq ou six
qui tenaient à peu près droit. En gros ils étaient devenus entrepreneurs et sur leur carte il était écrit :
Directeur d'une équipe de construction.

Trois ou quatre ans plus tard, les Cédrels affichaient une opulence qui les distinguait de leurs

voisins, les chemins qui menaient aux divers villages et hameaux étaient cimentés, sur leurs bords se dressaient des poteaux électriques et on voyait de petits lions en pierre à la porte de toutes les maisons neuves. Le canton était devenu un modèle pour le reste du district, au point que le secrétaire départemental s'était spécialement déplacé pour le visiter et y faire un discours. Liu Yingque avait pu tirer une nouvelle ligne rouge sous l'année de ses vingt-sept ans, de chef de canton il devenait secrétaire de comité. Quand il eut trente-trois ans, le trait s'élargit jusqu'à remplir un carreau : cette année-là il était nommé chef de district adjoint. Une note précisait que le fait d'occuper cette fonction, à cet âge, faisait de lui un cas unique dans le département.

Il en avait aujourd'hui trente-sept et sa biographie était une succession de lignes écarlates. Quel calme, à l'intérieur de cette salle de dévotions ! On entendait l'air glisser par l'interstice entre le chambranle et le battant de la porte. La nuit était désormais aussi profonde que le cul d'un puits tari, les gens sortis prendre le frais étaient rentrés dormir dans leur lit et le vieux concierge avait depuis longtemps verrouillé avec un clic, clac le portail de la résidence. Installé à la table qui trônait au milieu de la salle, le chef de district contemplait les portraits accrochés au mur et relisait les phrases soulignées de rouge de leurs biographies. Il les étudia plusieurs fois avant d'arrêter son regard sur la photo qui suivait la série des dix maréchaux, la onzième, la sienne. Tête carrée, cheveux en brosse, face rougeaude, même lorsqu'il souriait ses yeux restaient mélancoliques, on y sentait une angoisse difficile à dissimuler. Etait-ce la crainte de ne pas réussir qu'ils trahissaient ? Son complet gris était impeccable, sa cravate d'un rouge éclatant, mais le costume n'avait pas l'air à son aise sur lui. C'était comme s'il ne l'avait pas enfilé pour s'installer devant l'objectif, mais qu'on l'eût rajouté sur l'image après coup. Liu Yingque contemplait son portrait, son portrait le contemplait, et alors que le chef de district débordait d'entrain, son effigie restait sombre.

L'enthousiasme s'effaça de ses traits.

Cette photo l'hypnotisait.

A force d'examiner les neuf traits rouges en dessous, de les regarder et de les re-regarder, la plante de ses pieds se mit à le démanger. Elle chauffait, elle brûlait, il savait qu'une force allait jaillir du sol, traverser les semelles de ses chaussures et se répandre dans son corps. Jusqu'ici, il avait toujours suffi qu'après une promotion il se retrouve seul devant les portraits accrochés au mur et sa propre image pour que la vigueur l'envahisse. Elle partait de la plante de ses pieds et se coulait dans ses veines pour lui monter avec le sang à la tête. Il va sans dire qu'en ces instants il fallait qu'il fasse quelque chose, c'était le moment d'aller inscrire son âge, sa nouvelle charge et de souligner de rouge la phrase *Liu Yingque a été promu à tel poste en tel mois de telle année*. Ensuite de quoi il se retournait, faisait brûler trois bâtons d'encens à son père adoptif et restait quelques secondes prosterné en silence avant d'enfin se lever, sortir, verrouiller la porte et regagner sa demeure.

Cette fois, ce n'était pas une promotion qui l'avait attiré en ces lieux. Il était ici à cause du succès du cirque de Benaise ; parce que Mao Zhi avait signé le contrat permettant de monter une seconde troupe ; parce qu'à la fin de l'année il aurait amplement de quoi acquérir la dépouille de Lénine. Il n'imaginait pas qu'en des circonstances si différentes la bouffée de vigueur surgirait du sol et se répandrait dans son corps – cela lui faisait le même effet que mettre par grand froid les pieds sur une chaufferette. Brusquement il eut l'impression que ses mains étaient mortes, il fallait absolument qu'il inscrive une nouvelle promotion dans le diagramme, qu'il y trace un trait rouge. Il savait que s'il n'écrivait rien et ne soulignait rien, il ne trouverait pas le sommeil de la nuit.

Il hésitait, la sueur dégoulinait le long de ses doigts, quelque chose bourdonnait dans sa tête, le sang attaquait ses tempes, courait dans ses veines en galopant comme une horde de chevaux.

Il l'entendait affluer dans la moitié supérieure de son corps en bouillonnant, déferler comme un fleuve derrière ses tympans.

Il se mit debout.

Avec détermination il sortit un stylo noir de sa poche, monta sur la chaise pour atteindre son tableau biographique, compta de bas en haut et à la dixième ligne, blanche, nota d'une écriture bien régulière :

Nommé commissaire préfectoral adjoint à trente-huit ans, pendant l'année du Tigre de 1998.

Il avait pensé à commissaire préfectoral tout court, mais au moment de lever son stylo, la modestie l'avait arrêté, repoussons d'un an, donnons-nous un grade de moins. D'où la phrase que nous venons de citer. Quand même, la dépouille de Lénine n'avait pas encore été livrée, il faudrait attendre au moins un an avant que le peuple commence à ne plus savoir comment dépenser son argent, difficile d'ici là de deviner s'il passerait commissaire adjoint ou brûlerait l'étape, ce n'était pas une réalité qui pouvait s'étaler au grand jour. Le chef de district était parfaitement conscient du fait qu'il n'était pas correct de s'accorder une promotion de manière prématurée, même sa propre épouse ne devait pas en entendre parler. Mais il continua d'écrire, et souligna la phrase d'un trait rouge épais comme une poutre. Les précédentes dataient quelque peu, l'encre avait viré au noir, elles s'impatientaient dans l'attente d'une nouvelle. Lorsqu'il eut fini, la ligne était d'un éclatant écarlate. Il sauta de la chaise, fit un pas en arrière et contempla son œuvre. Son visage s'illumina, son cœur instantanément s'apaisa. Le sang et la force terrienne qui un instant plus tôt affluaient s'étaient retirés.

Il fallait qu'il rentre chez lui, la nuit était déjà d'une profondeur sans limites.

Mais au moment de partir, à la seconde où il tournait la clef dans la serrure, à nouveau il eut l'impression qu'il manquait quelque chose. Supposant que c'était parce qu'il avait oublié de faire brûler l'encens pour son père adoptif, d'un tiroir il sortit un petit brûle-parfum empli de sable et trois bâtons. Il les alluma, les ficha dans leur support, déplaça la table pour qu'elle soit en dessous du portrait et y posa son offrande bien droite. Puis il contempla les volutes sinueuses qui s'élevaient et, conscient d'être désormais un chef de district qui tel un empereur pouvait d'une seule main cacher le ciel, conscient aussi qu'il n'était plus convenable qu'il honore son père en s'agenouillant ou se prosternant comme un homme du peuple, tournant vers la photo un regard grave et solennel, il joignit les mains devant la poitrine et s'inclina trois fois en murmurant : « Père, ne t'en fais pas, je suis sûr de réussir à installer l'an prochain la dépouille de Lénine aux Ames mortes. Dans deux ou trois ans je serai adjoint au préfet. »

Cette tâche accomplie, il pensait avoir fait tout ce qu'il y avait à faire et pouvoir s'en aller l'âme en paix. Mais à l'instant où il se détourna de la photo, comme à nouveau il s'apprêtait à sortir, cette impression d'inachevé lui revint. C'était comme s'il avait cherché quelque chose sur lui, l'avait trouvé, examiné, et s'était aperçu que ce n'était pas l'objet originel de sa quête. Il avait fait brûler l'encens mais ce n'était pas ça, pas du tout ça. Il resta un instant silencieux, se retourna, contempla les deux rangées de portraits sur le mur. Un à un il les observa, et quand il arriva au cinquième de la deuxième rangée, celui de Lin Biao, il s'immobilisa. Il avait compris ce qu'il devait faire, ce qu'il avait envie de faire.

Sans l'ombre d'une hésitation, il décrocha sa photo du mur et la mit là où se trouvait le maréchal, qui déménagea à la dernière place.

Enfin il retrouvait la sérénité. C'était comme accomplir en un tournemain le travail de plusieurs dizaines d'années, l'inavouable jalousie qu'il éprouvait à savoir que Lin était devenu général à vingt-trois ans en était de beaucoup atténuée. Il se tenait là où il s'était toujours tenu pour le toiser, mais désormais, de cette place, c'était son propre portrait qu'il admirait. Non, le cadre n'était pas de travers, il crut même que la mélancolie s'était effacée de son regard pour laisser place à une franche allégresse. Ensuite ? Ensuite il dévora des yeux son image à côté de celle de Liu Bocheng, sourit à cet immense accomplissement, se frotta les mains pour les dépoussiérer et sortit de la salle de dévotions.

La nuit était profonde comme un puits, tiens, il y avait de la lumière chez lui. La fenêtre brillait comme un soleil, Liu Yingque la contempla éberlué et prit la direction de son appartement.

COMMENTAIRES

① *Faire le taupin* – DIAL. Contrairement au mot « prostitution », l'expression n'a pas de connotation méprisante.

CHAPITRE XIII

Qui sort de l'appartement ?

« Ça fait une heure que je frappe, il t'en faut un temps pour ouvrir !

— C'est toi ? J'avais peur que ce soit un voleur.

— Stop. J'ai une question à te poser : qui est la personne qui vient de sortir ?

— Pourquoi me demandes-tu puisque tu l'as vu ?

— Je n'ai aperçu qu'une silhouette, qui était-ce ?

— Ton secrétaire.

— Que faisait-il ici au milieu de la nuit ?

— Il m'apportait des médicaments, je suis enrhumée. C'est toi qui l'as chargé de se mettre à mon service en ton absence et de venir quelle que soit l'heure si je le faisais appeler.

— Ecoute, une autre fois, évite de recevoir au milieu de la nuit.

— Tu ne me crois pas ? Interroge-le.

— Un mot de moi et il est au chômage.

— Vire-le.

— Un mot et la police l'arrête.

— Appelle-la !

— Un mot et le tribunal lui en colle pour une dizaine d'années. La perpétuité, peut-être.

— Qu'il y pourrisse, dans sa prison !

— …

– Tu ne m'avais pas promis de ne pas rentrer avant trois mois ?

– Je suis ici chez moi, je reviens quand je veux.

– Tiens, tu te souviens que tu as un foyer ! Et tu te souviens qu'on peut y rentrer ! Résiste, si tu as quelque chose dans le ventre, tiens encore un mois !

– Je ne veux plus tenir. As-tu une idée de l'ampleur de ce que j'ai accompli pour Shuanghuai ? Les habitants du district devraient se prosterner devant moi comme si j'étais un empereur.

– Je sais que tu as monté un cirque, que l'an prochain tu pourras acheter la dépouille de Lénine et que dans deux ou trois ans tu comptes te retrouver commissaire préfectoral. Mais toi, sais-tu ce que ta fille a fait ce mois-ci et comment je vais ?

– Ma fille ?

– Elle est chez sa marraine.

– Tout s'est bien passé en mon absence ?

– Nous avons pris froid, elle a eu trente-neuf de fièvre et il a fallu la garder trois jours sous perfusion à l'hôpital.

– Ah ! J'ai eu peur que ce soit grave. Ecoute, je viens de signer un contrat avec la vieille Mao Zhi de Benaise : elle a quinze jours pour me monter une deuxième troupe. Après, avec les entrées des spectacles, les billets vont s'écouler comme de l'eau dans les finances du district. A la fin de l'année, j'aurai assez pour aller en Russie acheter la dépouille. Attends et tu verras : dès qu'elle sera installée aux Ames mortes, le district sera tellement riche que l'argent s'échappera par les portes et les fenêtres. La population se cassera la tête pour trouver où le dépenser. Tout le monde sera vacciné gratuitement contre la grippe au début de l'hiver et plus personne

ne craindra de tomber malade… Hé ! Tu t'endors ?
Tu as sommeil ?

– Tu as vu l'heure ?

– Bon, eh bien tout le monde au lit, je ne fais pas
de toilette.

– Installe-toi à côté.

– Et toi ?

– Moi ? Ici.

– Qu'est-ce qui t'arrive ?

– J'ai mes règles.

– Je vais te dire une bonne chose : ton mari n'est
plus le petit instructeur socialiste de la commune des
Cyprès que tu avais épousé. Ce n'est pas un cadre à
tête de navet mais un chef de district ! L'empereur de
Shuanghuai ! Il a huit cent mille personnes à ses
ordres, des centaines de milliers de filles plus jeunes
et plus jolies que toi sont à sa disposition s'il a envie
de coucher avec elles.

– Moi aussi je vais te dire une bonne chose, le
dénommé Liu : n'oublie pas d'où tu viens et qui t'a
nourri. Tu crois que tu y es arrivé tout seul, là où tu
es aujourd'hui ? Si le secrétaire de la commune des
Cyprès t'a fait entrer au comité du Parti, c'est uniquement parce qu'il avait été l'élève de mon père ; si
tu es devenu chef de canton aux Cédrels, c'est parce
que le chef de l'organisation l'avait été lui aussi ;
lorsque tu es devenu le plus jeune chef de district
adjoint du département, tu as été nommé par Niu, le
secrétaire de la préfecture, qui était l'ancien directeur
de l'école socialiste et connaissait très bien papa…
Oh ! Mais vas-y, jette, continue ! Casse-moi tout ce
qu'il y a dans cette pièce, démolis, que le district le
sache : son chef est capable de balancer des bols et des
assiettes, de briser des pots et des cuvettes !

– Tu parles, tu parles, mais je n'ai pas à rougir devant ton père ! Il m'a adopté mais je suis devenu chef de district, peut-être que dans trois ans je serai commissaire préfectoral et je continue de lui faire brûler de l'encens.

– Où ça ?

– Dans mon cœur.

– Peuh. Tu vas y aller, te coucher dans cette pièce ? Si tu n'y vas pas, c'est moi qui y vais.

– Je ne coucherai ni dans l'une ni dans l'autre ! Je suis chez moi à Shuanghuai et je peux passer la nuit n'importe où. Tu t'imagines qu'un chef de district ne trouvera pas à se faire héberger s'il sort de cet appartement ? En toute sincérité je te le dis : je dormirai mieux n'importe où ailleurs. Si ton père ne m'avait pas forcé la main avant de mourir, si je ne lui avais pas promis de prendre soin de toi toute ma vie, tu ne me manquerais pas – même si je restais trois mois sans remettre les pieds à la maison.

– Montre-le que tu es capable de les rester, ces trois mois ! Trois mois sans me toucher, sans m'effleurer une seule fois…

– Tu crois que je ne peux pas vivre sans toi ?

– Va-t'en ! Va aux Ames mortes construire ton mausolée pour Lénine, va en Russie acheter sa dépouille. Si dans les trois mois qui viennent tu craques et passes une seule fois cette porte, tu n'es ni un homme ni un chef de district ! Pas la peine de songer à devenir commissaire, même si tu y arrivais, tu finirais derrière les barreaux !

– Oh ! Alors je serais capable de rapporter la dépouille de Lénine, mais pas de résister trois mois à l'envie de te voir ? Compte sur tes doigts : la dernière fois je t'ai dit que je ne reviendrais pas de quinze jours et je suis resté absent un mois et trois jours. Cette fois j'avais dit trois mois, bon, admettons que je n'aie rien eu dans le ventre, je n'ai tenu que deux. Mais maintenant, je te l'affirme : Liu Yingque, chef de district, ne mettra pas les pieds ici avant six mois. Tant que je n'aurai pas rapporté la dépouille, que ce soit dans un semestre ou un an, tu ne me verras plus.

– Très bien. Fiche le camp. Si vraiment tu restes six mois sans passer cette porte, je ferai tout ce que tu me demanderas. Même s'il faut que je me prosterne devant toi comme devant un empereur et que je sorte de la pièce à reculons sur les genoux.

– Entendu. Et si tu refuses de te prosterner ?

– Tu auras le droit d'exhumer les ossements de mon père à l'école socialiste.

– Très bien.

– Mais si au cours de ces six mois tu ne résistes pas à l'envie de venir me tripoter ?

– Tu auras le droit de déménager les restes de ton père aux Ames mortes.

– Parfait. Et que celui qui ne tiendra pas sa parole se fasse écraser dans la rue, qu'il s'étouffe en buvant de l'eau, qu'il se pique à une écharde empoisonnée, que le venin lui monte au cœur et qu'il crève en rase campagne.

– Inutile d'en faire tant. Maudis-moi pour m'empêcher de rapporter Lénine et ça suffira, ce sera encore pire que la mort. »

...

Et pan ! Il sortit en claquant la porte.

LIVRE NEUF

FEUILLES

CHAPITRE PREMIER

Toutes ces mains levées
font une forêt de bras tendus

Benaise était un village vide depuis que les infirmes étaient partis. Même le six-doigts s'en était allé, ce n'était pourtant qu'un gens-complet avec un petit quelque chose en plus, mais avec cet appendice supplémentaire il pouvait d'une seule main ramasser par terre deux ballons gros comme des bols : sur scène il était l'homme aux six doigts qui cueille les balles.

Même le vieux boiteux de soixante et onze ans avait été pris. Parce qu'il avait un frère qui lui ressemblait plus ou moins, le directeur adjoint avait eu l'idée de modifier leur livret de famille et de leur délivrer de nouvelles cartes d'identité. Il avait changé la date de naissance de l'aîné, celui de soixante et onze ans, le faisant venir au monde non plus au temps de la République de Chine, pendant l'année du Singe, mais au cours du septième mois, un cycle plus tôt. Ce qui revenait à lui attribuer cent vingt et un ans. Cent vingt et un, et non un âge vénérable au chiffre rond, parce que d'après les minutieuses estimations des gens-complets, il fallait que cela fasse vrai. Bon, cent vingt et un ans, donc, mais le cadet ? Né en la vingt-neuvième année de la République, trois ans plus tard, maintenant que l'aîné avait hérité de douze lustres additionnels, il en avait soixante-trois de moins et ne devait plus lui donner du « frère aîné » mais du « grand-père » ! Le plus jeune poussait le fauteuil du plus vieux, montrait aux spectateurs les papiers qui attestaient de sa longévité, lâchait quelques « Pépé ! » devant des milliers de personnes ; l'aîné acquiesçait et la salle se mettait à chuchoter et pousser des soupirs esbaudis devant cet invalide plus que centenaire qui ne voyait pas encore trop trouble et n'avait pas l'oreille trop dure. Il faisait aussi jeune que son petit-fils ! A part ses jambes paralysées, sa mâchoire quelque peu édentée et son incapacité à se déplacer seul, il était encore en bon état. Le numéro avait un succès aussi retentissant que les autres, il se trouvait toujours un citadin dans le public pour s'écrier estomaqué :

« Mais qu'est-ce qu'il mange, le pépé ? »

Le pépé faisant la sourde oreille, c'était son petit-fils de cinquante-neuf ans qui répondait, avec l'accent des montagnards des Balou :

« Ce qu'il mange ? Du grain ! »

Question : « Il faisait du sport ? »

Réponse : « Sûr, toute sa vie il a labouré ! C'est de l'exercice physique, travailler la terre ! »

Question : « Pourquoi est-ce qu'il est paralysé des jambes ? »

Réponse : « Il est tombé dans un ravin il y a six mois en allant couper du bois.

– Quoi ! Il coupait du bois à cent vingt et un ans ! Mais votre père, il a quel âge ? Il travaille encore ?

– Quatre-vingt-dix-sept ! Il est resté à la maison pour nourrir le bœuf et cultiver les champs en notre absence. »

De la salle, de plus en plus agitée et de plus en plus sidérée, les questions ne cessaient de fuser. « Devinez l'âge du vieillard » remportait un franc succès, le public acclamait le numéro.

La troupe n° 2 était lancée. A la surprise générale, dès qu'elle avait commencé de tourner dans le vaste monde, elle y avait remporté le même succès que la première. Elle comptait quarante-neuf Benaisiens, tous infirmes, cela va de soi, placés sous la houlette de Mao Zhi. Dans le lot, en sus de Phalène, se trouvaient huit nines de treize à dix-sept ans qui faisaient toutes dans les trois ou quatre pieds de haut et dont aucune ne pesait plus de cinquante-sept livres. Le district avait décidé que les trois plus jeunes pouvaient passer pour des adolescentes : une fois maquillées et vêtues de tenues fleuries, elles se ressemblaient presque comme des gouttes d'eau. Aussi leur avait-on attribué un unique livret de famille et elles étaient devenues cette rareté planétaire : une tribu de neuf bessounes, dont la mère avait accouché trois jours durant. Elles auraient pu rester sur les planches sans bouger ni parler, les spectateurs auraient été bluffés. Sous le titre des « neuf papillons », c'était le clou du spectacle de la troupe n° 2, lequel était mis en scène pour donner un ensemble haut en couleurs qui fasse vibrer la fibre sensible. Il commençait par des équivalents de celui de la troupe n° 1 : l'aveugle à l'ouïe fine, le sourd qui se fait partir des pétards à l'oreille ou le « saut en hauteur de l'unijambiste », qui déclenchaient des cris de surprise et d'étonnement dans la salle. Une fois les esprits subjugués, on pouvait passer à la « sixième empreinte digitale » et à un air d'opéra des Balou. On continuait avec « Devinez l'âge du vieillard » pour une vague plus dramatique qui, déferlant comme le vent lorsque pendant la grande chaleur des métives il porte joyeusement le parfum du blé, ne laissait pas aux spectateurs le temps de revenir de leur stupeur. Ensuite venaient, comme dans la troupe n° 1, l'« enfant chaussé d'une bouteille » et les « broderies sur feuilles d'arbre ». Soit, la brodeuse n'était pas capable, comme la première, d'y faire apparaître des oiseaux et des moineaux, malgré tout, c'était une paralytique qui brodait ! Même si ne sortaient de ses doigts que des pivoines et des chrysanthèmes sur feuilles de peuplier ou de sterculier, il n'était quand même pas courant de réaliser de telles œuvres en moins de temps qu'il n'en faut pour fumer une cigarette ou manger un bonbon : c'était un talent de femme handicapée. Soit, l'« enfant à la bouteille » avait le pied un peu grand, sa jambe malade était un peu épaisse et il ne pouvait enfiler que des pots tenant plutôt du bocal de conserve. Mais il osait faire des culbutes sur scène et quand il retombait, le verre était toujours à son pied, il ne le cassait pas. Murmures ébahis et applaudissements dans la salle. Donc, d'accord, ces deux numéros étaient qualitativement inférieurs à ceux de la troupe n° 1, mais celui des « neuf papillons », clou du spectacle, était unique, inimitable.

Une ennéade : où dans le monde avait-on vu tant de bessounes d'un coup ? Neuf filles nées d'une même grossesse, toutes petites mais qui toutes avaient survécu. Le fait qu'elles ne grandiraient jamais contribuait d'ailleurs à affermir les spectateurs dans leur crédulité.

Soit, elles étaient nines, mais même les nins sont des êtres humains. Et dans l'espèce humaine, qui eût imaginé semblable fratrie ? Avant le numéro, la présentatrice faisait un long et saisissant discours. « Y a-t-il des jumeaux dans la salle ? » demandait-elle.

Il arrivait qu'une mère se lève, toute rouge, et monte sur scène avec ses enfants. On la contemplait avec envie mais déjà la présentatrice s'adressait de nouveau au public : « Y a-t-il des triplés ? »

Les spectateurs se tordaient le cou, pleins d'espoir. Ils étaient toujours déçus.

« Des quadruplés ? »

Certains se retournaient encore mais ils étaient moins nombreux.

« Des quintuplés ? »

Personne ne cherchait plus. La présentatrice agaçait. Pire : elle insistait !

« Des sextuplés ?

Des septuplés ?

Des octuplés ? »

Et pour finir, à s'en casser la voix :

« Y a-t-il des nonuplés ? »

L'ennéade déboulait alors en courant du fond de la scène. Elles se tenaient par la main comme les enfants des écoles maternelles dans les villes, toutes semblables, de même taille et de même stature, toutes maquillées comme des poupées roses, toutes vêtues de ces pantalons courts en soie verte et de ces vestes rouges que seules portent les petites filles d'une dizaine d'années, toutes coiffées des mêmes tresses à l'arrière de la tête.

Surtout : c'étaient des miniatures, des nines.

Neuf nabotes alignées sur scène comme neuf papillons de nuit, la salle en avait la berlue. Il se faisait un silence religieux que seul troublait le bruit de la lumière des projecteurs quand elle venait telle une ombre caresser les visages des spectateurs.

L'animatrice faisait alors les présentations : « Grand Papillon, quinze ans, cinquante-sept livres ;

Deuxième Papillon, quinze ans, cinquante-sept livres ; Troisième Papillon, quinze ans elle aussi, cinquante-sept livres trois onces ; et voici la neuvième, la petite Phalène, quinze ans, cinquante-sept livres trois onces également. »

Elle avait fini, le numéro pouvait commencer.

Il se différenciait nettement des autres : comme elles étaient minuscules, après une danse papillonnante, elles mettaient leur petitesse en scène. Illustration : un boiteux faisait son apparition en disant qu'il avait perdu ses poussins, il attrapait celles qui se présentaient, les fourrait dans un sac, lorsqu'il avait les neuf, cela lui faisait deux ballots bien pleins qu'il prenait sur l'épaule pour effectuer un tour de scène. Mais comme les sacs étaient usés, il y avait au fond un trou du diamètre d'un bol et vite, un petit poulet tacheté s'en échappait. Puis un petit poulet blanc, puis un petit poulet noir. Au neuvième, quand tous les poussins, noirs, blancs ou bigarrés, avaient trouvé la sortie, les filles se mettaient à danser et chanter. C'était une mélodie des Balou, un de ces airs des montagnes pour lesquels il faut vraiment un bel organe. Et qui l'eût cru ? Ces nines qui avaient joué les oisillons, grosses comme de petits poulets ou des papillons de nuit, avaient des voix aussi stridentes qu'une lame affûtée et brillante. Lorsqu'elles s'égosillaient en chœur, c'était comme si neuf couteaux s'étaient envolés dans la salle, elles faisaient un tel raffut que le théâtre ne suffisait pas à contenir leur chant, tel un ouragan il s'échappait par les interstices des portes et des fenêtres, les lampes tremblaient, la poussière s'envolait des murs, certains spectateurs étaient, sous le choc, obligés de se boucher les oreilles.

Mais plus vous vous bouchiez les oreilles et plus les neuf papillons y allaient à pleine gorge de leur triste ballade :

Mon cœur il a quitté les monts celui que j'aime
Chez moi seule l'attends et je suis à la peine

Je sors du village, regarde en arrière
En ce lieu jamais ne trouverai la paix

Je passe les monts et les rivières
Et à te chercher mon âme je perds

Un pas en avant, un pas en arrière
Quelle fille t'a pris dans ses filets ?

Deux pas en avant, deux pas en arrière
Quelle est cette femme, celle qui te retient ?

Trois pas en avant, trois pas en arrière
Une fille là-bas m'aura volé ton cœur

… Sept pas en avant, sept pas en arrière
Et pourtant je veux te reconquérir.

Quand elles s'arrêtaient, la représentation était terminée.

Les citadins avaient vu un spectacle admirable, qui dépassait toutes leurs espérances. De retour chez eux, pendant plusieurs jours ils n'avaient à la bouche que cette aveugle capable d'entendre tomber une épingle d'argent, cette paralytique qui brodait sur les feuilles des arbres. Ils parlaient de l'homme de cent vingt et un ans et de la femme qui avait eu des nonuplées : neuf filles avec des voix à faire s'écrouler les toits. La rumeur enflait : si les premiers le racontaient à dix, ces dix le racontaient à cent. La presse et la radio leur faisaient aussi de la publicité : dès qu'ils arrivaient, on les présentait comme quelque chose d'inouï et partout il s'ensuivait qu'il n'était personne, vieillard, femme, enfant, adolescent ou adulte, qui n'aille les voir. Ainsi qu'on l'avait espéré, la troupe n° 2 montée par Mao Zhi avait le même succès que la n° 1. Impossible de s'arrêter à moins de trois ou cinq représentations par théâtre. Le district avait organisé les deux tournées de manière indépendante. La troupe n° 1 avait commencé dans l'est du département, la n° 2 dans l'ouest. Quand elles eurent écumé la région, elles sillonnèrent le reste de la province et continuèrent ensuite sur leur lancée : la première partit vers le Hunan, le Hubei, le Guangdong et le Guangxi, suivant les routes et les chemins de fer qui les relient ; la deuxième prit la direction du Shandong, de l'Anhui, du Zhejiang et de Shanghai.

Le Sud-Est monopolise la moitié des richesses du monde mais c'est surtout en bordure de mer que les gens nagent dans l'opulence : là-bas, si un gamin fait une crotte et qu'on est à court de papier, on lui essuie les fesses avec un billet de dix ou de vingt. Quand ils entendirent parler d'un spectacle d'infirmes, dans un premier temps les gens n'y crurent pas, dans un deuxième, pris de folie, ils s'y ruèrent et eurent la surprise de leur existence.

Il arrivait que la troupe soit obligée de donner non pas une, mais deux, voire trois représentations par jour. Le montant des recettes, qui enflait telle l'eau un jour de pluie, remontait le canal de la banque pour se déverser dans les finances du district. Le comptable se rendait au guichet aussi souvent qu'aux toilettes.

Du côté de la troupe n° 1, après le Hunan on passa dans le Hubei, puis dans le Guangdong. Il va sans dire qu'elle aussi devait donner ses deux à trois représentations quotidiennes. Et bien sûr aussi, le prix du billet avait beau atteindre des sommets, même à cette hauteur la salle était pleine à craquer. Ses membres avaient constaté que Huaihua grandissait de jour en jour au fil de la route. Elle n'avait plus rien d'une nine, sans talons elle dépassait nombre de gens-complets, avec c'était une jeune fille de haute taille. En quelques mois elle avait poussé de manière insensée, et pour le reste aussi, elle avait changé : elle était désormais d'une indicible beauté. On racontait qu'elle dormait tous les soirs avec le directeur de la troupe, que c'était de coucher avec lui qui avait déclenché cette folle croissance et la rendait si ravissante. On disait qu'ayant eu vent de l'histoire, le secrétaire Shi s'était spécialement déplacé sous prétexte de remettre un courrier au directeur et lui avait flanqué une raclée telle que l'autre était tombé à genoux devant lui. Tout ceci, qui sait ? Mais Huaihua avait assurément grandi et était assurément devenue une personne normale. On disait aussi que depuis qu'elle était si grande et si belle, ni Tonghua ni Yuhua ne lui adressaient plus la parole. Qu'il lui suffisait de se tenir sur scène et d'annoncer les numéros pour que la foule éblouie pousse des cris d'admiration. Qu'ils étaient de plus en plus nombreux à assister aux représentations uniquement pour elle. En conséquence de quoi les billets étaient aussi de plus en plus chers et l'argent sur le compte du bureau des finances faisait gonfler le ventre des banques.

Quand l'été partit pour laisser place à l'automne, il y avait sur ce compte un chiffre astronomique finissant par une bonne dizaine de zéros. Un, voire deux bouliers ne suffisaient plus à effectuer les calculs, il fallait en aligner cinq, six pour savoir combien les deux troupes rapportaient et le montant de la prime que la fortune du district rapportait aux employés des divers établissements.

Disons les choses comme elles sont, on n'était pas loin d'avoir réuni les fonds nécessaires.

La fin de l'année approchait. Si dans le Septentrion c'était déjà l'hiver, plus bas dans le Midi, en certains lieux il faisait encore aussi doux qu'en plein été dans le Nord. La troupe n° 1 était arrivée dans le Guangdong, la n° 2 avait investi une ville moyenne du Jiangsu. Une de ces cités-satellites avec des immeubles qui montent si haut qu'ils touchent les nuages et si tassés qu'ils forment une forêt. Les gens y étaient tellement riches qu'ils pouvaient jouer toute la nuit, perdre jusqu'à quatre-vingt ou cent mille yuans et sortir les billets par poignées comme le papier-toilette dans les latrines. Il était hors de question que Mao Zhi et les autres s'arrêtent au bout de quelques représentations.

Les gens étaient fous.

Personne n'arrivait à croire qu'une troupe puisse être composée uniquement d'aveugles, estropiés, sourds, paralytiques, muets, unijambistes, six-doigts ou nines de moins de trois pieds. Personne n'arrivait à croire qu'en sus, ces infirmes viennent tous du même village. Personne n'arrivait à croire que dans ce village une femme ait donné naissance à des nonuplées. Ni qu'une fille privée de ses yeux puisse entendre voler les feuilles des arbres et les bouts de papier. Ni qu'un malentendant pourtant plus tout jeune ose s'accrocher des pétards à l'oreille et les faire partir avec pour seule protection une mince plaquette de fer sur la joue. Ni que lorsque les neuf bessounes chantaient leur ballade des monts du Nord, le son de

288

leur voix fasse éclater la moitié des ballons lâchés dans le théâtre.

De tout le spectacle, il n'était pas un numéro auquel ils osaient croire.

Et moins ils y croyaient, plus ils voulaient voir. Partout, dans les compagnies et les usines, on prenait un congé pour y aller. De trois cents yuans, la place passa à cinq cents. Sans cela, les revendeurs à la sauvette auraient fait fortune. La télé, la radio et la presse de la ville s'en mêlaient. De l'huile étant sans cesse jetée sur ce feu, il s'ensuivit qu'au bout de vingt-neuf représentations d'affilée, il n'était toujours pas possible de quitter la ville.

Pourtant, la fin de l'année approchant, d'après les termes du contrat signé avec le district de Shuang-huai, la tournée touchait à son terme. Benaise serait bientôt déjointé. Un jour il plut tant que l'eau enva-hit la ville. Bus et voitures étaient immobilisés, même en moto on ne circulait plus, les gens avaient du mal à sortir de chez eux, la troupe en profita pour reprendre haleine. Quand ils arrivaient quelque part, les Benaisiens prenaient leurs quartiers dans les cou-lisses, à la mode des troupes ambulantes du Nord. Les hommes couchaient d'un côté, les femmes de l'autre, ils avaient déployé leur literie à même le sol et s'ins-tallaient dessus pour vaquer à leurs affaires. Les jeunes jouaient aux cartes, la paralytique pliait les costumes de scène, cinq nines rangeaient dans un coin les vête-ments qu'on leur avait attribués pour leur numéro, les plus âgés s'étaient mis à l'écart pour calculer com-bien leur famille avait gagné au cours de ces cinq mois pendant lesquels tous avaient suivi Mao Zhi et la troupe n° 2. A force de crier et de tempêter, elle avait fait rectifier les termes du contrat, les Benaisiens ne touchaient plus un salaire minimum de trois mille yuans mensuels, il était désormais écrit en toutes lettres que chacun avait droit à un fauteuil par représentation. Un fauteuil, c'est un billet au théâtre : si l'entrée coûtait trois cents yuans, ils gagnaient trois cents yuans, si elle coûtait cinq cents, ils en gagnaient autant. Avant d'arriver dans cette cité-satellite du Nord du Jiangsu, ils avaient joué dans le Henan et l'Anhui, à Yantai et Heze au Shandong, puis à Nankin, Suzhou et Yangzhou, où partout la place avait coûté trois cents yuans en moyenne. Chaque mois ils avaient donné, toujours en moyenne, trente-cinq représentations. Autrement dit, tout le monde touchait tous les mois la valeur de trente-cinq fauteuils, soit dix mille cinq cents yuans. Une fois déduits les frais de nourriture et les dépenses diverses – mais en fait, qu'auraient-ils pu dépenser ? Pour l'équivalent d'un fauteuil par mois vous aviez le droit de vous repaître à satiété de viande, poisson, pâtes et riz. Quant au reste... Bon, de temps à autre les hommes s'achetaient des cigarettes, les femmes et les jeunes filles des produits de maquillage ou des cristaux de soude et du savon pour la toilette et la lessive. Mais même en additionnant, à tout casser cela faisait dans les cent yuans par mois – ils gagnaient toujours plus de dix mille yuans. Les ancêtres devaient s'en retourner dans leurs tombes.

Qu'en faire ? C'était à peu près le montant nécessaire à la construction d'une maison de trois pièces, si on se mariait, celui des cadeaux pour les parents de la fille, et en cas de décès, la somme permettait de s'offrir un mausolée impérial. La première fois qu'ils avaient perçu leur salaire, leurs doigts avaient tremblé d'émotion, ils avaient caché les billets dans leurs vêtements et dormi sans se déshabiller. Certains s'étaient cousu une poche supplémentaire qu'ils portaient à même la peau et qui battait la chair comme une brique lorsqu'ils faisaient leur numéro. Certes, ce n'était pas commode, mais la sentir leur donnait du cœur à l'ouvrage, ils étaient plus vite dans l'ambiance, le pétard qu'on s'accrochait à l'oreille faisait deux fois plus de bruit qu'auparavant. Pendant le numéro de l'aveugle, ce n'était plus une ampoule de cent, mais dans un premier temps de deux cents et finalement de mille watts qu'on faisait brûler devant ses yeux pour prouver sa cécité. Le mois suivant, même chose, plus personne ne craignait plus rien sur scène. Quand le petit polio faisait des culbutes avec sa bouteille au pied, plus question de la garder intacte, il faisait exprès de la casser et marchait sur ce qu'il en restait pour venir saluer le public à la fin de son numéro et lui montrer le sang qui coulait de sa jambe atrophiée.

Les applaudissements étaient encore plus fournis.

Il avait de moins en moins peur de se faire mal.

Et touchait chaque mois de plus en plus d'argent.

L'année tirait à sa fin, cinq mois s'étaient écoulés, tous avaient empoché quelques dizaines de milliers de yuans. Qu'une famille compte deux ou trois infirmes, et c'était une bonne centaine de milliers qu'elle avait touchés. Or, comme ils étaient partis, le village était désert : eussent-ils songé à envoyer l'argent, il n'y aurait eu personne pour le réceptionner. Aussi les oreillers étaient garnis de plusieurs couches de billets. Il y en avait à l'intérieur des couettes. Dans les coffres dont chacun avait la garde. Leur fortune croissant comme les feuilles des arbres, à part pour jouer, ils n'osaient plus mettre le nez dehors. Voilà pourquoi, le jour où il plut, quand tout le village se retrouva sur

291

les nattes de l'arrière-scène, certains se mirent à l'écart et, prétextant un trou dans leur couverture auquel il fallait mettre un point, défirent les coutures pour enfouir dans la balle de coton les liasses nouvellement gagnées.

L'un disait que son coffre était abîmé, il allait le réparer : il y entassait les billets, plantait plusieurs dizaines de clous et le dotait d'un verrou plus gros.

L'autre se plaignait du manque de confort de son oreiller, il fallait faire quelque chose : il le vidait de la paille de blé et du son rapportés du village et le fourrait d'une veste proprement pliée dans les coutures de laquelle il insérait des coupures de cent flambant neuves rangées par paquets de dix mille. Tant pis si, privé de rembourrage, il perdait son moelleux et se cabossait comme s'il avait contenu des planches et des briques.

Il pleuvait, on rangeait sa fortune, quand on avait fini on appelait : « Hé ! elle est recousue, ta couette ?

— Presque.

— Une petite partie de cartes quand tu auras fini ?

— D'accord ! Viens me retrouver.

— Non ! J'aime mieux que tu te trimballes, tu n'auras qu'à apporter ta couverte. »

Puis on hochait la tête en échangeant des sourires qui illuminaient la face.

Dehors la pluie tombait, à grosses gouttes elle clapotait. Dedans une brume stagnait au niveau du sol. Les fauteuils étaient couverts de perles d'une eau rouge, même le rideau donnait l'impression d'avoir été accroché là pour sécher après la lessive, il pendait lourdement, tordant câbles et cordons sous son poids. Les cadres, des gens-complets venus de Shuanghuai avec la troupe, ayant profité du mauvais temps pour

292

aller faire du lèche-vitrines et traîner dans les boutiques, les Benaisiens étaient seuls dans ce théâtre dit de la « Concubine impériale » et Mao Zhi saisit l'occasion pour aborder un sujet qui lui tenait à cœur. Quelque chose qui s'était implanté au plus profond d'elle-même dès la première représentation à Jiudu, cinq mois et trois jours, soit cent cinquante-trois jours, plus tôt. Les racines avaient eu le temps de prendre de la vigueur, des pousses étaient nées, et maintenant, finalement, elles s'apprêtaient à porter fleurs et fruits. Mais ce qu'elle n'avait pas imaginé, c'était que les autres, eux, ne se souvinrent de cette histoire que lorsqu'elle leur en parla, et que lorsque la mémoire leur revint cela leur fit un choc. Comme si, après des jours de marche, ils étaient tombés sur un puits à sec ou se retrouvaient au bord d'un précipice et qu'au moment de sauter ils réalisaient que ce trou, ils l'avaient creusé eux-mêmes.

Ils avaient fabriqué leur propre trappe.

Ils étaient pris à leur propre piège.

Ils avaient eux-mêmes versé dans le bol le poison qui leur déchirerait les tripes.

« Vous savez quel jour on est aujourd'hui ? » demanda-t-elle.

Les villageois la regardèrent.

Elle dit : « C'est le solstice d'hiver. Dans neuf jours nous serons le treize, c'est-à-dire le dernier jour de l'année d'après le calendrier occidental. »

Ils la regardaient toujours. Ne voyant pas où elle voulait en venir.

Son sourire était d'un jaune lumineux : « Ce jour-là, notre contrat avec Shuanghuai arrivera à son terme. Benaise sera déjointé, nous ne serons plus administrés ni par le district ni par le canton des Cyprès. »

Le contrat établi six mois plus tôt lors de la fondation de la troupe leur revint alors en mémoire, et le fait que dans neuf jours c'en serait fini de la tournée. Qu'à un moment ou un autre elle s'achève, c'était prévisible, mais à force de jouer sans relâche, à force de gagner de l'argent qui s'accumulait en liasses, ils avaient oublié que la conclusion était proche. Dehors la pluie tambourinait, les nuages noirs à mi-ciel étaient si épais qu'on eût pu les pousser de la main. Dedans la lumière des spots était blanche et violente, il faisait si clair qu'on eût cru le soleil accroché au plafond. Assise à côté de sa couche, Mao Zhi ravaudait des costumes de scène déchirés ou brûlés. Les regards qui avaient convergé vers elle se mirent à peser comme un brouillard.

« Ça va s'arrêter ? La troupe va être dissoute ?

– C'est la fin, nous devons rentrer à Benaise. »

La question émanait du jeune poliomyélitique. Il était en train de jouer aux cartes et sa main s'était brusquement immobilisée dans l'air, comme s'il venait de réaliser un fait de la plus haute importance. Pensif il reprit :

« Ce sera comment quand on sera déjointés ?

– Plus personne ne s'occupera de nous.

– Et ça fera quoi ?

– Ça fera que tu seras libre et benaise comme un lièvre sur les pentes.

– Est-ce qu'on pourra encore aller jouer dans le monde ? »

– Ça ne s'appelle pas jouer, cela s'appelle se donner en spectacle. »

Avec violence, il jeta les cartes sur sa couche.

« Et si je suis d'accord, moi, pour me donner en spectacle ? Si se déjointer, c'est dissoudre la troupe, rouez-moi de coups tant que vous voulez, je refuse ! »

Mao Zhi était un peu saisie. C'était comme recevoir une bassine d'eau en pleine figure alors qu'elle riait de satisfaction. Son regard hésita un instant sur le garçon, puis il se détourna. Il passa en revue la paralytique qui brodait sur des feuilles, le vieux sourd qui se faisait partir des pétards à l'oreille, la jeune aveugle à l'ouïe subtile, le six-doigts et les autres, muets et boiteux. Plus les deux gens-complets chargés de transporter les caisses et de porter les paquets. « Que ceux qui n'ont pas envie de se déjoindre, s'il y en a d'autres, lèvent la main, dit-elle. Si nous sommes tous d'accord, il n'aura qu'à continuer de courir le monde tout seul avec sa bouteille au pied. » A nouveau elle les considéra : elle fixa les neuf nines, petit essaim de papillons de nuit, puis le reste du groupe installé à même le sol dans les coulisses. Pour elle l'histoire était terminée, le gamin avait protesté, mais cela s'arrêterait là. Comment aurait-elle imaginé qu'à cet instant les quarante et quelque villageois qui l'avaient suivie se mettraient à se soupeser mutuellement du regard, et je te dévisage et tu me dévisages, comme si chacun avait dans les yeux et les traits de l'autre cherché quelque chose. A force, ils se tournèrent vers les deux gens-complets.

L'un d'eux, le regard rivé à l'ourlet du rideau de velours rouge pour ne pas voir Mao Zhi, déclara : « Une fois qu'on sera déjointés, si Shuanghuai ne nous administre plus, on ne pourra pas partir en tournée et gagner de l'argent. A quoi ça sert d'être indépendants, si on est empêchés de sortir de chez nous et de gagner des sous ? » Puis, l'air de tâter le terrain, il leva la main.

Ce que voyant, l'autre gens-complet l'imita. Il dit :
« Tout le monde sait qu'ils vont bientôt rapporter à
Shuanghuai la dépouille de ce fameux Lénine et l'installer aux Ames mortes. Il paraît que la population du
district ne saura plus comment dépenser son argent,
après. On dit qu'il y a plein de gens des juridictions
environnantes qui sont en train d'essayer discrètement de se faire enregistrer comme résidents. Ce
serait quand même imbécile, non, de se déjointer à
un moment pareil ? » En disant ces mots, comme si
c'était à tous les villageois qu'il s'adressait, il balaya la
scène du regard.

Le sourd leva la main.

L'aveugle leva la main.

La paralytique leva la main.

Sous les lumières les bras se levèrent comme une
forêt.

Le visage de Mao Zhi avait viré au jaune livide, ces
mains levées étaient comme une gifle. Les autres
figures – à part celle de sa petite-fille Phalène –
étaient rouges d'excitation et d'enthousiasme. Sous
ces mains dressées les manches tombaient, dénudant
des bras d'une éblouissante clarté.

Dehors la pluie était d'une froidure oppressante.
Au plafond les lampes brûlaient comme un feu blanc.

Sur la scène régnait un silence si lourd qu'il pesait
sur les respirations, les rendait aussi épaisses que des
cordes de chanvre, grossières, irrégulières, comme
tordues au fond des gorges. Face à cette forêt de bras
étincelants, Mao Zhi avait la bouche sèche, la tête lui
tournait. Elle s'apprêtait à les insulter lorsqu'elle
s'aperçut que Phalène, elle aussi, avait levé sa minuscule main droite. Ce fut comme un coup violent dans
sa poitrine si maigre qu'on eût dit un mur en pisé sur

le point de s'écrouler, une fissure vive s'y était ouverte, une puanteur acide, telle une odeur de sang, en émanait. Il aurait fallu le cracher, ce sang, là, maintenant, que la peur fasse se replier sur eux-mêmes ces bras tendus. Mais elle eut beau tousser, le relent putride eut beau s'intensifier, rien ne vint, pas une goutte de liquide. Du regard elle les balaya, s'arrêta sur le vieux sourd, la paralytique et les quelques quadragénaires plus ou moins complets, puis reniflant d'un air méprisant, l'œil froid et la voix dure, elle leur demanda :

« Les gamins ne sont pas au courant, mais vous, vous avez oublié la grande catastrophe[1] et les champs en échelle ? »

Elle dit : « Vous ne vous rappelez pas le chantier que vous faisiez à l'époque pour qu'on se déjointe ? Vous n'avez plus d'argouane[3] ? »

Elle dit : « Vous déjointer, c'est quelque chose que je vous dois, que je dois à vos parents et à vos grands-parents. Une obligation dont je devrais m'acquitter même si j'étais morte. Si après vous n'êtes pas d'accord, vous pourrez toujours faire marche arrière. Jointer, rien de plus facile, c'est comme aller au marché. Dans l'autre sens en revanche, c'est plus dur que ressusciter. »

Elle parlait d'une voix légèrement cassée, comme si quelque chose s'était coincé dans sa gorge. Son ton était vigoureux, mais la blessure et la tristesse y étaient évidentes. A peine se fut-elle tue que Phalène replia le bras. Elle regardait sa grand-mère comme si elle venait de contracter une dette à son égard. La grand-mère, elle, ne la regardait pas, pas plus qu'elle ne regardait les villageois dont les bras nus un à un retombaient.

Elle se releva en s'appuyant au mur de brique rouge, redressa avec énergie cette échine qui faisait penser à un arbre renversé par le vent, et clopin-clopant s'en fut en longeant la cloison.

Elle traversa le théâtre désert. Comme elle n'avait pas sa béquille, à chaque pas son corps basculait vers la gauche comme une branche morte. Avec détermination elle rétablissait l'équilibre, et ainsi tanguant, refusant de se laisser tomber, elle traversa la salle comme une chaîne de pics et de montagnes. On aurait dit un vieux mouton qui cherche à passer une rivière avec une branche de bois mort. Donnant l'impression de nager, elle arriva dehors et resta là, debout, seule sous la pluie qui tombait sur la ville.

CHAPITRE III

COMMENTAIRES : *La grande catastrophe*

① **La grande catastrophe** – *Terme historique en liaison avec le fléau du fer dont il a été question plus haut.*

A l'origine fut le Grand Bond en avant de 1958. Il avait soufflé sur Benaise comme les trombes de vent qui à longueur d'année rugissent dans les Balou. Pour alimenter les fonderies d'acier, les arbres de la montagne avaient été coupés, les pentes herbeuses brûlées et dénudées. La montagne était d'une désolation absolue. Or, pendant l'hiver qui suivit, en 1959, s'il fit très froid il ne neigea pas, puis après une petite averse l'été arriva, ce furent cent jours de canicule, et à l'automne, là encore, pour d'obscures raisons il continua de ne pas pleuvoir. Cette sécheresse entraîna une invasion historique de sauterelles – qu'on appelle par ici des seguines. Elles arrivèrent de la montagne en un brouillard si serré qu'il cachait les nuages et couvrait le soleil. A plusieurs lis de distance vous les entendiez vrombir, elles faisaient un raffut à soulever le sable et déplacer les pierres.

Le soleil disparut. Les champs de soja se firent chauves et nus. De même les champs de sésame.

Il n'y eut bientôt plus une fleur jaune au milieu du colza.

Au crépuscule, quand elles repartirent, un astre d'un joli rouge dense et fin déploya comme un voile au-dessus du village, mais dans ses rues planait une odeur sombre et létale, le parfum lent de leur migration y coulait comme l'eau d'un fleuve.

La fille de Mao Zhi était née lorsque les fourneaux s'étaient éteints, à la frontière de l'automne et de l'hiver, et comme à l'automne les chrysanthèmes fleurissent et qu'en hiver ce sont les fleurs de prunier, comme elle était jolie et gens-complète, on l'appela Jumei : Chrysanthème et Prunus. Mao Zhi l'avait dans les bras, ce soir-là, quand elle sortit à la tombée du jour. Le temps de constater les dégâts, elle la posa à bas et cria dans la nuit qui tombait :

« Quand il y a une catastrophe en automne, il faut économiser pour garder de quoi manger pendant l'hiver...

Après un tel fléau nous devons veiller précieusement sur nos provisions pour éviter la famine. »

Effectivement, la disette suivit.

A peine l'automne était-il achevé, à peine l'hiver venait-il d'arriver qu'il se fit dans la montagne un froid si grand que même l'eau tiède gelait au fond des puits. L'écorce des jeunes saules et sterculiers qui profitaient de l'arrêt de la production d'acier pour recommencer à pousser séchait et se craquelait. Les villageois qui revenaient du marché racontaient que « ciel ! c'est un grand malheur. Ce n'est pas seulement chez nous, à Benaise, que le blé n'a pas germé. A l'extérieur des Balou non plus, rien n'a poussé ». Deux semaines plus tard, un autre revint de la commune, la stupéfaction écrite sur sa figure : « C'est terrible, terrible, dit-il. Les gens n'ont plus de quoi manger, à peine un bol de riz par jour, il paraît que certains sont tellement affamés qu'ils arrachent l'écorce des arbres pour la faire bouillir et boire la soupe. Leurs visages sont devenus verts, leurs jambes enflent comme des radis noirs. »

Laissant sa fille à la maison, Mao Zhi descendit de la montagne. Au bout d'une trentaine de lis, elle rencontra un premier cortège funéraire.

« De quoi souffrait-il ? demanda-t-elle.

– De rien, il est mort de faim. »

En rencontrant un autre, à nouveau elle s'enquit :

« Quelle maladie ?

– Aucune, la faim. »

Le cadavre du troisième n'avait même pas droit à un cercueil, on l'avait roulé dans une natte.

« Lui aussi, c'est la faim ?

– Non. Il n'arrivait plus à éliminer, c'est ça qui l'a tué.

– Qu'est-ce qu'il avait mangé ?

– De la terre et du bouillon d'écorce d'orme. »

Un être humain était mort et on en parlait comme si ç'avait été un poulet. Ou un canard ou un bœuf ou un chien. Froidement, sans la moindre tristesse, comme si le défunt n'avait pas été quelqu'un du village, un parent ou un voisin. Les enfants suivaient les enterrements sans se lamenter ni verser de larmes, comme s'il ne s'était pas agi de leur père ou de leur mère. Il faisait exceptionnellement froid, le vent coupait comme un couteau. Après encore un bout de chemin, à l'entrée d'un village Mao Zhi s'immobilisa devant le cimetière récemment inauguré où les tombes avaient poussé comme des champignons frais. Ces dizaines de tertres disséminés avaient avec leurs décorations de papier neuf quelque chose d'un champ de chrysanthèmes ou de pivoines blanches.

Au bout d'un certain temps elle fit demi-tour et avant la tombée de la nuit fut de retour à Benaise. Dans l'une des premières maisons, elle trouva une famille d'aveugles en train de dîner autour du feu de nouilles d'un blanc de neige qui baignaient dans leur bouillon aux oignons parfumé de quelques gouttes d'huile. De la porte, d'un ton sévère elle les admonesta : « Vous avez le toupet de manger des nouilles ? Ailleurs les gens ont tellement de faim qu'ils gonflent avant de tomber comme des poulets, et vous vous remplissez tranquillement le ventre ! » Dans la deuxième, ce n'étaient pas des pâtes mais une soupe de sorgho si épaisse que la cuiller eût pu y tenir droite. Elle vida une demi-calebasse d'eau froide dans la marmite en hurlant : « La famine s'est abattue sur l'univers, les gens meurent comme des canards, vous ne pouvez pas faire attention ? » Dans la cinquième, un gamin capricieux avait réclamé une galette de maïs à l'huile, sans lui laisser le temps de cuire, elle retira la tôle du feu et l'éteignit, là encore avec une louche d'eau froide, avant d'expliquer d'une voix cassée qu'ils feraient mieux d'aller voir dans le reste du monde, « les gens crèvent comme des chiens et vous osez vous enfermer chez vous pour préparer des galettes ! » Elle criait : « Vous croyez que le temps va s'arrêter ? Vous voulez mourir de faim l'hiver prochain ? »

Au fond du village, chez un vieux boiteux, la famille était elle aussi réunie autour du foyer, mais ce qu'ils buvaient était une soupe claire, agrémentée de galettes de grains variés, ni blanches ni noires, et de quelques légumes au vinaigre.

Elle resta sur le pas de la porte.

« Qu'y a-t-il ? demanda le vieux.

– Bancal, dit-elle, un grand malheur nous guette. Dans le reste du monde, les gens meurent de faim comme des chiens. »

Après un instant de réflexion, il suggéra que chacun enterre une jarre ou deux à la tête de son lit.

Mao Zhi convoqua le village et leur intima à tous de creuser un trou sous leur oreiller pour y stocker des réserves.

Ceci fait, on instaura encore trois règles : premièrement, défense de manger des nouilles ; deuxièmement : défense de manger des galettes ; troisièmement : défense de se lever la nuit pour grignoter quelque chose sous prétexte de petit creux. Elle recopia ces interdictions sur des feuilles de papier blanc et les obligea à les accrocher au mur à côté du dieu du foyer. Puis elle créa une milice de quelques gens-complets d'une vingtaine d'années, qu'elle chargea d'effectuer des rondes dans le village – surtout à l'heure des repas. Ils porteraient des bols, mais aussi le fusil, et obligeraient tout le monde à sortir manger sur le seuil comme autrefois. Pas question de rester derrière une porte fermée, le cas échéant ils avaient le droit de confisquer nouilles et galettes et de les porter à l'entrée du village pour les distribuer à ceux dont la soupe aurait été la plus claire, laquelle serait en contrepartie remise à la famille aux galettes.

Le temps passa, un à un les jours s'écoulèrent. Vint le dernier mois de l'année, puis le premier de la nouvelle. A partir de là les choses se précipitèrent. Accompagné de quelques jeunes et vigoureux gens-complets, le secrétaire de la commune arriva un beau jour dans une charrette tirée par un cheval. Il dit quelques phrases et confisqua deux ballots de blé dans le grenier de l'aire de battage. Il avait auparavant fait appeler Mao Zhi à l'entrée du village. « Pourquoi n'y a-t-il pas de nouvelles tombes chez vous ? » lui avait-il demandé.

Mao Zhi : « C'est mal ?

– C'est une bonne chose. Combien de repas les villageois prennent-ils par jour ?

– Trois, comme d'habitude.

– Le monde est un enfer, dit-il. Vous seuls vivez encore au paradis. Depuis six mois nous n'avons plus de grain. Chez vous, même au cœur de l'hiver, à peine arrivé on sent le parfum du blé. Il suffit de le suivre pour savoir qu'il y a encore des stocks qui n'ont pas été distribués. »

302

Il dit : « Dieu du ciel ! Ailleurs les gens meurent les uns après les autres, et vous avez plus de céréales que vous ne pouvez en manger ! »

Se tournant vers les villageois, il dit encore : « Auriez-vous le cœur de voir les autres habitants du district tomber les uns après les autres ? Vous chasseriez sans lui offrir un bol le mendiant que la famine a poussé à votre porte ? Ne vivons-nous pas tous sous le ciel du Parti communiste, ne sommes-nous pas tous frères de classe ? »

On chargea les provisions dans la voiture à cheval et il partit sans laisser le moindre grain.

Bon, il les avait emportées, il n'y en avait plus. Pourtant, quelques jours plus tard, d'autres gens-complets vinrent à nouveau avec des palanches et un mot du secrétaire. Il disait :

Mao Zhi,
Cent treize des deux cent sept habitants de la grande brigade de Huaishugou sont morts. Dans le village il n'y a plus d'écorce sur les arbres ni de terre consommable. Quand tu auras lu cette lettre, je veux que chaque famille de Benaise trouve un boisseau de grain à leur donner. Il le faut. A tout prix ! N'oubliez pas que nous sommes tous membres de la grande famille socialiste, ici ou là-bas, nous sommes tous frères de classe.

Elle emmena les jeunes gens faire la tournée des familles. Ils remplirent plusieurs palanches de blé, de grain, de farine d'igname ou de patate douce séchée. Quelques jours plus tard il en vint encore, toujours avec une lettre, et à nouveau on leur extorqua deux palanches. Le premier mois n'était pas fini qu'on en vit d'autres, par petits groupes, avec des paniers ou des sacs, tous munis d'une lettre du secrétaire marquée au sceau de la commune. Si on ne leur donnait rien, ils s'asseyaient à l'entrée du village et refusaient de partir. Au bout du compte on leur trouvait un boisseau chez les aveugles, un bol chez les boiteux. Benaise semblait être devenu le grenier de la commune, les gens y débarquaient en équipes pour réclamer des céréales, tant et si bien qu'à force, dans tous les foyers les jarres et les pots furent vides. On avait beau y plonger la louche, elle tintait contre le fond et le cœur des chefs de famille se serrait, assailli par un sentiment de désolation glaciale.

303

Le dernier jour du mois, pourtant, deux jeunes gens arrivè-
rent encore. Ils venaient du district et n'étaient pas vêtus et
coiffés comme ceux de la commune : des poches de leurs cos-
tumes dépassaient des stylos en métal rutilant. Mao Zhi en
reconnut un immédiatement : c'était Liu, l'ancien secrétaire du
chef de district Yang, à présent professeur à l'école socialiste.
Lui aussi apportait une lettre. De la main de Yang, elle disait :

Mao Zhi,
Nous sommes tous deux de la Quatrième rouge. La Révolution traverse aujourd'hui une nouvelle crise, même les cadres
du gouvernement et du comité meurent de faim. Quand tu
auras lu cette lettre, dépêche-toi de remettre à mes émissaires
un peu des céréales de Benaise pour répondre aux besoins
urgents de la Révolution.

La lettre était écrite sur un papier de paille jaune, les
phrases partaient dans tous les sens comme des herbes sèches
disséminées, mais en bas il y avait la signature et le sceau du
chef de district, plus, imprimée en rouge, l'empreinte de son
pouce et à côté, agrafé, l'insigne aux cinq étoiles qui ornait les
casquettes de l'armée du quatrième front et qu'il avait toujours
précieusement conservé – il semblait de sang séché à côté du
rouge écarlate et frais des lignes concentriques de l'empreinte,
ses coins usés avaient la couleur du plomb grisé. Mao Zhi
regarda cette lettre, en détacha le badge pour le prendre entre
ses doigts puis sans rien dire guida les envoyés jusqu'à la pièce
adossée à la falaise. Elle y souleva les couvercles de ses jarres.
« Voici le blé, dit-elle, et voici le maïs, prenez ce que vous vou-
drez.

– Comment voulez-vous que nous l'emportions, Mao Zhi ?
s'étonna le professeur Liu. La voiture à cheval arrivera demain.

– Venez, dit-elle. Nous allons faire le tour du village. »

Le lendemain, en effet, la voiture arriva. Il n'y en avait pas
qu'une, elles étaient deux ! Deux grosses charrettes à pneus en
caoutchouc. Quand elles s'arrêtèrent au centre du village, les
enfants – qui n'avaient jamais rien vu de tel – firent autour un
cercle tapageur, touchant les roues de la main, leur donnant des
coups de bâton ou approchant le nez pour les renifler. L'odeur
était bizarre, au toucher cela faisait penser à du cuir de vache
pas encore sec, et quand on tapait dessus c'était élastique, le

bâton ou la masse rebondissait. Vinrent ensuite jusqu'aux boiteux et aux sourds qui ne sortaient jamais de chez eux, vint aussi un aveugle, l'oreille dressée pour écouter ce qu'on racontait. Pendant qu'ils étaient là, attroupés autour de ces pneus à les examiner en posant des questions à n'en plus finir, Mao Zhi mena les cadres du district de maison en maison pour y récupérer des céréales.

Dans l'est du village, elle expliqua au troisième oncle, un aveugle, que le district les avait envoyés collecter du grain avec une lettre de la main même du secrétaire. « Ouvre tes jarres qu'ils y puisent, il paraît que même leur patron a les jambes couvertes d'œdèmes. »

Dans l'ouest elle dit : « Quatrième belle-sœur, ton mari n'est pas là ? Ce sont des gens du district, pour la première fois en un siècle ils nous demandent des céréales. Ouvre tes pots, ta jarre de farine et laisse-les y puiser.

– Mais après, ce sera la dernière fois ?

– Oui, après ce sera fini. »

La boiteuse ouvrit grand ses récipients et ils emportèrent tout ce qu'ils contenaient. Dans la maison suivante, le maître était un bras-cassé. C'était le propre frère du tailleur de pierre, dès qu'il la vit arriver il s'écria : « Belle-sœur ! Tu nous amènes encore du monde pour collecter des provisions ?

– Ouvre tes jarres, répondit-elle, ce sera la dernière fois. »

Il les fit entrer dans ses communs et les laissa se servir à leur guise. Petits et gros, les sacs furent entassés dans les deux voitures qui partirent en emportant tout le grain qui restait à Benaise à la surface du sol. Le premier mois lunaire venait de s'achever, l'hiver s'en allait, le printemps n'était plus loin, ils avaient promis que ni le district ni la commune n'enverraient plus personne effectuer de réquisition, si bien que tout le monde s'était montré généreux. Pourtant, une fois ce chargement parti pour le gouvernement et le comité, le bureau de l'agriculture vint encore réclamer, encore avec une lettre du comité, puis celui des affaires militaires, qui débarqua armé, en sus d'une lettre, de charrettes et de fusils.

Mais dès la fin du premier mois, après l'envoi au district, plus personne ne se montra généreux, au quémandeur on offrait au plus un bol. C'est à ce moment que de plusieurs dizaines de lis à la ronde on commença de venir mendier à

Benaise. Des gens qu'on ne voyait pas en temps normal mais qui surgissaient d'on ne savait où, par grappes entières, dès qu'approchait le moment du repas. Tirant leurs gamins par la main, ils tendaient leurs bols aux portes et jusqu'au-dessus des marmites.

Pendant ces journées, fin 1960, début 1961, si les Benaisiens souffrirent de la pénurie de céréales, ce sont les hommes qui leur firent le plus de mal. A la porte de chaque demeure se tenaient des gens-complets étrangers au village. Si sous l'auvent en bordure de rue il y avait du soleil, vous pouviez être sûr d'y trouver une famille de réfugiés accroupie. La nuit venue ils dormaient sous les porches, derrière les maisons ou dans tout coin abrité du vent. Quand il faisait si froid qu'ils n'en trouvaient pas le sommeil, ils déambulaient dans les rues en courant, faisant un tel ramdam que le village retentissait toute la nuit du bruit de leurs pas. Un jour, alors que Mao Zhi avait aperçu un petit groupe d'hommes en train d'arracher l'écorce des ormes à la lisière du village, comme elle s'approchait pour leur expliquer que ces arbres étaient morts, ils suspendirent le mouvement de leurs haches et la regardèrent : c'était bien elle, la cadre de Benaise ? Comme elle confirmait : « J'ai une fille de quinze ans, dit l'un d'eux. Trouve-lui une belle-famille au village. Qu'elle épouse un aveugle, un boiteux, n'importe, du moment qu'en échange il nous donne un boisseau de céréales. » Elle regagna le centre et y trouva une famille autour d'un feu. « Pourquoi restez-vous ici ? leur demanda-t-elle. Nous n'avons plus rien non plus. » Après lui avoir jeté un œil, le père répondit : « Je vois que tu es cadre. On prétend qu'il suffit d'être aveugle ou boiteux pour avoir le droit de s'installer ici.

– Oui, c'est un village de malvoyants, d'éclopés et de sourds-muets, expliqua-t-elle. Aucun gens-complet n'accepterait de vivre dans un coin aussi perdu.

– Puisque c'est comme ça, dit alors l'homme, toute ma famille qui est cette nuit complète aura demain perdu un bras ou une jambe et il faudra que tu nous donnes quelque chose à manger. »

Elle n'osa pas continuer, à chaque pas qu'elle faisait, quelqu'un tombait à genoux pour mendier du riz ou du blé, les gens lui attrapaient la jambe et la serraient dans leurs bras en pleurant. La nuit était si froide, la lune comme un bloc de glace.

Ceux qui dormaient dans la rue avaient rapporté les tiges de blé ramassées sur l'aire de battage pour en tapisser le sol. Les herbes du grenier leur servaient d'oreiller. Certains s'étaient installés dans l'étable des bœufs, parce qu'il faisait si froid : ils pouvaient se coller à leur ventre. Et si c'étaient d'honnêtes bêtes, elles laissaient les enfants dormir pendus à leurs jambes.

Il y avait aussi la porcherie du septième boiteux, à la lisière du village. Les cochons étaient à moitié adultes, leur enclos tapissé de litière fraîche. Les gosses de la famille qui l'occupait les prenaient dans leurs bras et volaient la nourriture dans leur auge.

Quand elle en arriva à eux, elle demanda s'ils n'avaient pas peur que les petits se fassent mordre.

« Les gorets valent mieux que les hommes, lui répondit-on, ils ne mordront pas » : chez eux au village, des gens avaient mangé de la chair humaine.

Qu'ajouter ? Rien, pas un mot, pas une phrase, mais le lendemain elle fit passer la consigne : « Faites cuire deux bols supplémentaires à chaque repas et portez-les dehors pour les donner aux réfugiés. » Du coup les choses allèrent de mal en pis, il en vint de plus en plus, on aurait cru que c'était tous les jours marché à Benaise. Ils arrivaient par vagues, c'était une marée, un amoncellement de nuages, à l'heure des repas les villageois ne se réunissaient plus sur l'aire centrale, les plus généreux comme les plus mesquins barraient leur porte et s'enfermaient chez eux. Pourtant ils avaient encore des provisions : tout le monde voyait bien qu'il n'y avait pas de tombe récente dans leur cimetière, il suffisait d'arriver avec une lettre au sceau de la commune ou du district et vous pouviez réclamer, l'information selon laquelle vous pouviez apporter votre bol et le faire remplir continuait de se répandre comme le vent de par le monde.

Des Balou et d'au-delà, une multitude s'enfonçait entre les pics. La population des mendiants était désormais plusieurs fois supérieure à celle des habitants, ils venaient du canton, du district, mais aussi pour certains de l'Anhui, du Shandong et du Hebei. Benaise était célèbre sous le ciel. Dayu et Gaoliu avaient dépêché des émissaires munis d'accréditations qui affirmaient que d'un point de vue soit historique, soit géographique, ils avaient autrefois appartenu à la même préfecture ou sous-préfecture et que pour le moment, n'étant que voisins, on n'en relevait pas moins pour autant du même département. Ils espéraient qu'on trouverait pour eux quelques provisions.

Depuis le milieu du premier mois lunaire, après avoir tant qu'il se pouvait enduré, les Benaisiens ne donnaient plus, ceux qui tendaient leur bol ne récoltaient pas une bouchée. Comme sous la menace d'un puissant ennemi, à longueur de journée on gardait sa porte close. On mangeait chez soi, on déféquait chez soi, on ne parlait à personne : vous pouviez crier et appeler vos grands-parents jusqu'à ne plus avoir de voix, il était rare qu'un huis s'entrouvre et qu'on vous tende un peu de riz ou une demi-galette.

Mao Zhi était cadre, et en tant que telle se devait d'agir différemment. Chaque jour à l'heure des repas, elle ouvrait sa porte et demandait au tailleur de pierre de préparer une marmite de soupe à la farine d'igname. Un bol pour chaque membre de la famille, le reste était ensuite porté devant l'entrée. A force, au bout de trois jours, le tailleur ne fit plus cuire qu'une demi-marmite, puis encore trois jours plus tard une petite. Comme elle le fixait d'un air sévère pour lui reprocher son manque de cœur, s'estimant injustement accusé, il lui répondit : « Va donc regarder ce qui reste dans le pot. »

Elle ne trouva rien à répondre.

Encore trois jours plus tard, il n'y avait plus de grain chez eux. Elle dut aller chez les voisins emprunter un bol ici, une louche là, et des mendiants moururent.

On les enterra le long du chemin de crête.

Il y en eut d'autres encore, qu'on inhuma à l'entrée de Benaise.

Des étrangers avaient désormais leur tombe au village.

Au cœur de la nuit, un peu plus tard, se produisit un événement d'une grande importance. Comme une déflagration, comme si Benaise avait volé en éclats. Tous les ans, à la fin du premier mois lunaire, il y avait toujours dans les Balou quelques journées d'un froid mortel. C'était encore le cas, les réfugiés auraient donc dû faire du vacarme en marchant dans les rues. Or, cette nuit-là, on n'entendait même pas grésiller leurs feux de fortune, le village était aussi silencieux que s'ils s'en étaient tous allés. A l'occasion un enfant pleurait qu'il avait faim, mais cela ne durait qu'un ou deux cris, il s'arrêtait et le calme revenait. Mao Zhi ignorait que dans ce calme, une explosion était en gestation. Comme d'habitude elle alla porter sa demi-marmite de soupe claire aux réfugiés qui campaient devant sa porte et quand elle rentra, le tailleur de pierre lui ayant chauffé sa place sous la couette, elle se déshabilla en lui reprochant : « Ce n'est pas la peine, tu sais, tu ne manges pas à ta faim, ton corps a besoin de chaleur. » Il sourit, s'assit au bord du lit et lui répondit : « Quand j'ai accroché mon burin, ma masse et ma pioche au mur, tout à l'heure, ils sont tombés d'eux-mêmes, sans raison. J'ai peur qu'il nous arrive quelque chose de grave, il est à craindre que même si j'en ai envie, je ne puisse réchauffer ta place encore longtemps. »

Mao Zhi : « Tu crois toujours à ces superstitions dans la nouvelle société ?

– Dis-moi le fond de ton cœur : regrettes-tu de m'avoir épousé ?

– Pourquoi me demandes-tu ça ?

– Dis-moi ce que tu penses vraiment. »

Mao Zhi ne répondit pas. Elle se mura dans le silence.

« Tu as peur de me le dire ?

– Tu veux vraiment savoir ?

– Dis.

– Bon, je vais te le dire.

– Dis.

– J'ai toujours eu un petit regret. »

Le tailleur de pierre devint livide. Eberlué, il la regarda et réalisa qu'elle était jeune : trente ans à peine, alors qu'il était vieux, il avait passé la quarantaine et donnait l'impression d'approcher les cinquante.

« Parce que je suis plus âgé ?

– A cause de Benaise. Il n'y a que des aveugles, des boiteux, des sourds et des muets, ici. Si ce n'avait pas été toi, quand on s'est jointés j'aurais pu être mutée au district en tant que présidente de l'Association des femmes. Mais voilà, je suis restée, je dirige le travail des champs et je ne sais toujours pas si c'est révolutionnaire. Si la réponse est non, je regretterai toute ma vie de ne pas avoir assez œuvré pour changer le monde. »

Ils en étaient là quand la chose se produisit, éclata, explosa bruyamment. D'abord on frappa puis, las de tambouriner, les gens sautèrent par-dessus le mur de la cour. « Qui va là ? »

s'inquiéta le tailleur. Ils entendirent des pas qui venaient vers la porte. « Qui est-ce ? demanda Mao Zhi. Quelqu'un est en train de mourir ? Je prépare vite un bol de soupe. » Pas de réponse, mais ils défoncèrent la porte et firent irruption à cinq ou six dans la pièce. Tous vigoureux, tous à la main un bâton, une houe ou une pelle. A peine étaient-ils entrés qu'ils allèrent se planter à côté du lit et brandirent leurs gourdins au-dessus des têtes du tailleur et de Mao Zhi en disant : « Nous sommes désolés mais le ciel est injuste. Des manchots, des unijambistes, des aveugles et des boiteux survivent tandis que nous, les gens-complets, nous mourons comme des mouches. Il n'y a pas une tombe récente dans votre cimetière. » L'orateur sortit alors une lettre rédigée au pinceau sur une feuille de papier de paille, l'autorisant à demander des provisions et portant les sceaux du comité et du gouvernement. Il la jeta devant Mao Zhi en déclarant : « Tu l'as vue, cette lettre, mais comme tu n'as rien fait pour que les villageois nous nourrissent, nous sommes obligés de nous servir nous-mêmes. Ce n'est pas du pillage, nous ne prenons que ce que le gouvernement nous a donné la permis-sion de prendre. » Puis il jeta un œil à ses compagnons et deux types d'âge moyen passèrent dans la pièce à côté avec des sacs de toile pour y chercher la farine dans la jarre. Ensuite ils allè-rent dans la cuisine y vider la marmite. Et comme le tailleur de pierre, qui était tombé du lit, en avait profité pour ramasser dessous un sac d'outils et s'était emparé d'une masse, au-dessus de sa tête une houe fut brandie, l'homme hurla : « N'oublie pas que tu n'es qu'un boiteux ! » Alors il regarda Mao Zhi et sus-pendit son geste. Un autre homme la menaçait avec un battoir : « Fais preuve d'un peu d'intelligence ! Tu es une révolution-naire, tu t'es battue, tu as fait la guerre et tu n'es même pas capable de partager ta farine avec le peuple laborieux. » Le vacarme avait réveillé la petite Jumei qui vint en pleurant se réfugier auprès de sa mère. Celle-ci la prit dans ses bras et lor-gnant l'homme qui la tirait à présent par les cheveux, le recon-nut : elle lui avait tous les jours donné un bol de soupe, à lui et à sa famille. Son regard se durcit : « Comment peux-tu man-quer à ce point de cœur ?

– Je n'ai pas le choix, répondit-il. Il faut que les miens vivent.

– Alors tu pilles ? Tu ne crois pas aux lois suprêmes ?

– Quelles lois suprêmes ? Les gens-complets sont les maîtres des handicapés. De quelles lois naturelles viens-tu me parler quand les gens meurent de faim ? Moi aussi j'ai fait la guerre, j'étais dans la Huitième Armée de route. »

Au bout d'un moment, un fracas se fit dans la cuisine, c'étaient les bols, bien sûr, et les casseroles. A quoi bon le préciser, la vaisselle était en morceaux. Dans l'autre pièce aussi, les hommes envoyaient valser pots et jarres pour trouver des vivres. Le tailleur de pierre en aperçut un par la porte qui s'appliquait à vider le maïs caché au fond d'un sac et s'en fourrait de pleines poignées dans la bouche. « Attention, dit-il, j'y ai mis de la mort-aux-rats. – Plutôt crever empoisonné, lui répondit-on, ce sera toujours plus agréable que mourir de faim à petit feu. – Je suis sérieux, dit le tailleur, il est dans la galette, il ne faudrait pas que tu empoisonnes ta femme et tes enfants. » L'homme braqua alors sa lampe sur l'ouverture du sac, en retira une galette sèche et la jeta derrière la porte.

Dans la pièce, le tohu-bohu était à son comble. Réfugiée dans les bras de sa mère, Jumei poussait des cris perçants qui circulaient comme des courants d'air. Mao Zhi souleva sa chemise, lui enfonça un sein dans la bouche et instantanément elle cessa de pleurer. Il n'y eut plus que le bruit des pas, celui des armoires qu'on fouillait et celui des coffres qu'on renversait. Et pan ! et vlan ! cela n'arrêtait pas. Un homme sortit désemparé de la cuisine pour s'arrêter un couteau à la main devant elle : « Je n'ai rien trouvé, dit-il, je n'ai rien pris, mon gosse n'a que trois ans, il a faim et il a froid, donne-moi quelque chose. » Elle attrapa la veste ouatée de la petite Jumei qui traînait sur le lit et lui demanda : « Elle n'est pas trop petite ?

– Un peu, ça ira quand même.

– C'est un modèle pour fille.

– Tant pis, on fera avec. »

Entre-temps, tout ce qui dans la maison pouvait être mangé ou servir à se vêtir ayant été raflé, les hommes étaient de retour devant le lit. Après avoir regardé Mao Zhi, puis le tailleur de pierre, le plus âgé se mit alors à genoux et se prosterna : « Je m'excuse, c'est mal. » Puis il s'en alla en emmenant les autres.

Comme une bourrasque souffle et s'en va.

Le calme était revenu dans la maison, le tailleur tourna la tête vers le mur, là où auparavant le fusil était accroché :

« Dommage qu'on l'ait laissé aux miliciens », dit-il. Mao Zhi à son tour tourna la tête vers le mur vide, elle posa son bébé sur le lit et d'un commun accord ils s'habillèrent pour sortir. Mais quand elle voulut pousser le portail, elle s'aperçut qu'il était fermé de l'extérieur. Ils étaient enfermés chez eux.

Dehors une voix cria : « Ils ont tout enterré sous leur lit ! Cherchez sous les lits ! » Ensuite leur parvint, de chez les voisins, le bruit des gens-complets à la recherche de pioches, de pelles et de houes. Puis celui de la terre qu'on creuse et qu'on fouille. Puis le tumulte des maisons qu'on pillait, un vacarme retentissant qui emplissait l'univers comme le bruit de la guerre. Le tailleur de pierre regardait sa femme, qui affolée par ce tintamarre tournait en rond dans la cour en marmonnant entre ses dents : « Que faire, mais que faire, pourquoi les gens-complets manquent-ils de cœur à ce point, pourquoi sont-ils si cruels ? » Il alla chercher une chaise, la posa au pied du mur et sauta dans la rue pour ouvrir. La lune était claire et lumineuse, le regard portait loin, pas assez cependant pour qu'on discerne ce qu'emportaient les petits groupes d'ombres noires qui s'éloignaient à la hâte dans les champs. Ils en avaient sur le dos, à l'épaule, dans les bras, certains s'empressaient de revenir dans le village, d'autres en partaient à toute vitesse, cela faisait un capharnaüm et un bruit de pas dispersés. Quelques gens-complets avaient entrepris d'entraîner les bêtes de trait, d'autres portaient les cochons, telle jeune femme partait avec un poulet. Le monde résonnait des caquètements de la volaille, des grognements des porcs et des coups de fouet qui s'abattaient sur le dos du bétail. Un homme qui partait en courant laissa dans son empressement tomber de sa palanche un objet quelconque qui alla rouler au bord de la route. Il posa sa charge pour tâtonner à sa recherche, un autre qui passait avec un mouton embarqua sa palanche. C'était un désordre indescriptible, partout le chaos, partout des clameurs, des foyers de Benaise montaient des cris et des sanglots étouffés qu'on voyait voler, pourpres dans la lumière de la lune, comme autant de caillots ou de traînées de sang séché au-dessus du village. L'aveugle dévalisé se tenait sous l'auvent, serrant dans ses bras sa femme et son fils eux aussi aveugles, en sanglotant il suppliait : « Laissez-nous au moins une petite bouchée, braves gens, personne ne voit, chez nous. » Un sac de grain sur le dos, les braves gens prenaient le chemin de la porte et lui répondaient : « Pourquoi est-ce que des aveugles vivraient mieux que des gens-complets ? Depuis quand les infirmes doivent-ils être mieux lotis que les bien-portants ? » Et de souligner : « Nous ne sommes pas venus pour piller, c'est le gouvernement qui nous a conseillé de venir chercher à manger ici. » Qu'y avait-il à ajouter ? Dans son obscurité il les voyait emporter les provisions de la famille. Le sourd était fort, mais il n'avait pas entendu les hommes entrer dans sa cour, alors ils l'avaient ligoté au pied de son lit. Le muet non plus n'avait rien entendu mais il était sensible, on l'avait assommé d'un coup de gourdin. Au boiteux ou à l'estropié qui avait cherché à leur faire obstacle, les vandales avaient dit : « Le premier qui bouge, je lui bousille sa jambe valide. » Alors il s'était souvenu de son infirmité et avait dû, les yeux grands ouverts, les regarder vider sa demeure.

« Où est la lampe ? demandait un gens-complet.

– Sur le coin de la table, répondait la femme en levant son unique bras.

– Va l'allumer. »

Elle s'exécutait et la leur tendait en implorant : « Dans le monde entier c'est la disette, je sais que vous avez faim mais mon enfant n'a qu'un an. Laissez-lui un boisseau de farine, d'accord ? – Nous aussi, lui répondait-on, nous sommes de la commune des Cyprès, elle nous a donné une lettre nous autorisant à vous demander des provisions. Il y a le sceau du gouvernement dessus, si tu ne me crois pas, je peux aller la chercher. » Et puis : « Chez vous personne n'est mort, chez nous quatre personnes sur sept. Puisque nous avons cette lettre, sur quoi vous fondez-vous pour ne rien nous donner ? Au nom de quoi refusez-vous d'obéir aux ordres d'en-su ? » Et ce disant ils déterraient le blé enfoui sous le lit puis partaient avec sur le dos le sac dans lequel ils avaient renversé jusqu'au dernier boisseau de farine.

Une fois sur le seuil, sans même se retourner ils ajoutaient :

« Réfléchissez un peu, pourquoi faudrait-il que les infirmes vivent mieux que les gens-complets ? »

Tous les foyers furent mis à sac.

Le village n'était plus que sanglots.

Sur les Balou régnaient le tapage et le désordre.

313

Mao Zhi et le tailleur de pierre se tenaient sur le pas de leur porte. A la lueur de la lune, ils regardaient ces gens qui razziaient Benaise et de leurs yeux les larmes coulaient comme de l'eau. Quand un groupe de quatre ou cinq personnes qui emmenaient le bœuf jaune du village passa devant eux, elle bondit en clopinant au milieu de la rue et s'empara de la longe en leur disant : « Laissez-le-nous, bientôt la brigade en aura besoin pour labourer ! » On lui balança un œil mauvais, puis un coup de pied dans sa bonne jambe et comme une chaise à laquelle il manque un pied, elle s'effondra au clair de lune. Mais en rampant, elle alla s'accrocher à la jambe de l'homme qui menait la bête : « Nous sommes tous membres de la commune des Cyprès, vous ne pouvez pas nous faire ça ! Nous sommes tous membres de la même commune. » L'homme gronda : « Au nom de quelle putain de commune pourrais-tu m'en empêcher ? On crève de faim et tu me parles de commune ! » Puis tirant, poussant et fouettant le bœuf, il voulut aller de l'avant et comme elle le tenait toujours, à nouveau il envoya un violent coup de pied dans sa jambe valide. Le tailleur de pierre accourut et tomba à genoux, profondément il s'inclina, se prosterna, l'implorant de ne pas la battre : « S'il vous plaît, ne la frappez pas, c'est une infirme, elle n'a qu'une jambe en bon état, si vous voulez battre quelqu'un, battez-moi, si vous voulez corriger quelqu'un, corrigez-moi.

– C'est ta femme ? Dis-lui de me lâcher. »

Il se frappa le front sur le sol : « Laissez-nous le bœuf, quand il faudra labourer, que ferons-nous ? »

L'homme porta un nouveau coup à la jambe de Mao Zhi.

Qui poussa un cri perçant mais s'agrippa d'autant plus fort à lui. La tête du tailleur fouettait la terre comme des gouttes de pluie, il suppliait : « Battez-moi ! Rossez-moi ! Elle, elle est allée à Yan'an, elle a fait la guerre, elle a participé à la Révolution et aidé à fonder la nouvelle société ! » Le regard du gens-complet se détourna, se posa sur Mao Zhi et il grinça des dents : « Putain ! Ce sont les gens comme toi qui ont foutu le bordel ! Sans la Révolution, ma famille aurait encore deux mus à elle, et un bœuf, mais il a fallu que vous la fassiez, cette Révolution, et que vous nous cataloguiez paysans riches ! Nous n'avons plus ni terres ni bêtes, avec cette famine trois de nos cinq bouches sont mortes. » Et il recommença de la bourrer de *coups de pied en disant : « Femme, tu ne pouvais pas rester tranquille chez toi, il a fallu que tu la fasses, ta Révolution, je vais t'apprendre, moi ! Je vais t'apprendre à la faire ! » Et de la frapper violemment aux reins.*

Effrayée, elle lâcha.

L'homme renifla plusieurs fois puis partit avec le bœuf rejoindre ses semblables. Mais au bout de quelques pas, il se retourna pour assener : « Si vous ne l'aviez pas faite, cette putain de Révolution, on n'aurait pas cette putain de famine. » Furieux, il sortit du village et monta vers la crête.

Benaise retrouvait peu à peu son calme.

Les derniers pillards s'en allaient abattus en marmonnant d'un ton pitoyable : « Nom de Dieu de merde, je n'ai rien récupéré, rien. » Sans qu'on sache s'ils insultaient les villageois ou les autres, qui ne leur avaient rien laissé, ni provisions ni quoi que ce soit.

Le jour pointait.

La rue était jonchée de paniers vides, de sacs éventrés, de grains de maïs et de blé épars sur le sol. Ainsi que de lettres qui toutes portaient la signature du chef de district et du secrétaire de la commune.

Comme d'habitude le soleil se leva, d'un jaune gai il brillait sur les monts, le village et les maisons. Sur les lettres d'introduction les sceaux étaient rouge vif, éclatants comme des fleurs. Qui fut le premier à sortir ? Il suffit qu'il se plante sur le pas de sa porte pour qu'immédiatement les aveugles, les boiteux, les sourds-muets et les gens-complets, tous, jeunes et vieux, fassent tour à tour leur apparition. On restait là, en silence, sur le seuil, et je te regarde et tu me regardes, sans mot dire ni d'une part ni de l'autre. Il n'y avait rien à lire sur ces visages, nulle tristesse, nul accablement : simplement ils étaient figés, les gens s'observaient avec des faces de bois. Comme pour lui-même, au bout d'un certain temps, un sourd finit pas commenter : « Il n'y a plus une poignée de grain à la maison, nous allons mourir de faim, ils ont volé jusqu'à la jarre que nous avions enterrée sous le lit. » Ensuite ce fut un aveugle : « Ils ont dit que je n'avais pas besoin de m'éclairer, alors ils ont pris la lampe à huile, une lampe en cuivre dont je n'avais pas eu le cœur de me séparer pendant le fléau du fer. » C'est à cet instant que Mao Zhi survint. Elle arriva accrochée à sa canne, boitant plus que jamais, à chaque pas sur le point de s'effondrer. Son teint était d'un blanc jaunâtre, ses cheveux en broussaille semblaient n'avoir pas vu de peigne depuis huit siècles, comme elle avait vieilli en une nuit : les rides dessinaient une toile d'araignée sur son visage, et à ses tempes les mèches avaient blanchi. Elle alla jusqu'au sophora, là où en des jours anciens pendaient la roue et sa cloche, et regarda les villageois alignés des deux côtés de la rue. Alors ils vinrent vers elle et comme autrefois pendant les meetings, ils firent cercle en silence, comme hypnotisés.

Tout à coup, la bru d'un vieux boiteux – soixante-dix-sept ans, il habitait le fond du village – se mit à hurler. Criant d'une voix rauque et perçante comme le vent quand il ne cesse de tourner, elle sautait, trépignait et se frappait les cuisses des deux mains :

« A l'aide ! Vite ! Le père est en train de mourir dans le trou aux céréales sous le lit !

Venez vite ! Il crève de rage dans son trou à grains ! »

Effectivement le bonhomme se mourait, il rendit l'âme au bord de sa réserve souterraine, à côté de lui une lettre de réquisition aux sceaux de la commune populaire et du secrétaire, que Mao Zhi récupéra quand elle arriva avec le reste du village. Dans un dernier souffle, il eut le temps de lui enjoindre :

« Déjointe Benaise. Jamais nous n'aurions dû appartenir à ce district ni à cette commune. »

Il trépassa.

Quand il fut mort, on l'enterra.

Et quand il fut enterré, une grande famine s'abattit sur le village.

Les premiers jours, personne ne mit le nez dehors. Les gens ne sortaient pas, ne bougeaient pas, cela économisait l'énergie, la faim venait moins vite. Quelque temps plus tard, ils eurent l'idée d'aller cueillir des racines d'herbes et des légumes dans la montagne. Et encore plus tard, il y en eut pour imiter les morts de l'au-delà et se nourrir de l'écorce qu'ils arrachaient aux arbres. Ils dépouillaient les ormes, ne gardant que la couche de peau sombre la plus proche du cœur, qu'ils faisaient bouillir pour obtenir une soupe gluante. Les jours s'écoulaient, au bout de deux semaines toutes les herbes sauvages et les racines de la montagne avaient été

316

arrachées, les ormes pelés à vif, il fallut se mettre à manger la terre crue.

Ils mouraient.

Les uns après les autres, de faim.

Dans le cimetière il y eut de nouvelles tombes. Au bout de quinze jours elles étaient aussi nombreuses que les pousses de bambou au printemps après la pluie. Bientôt le lopin qu'elles occupaient à l'entrée du village fut aussi grand que l'aire de battage. Comme les jeunes de plus de dix-huit ans qui n'étaient pas mariés ne pouvaient être admis auprès de leurs ancêtres, on les enterrait n'importe où. Pour les enfants de moins de trois ou cinq ans, cela ne valait pas la peine de faire la dépense du bois pour un cercueil, on les enveloppait dans une natte et on les posait dans un panier qu'on prenait au bras pour aller le jeter dans le fossé qui courait à l'extérieur du village ou à côté d'un tas de pierres dans la montagne.

Les cieux étaient de cire, même les crêtes avaient plongé dans un silence épais. Et comme une brassée d'herbe jetée sur une pente, comme une ruine entre deux sommets, Benaise était perdu sous cette cire. Avec un cri perçant un aigle descendait du ciel et se posait à côté du panier contenant un enfant mort. Au début le père ou la mère n'étaient pas loin, ils veillaient et chassaient l'oiseau avec des cannes de bambou. Mais vite ils avaient si faim qu'ils n'arrivaient plus à sortir et cessaient de monter la garde. Alors les rapaces et les chiens sauvages s'en donnaient à cœur joie. Quelques jours encore et lorsqu'ils partaient chercher plus loin de quoi se nourrir, le panier était vide.

Puis les paniers se multiplièrent et on les retrouvait tous vides. Les adrets où on les laissait devenaient des terrains vagues, le paradis des renards, des aigles et des chiens sauvages.

Les gens ne pleuraient pas mais il y avait de plus en plus de tombes et de plus en plus de paniers. Le premier mois lunaire s'était achevé, le deuxième s'écoula. Si l'hiver n'était pas encore parti, le printemps pointait. Les températures commençaient à s'adoucir, lentement les habitants mirent le nez dehors pour s'installer au soleil sur le pas de la porte et discuter avec leurs voisins. Ils dirent : « Il est arrivé quelque chose. » Ils dirent : « Comme on était benaise avant, comme on était bien. C'est parce que Mao Zhi nous a fait jointer la coopérative et la commune populaire que cette catastrophe comme on n'en avait pas vu depuis un millénaire nous est tombée dessus. » Ils dirent : « Puisqu'elle nous a jointés, il faut qu'elle nous déjointe et qu'on recommence à vivre comme avant. » Ils dirent : « Si nous n'avions pas jointé, personne n'aurait entendu parler de cette vallée au fond des Balou, ni du village appelé Benaise qui s'y cache, ni des infirmes qui y vivent. Nous coulerions des jours libres et insouciants, pourvus plus qu'à notre suffisance en nourriture et en vêture. D'ailleurs, même s'ils avaient su qu'il existait, comme il est à la frontière de trois districts, à Shuang-huai ils auraient prétendu qu'il appartenait à Dayu, à Dayu qu'il relevait de Gaoliu, et à Gaoliu que c'était l'affaire de Shuang-huai. Si bien qu'en fin de compte il n'aurait jamais, jamais dépendu de qui que ce soit, d'aucune commune et d'aucun dis-trict. Ses habitants seraient benaises, décontractés et noncha-lants. Qui aurait songé à venir leur prendre leurs céréales avec une lettre d'introduction ? Qui aurait songé à piller le village ? » Ils dirent : « Tout est de la faute de Mao Zhi. C'est elle qui nous a fait entrer dans le district et la commune, c'est à cause d'elle qu'il y a eu ce grand désastre et cette grande catastrophe. »

D'un commun accord ils se rendirent chez elle.

Ils appelèrent, ouvrirent la porte et la virent arriver en vacillant : comme eux, elle avait le visage couvert d'œdèmes luisants aux reflets verts. A la porte de la cuisine, dans une bas-sine d'eau trempait la sacoche du tailleur, celle qui avait contenu sa masse, où il avait rangé son burin et mis son ciseau. Elle était en cuir, comestible si on la faisait macérer. Tous les jours elle y découpait quelques lanières de la taille d'une nouille, les mettait dans de l'eau salée et les faisait bouillir pour remplir le ventre de sa fille. Là, sur le pas de sa porte, devant ce village furieux auquel s'était mêlé jusqu'au plus proche cousin du tailleur, elle comprit qu'il allait se passer quelque chose. De vert son teint vira au livide : « Qu'y a-t-il pour que vous soyez tous là ? »

Silence. En leur nom à tous, le cousin finit par prendre la parole : « Il y a des morts dans toutes les familles, nous nous faisions du souci pour toi, pour mon parent et pour ma nièce. Alors nous sommes là. »

Un sourire vint flotter à ses lèvres. « Merci, merci à tous, articula-t-elle. Merci de penser à nous en un tel moment.

– Ce n'est pas tout, belle-sœur. Il y a autre chose et je vais être direct. Le village voudrait vivre aussi benaise qu'avant. Si un de ces jours prochains tu pouvais te mettre en route pour la commune et le district afin que nous puissions revenir au temps où personne ne nous administrait ? »

Embarrassée, elle ravala son sourire.

Puis ce fut le boiteux, celui qui avait dû remettre son bœuf au son du fusil quand on avait fondé le groupe d'entraide : « Pourquoi ça ne marcherait pas ? A l'époque, aucun des trois districts ne voulait de nous. »

Une femme borgne, à qui en dépit de son indignation on avait confisqué sa charrue et sa houe, ajouta à grand renfort de gestes : « Petite cousine, quand on s'est jointé, tu nous as dit que c'était pour que les Benaisiens coulent des jours paradisiaques, que bientôt on n'aurait plus besoin du bœuf pour labourer les champs, ni d'huile pour allumer les lampes. Aujourd'hui, dis-moi où ils sont, ces jours paradisiaques ? »

Suite à quoi la dizaine de gens-complets et une femme paralytique se mirent à vociférer à qui mieux mieux : « Va voir à l'entrée du village, Mao Zhi, va voir dans les fossés, compte les morts dans le cimetière, dis-nous combien il y a de tombes supplémentaires, combien de paniers contenant des enfants on a jetés dans la montagne. » Ils disaient : « C'est ça le paradis dont tu nous parlais ? Cet éden des communes populaires où tu tenais à nous faire entrer ? » Et ainsi, une phrase après l'autre, tout le monde, les aveugles, les boiteux et les sourds, y alla de ses doléances, le ton montait, c'était un gigantesque déluge de protestations, même les aveugles la montraient du doigt. De vert son visage était passé à l'ocre, une sueur froide lui dégoulinait sur les joues. Il n'y avait pas de vent, le soleil du deuxième mois était d'un or éclatant, le village aux arbres nus baignait dans cette calme lumière. Les gens avaient emporté les bœufs, emporté les cochons, volé les poules et les canards. Benaise semblait mort, hors ces villageois que la faim rendait fous, il n'y avait pas un être vivant. Elle les contempla. Certains étaient debout, d'autres trépignaient, de-ci de-là des femmes étaient assises, dans leurs bras un enfant tellement famélique qu'il ne pleurait même plus.

Elle les soupesa du regard. Puis elle jeta un œil au ciel cireux et à la terre nue de la rue et de la montagne au loin. Un violent vertige la saisit, autour d'elle tout tournait, elle se laissa glisser contre le chambranle de la porte et s'agenouilla : « Mes amis, mes frères, mes sœurs, soyez tranquilles, dit-elle. Si je m'en sors vivante, je trouverai à nous déjointer comme j'ai trouvé à nous jointer. » Elle dit aussi : « Le père de Jumei est mort depuis deux semaines, il est dans le lit. Il refusait de manger sa sacoche, lui qui toute sa vie avait taillé la pierre n'aurait pas imaginé qu'elle serait ce qu'il aurait de meilleur à nous léguer. » Elle dit : « Il en reste une moitié, je vais la découper, vous vous la partagerez mais s'il vous plaît, aidez-moi, réunissons le peu de forces qui nous restent et creusons un trou pour l'inhumer à la sortie du village. » Elle dit : « Le temps se réchauffe, il faut absolument l'enterrer » ; elle dit : « Moi je vous demande pardon, pardon à tous. Mais lui, c'était un brave homme, faites-le en son nom. »

Elle dit tout cela, à genoux devant eux, et quand elle eut parlé, sa tête s'inclina et cogna trois fois contre le sol. Les larmes lui montèrent aux yeux, roulèrent en perles rondes qui sur ce visage brillant d'œdèmes avaient dans la lumière du soleil des éclats de cristal. Quand elle eut parlé, quand elle se fut prosternée, elle se releva – toujours en prenant appui sur le chambranle de la porte – et les pria d'entrer.

Eberlués, les villageois échangeaient des coups d'œil qui faisaient penser que jamais ils n'auraient rien imaginé de tel.

« Je vous ai implorés, ajouta-t-elle alors. Vous pouvez compter sur ma parole, j'ai tellement de torts envers vous que depuis quinze jours je n'ai pas osé mettre le nez dehors de peur de vous rencontrer. Puisque tout le monde est là, je vous en fais le serment solennel : si je ne déjointe pas Benaise, que je meure de faim ou que j'éclate. Vous aurez le droit de livrer mon cadavre aux asticots et aux chiens, que les loups le déchirent et que les aigles le lacèrent. » Puis : « Si je survis, Benaise sera déjointé du district de Shuanghuai, je vous ferai sortir du canton des Cyprès. » Et encore : « Je vous en supplie, aidez-moi à sortir le tailleur de pierre du village et à l'enterrer, Jumei est si petite, il lui fait peur. »

Le premier à passer la porte fut le cousin, les gens-complets lui emboîtèrent le pas. Effectivement, dans le lit sous la couverture, ils trouvèrent le grand corps raidi du tailleur et par terre, sur un battant de porte, la literie de Mao Zhi et de sa fille.

Enroulée dans sa couette, celle-ci, qui mâchouillait une lanière de cuir bouilli, eut en les voyant entrer un sourire jaune et desséché.

Ils l'emportèrent. On l'enterra, et quand Mao Zhi les eut remerciés, devant la tombe à nouveau elle s'agenouilla pour leur jurer que plus jamais elle ne ferait la Révolution. « Si je survis, moi qui me suis arrangée pour jointer Benaise, je ferai tout pour le déjointer. »

Tels furent les événements de cette année-là. Historiquement, c'est à eux qu'on se réfère quand on parle au village de la « grande catastrophe ».

③ **Ne plus avoir d'argouane** – DIAL. *Ne pas avoir de mémoire. « Tu n'as pas d'argouane » se dit pour insulter ceux qui sont oublieux de choses que nul ne devrait oublier.*

CHAPITRE V

Ils tombent à genoux,
l'univers n'est plus que larmes

Mao Zhi n'imaginait pas que les choses prendraient une telle tournure, c'était comme une impasse de la montagne, de celles qui vous mènent soit dans une forêt sans issue, soit sur la berge d'une rivière où se reflète la lune, soit au bord d'un précipice qui vous empêche d'aller plus avant. Cette cité du Nord du Jiangsu était en tout point semblable à ses voisines qu'elle avait visitées. Partout des immeubles si hauts qu'ils se perdaient à la frontière des nuages, la plupart avec des parois entièrement en verre qui vous donnaient l'impression de frôler un feu à ciel ouvert si vous passiez à côté dans la journée. Il y avait de quoi se rôtir le gras et votre crâne se mettait à sentir le cheveu grillé. Les rues étaient si larges qu'on aurait pu à la saison du blé y mettre les épis du monde à sécher, et à l'automne le maïs du monde. Or, sur un tel espace, il n'y avait pas une graine, mais des gens, partout. Et partout des automobiles. Leur essence sentait encore moins bon que le purin dans les porcheries ou les étables des Balou, c'était une odeur chaude, visqueuse et puissante. Au moins à la campagne le fumet s'échappe par filets, par effluves, là la puanteur engluait la ville comme un paquet, on la trouvait dans les rues, dans les venelles, partout.

Heureusement encore, ce jour-là ses relents s'étaient estompés, la pluie les avait lavés.

La ville semblait propre, rajeunie.

Mao Zhi était sortie seule de la salle, elle s'apprêtait à aller seule au long des rues. Jamais elle n'aurait imaginé que les gens de Benaise aient tant changé et qu'ils ne veuillent plus se déjointer. Qu'ils n'aient pas envie de quitter la troupe. Jamais non plus elle n'aurait pensé qu'à la porte du théâtre, alors qu'elle se tenait encore sous l'avant-toit face à ce blanc rideau que la pluie y avait accroché et qui descendait jusqu'aux marches, elle verrait le directeur et les gens-complets du district plantés sous la pluie comme des poulets tombés dans un bouillon. Quand ils s'aperçurent de sa présence, on eût cru à leur excitation qu'ils venaient de découvrir un feu au milieu de la froidure. Où étaient-ils allés traîner ? Aucune idée, mais de toute évidence ils étaient de retour, avaient débattu sous les gouttes et son apparition avait mis un terme à leur indécision. A présent ils venaient vers elle.

« Tu tombes à pic, lui dirent-ils. Nous voulons te parler de quelque chose. Le chef de district a téléphoné : le capital nécessaire à l'achat de Lénine est en gros réuni, votre contrat expire à la fin du mois, le gouvernement a donné son accord, l'année prochaine Benaise ne dépendra plus de Shuanghuai. Mais il a ajouté qu'en toute chose il faut écouter la voix populaire et qu'avant de vous rapatrier nous devons consulter les habitants du village. Qu'ils votent pour qu'on sache combien il y en a qui veulent rester à Shuanghuai et dans le canton des Cyprès, et combien il y en a qui préfèrent se déjointer et vivre sans entraves. »

La pluie tombait serrée. Ils se tenaient sur les marches à l'entrée du théâtre, certains sous un parapluie, d'autres laissant l'eau dégouliner à son gré sur leur crâne. Leurs visages étaient trempés et la bruine brouillant les expressions, impossible de deviner ce qu'ils espéraient en tenant ce discours, ni ce dont ils venaient de délibérer. On avait l'impression qu'ils l'avaient aperçue immédiatement après avoir reçu le coup de fil du chef de district, tant les mots leur coulaient des lèvres avec naturel. Le cœur de Mao Zhi se serra, ce fut comme si une lourde masse était venue cogner contre sa poitrine en pisé. Ils ignoraient que les Benaisiens avaient un instant plus tôt levé la main dans les coulisses et que la majorité était au terme de ces cinq mois de tournée devenue hostile à l'idée de déjointaie. Que tous préféraient dépendre de Shuanghuai. Evitant de leur raconter ce qui s'était passé, elle s'enquit simplement en les regardant :

« Et les autres ?

– Quels autres ? » Mais déjà ils enchaînaient : « Ah ! La troupe n° 1 ! Ils sont à Canton et ils ont voté : sur les soixante-sept Benaisiens qu'elle compte, pas un n'a envie de se déjointer, ils ne veulent pas que la troupe soit dissoute, ils aimeraient rester toute leur vie à jouer et courir le monde. »

Quelque chose se bloqua dans sa gorge, elle aurait voulu parler mais elle n'y arrivait pas.

Comme s'ils avaient lu dans ses pensées, les cadres de la troupe n° 2 sautèrent sur l'occasion pour lui annoncer le fruit de leurs délibérations et expliquer de quoi ils venaient de débattre sous la pluie. « Mao Zhi, lui dirent-ils, mettons les cartes à plat, nous savons que toute votre vie vous avez essayé de libérer le village de ses entraves administratives, de le déjointer, comme on dit chez vous, pour couler des jours libres et benaises. Nous savons aussi que les villageois ont touché beaucoup d'argent pendant cette tournée et qu'ils ont peur de ne plus en gagner quand ils seront autonomes. Mais si vous, vous le voulez vraiment, faites-nous une faveur et tout ira bien. Si vous êtes d'accord, il nous suffira d'annoncer au chef de district que les membres des troupes ont voté en faveur de la déjointaie. Lorsque vous rentrerez à Shuanghuai, ce sera l'an prochain et vous ne dépendrez plus ni du district ni du canton. Vous serez définitivement et complètement indépendants. »

Mao Zhi les fixait, attendant qu'ils expliquent à quoi elle devrait donner son accord.

« Rien de terrible, lui dit-on. Cela fait cinq mois que nous organisons les spectacles, nous sommes fatigués et nous aimerions nous partager les recettes des quelques jours qui viennent. Signez le registre qui dira qu'il a trop plu les dix derniers jours pour que la troupe puisse se produire et le tour sera joué. »

Ils dirent : « Nous en avons discuté avec les cadres de la n° 1 et ils comptent faire pareil. Tout le monde sait qu'il pleut beaucoup dans le Sud, au district personne ne sera surpris. »

Ils dirent : « On fera passer l'entrée de cinq cents à sept cents yuans, et comme les acteurs ont droit à deux fauteuils par représentation, tout le monde touchera plus de mille yuans par jour. »

Ils dirent : « Mais pour sept cents yuans, il faudrait du nouveau, quelque chose de bizarre que les gens auront absolument envie de voir. »

Ils dirent : « Nous partons ce soir pour Wenzhou, notre prochaine étape. Il ne pleut pas là-bas, il paraît que le temps est au beau. » Puis : « Les gens y sont encore plus riches qu'ici. Quand ils marient leurs enfants, ils écrivent le caractère *noces* en billets de cent sur du papier rouge, et des *doubles bonheurs* grands comme des nattes qu'ils collent sur les murs et les panneaux publicitaires. Dans certaines familles, quand un vieillard meurt, on ne brûle pas de papier-monnaie mais du véritable argent, par liasses entières ! »

Ils dirent : « Ce n'est pas difficile d'innover. On prend ce qu'on a, vous nous faites un numéro en plus et le tour est joué. La salle sera à vos pieds. »

Ils dirent : « On déplace le vieux de cent vingt et un ans à la fin du spectacle, on attend que le public ait bien eu le temps de s'émerveiller de sa longévité, on vous fait entrer en scène dans un fauteuil roulant et on raconte que vous, vous en avez deux cent qua-rante et un, que les nines sont vos arrière-arrière-arrière-arrière-petites-filles, la neuvième génération de votre descendance, et on intitule le numéro "neuf générations sous le même toit". »

Ils dirent : « On va truquer votre carte d'identité et votre livret de famille. Mais si vous ne voulez pas jouer, aucune importance, du moment que vous signez le registre et affirmez que les représentations ont été annulées à cause de la pluie. Et même. Nous, en fait, gagner de l'argent sur les dernières recettes, on s'en moque. Ce qui compte, c'est votre histoire de déjointaie. »

Ils dirent : « Réfléchissez. Si vous êtes d'accord, nous partirons cette nuit pour Wenzhou. D'ailleurs, si vous voulez, on peut vous donner quatre fau-teuils. »

Après un instant de réflexion, elle ouvrit enfin la bouche.

« Je ne veux pas d'argent, dit-elle.

– Quoi, alors ?

– Du temps pour réfléchir.

– Mais vite alors, le trajet va nous prendre une bonne moitié de la nuit, les routes sont glissantes avec cette pluie. »

Ils s'en allèrent. Rentrèrent dans le théâtre. Et elle, clopin-clopant mais d'un pas assuré, s'éloigna dans la rue. Elle ne regardait nulle part, ni à droite ni à gauche, se contentant de jeter de temps à autre un œil aux véhicules qui la dépassaient en fonçant et à l'eau qui volait. Du fait de la pluie, les habitants de la ville n'étaient pas de sortie, les rues étaient vides, aussi désertes que les allées d'un cimetière. L'eau qui s'était accumulée sur le sol s'engouffrait dans des fentes en glougloutant et laissait sur les bords de la chaussée des tourbillons argentés. Tels les peupliers de la forêt qui en été dans les Balou font résonner la brise, les immeubles lui renvoyaient l'écho clair de l'averse qui battait et du vent qui soufflait. Plus loin devant, les bâtiments et les maisons noyés dans la brume s'amalgamaient en une vague masse d'un gris noirâtre, comme paralysée à la surface de l'eau dont s'échappait une épaisse vapeur.

Un temps, Mao Zhi crut vraiment qu'il s'agissait d'un gigantesque lac, mais à force et à mieux y regarder, elle comprit que c'était juste l'éclat flou que la pluie arrachait à l'asphalte et au béton. A un carrefour, deux voitures étaient entrées en collision. Les chauffeurs échangèrent quelques mots puis chacun reprit son volant et ils disparurent. Elle continua dans cette direction. Une fois sur place, elle découvrit un sol jonché d'éclats de verre de la taille d'un pois, et au milieu de ces débris, sous l'averse, un jeune chien au pelage bigarré qui s'était fait renverser et dont le sang, plus épais puis plus pâle, se diluait lentement. D'abord rouge noirâtre, puis rouge frais, petit à petit il se dissolvait dans les flaques.

Les gouttes battaient cette mare ensanglantée avec un écho satiné. Il s'en dégageait une mousse carmine rappelant les ombrelles en papier vermillon qui fleurissaient dans les rues de cette ville par beau temps. Les bulles faisaient, à peu de choses près, le même bruit en éclatant que les ombrelles en se refermant : mais si le claquement des ombrelles était long, le leur était aussi bref qu'éclatant. Qui plus est, à chaque « pop », un infime filet fétide s'échappait et montait au milieu de l'air avant de retomber écrasé. Et Mao Zhi restait là, au milieu du verre brisé de l'accident, au-dessus de ces effluves malodorants, à regarder ce chien qui donnait l'impression d'implorer son aide.

Elle pensa aux bâtards infirmes qu'elle avait recueillis.

S'accroupissant, elle lui flatta la tête et caressa ses pattes arrière qui traînaient sur le sol sanguinolent. Si le billet coûte sept cents yuans, se disait-elle, dix fauteuils en rapporteront sept mille ; cent, soixante-dix mille ; et mille, sept cent mille. Or, au cours des deux derniers mois, ils avaient rarement fait moins de mille trois cents entrées par représentation. Et mille trois cents billets correspondaient à neuf cent dix mille yuans. Sur ces neuf cent dix mille yuans, une fois prélevés les fauteuils des Benaisiens, il en resterait au moins huit cent cinquante mille, lesquels seraient partagés entre les cadres du district, plus le comptable, le caissier, le vendeur et le magasinier – soit les quinze gens-complets que la troupe comptait en sus des infirmes.

Autrement dit, ces quinze personnes toucheraient à chaque représentation la somme de huit cent cinquante mille yuans.

Autrement dit, pendant que les Benaisiens continueraient de faire leur numéro pour deux fauteuils par jour, eux toucheraient quotidiennement au moins cinquante mille yuans par personne.

Autrement dit, il suffirait que je ne signe pas la mention *du fait de la pluie les représentations sont interrompues*, que je n'y appose pas mon empreinte digitale, pour les priver de cet argent.

Autrement dit, également, pour le moment, tout dépend de moi.

L'averse tombait de plus en plus forte, elle avait un peu froid, à force de rester sous les gouttes accroupie à côté de ce chien. C'était comme si elle n'avait rien eu sur le dos. Mais elle avait chaud aussi : quand elle avait réalisé qu'il lui suffisait de ne pas signer pour que les gens-complets ne puissent pas se remplir les poches, une vague brûlante avait jailli, l'avait traversée de bas en haut, lui était montée à la tête et s'était répartie dans tout son corps, annihilant instantanément la sensation de froid.

Une dernière fois elle caressa la tête du chien, et comme les larmes sur le visage d'un enfant en essuya l'eau de pluie, puis doucement elle le souleva pour le poser au bord de la rue, quelque part où il serait en sécurité. Enfin, après un instant d'hésitation, elle fit volte-face. Il semblait que sa décision fût prise, sa jambe folle avait beau ballotter, son pas était plus leste qu'à l'aller, et un pied léger, et un pied lourd, sa jambe droite – la bonne – tombait avec énergie sur le sol, elle faisait plus d'éclaboussures que la malade, son pantalon fut vite complètement trempé.

Il n'y avait pas un chat dans cette rue.

Elle allait seule, battant l'eau sur le chemin du retour comme une vieille paysanne de passage à la ville. Mais bientôt, derrière elle il y eut un faible gémissement, comme d'un enfant perdu qui aurait appelé sa mère.

Elle se retourna : le chiot la suivait, traînant la patte, et lorsqu'elle eut fait demi-tour, à nouveau il réagit comme le gamin qui croit avoir vu sa mère. Rampant avec plus de vigueur encore, il leva vers elle un regard suppliant.

C'était un bâtard errant de cette ville. Au bout d'un instant d'hésitation, elle revint en boitillant sur ses pas et le prit dans ses bras. Elle le tenait comme un sac de farine trempé, il tremblait de froid et de reconnaissance. Mais à l'instant où elle s'apprêtait à repartir avec son fardeau blessé, elle découvrit – mais d'où venaient-ils, dans ces rues ? – une troupe de quatre ou cinq mâtins qui faisaient cercle autour d'elle, ils étaient blancs ou noirs, mais tous également vieux et laids, dégoulinant de pluie et grelottant, chaque poil de leur fourrure collé à la peau. A tous on pouvait compter les côtes, ils lui rappelaient ces hommes qui se mouraient de faim pendant la grande catastrophe, tellement émaciés que les os leur perçaient la peau.

Sur-le-champ elle s'immobilisa.

Ils la fixaient du regard qu'ont les mendiants des rues quand ils voient passer de la nourriture et qu'on accepte de leur en faire l'aumône.

« Vous ne pouvez pas suivre une vieille bonne femme comme moi », leur dit-elle.

Sans un bruit, ils continuèrent de l'implorer des yeux.

« Même si vous me suivez, je n'ai rien pour vous nourrir. »

Encore et toujours, ils la regardaient.

Lorsqu'elle se mit en route, ils lui emboîtèrent le pas.

Quand elle s'arrêtait, ils faisaient halte derrière elle.

Elle envoya un petit coup de pied au plus proche, une bête noire qui poussa un cri, les autres reculèrent, mais il suffit qu'elle reparte pour qu'à nouveau ils se mettent à la suivre, comme une traîne.

Que lui importait désormais qu'ils s'accrochent ou non à ses basques, il fallait avancer. Mais lorsqu'à la porte du théâtre elle se retourna, ce n'était plus quelques chiens, mais une bonne dizaine, une meute de bâtards vieux et laids qui se trouvait là. Des infirmes hideux et sales abandonnés par les citadins. Comme les gens de Benaise. Certains avaient une patte avant cassée, à d'autres il en manquait une à l'arrière, debout sur les trois qui leur restaient, ils faisaient penser à un handicapé de travers sur sa béquille. Il y avait ceux qui, à force de rôder devant les restaurants en espérant se voir offrir une bouchée, s'étaient fait déverser une bassine de soupe bouillante sur la tête et le dos par le patron. Leur chair à jamais corrompue et puante était devenue le jardin des plaisirs, la demeure ancestrale des mouches et des moustiques.

La pluie avait diminué d'intensité. Au ciel flottait un blanc lumineux.

Derrière, devant, de tous côtés de Mao Zhi, l'odeur de pourriture était épaisse. C'était la leur, un mélange infect de crasse et de sanies. Elle s'apprêtait à les laisser devant le théâtre après les avoir admonestés, lorsque le plus proche, un vieux bancal qui n'avançait plus qu'en vacillant et se tenait exactement en face d'elle, se mit à genoux. Un frisson parcourut sa jambe malade comme si quelqu'un, sous son pied, en avait tordu les muscles avec violence. Elle le fixa. Quand il s'était agenouillé, il avait fait le même bruit que s'il avait trébuché et envoyé de l'eau partout. Pour bien montrer qu'il n'était pas couché, ses pattes de derrière restaient plantées très droites, si bien que son échine s'incurvait bizarrement et que son coccyx pointait vers le ciel. Comme en plus il avait toujours la tête levée vers elle, cela le mettait dans une curieuse posture.

« Qu'est-ce que tu veux ? » lui demanda-t-elle.

Un œil au fardeau qu'elle portait : « C'est ton enfant ? Il faut te le rendre ? »

Elle posa le chiot par terre. Mais à peine l'avait-elle lâché qu'il regarda le vieux, la regarda à nouveau et malgré sa patte cassée grimpa à sa jambe.

Elle le reprit dans ses bras.

A sa grande surprise, le plus âgé se tourna alors vers les autres, jappa comme pour leur dire quelque chose et tous, comme lui, tombèrent à genoux. Ils la regardaient, ils regardaient le petit dans ses bras. Tous l'imploraient, tous étaient jaloux, tous rêvaient qu'elle les prenne et les emporte comme lui. On avait l'impression qu'ils savaient qu'elle ne les abandonnerait pas, qu'elle allait les faire partir pour Benaise, ce village des Balou où ne vivaient que des infirmes et où elle hébergeait déjà une dizaine de leurs semblables. C'était comme s'ils avaient trouvé leur maître, leur mère, leur aïeule. En s'agenouillant devant elle, ils avaient les yeux pleins de larmes.

Un parfum salé flottait dans l'air.

Envahissait l'univers de son âcreté. Leurs pleurs s'accompagnaient d'une supplique, un gémissement étrange qui montait de la gorge et semblait dire une souffrance atroce, une extrême douleur au cœur. Comme si, au point où ils en étaient, ils ne pouvaient plus que se prosterner et implorer. Aux oreilles de Mao Zhi, leurs geignements sonnaient comme des cris d'enfants. Elle les voyait, ces plaintes, nuage flottant autour d'elle, aussi bien qu'elle sentait leurs larmes à l'odeur épaisse et salée, telle une soupe trop assaisonnée. Elle savait pourquoi ils la suppliaient. Son cœur, au départ désert irrigué par un mince filet d'eau, se fit sable sec, monta et lui bloqua la gorge.

Elle regardait éberluée la meute des chiens éclopés.

La pluie enfin s'était arrêtée, le ciel avait une lactescente luminosité. La pathétique supplique des vieux bâtards infirmes agenouillés dans l'eau se répandait telle une flaque jaune et boueuse autour d'elle. Impuissante, elle posa le chiot par terre. Peut-être que si elle ne l'introduisait pas dans le théâtre, si elle ne le nourrissait pas, si elle ne pansait pas sa patte blessée, les autres cesseraient de faire cercle pour l'implorer. Mais la bête, avec ses pattes avant, rampa à nouveau jusqu'à elle et se mit à pleurer, à gémir, les larmes coulaient de ses yeux comme d'une source, couraient comme des melons le long de ses joues et dans sa gueule.

Elle ne savait que faire.

Les cadres du district et autres gens-complets de la troupe l'attendaient dans l'entrée. Ou peut-être étaient-ils rentrés, puis ressortis. Ils étaient tous vêtus de sec. Alors qu'elle hésitait, elle les vit descendre les marches. Un peu surpris, ils contemplèrent les animaux et la regardèrent, elle, au milieu de la meute.

« As-tu réfléchi ? lui demandèrent-ils. Nous avons donné l'ordre aux coulisses de préparer le déménagement pour cette nuit. »

Ils dirent : « Nous, nous avons réfléchi. Il est tout à fait possible de donner à chaque membre de la troupe la valeur de cinq fauteuils par représentation. Soit dans les trois à quatre mille yuans. »

Ils dirent : « Toi, tu en aurais dix. Dix fauteuils : ça te ferait sept mille yuans ! » Ils dirent : « Bien sûr, ce n'est pas le plus important. Mais songe qu'il suffit que nous passions un coup de fil et fassions notre rapport au chef de district. Que nous lui disions que tous les Benaisiens sont d'accord pour se déjointer et échapper au cadre administratif de Shuanghuai. Une fois de retour, vous n'auriez plus qu'à prendre l'acte officiel et plus jamais vous ne dépendriez ni du district ni du canton des Cyprès. Personne n'aurait plus le droit de se mêler de vos affaires, et si vous décidiez de rejouer, tous les bénéfices seraient pour vous. »

Ils dirent : « Parle, Mao Zhi. Vous déjointer ne dépend plus que d'un mot. »

Ils dirent : « Dis quelque chose ! Tu n'as quand même pas perdu ta langue ? »

Son regard balaya ces cadres, ces gens-complets partis du district pour administrer la troupe, et finalement s'arrêta sur le plus volubile d'entre eux :

« Vous pouvez appeler Liu Yingque et lui dire que personne, parmi les Benaisiens, ne refuse de se déjointer. »

Ils poussèrent un soupir de soulagement.

« C'est bien. »

Mais ensuite elle dit :

« Il y a encore une chose. Les Benaisiens n'auront pas cinq, mais dix fauteuils par représentation. Quant à moi, je n'en veux pas un seul, rien, pas un sou. Le reste est pour vous, à condition que vous libériez un camion pour y charger ces chiens et les expédier aujourd'hui même à Benaise. »

Un instant ahuris, ils acceptèrent néanmoins, en souriant, et chacun passa de son côté à l'action. Quelqu'un alla téléphoner à la troupe n° 1 pour qu'eux aussi fassent leur rapport et affirment qu'à l'unanimité les villageois avaient décidé de se déjointer ; un autre partit louer le véhicule qui transporterait les animaux ; un autre encore, courir les magasins à la recherche du costume et des accessoires dont Mao Zhi aurait besoin sur scène. Si elle devait jouer le rôle d'une femme de deux cent quarante et un ans, il fallait modifier sa carte d'identité et son certificat de résidence, ce qui demanderait un peu de temps. A sa tenue aussi, il faudrait encore travailler un jour et une nuit. Il y a deux cent quarante et un ans, c'était l'empereur Gaozong qui régnait, on était dans la vingt et unième année de l'ère Qianlong, autrement dit elle aurait vécu sous la dynastie mandchoue à l'apogée de sa puissance, connu sa décadence, puis l'invasion des armées étrangères, la dictature de Yuan Shi-kai, la Révolution de 1911, la République de Chine, la guerre de résistance contre le Japon et le nouveau gouvernement d'après la Libération. Si après tout ce temps elle était encore là, il fallait bien qu'elle ait une recette particulière. Si elle avait atteint cet âge avancé, ce ne serait pas seulement du fait qu'elle aurait suivi un régime végétarien et travaillé aux champs, non, surtout : en la dix-septième année de l'ère Daoguang, à quatre-vingt-un ans, elle serait tombée malade, aurait revêtu ses habits de tombe et aurait survécu. Quand on ressuscite, cela veut dire qu'on a été mort, dès ce moment elle n'aurait plus eu peur de rendre l'âme. Trois cent soixante-cinq jours par an vêtue au soleil comme tout le monde, la nuit elle ne se serait plus couchée que dans la vêture traditionnelle des défunts. Toujours prête à ne pas s'éveiller, tous les matins elle avait pourtant ouvert les yeux. A cent vingt et un ans, soit en la troisième année de l'ère Guangxu, à nouveau elle serait tombée gravement malade, mais à nouveau, après trois jours de coma, elle serait revenue à la vie et depuis, prête à mourir n'importe quand, elle ne les aurait plus jamais quittés. Que ce soit à l'heure des repas ou quand il fallait travailler aux champs, elle serait toujours allée ainsi, et d'autant plus, bien sûr, pour dormir à la nuit noire.

Année après année, mois après mois, au fil des jours elle serait restée habillée pour la tombe, prête à chaque seconde à quitter cet univers, elle aurait parcouru les deux cent quarante et un ans qui menaient de Qianlong à nos jours. Elle aurait vécu bien des choses, connu les ères Jiaqing, Daoguang, Xianfeng, Tongzhe, Guanxu, Xuantong et la République de Chine. Deux cent quarante et un ans, neuf ères ou dynasties, neuf ères et dynasties ! Ce serait pendant la dix-septième année de l'ère Daoguang qu'elle aurait pour la première fois revêtu sa tenue funéraire, et en la troisième année de l'ère Guangxu qu'elle aurait décidé de ne plus jamais la retirer, de jour comme de nuit. Combien de tenues aurait-elle usées, en cet espace d'un siècle et quelques ? Pour que Mao Zhi soit en mesure de jouer le rôle, il fallait lui en préparer au moins huit ou dix, qu'on montrerait au public et qui devraient donc, obligatoirement, avoir l'air vieilles, voire être en lambeaux pour que dès qu'on les voie on s'imagine qu'elle avait vraiment atteint un âge canonique à force de les porter au cours des cent soixante et une dernières années.

Aussi les gens-complets couraient-ils en tous sens. On ne quitta la ville que dans la seconde moitié de la nuit, la tournée continuait, les représentations reprendraient en fanfare à la prochaine étape.

CHAPITRE VII

Le mausolée de Lénine
est inauguré en grande pompe

Le chef de district avait été sommé de se rendre de toute urgence à la préfecture puis à la capitale provinciale.

A peine Mao Zhi et ses handicapés avaient-ils, au terme d'un périple en train et camion, été de retour du Sud-Est, à peine avaient-ils eu le temps de se poser une nuit à Benaise pour renouer avec les enfants, les maisons, les arbres, la grand-rue, les venelles, et aussi les poulets, porcs, chiens, canards, moutons, bœufs et autres animaux domestiques autrefois familiers qui leur étaient devenus étrangers, que déjà on les pressait de filer aux Ames mortes pour leurs dernières représentations officielles.

Le mausolée de Lénine était achevé, même les toilettes en bordure de route étaient finies : la peinture rouge des caractères *hommes* et *femmes* avait séché au-dessus des portes. Tout était prêt, le vent de la Révolution soufflait.

L'équipe chargée de l'acquisition de la dépouille avait quitté Shuanghuai sept ou huit jours plus tôt, on racontait qu'elle avait d'ores et déjà accompli les formalités l'autorisant à se rendre en Russie. Encore un jour et demi à Pékin, puis les délégués monteraient dans l'avion et s'envoleraient vers le Nord pour

338

entamer la phase des pourparlers. Les négociations porteraient essentiellement sur le prix, il faudrait marchander, dire « je vous en donne au moins cent millions », on répondrait, « pour moins de mille, nous ne sommes pas vendeurs » ; ils proposeraient cent millions cinq cent mille et les autres refuseraient, « à moins de mille millions, inutile d'en parler ». Alors eux : « Et pour deux cents millions ? » Et les Russes : « Si vous êtes absolument sûrs de vouloir acheter, avancez un chiffre réaliste. »

Le chef de notre délégation froncerait les usses [1], son front lisse se grimèlerait [3] comme si le problème était énorme. Avouons-le : c'était vraiment un gigantesque casse-tête. Si le premier prix était trop vil, on risquait de se voir de but en blanc opposer un refus. Mais s'il était trop élevé, peut-être leur ferait-on d'un seul coup cadeau de cinquante, de cent, voire de mille millions de yuans. A vrai dire, les deux troupes avaient rapporté des bénéfices faramineux au district, et le département avait de son côté fourni une aide fantastique. Mais cet argent, au bout du compte, n'était pas de l'eau vive. A peine un étang stagnant. Quand il n'y en aurait plus, il n'y en aurait plus. Et il fallait compter que, dans les trois années à venir, l'aide d'en-su serait tarie, ce serait comme un plat de légumes, plus rien pour Shuanghuai. Quant au contrat avec les Benaisiens, il était arrivé à son terme, Liu Yingque avait dû manier la carotte et le bâton pour que Mao Zhi consente à les laisser donner encore sept représentations en l'honneur de l'inauguration du mausolée. Au bout de ces sept jours, ils ne se produiraient plus pour le compte du district, dont de toute façon ils ne seraient même plus résidents. Le village aurait disparu de la carte.

Il fallait absolument revenir avec cette dépouille.

Il fallait absolument économiser tant qu'on pourrait pendant les négociations. Il avait au départ, et pour ce faire, songé à prendre lui-même la tête de la délégation. Mais les réunions d'extrême urgence se succédaient depuis quelque temps aux niveaux provincial et départemental, et tant les chefs de district que les secrétaires étaient tenus d'y participer toutes affaires cessantes. Parce que ce qui était en jeu, c'était le quota pour élire les maires et le gouverneur de la province. En conséquence de quoi, il avait été décidé que tous les cadres de haut niveau, comme représentants du peuple, se devaient, fussent-ils hospitalisés et tant que ce n'était pas le cancer, de faire acte de présence. D'ailleurs, même en cas de cancer, ceux qui n'étaient pas en phase terminale feraient aussi bien de venir.

Il ne lui était plus resté qu'à confier la délégation à l'adjoint dont il était le plus sûr et à l'envoyer négocier. Disons-le, dans le privé c'était un parent du chef de district qui avait en lui la plus haute confiance : n'avait-il pas accroché un agrandissement de la photo de Liu dans son salon ? En plus, responsable de l'industrie du divertissement, il savait s'exprimer. On l'avait vu pendant un dîner lier conversation avec un homme d'affaires de Taiwan qui ne faisait que passer à Shuanghuai avant de rejoindre la capitale provinciale où il comptait investir. Ils n'avaient pas le même nom de famille ? Eh bien, il avait fait comme si ! Et si on a le même nom de famille, c'est que plus ou moins on est parents. Nos origines remontent aux mêmes ancêtres dans la même tombe, donc nous sommes très proches et pouvons discuter à bâtons rompus du passé, du présent et du quotidien. Ce fut au point que le Taiwanais, des larmes dans la voix, avait résolu de laisser dans le district les millions qu'il comptait investir à la capitale et les avait offerts à Shuanghuai pour y construire un générateur. Depuis, tous les foyers s'éclairaient à la lumière électrique et Liu en avait fait son adjoint : une fois membre du comité permanent, il avait le droit d'assister à toutes les réunions, quel que soit le niveau, et sa voix avait une valeur décisive. Dès qu'il s'agissait de discourir et parlementer, c'était un excellent choix. Surtout que son interprète, recruté à prix d'or, avait étudié de longues années en Russie et connaissait le pays comme sa poche.

Le chef de district ne se faisait pas trop de souci pour la délégation. Les grandes lignes comme les petits détails avaient été examinés. Il avait été décidé de proposer un chiffre honnête et réaliste, pas question de laisser l'adjoint avancer un prix au hasard. Au terme de dizaines, de centaines de milliers de calculs minutieux, un montant avait été fixé. Il y avait une limite supérieure qu'il ne faudrait pas dépasser. Définitivement, c'eût été inacceptable. Mais définitivement aussi, il fallait que l'affaire soit conclue. Il fallait que la dépouille de Lénine finisse exposée aux Ames mortes dans les Balou. Tout reposait sur la délégation, tout dépendrait de l'habileté de son chef. Peut-être la discussion aurait-elle lieu dans la pièce adjacente à la dépouille, la salle de réception à l'ouest du cercueil de cristal ? Elle était loin d'être aussi vaste que le salon dans le palais de Shuanghuai ! Avec ses murs enduits à l'intérieur d'une chaux spéciale, le caveau avait quelque chose d'une tombe chinoise. Sur un côté de la place Rouge, à partir d'une estrade, on descendait dans une fosse carrée de deux toises de profondeur et on se retrouvait dans une pièce de deux ou trois travées murée de pierres qui gardaient la fraîcheur en été et la chaleur en hiver. Là reposait le cercueil en cristal. Si ce n'était pas une honte ! Le mausolée de Lénine était plus petit que ceux que les simples citoyens de Wenzhou se font construire quand ils ont de l'argent ! La seule différence, c'est qu'il était plus haut de plafond : c'est normal, les Russes étant plus grands que nous, leurs plafonds sont toujours plus hauts et celui de la chambre funéraire ne faisait pas exception. Ses parois étaient badigeonnées de chaux blanche résistante à l'humidité et aux moisissures, mais le cercueil avait plus de soixante-quinze ans, jamais on ne l'avait changé – et la pièce n'avait pas été souvent repeinte. Même si des employés triés sur le volet l'essuyaient et le dépoussiéraient à longueur de journée avec des plumeaux en duvet de poule et des chiffons de velours, le cristal n'était plus aussi brillant et transparent qu'il y avait trois quarts de siècle. Quant à Lénine, lui non plus n'avait pas été toiletté depuis plusieurs décennies. Et le salon, il faisait quelques mètres carrés à peine, les femmes qui étaient payées pour y faire quotidiennement le ménage montaient une fois par mois sur les chaises ou le dos des fauteuils pour éliminer les toiles d'araignées et la poussière, mais l'un dans l'autre, les murs étaient vieux, la chaux blanche n'arrivait plus à dissimuler le jaune sombre qui en suintait, en certains endroits il était même aussi foncé que la monnaie de papier que les gens des Balou, de Shuanghuai et de l'Ouest du Henan font brûler sur les tombes pour la fête de la Pure Lumière. A l'intérieur de cette minuscule pièce qu'une simple cloison séparait de la dépouille, la première chose qu'on voyait après avoir passé la porte au châssis sculpté, c'était, sous une peinture à l'huile représentant des bouleaux argentés, un antique canapé dans un drôle de bois qui devenait de plus en plus brillant au fil du temps. Mais le cuir qui le tendait n'avait pas résisté aux outrages des ans, il avait blanchi et s'était déchiré. Des fils marron s'échappaient par les trous des accoudoirs. C'était probablement – sûrement – sur ce canapé, dans cette pièce, que le chef de district adjoint s'apprêtait à parlementer de manière civile et raisonnée. Il lui faudrait un jour, une demi-journée pour enlever la décision. Il dirait que pour rien au monde il ne dépasserait certaine somme, on lui répondrait que pour rien au monde on ne vendrait au-dessous d'une autre.

« N'oubliez pas qu'à part nous, vous n'avez pas d'acquéreur.

— En êtes-vous sûr ?

— Tout à fait. D'autres pays seraient tentés, mais vous avez vu comme ils sont pauvres ? Où voudriez-vous qu'ils trouvent une telle somme ?

— Eh bien tant pis, nous ne vendrons pas !

— D'accord, mais vous n'avez même pas l'argent pour subvenir aux frais d'entretien. Vous n'avez pas de quoi faire remettre le mausolée en état, ni payer vos employés. » Puis : « Si vous ne vendez pas, vous allez voir la dépouille se détériorer sous vos yeux jour après jour, Lénine se déformera, sa momie finira par ne plus lui ressembler. »

Et dans cette pièce latérale du mausolée, il finirait par les émouvoir, un prix – minimum pour nous, maximum pour eux – serait fixé. Une fois d'accord sur le tarif, il n'y aurait plus qu'à préparer le contrat. Bien sûr, nombre de formalités seraient encore nécessaires avant la signature. L'administration du tombeau enverrait un rapport à l'échelon supérieur, lequel devrait lui-même en rendre compte, et ainsi de suite jusqu'aux plus hautes instances de l'Etat où à nouveau il serait analysé et disséqué. Mais en fin de parcours, les dirigeants qui prendraient part aux délibérations, s'entendant à mots couverts, finiraient pour une raison tacitement entendue par approuver : ils accepteraient de céder la dépouille de Lénine au district chinois de Shuanghuai. Parce qu'en Chine aussi, il serait chez lui, dans son pays. Bon, peut-être pour sauver la face, pour se justifier aux yeux du monde, proposeraient-ils une vente qui ne porterait que sur trente ou cinquante ans, voire dix ou vingt. Ou ils prétendraient qu'à un moment donné, quand ils en auraient besoin, il faudrait le leur rendre, et en bon état. Liu avait là encore prévu ces restrictions additionnelles et s'en était expliqué avec son adjoint : du moment que le transfert pouvait être rapidement envisagé, il fallait donner son accord à toutes les conditions, même les plus draconiennes.

« Un jour de gagné pour le transfert, c'est un jour de gagné pour les finances de Shuanghuai », avait-il dit.

Il n'y avait pas à se ronger le sang, quel que soit le prix, on achèterait Lénine. Tout ce qui pouvait être envisagé l'avait été, on avait fait ce qu'il y avait à faire. L'année du Tigre s'achevait, bientôt commencerait celle du Lièvre, même si dans le vieux calendrier on était encore l'an passé, dans le nouveau, 1998 avait laissé la place à 1999. Le mausolée était terminé, les Benaisiens de retour de leur tournée dans le Sud-Est, ils avaient abandonné la douceur méridionale pour la rigueur hivernale des chaînes montagneuses. Cela faisait une bonne semaine qu'ils auraient dû ne plus relever de la juridiction de Shuanghuai. Raisonnablement, le chef de district aurait déjà dû envoyer le document afférent à tous les comités, bureaux, cantons et villages, il aurait dû le remettre en mains propres à Mao Zhi. Il ne l'avait pas fait. Il avait besoin qu'elle lui rende un dernier service. Pendant le repas de bienvenue qu'on leur avait offert au chef-lieu, il avait levé son verre d'un air suppliant et était allé lui parler, aux lèvres un sourire rarissime, celui du quémandeur. « Benaise est définitivement détaché de Shuanghuai, avait-il dit. Il n'y reviendra jamais, le document est imprimé, j'en ai quatre-vingt-dix-neuf exemplaires sur mon bureau et sur chacun d'eux le gouvernement et le comité ont apposé leur sceau. Mais avant que vous soyez complètement déjointés – définitivement indépendants du district de Shuanghuai et du canton des Cyprès ou de tout autre district ou canton –, j'aurais une dernière faveur à te demander. »

La scène avait lieu au beau milieu du restaurant du centre d'accueil, elle l'avait regardé.

Il avait dit : « Jamais de toute ma vie je n'ai imploré qui que ce soit. Aujourd'hui, c'est la première fois. »

Il avait dit : « Le mausolée est fini, même le cercueil est arrivé. Il est temps d'organiser la cérémonie d'inauguration et j'aurais aimé que les troupes puissent s'y produire sept jours. »

Il avait dit : « Après les centaines, les milliers de lis que vous avez parcourus, j'ai pensé que vous ne verriez pas d'inconvénient à faire quelques pas supplémentaires. Si sept jours te semblent trop, disons trois. Et au soir du troisième jour, en ma qualité de chef de district, je monterai sur scène à la fin de la représentation pour y lire le décret vous détachant de notre juridiction. »

Il avait dit : « Lénine sera bientôt là mais je veux que les Ames mortes soient lancées avant son arrivée et sans vous je ne peux pas donner cette impulsion. » Puis : « Je ne vous demande pas de vous produire gratuitement, les gens qui voudront visiter le mémorial et assister au spectacle devront payer leur place. Qu'ils soient du district ou d'ailleurs, cinq yuans pour tout le monde. Un tiers du revenu des entrées sera pour vous, un tiers pour le bureau du tourisme en charge du massif, et un tiers pour le gouvernement du district. »

Il avait dit : « Alors c'est décidé. Avant la première représentation je coupe le ruban. Après, j'ai une réunion à la préfecture mais cela ne me prendra pas plus d'une journée, le soir de la troisième je serai de retour et je lirai sur scène l'acte de déjointaie. Toute la population de la région saura que désormais vous êtes autonomes, que plus jamais vous ne reviendrez dans le giron de notre administration, ni d'aucun autre canton ou district au monde. »

Après bien des tours et des détours, il en avait donc été décidé ainsi et le lendemain, à l'heure où le ciel commence à s'éclaircir, Mao Zhi et les Benaisiens étaient remontés dans le camion qu'ils n'avaient pas eu le temps de décharger. Ils avaient foncé vers les Ames mortes, où ils joueraient pour l'inauguration du mausolée.

COMMENTAIRES

① *Usse*, n. f. – DIAL. Sourcil.
③ *Grimeler*, v. – DIAL. Rider.

CHAPITRE IX

Une infinité d'astuces et de divins auspices

Il avait été entendu qu'à la fin de la troisième représentation le chef de district serait de retour et qu'il lirait sur scène l'acte de déjointaie, mais un jour ne s'était pas écoulé, il n'avait même pas eu le temps de couper le ruban de brocart rouge qu'il avait dû de toute urgence quitter les lieux et on n'avait plus de nouvelles.

Le temps donnait l'impression d'être déjà entré dans le douzième mois. Subrepticement il était arrivé, sautant par-dessus la fin du précédent. Si dans le Sud le monde était doux et tiède, les arbres d'un vert resplendissant, l'herbe et les fleurs d'un rouge éclatant, ici dans les terres du Nord l'hiver avait pas à pas imposé ses rigueurs. C'était la saison des grands froids, en certains endroits si terribles que c'en était insupportable. Il n'avait pas neigé, non, mais au petit matin les champs et les monts disparaissaient sous un givre cruel, une fine couche de verglas clair. Si on laissait la nuit une jarre à moitié pleine d'eau, elle était le lendemain à moitié pleine de glace morte. Le seau oublié mouillé et dégoulinant devant la porte de la cuisine collait au sol, plus moyen de le déplacer, si on voulait s'en servir il fallait prendre une brique et cogner.

Ou allumer un feu et le réchauffer si on craignait de le casser.

Les arbres étaient desséchés, leurs feuilles comme celles des autres plantes tombées bien avant le début de ce douzième mois. Dans les monts et les villages où tout était nu, les moineaux ne trouvaient plus de buissons où se dissimuler, s'ils se mettaient à piailler il suffisait de lever la tête pour les débusquer sur leur branche et de jeter une pierre pour fracasser leurs petits corps rigides de froid.

Dans les Balou, les lièvres, faisans et belettes des arêtes – plus quelques exceptionnels renards – n'avaient hors de leur tanière nul endroit où se cacher. Si d'un sommet vous laissiez rouler une pierre ronde, peut-être le goupil malin ne bougerait-il pas de son trou, mais les autres en sortiraient affolés. Et peu de temps après retentirait le fusil du chasseur.

Par les midis des jours d'hiver, ou quand le soleil tombait au crépuscule, on les rencontrait sans cesse, ces braconniers que la saison aurait retenus aux champs. Fièrement ils redescendaient vers le village, l'arme sur l'épaule, crosse à l'arrière et gueule vers l'avant, et s'ils n'avaient pas quelques faisans pendus à son canon long et droit comme une tige de sorgho, c'est qu'ils avaient tiré deux ou trois lièvres.

Ou des belettes.

Et parfois un renard.

Cet hiver-là pourtant, l'hiver de l'année du Lièvre, vous ne risquiez pas d'assister à de telles scènes. Tout le monde allait voir les Benaisiens aux Ames mortes, tout le monde voulait visiter cette merveille qu'était disait-on le mausolée de Lénine. Sur les chemins, par groupes on s'enfonçait et on tournicotait dans la montagne, aux lèvres le sourire de celui qui se rend à quelque foire dans un temple. Les adultes portaient les enfants sur leur dos, les gens d'âge mûr tiraient les vieillards dans des charrettes, lorsque la route était longue on s'était muni non seulement de galettes grillées et de pain de maïs mais aussi de voitures à bras pleines de couettes, de marmites et de casseroles grâce auxquelles on pourrait dormir et se sustenter en chemin. Le bruit des conversations se mêlait à ceux des roues et des pas, de jour en jour plus nombreux, qui faisaient voler sur les sentes des nuages d'une poussière qui éclaboussait comme de l'eau. A la tiédeur du midi les moineaux s'animaient, voletant d'arbre en arbre ils suivaient le cortège en piaillant, comme prêts à migrer. Terrorisés, les lièvres se réfugiaient au fond des ravins, mais puisque aucun fusil ne résonnait, ils finissaient par regagner leurs terriers d'où ils surveillaient d'un œil inquiet ces paysans qui couraient la montagne et ces citadins venus de loin.

Dans les Balou les villages étaient déserts.

A l'extérieur de la chaîne aussi.

Quant aux habitants des villes, ils avaient pris un congé et étaient partis en bus.

Au début vinrent les gens des cantons voisins : les Cyprès, les Mélias, les Petits Saules, les Grands Saules, les Ormes, les Poiriers et le Camp des Fleurs d'abricotier ; puis ceux des petites villes les plus proches dans le district de Gaoliu, puis ceux des Jujubiers, des Pêchers, du Petit Sophora et du Lilas des Indes à Dayu. Enfin, de tous les bourgs et cantons des trois districts, on s'en venait voir le spectacle et visiter le palais, admirer le paysage. L'hiver est dans les campagnes une saison oisive, l'homme au repos y quête le divertissement, et la cérémonie d'inauguration tombait juste à ce moment-là ! Juste à ce moment-là les Benaisiens allaient donner leur spectacle !

Les hommes qui en revenaient s'exclamaient : « Dites donc ! Là-bas les arbres bourgeonnent, ce mémorial est plus beau qu'une salle de trône et il y a une fille, une certaine Huaihua, encore plus jolie que le mausolée ! » A quoi l'un et l'autre ressemblaient, il n'était pas nécessaire qu'ils l'aient vu de leurs propres yeux, mais ils avaient appris que même dans le Nord, en hiver il arrive que l'herbe et les arbres verdissent. Le climat était cette année-là différent ! On prétendait qu'une fée était apparue à Benaise.

Les femmes racontaient : « Allez-y vite ! Là-bas c'est le printemps. Le cercueil est arrivé au mausolée. Et il y a cette fille, cette Huaihua, elle est aussi claire que lui ! Il n'y a pas à dire, le cristal, ça brille plus fort que le verre, et puis c'est comme les lunettes : il suffit d'y mettre le doigt pour laisser une trace. Il y en a deux pouces d'épaisseur et on voit la poussière sur la planche du fond. Le moindre grain étincelle. »

Elles ne l'avaient pas forcément vue, cette poussière, de même qu'elles n'avaient pas forcément touché le cristal. Mais il suffisait qu'elles le disent pour prouver qu'elles avaient non seulement visité le mausolée, mais en plus admiré le sarcophage prévu pour Lénine.

Les vieillards, hommes ou femmes, que leurs enfants y avaient traînés apostrophaient ceux qu'ils rencontraient en chemin. « Allez-y, allez-y, disait l'un ou l'autre. Une fois qu'on a vu ça, on sait qu'on ne mourra pas en vain. Lénine est tellement grand que dès qu'il arrive, l'hiver tourne au printemps ! »

Et comme d'aucuns s'étonnaient : « Vraiment ? », l'un insistait : « Cette salle du trône monte plus haut que les nuages ! Comment est-ce qu'ils ont fait pour transporter toutes ces briques et toute cette pierre ? »

A celui qui corrigeait : « Ce n'est pas une salle de trône, c'est un mémorial », l'autre répliquait : « C'est pareil ! » Ajoutant : « Le cercueil en cristal est aussi blanc et transparent que s'il était en jade. Il paraît que s'ils le mettaient en vente, même avec tout l'argent du district on n'aurait pas de quoi l'acheter !

– Allons, leur rétorquait-on, il suffirait d'envoyer les Benaisiens pour quelques jours dans le monde ! »

Dès qu'il était question du spectacle, il se trouvait un homme pour soupirer :

« Et merde, autant être infirme, tiens ! Moi aussi, si j'étais sourd, j'oserais m'accrocher des pétards à l'oreille ! »

Dans la charrette sa femme renchérissait :

« Et sûr que si j'étais aveugle, je saurais broder sur le papier et les feuilles d'arbre ! »

Un vieux bonhomme qui passait :

« Je ne sais pas au juste, mais à cinquante-trois ans j'ai déjà la vue qui se trouble et plus une dent dans la bouche. Tandis que l'autre vieille, là, avec sa jambe cassée et ses cent sept ans, elle mord encore dans les épis de maïs et enfile ses aiguilles à broder ! »

La bru qui l'avait accompagné : « Père, elle dort et mange en habits de tombe. Je vous interdis de vous trimballer comme ça dans la maison ! »

A ce moment-là déboulait une troupe de gamins, dans les sept, neuf ans, excités comme des poux, qui rentraient chez eux sous la garde de membres de leurs familles. En voyant tous ces gens qui montaient des villages ou de la montagne, ils ne trouvaient rien à raconter mais se mettaient à brailler qu'ils voulaient y retourner.

Pourquoi, ils n'auraient su le dire. Mais ils avaient beau l'ignorer, leurs cris montaient jusqu'aux nuages au-dessus de la crête. Ils finissaient par se prendre une claque, les plus dociles ravalaient leurs larmes, les plus obstinés réussissaient à faire remonter les parents ou les voisins qui les accompagnaient.

Dans tout le massif il y avait tant de touristes que c'en était calamiteux, une animation extrême régnait. La dizaine de lis de la vaste et lumineuse avenue qui menait au sommet était noire de monde. Du matin au soir on aurait cru à une migration de fourmis. Au départ étincelant de propreté, l'asphalte était désormais jonché de papiers, de vieux torchons, de brins d'herbe pourpre, de miettes de pain de maïs, de paquets de cigarettes, de chaussures, de chaussettes et de chapeaux, le chaos était aussi total que sur le chemin après une foire. On trouvait aussi des baguettes, des bols cassés, des légumes verts, des navets, des verres, des têtes d'ail, des oignons, des coquilles d'œuf ou des galettes de patate douce. Partout, partout, comme sur une aire à la fin d'un spectacle. Des deux côtés de la route se dressaient des braseros de fortune : trois pierres ou trois briques grossièrement empilées et le tour était joué. On arrachait des branches aux arbres du versant, on allumait le feu, la soupe était cuite, les petits pains réchauffés. Mais briques et pierres devenaient noir de laque, et le sol à côté se constellait du petit bois qu'on n'avait pas fini de brûler, de restes de soupe, des rochers déplacés pour s'asseoir dessus, d'étincelles de flammes mal éteintes, ainsi que de briquets et d'allumettes oubliés, de vestes que les enfants avaient enlevées puis laissées par inadvertance, de casseroles que pour une raison ou une autre on ne tenait pas à rapporter chez soi, et puis de livres, de journaux, de revues, dont pour la même raison on ne voulait plus, ou de jouets, de pipes, de fusils en bois, d'avions en papier, de porte-monnaie, de chaînes en aluminium, de bracelets en verroterie… Par dizaines, par douzaines cela s'entassait, les objets avaient envahi la nature, ils inondaient l'univers.

La route était couverte de monde.

Jonchée d'ustensiles variés.

Semée de restes de fourneaux improvisés. D'ici dans les buissons ou de là au milieu des touffes d'herbe, des fumées montaient, du petit bois brûlait, la montagne semblait ravagée par l'incendie. Il avait beau y avoir nombre de panneaux *Attention aux feux de forêt*, les gens en allumaient partout, ils se disséminaient comme des étoiles.

C'était l'hiver, à l'extérieur de la chaîne il avait souvent neigé d'abondance. Dans certains hameaux les moutons étaient morts de froid, comme étaient morts les cochons et même les bœufs de labour. Les visiteurs en provenance de Gaoliu ou de Shangyu racontaient que chez eux c'était pire : non seulement la neige était tombée, mais en telle quantité qu'elle avait bloqué les portes, pas moyen d'ouvrir celle de la cour le matin au saut du lit. Pourtant, au bout de quelques dizaines, quelques centaines de lis, lorsqu'au détour d'un sommet ils étaient arrivés dans les Balou, l'hiver avait cessé de se ressembler. Si les pentes étaient encore nues, sous les arbres les liserons, les herbes blanches, les herbes folles et les sétaires quittaient déjà leur manteau des jours froids, un clin d'œil et ce serait fini, sous la couche fade de vieille écorce sèche, les jeunes pousses pointaient, les ormes et les sophoras se couvraient de verdure neuve. Quant aux pins et aux cyprès, qui n'avaient jamais vraiment perdu leurs couleurs, en quelques heures ils s'étaient parés d'émeraude.

Même les champs cultivés avaient une nuance céladon.

Lénine devant venir, le printemps s'était empressé de le devancer. Vraiment, c'était la volonté du ciel, pour la cérémonie d'inauguration l'hiver prenait des allures de printemps ou d'automne. Des allures d'été commençant. Le soleil s'accrochait jaune éclatant au faîte des pics. Une tiédeur se répandait à la surface de la terre, les nuages s'étiraient fins et rares comme les fils d'un velours de soie, et les gens affluaient, telles les eaux d'une crue, au sommet de la montagne avec des cris et des vociférations qui tombaient en pluie dégoulinante sur ses pentes.

L'air avait le parfum étouffant des grandes chaleurs.

Dans les voix vibraient les crépitations et la gaîté pétaradante des jours de fête.

Le mausolée faisait son apparition sur fond de brouhaha humain et d'un amoncellement d'objets hétéroclites. Il se voyait de loin et la foule en quête d'extraordinaire plissait les yeux dès la mi-pente pour discerner sa silhouette. Les tuiles vernissées en jaune de ses auvents et des coins de son toit brillaient plus dans cet hiver qu'à la lumière chaude de l'automne ou du printemps, elles scintillaient avec un éclat cristallin. Effectivement, il en émanait la splendeur des salles de trône des légendes. A l'horizon les monts ondulaient paisiblement comme des croupes de bœuf ou de chameau, ou couraient lentement comme une caravane. Les arbres étaient vert clair, la chaîne et le fond de la vallée aussi, le monde s'affichait dans toutes les variétés du vert. C'était un univers d'émeraude d'où soudain le mausolée surgissait, se dressant d'un coup tel un palais aux murs d'or et aux reflets argentés. Eblouis par tant de magnificence, les yeux se mettaient à briller. Il y avait de l'or pur, étincelant et scintillant, dans l'éclat de ces tuiles, un métal lourd et profond dans celui de ces parois de marbre, et de toute évidence la rampe en jade immaculé qui courait au long des cinquante-quatre degrés du chemin de koutou[1] avait des miroitements d'airain. Or, airain, jade... et puis ce bronze dont le soleil parait les marches de l'escalier et qui leur donnait, là-haut, le chatoiement et la luminosité d'un argent liquide. C'était profond, puissant, comme un ruban de brocart blanc détrempé et tendu droit au milieu de l'air. Comme si ce mystérieux souffle pourpre, ce divin augure dont parlent les légendes avait scintillé dans le ciel. Quand on voyait le palais, on poussait des cris d'admiration. Lorsqu'on découvrait le souffle de bon augure, ils redoublaient.

« Ciel ! Quels merveilleux auspices ! » s'exclamait l'un.

Un autre : « Ciel ! Quel bon fengshui ! »

Un autre encore : « Grands dieux ! Le lieu de repos idéal pour un empereur ! »

Avec tous ces « Oh ! » et ces « Ah ! » le pas se faisait plus allègre.

Une fois arrivés au pied du mausolée, ils s'apercevaient qu'une inscription l'ornait : de même qu'au frontispice de celui de Mao Zedong on peut lire en gros caractères *A notre grand dirigeant, l'immortel président Mao*, ici il était écrit : *Au grandiose leader des peuples du monde, l'immortel Lénine*. Le palais qui se dressait devant eux au sommet de la montagne était aussi vaste qu'un champ de blé et l'esplanade à son pied devait en faire le double. Entièrement dallée de béton, elle était si large qu'on aurait pu y mettre à sécher tout le blé, le millet et le sorgho d'un village. La récolte d'une année entière. Sur les côtés, comme dans tous les sites touristiques du monde, se trouvaient deux rangées de petites bicoques où l'on vendait des spécialités régionales – oreilles de Judas, noyaux de ginkgo, aiguilles à brocart ou champignons – et toute cette bimbeloterie venue d'ailleurs, comme le jade de qualité inférieure qu'on achète à vil prix à Nanyang pour le revendre le plus cher possible. Bracelets en jade, pendentifs en jade, chevaux en jade, moutons en jade, couteaux en jade, épées en jade, les douze animaux du zodiaque, des pagodes, des brûle-parfums, etc., tout était neuf, tout avait un air de déjà-vu. Quand on venait de loin, on avait l'habitude, on savait que rien dans cette camelote n'avait de réelle valeur, que d'entrée de jeu on allait vous demander cent yuans pour le moindre lion en quelconque matière, mais que si, tel un rat qui ronge, vous vous obstiniez à n'en donner que dix, vous l'auriez, et le marchand y trouverait quand même son compte. Dix yuans pour un collier, se disaient les autres, ceux pour qui c'étaient encore des raretés, ceux qui ne connaissaient pas grand-chose parce qu'ils n'étaient jamais sortis de chez eux en dépit de leur aisance, c'est vraiment bon marché ! Alors pour bien montrer qu'ils ne vivaient pas dans l'indigence et avaient de quoi dépenser, ils achetaient. Eux aussi essayaient de marchander : « Et pour neuf ? » Le vendeur faisait mine de réfléchir un instant puis, comme à contrecœur : « Tope là ! C'est l'inauguration du mausolée de Lénine, je ne suis pas là pour faire de l'argent, ça me portera bonheur. »

Aussi nombre de touristes allaient-ils désormais une babiole à la main. On parlait de Vladimir Ilitch, se rappelant qu'il était mort jeune et n'avait que cinquante-quatre ans lorsqu'il avait quitté ce monde. On notait que les degrés qu'on gravissait étaient eux aussi au nombre de cinquante-quatre. Quant aux piliers de la rampe, il y en avait vingt-sept de chaque côté et deux fois vingt-sept font encore cinquante-quatre. Jeunes ou vieux, hommes ou femmes, tout le monde montait l'escalier en marmottant, comptant comme des enfants juste scolarisés qui apprennent à lire : un, deux, trois, quatre, cinq, jusqu'à cinquante-quatre ou sa moitié, et comme effectivement le chiffre était bon, les visages s'illuminaient, que c'était donc intéressant, que cela faisait sens. Ensuite, ils étaient devant la porte. Certains pénétraient à l'intérieur en deux ou trois enjambées mais d'autres, ceux qui avaient un peu plus de profondeur ou avaient vu plus de choses – ceux qui étaient allés à Pékin et y avaient visité le mausolée du président Mao, surtout – prenaient leur temps. Ils tenaient à apprécier dans leurs moindres détails les ressemblances et les dissemblances. Les ressemblances, bien sûr, ils les avaient remarquées de loin : grands, hauts, avec des murs en pierre, un toit plat et carré avec des auvents et des coins couverts de tuiles vernissées de jaune, à première vue les deux bâtiments étaient identiques. Tout le monde savait qu'au départ, quand on avait décidé de construire celui-ci, le chef de district s'était rendu à Pékin avec une équipe d'artisans et qu'ils avaient passé une journée entière à examiner le mausolée de Mao Zedong sous toutes ses coutures. Ils étaient entrés, sortis, rerentrés et ressortis, chacun d'eux avait bien fait sept allers-retours. Ils avaient appris par cœur la disposition et l'agencement des lieux, tant intérieurs qu'extérieurs. Qui plus est, en catimini pour ne pas que la police les remarque, ils avaient avec leurs pas évalué la longueur, la largeur, la hauteur du monument et pris toutes les photos qu'ils pouvaient. Comment auraient-ils pu vraiment différer, après que toutes les distances et intervalles avaient été estimés ?

Les dissemblances : celui du président Mao se trouvait à Pékin, capitale de la Chine. Celui de Lénine à Shuanghuai, dans le Nord du pays. Le premier sur la place Tiananmen, le second aux Ames mortes, dans le fond des Balou.

Autre chose ? Non. Mais si on réfléchissait un peu plus avant, on s'apercevait qu'en sus de ce chemin de koutou aux cinquante-quatre degrés et de sa rampe avec autant de piliers qui rappelaient l'âge auquel Lénine avait quitté ce monde, s'il y avait autour du mausolée de Mao quatre fois quatre colonnes, soit seize en tout, ici elles étaient au nombre de quatre devant, dix derrière, et aucune sur les côtés. Quatorze en tout, soit deux de moins. Pourquoi ? N'importe qui ayant fait des études, fréquenté une école de cadres ou une école socialiste et bien retenu sa leçon était capable de vous dire que ce quatre à l'avant et ce dix à l'arrière correspondaient à la date de naissance de Lénine, lequel était né deux cycles plus tôt, pendant l'année du Cheval, le dixième jour du quatrième mois du vieux calendrier. Quatre, plus dix, cela voulait dire qu'il trouverait ici une vie nouvelle et que jamais il ne vieillirait. On comprenait aussi pourquoi les murs latéraux en étaient dépourvus. En revanche, ils étaient bordés à gauche de douze sapins d'âge moyen avec des troncs comme des fûts, à droite de

seize cyprès de plusieurs toises de haut, épais comme
des bols, dont les couronnes cachaient le ciel et arrêtaient les rayons du soleil. Douze à gauche, seize à
droite, c'était la date du décès de Lénine ! Il nous a
quittés il y a un cycle de cela, pendant le seizième jour
du douzième mois de l'année du Rat. Les arbres, bien
sûr, étaient en ce cas symboles d'une vie éternelle.
Mais pourquoi ne pas avoir planté de jeunes pousses ?
Ou carrément de très vieux ? Leurs branches monteraient au firmament, leur feuillage ferait obstacle à la
lumière, ils donneraient l'impression d'avoir passé ici
des centaines de milliers d'années. Là était justement
l'astuce. Si vous liiez connaissance avec les gens du
mausolée, ils vous racontaient une histoire d'une
grande poésie. Sur le ton de la confidence, ils expli-
quaient que ces cyprès et ces pins avaient tous cinquante-quatre ans, soit encore une fois l'âge de
Lénine lors de sa mort. Au moment de les déraciner,
on avait demandé à des spécialistes de forer leur
racine pour en extraire des morceaux de la taille d'un
rouleau à pâtisserie qui permettraient de déterminer
leur âge. S'ils avaient cinquante-quatre cernes, cela
voulait dire qu'ils avaient cinquante-quatre ans et on
les replantait. Ceux dont les dates ne correspondaient pas, qui avaient un an de plus ou de moins
pouvaient bien être beaux et droits, leur ombrage
pouvait protéger tant qu'il voulait du soleil, ils
étaient rejetés. Pour trouver ces douze sapins et ces
seize cyprès, sylviculteurs et gardes forestiers avaient
dû chercher six mois dans la chaîne, disaient-ils. Il fallait en examiner cinquante pour en trouver un qui
fasse l'affaire. Supposons que sur une pente il pousse
une centaine d'arbres, comment deviner lesquels
étaient d'âge moyen ? Et s'il s'en trouvait un, combien

de chances y avait-il qu'il ait exactement cinquante-quatre ans ?

Il avait fallu chercher sur tous les versants de la montagne, ouvrir des sentiers, fouiller plus de la moitié du district, pour réunir ces vingt-huit arbres : douze sapins et seize cyprès.

Bien sûr baptisés « pins Lénine » et « cyprès Lénine », une fois replantés à côté du mausolée, ils en étaient devenus le zénith poétique. Les perforations au niveau du pied qui avaient permis de prouver leur âge avaient été rebouchées avec du ciment autour duquel s'écoulait une sève rugueuse, jaunâtre comme une résine.

Un puissant parfum d'huile essentielle s'en dégageait.

Il va de soi que des subtilités de ce genre ne faisaient pas grande différence. Mais si après avoir bien regardé les arbres, vous suiviez le flot et vous engouffriez à l'intérieur, vous découvriez des détails encore plus mystérieux : les colonnes et les piliers d'apparat du hall, par exemple. Il y en avait treize, de diverses tailles, pourquoi ? Parce que Lénine s'appelait Vladimir Ilitch Oulianov, ce qui fait exactement treize caractères en chinois. Les treize piliers symbolisaient son nom de baptême ! Plus vous appreniez de choses et plus vous aviez envie d'en savoir, vous vouliez comprendre ces subtilités et pour ce faire, il n'y avait qu'une solution : visiter et revisiter.

Avec ses deux toises de hauteur sous plafond, l'intérieur du mausolée donnait une impression de sévérité. Une lumière aussi onctueuse que du lait tombait de lampes incorporées dans les parois sur la foule qui avançait en suivant une corde. La salle principale avait beau être aussi vaste qu'un demi-champ de blé ou la résidence d'une famille aisée, l'espace où le public avait le droit de circuler tenait de la venelle étroite et sinueuse. Certes, Lénine n'était pas encore là, mais un cercueil en cristal flambant neuf l'attendait au centre de la pièce. L'ensemble était d'une solennité et d'une majesté telles qu'elles interdisaient de se laisser aller à bavarder ou commenter.

L'enfant qui pleurait était évacué sur-le-champ.

De même, celui qui fumait ou prenait une photo. Illico il se faisait mettre dehors où il écopait, en sus, d'une réprimande et d'une amende.

Les gens allaient à la queue leu leu comme sur un pont de l'entrée sur le devant à la sortie par-derrière. La lenteur de leur progression, au cours de laquelle ils avaient l'impression de traverser une passerelle ou de parcourir de bout en bout une ruelle, leur laissait le temps de s'imprégner de la fraîcheur ambiante. On se serait cru en été près d'un lac au fond d'une vallée encaissée. Grands et petits, tous retenaient leur souffle. Parce que, au milieu, d'un coup, ils tombaient sur le cercueil en cristal et son catafalque – un socle en marbre rectangulaire de la surface d'une natte sur lequel le sarcophage semblait de verre azuré et transparent, un jade à la laiteuse transparence. Mais la corde en nylon qui servait de barrière, à cinq ou six pieds des quatre coins, vous empêchait de toucher, on devait se contenter de regarder. Cette impossibilité ajoutait à la magie : il fallait observer de manière plus minutieuse encore mais plus vous vous concentriez et moins vous compreniez. Ce cercueil était comme tous les autres, plus évasé à la tête, plus étroit au pied, deux pieds sept pouces de haut sur deux pieds sept pouces de large au milieu, rien d'exceptionnel. Mais la tête donnait l'impression d'être surdimensionnée par rapport aux modèles en bois noir de la région et le pied un peu trop petit. Qui plus est, n'avait-il pas un demi-pied de trop dans le sens de la largeur ?

L'un dans l'autre, quelque part les proportions n'étaient pas respectées. Mais il était en cristal, et bientôt un grand homme y reposerait. Un étranger, qui plus est ! Une personnalité que la moitié de l'univers respectait ! Alors vous n'osiez pas poser de questions, de toute façon vous ne pouviez que suivre le flot qui défilait lentement, en silence, comme sur un tronc d'arbre. Lorsque vous arriviez à son niveau, quand enfin vous pouviez le dévorer des yeux, peut-être distinguiez-vous au fond de la bière vide et transparente quelques cheveux grisonnants. Alors, comme saisi par un souffle glacé, de tout votre corps vous frémissiez.

Vous tressailliez.

La gigantesque salle était totalement silencieuse. Les pas des gens tombaient telles les feuilles qui volettent à l'automne. Leurs souffles se déployaient comme des fils de soie blanche, l'air se mouvait dans la lactescente lumière à la manière des brumes quand elles stagnent en hiver au-dessus des arêtes. Si quelqu'un, n'en pouvant plus, s'éclaircissait la gorge en mettant la main devant sa bouche, le bruit de cette toux sèche s'écrasait dans la pièce comme une pierre tombée du ciel, avec un fracas tel que les autres sursautaient, les regards se détournaient du cercueil pour voir d'où elle venait.

Et le fautif, comme s'il avait commis un péché mortel, de baisser à la hâte la tête.

Mais petits et grands ne s'en arrêtaient pas pour autant de progresser sur le chemin qui suivait la corde, et lorsque vous vouliez revenir à l'objet de votre étude, il était trop tard, sans vous rendre compte de rien, vous l'aviez dépassé.

Vous n'en aviez pas fini avec lui mais derrière les autres poussaient, vous étiez refoulé vers la sortie.

D'ailleurs, que vous en ayez assez vu ou pas, c'était pareil. Tout le monde se retrouvait le regard vide sur les marches qui menaient à la porte du fond. Vous quittiez les lieux avec l'impression que le jeu n'en valait pas la chandelle et que vous n'en aviez rien retiré. L'impression d'avoir parcouru des milliers de lis pour aller à un marché et de tomber sur le jour où il est fermé, ou d'avoir cheminé jour et nuit pour assister à un spectacle et que la pièce soit déprogrammée.

La lumière était claire, l'air était doux, les gens un peu désorientés, et vous, vous vous teniez là, la mine égarée, à écouter les autres dire qu'ils regrettaient ou débattre pour savoir si cela valait la peine d'être vu. A ce moment-là, vous remarquiez qu'on faisait cercle autour d'un quadragénaire aux cheveux grisonnants, peut-être un employé du mausolée. Il disait que c'était lui qui avait installé le cercueil. Qu'il avait personnellement supervisé la construction du sépulcre. Il disait : « Est-ce que vous savez ça ? Pourquoi est-ce qu'il y a trois dépendances à côté de la salle principale ? Pourquoi pas deux, ou quatre ou six ? Parce que le chef de district a visité l'ancienne demeure de Lénine, et que dans sa soupente il y avait une pièce principale et trois petites ! »

Il disait : « Savez-vous pourquoi le cercueil ne fait pas sept pieds mais sept pieds cinq pouces ? Pourquoi à la tête il a deux pieds virgule neuf en hauteur et en largeur au lieu des deux virgule sept habituels ? Pourquoi à l'autre bout il n'y a qu'un pied virgule cinq

alors que d'ordinaire c'est un pied virgule neuf ?
Pourquoi ? Hein ? Est-ce que quelqu'un le sait ? »

Il disait : « Je suis sûr que vous n'en avez pas idée.
Alors je vais vous le dire : s'il fait sept pieds virgule
cinq, avec deux pieds virgule neuf à la tête et un virgule cinq à l'autre bout, c'est parce que le chef de district s'est rendu en Russie pour mesurer le tombeau
actuel de Lénine et que le cercueil a été réalisé pour
en être le modèle réduit au dixième. Il raconte qu'il
est tout en longueur, vingt-deux, vingt-trois pas et
demi, soit – puisque trois pas du chef de district font
une toise – sept toises et demie dans un sens, donc au
dixième sept pieds et demi, et deux toises virgule neuf
dans l'autre, autrement dit deux pieds neuf pouces.
Comme il lui donne une toise et demie de hauteur,
on a le petit bout du cercueil avec son pied et demi ! »

Il disait : « Il y a tellement d'astuces dans ce mausolée qu'on pourrait écrire un livre avec ! » Il disait :
« Savez-vous pourquoi la statue à l'entrée fait cinq
pieds et un pouce ? Pourquoi le socle a deux pieds virgule un dans le sens de la largeur, trois pieds virgule
huit dans celui de la longueur et six pouces en hauteur ? Ça, c'est parce que notre chef de district a
grandi dans une école socialiste et qu'il connaît
l'œuvre de Lénine par cœur ! La statue fait cinq pieds
et un pouce de haut parce qu'en mesures occidentales
ça équivaut exactement à un mètre soixante-dix et
que ses œuvres complètes comptent dix-sept tomes.
Le socle fait deux pieds dix de long parce que, toujours en mesures occidentales, c'est soixante-dix centimètres et que ses œuvres choisies – soit le recueil des
textes les plus importants – ont dix-sept volumes. Les
trois pieds quatre-vingts correspondent aux trente-
huit éditions qui sont sorties chez nous, et les six

pouces, c'est la hauteur d'un tome si on le met debout ! »

Planté à la sortie du mausolée, l'homme parlait sans discontinuer, jamais son flot ne s'interrompait et les auditeurs étaient de plus en plus nombreux autour de lui. Or plus ils étaient nombreux, et plus semblait-il il avait de secrets à révéler, de choses à éclaircir, comme si chacune des briques qui avaient servi à la construction avait une histoire, une explication, chaque pierre un rapport avec la vie de Lénine. Il disait : « Vous n'avez probablement pas fait attention en entrant, mais les dalles du sol sont décorées d'un demi-cercle avec des fourmis et des criquets à l'intérieur. Ça, c'est parce que dans l'ancienne résidence de Lénine, il y avait un parterre en forme de demi-cercle, et on raconte que lorsqu'il était petit il aimait bien y organiser des combats entre des insectes : on a voulu lui donner l'impression de rentrer à la maison, au pays de ses jeunes années. Tous les grands hommes retombent en enfance dans leur vieillesse, disait-il, parce que retomber en enfance, c'est comme commencer une nouvelle vie. » Il disait que sur les six grosses colonnes du hall, trois étaient gravées des phénix et des dragons de la Chine, avec en plus notre emblème national, des chauves-souris, la porte de la Paix céleste et différentes vues de la place Tiananmen ; et les trois autres des églises et des monuments de chez lui, de scènes du mouvement ouvrier, de reproductions de ses écrits, etc. Il y avait encore notre faucille et notre hache, les œuvres du président Mao, la chronologie des grands faits révolutionnaires ; et puis des images de la Révolution d'octobre, des soulèvements contre le tsar, des appels du peuple à vaincre Hitler pendant la Seconde Guerre mondiale...

Le soleil s'apprêtait à se coucher, l'homme avait la bouche sèche à force de parler, il dit encore que le mémorial était une véritable encyclopédie et qu'il débordait d'allusions. Puis il conclut par ces mots : « Quand vous aurez vu tout ça, vous n'aurez pas simplement fait comme tout le monde, vous aurez vu tout ce qu'il y a à voir. » Et : « Vous devriez profiter que le soleil est encore assez haut pour retourner y jeter un œil, sinon vous serez venus pour rien, et après, quand Lénine sera arrivé, vous serez obligés de payer un ticket. »

Sur ces mots il disparut dans le fond du mausolée et quelqu'un, enfin, réalisa : le chef de canton des Cyprès ! Quelle brute c'était avant, dire qu'il avait suffi de construire le monument pour en faire un érudit ! Les gens auraient encore eu des questions mais quelqu'un l'avait appelé et il était parti, plantant là ces paysans qui avaient eu l'impression de ne rien retirer de la visite et qui à présent le suivaient des yeux, commentant son savoir et ses lumières tout en soupirant sur leur ignorance et leur inculture.

Partout au-dessus des monts, le ciel s'était teinté de rouge. Le soleil allait passer le sud et tomber. Dans ce crépuscule d'un carmin chaud, le mausolée semblait calme et serein. Et puisque le soleil commençait de s'incliner, certains se dépêchaient de faire le tour pour effectuer une seconde visite, d'autres se rappelaient que la nuit serait vite tombée et que la montagne comptait encore une infinité de sites auxquels ils n'avaient pas eu le temps de jeter un œil.

Ils se hâtaient d'aller les voir.

Plus important encore : ils n'avaient pas assisté à un seul numéro de la troupe d'art. S'ils les rataient, ce serait vraiment malinutile[3] d'être venu dans les Balou. Et malinutile d'être monté aux Ames mortes.

COMMENTAIRES

① *Chemin de koutou* – *Un escalier. Parce que, autrefois, les escaliers se trouvaient essentiellement dans les temples et que les gens les gravissaient en se frappant le front à chaque marche.*

③ *Malinutile* – DIAL. *Pour rien, en vain.*

CHAPITRE XI

Il fait de plus en plus chaud,
l'hiver vire à la canicule

Les Benaisiens n'étaient pas tous au même endroit. Depuis le premier jour, celui où Liu Yingque avait eu l'intention de couper le ruban inaugural et où ils s'étaient produits pour la forme sur l'esplanade, ils s'étaient dispersés sur les différents sites : le Singe avait emmené le petit polio qui chaussait les bouteilles à l'étang du Dragon noir, Ma le sourd faisait partir les pétards accrochés à son oreille avec quelques autres dans un bosquet de ginkgos, la paralytique s'était pour broder ses feuilles installée en compagnie de Tonghua, l'aveugle à l'ouïe fine, au bord de la rivière, sous le roc de la Biche qui se retourne. Mao Zhi et ses neuf phalènes se produisaient dans un autre coin de la montagne, sur une pente d'où l'on pouvait admirer le lever et le coucher du soleil.

Quand vous aviez visité le mémorial, il fallait encore voir la cascade des Neuf Dragons, admirer la falaise sculptée, la forêt de stèles du sommet, les grottes du Serpent blanc et du Serpent bleu, ainsi que cet étang du Dragon noir où, d'après une légende fraîchement forgée par les érudits de Shuanghuai, un python monstrueux serait apparu brièvement. Les attractions étant réparties de manière à suivre le flot d'un torrent qui descendait, les numéros se faisaient sur ses berges. Si ni le paysage ni le panorama ne vous frappaient par leur nouveauté, eux étaient uniques, impossible de ne pas y aller.

Tout le monde savait que c'était grâce aux troupes que l'énorme capital nécessaire à l'acquisition de la dépouille de Lénine avait été réuni. Dans le Sud, il en aurait coûté plus de mille yuans pour assister au spectacle ! Mille yuans ! Dans ces monts où le revenu annuel d'une famille ne dépassait pas les huit cents, on se disait que si des gens avaient consenti à débourser une telle somme pour voir sur scène des aveugles, des borgnes, des paralytiques, des boiteux et des sourds-muets – des infirmes en un mot –, forcément ce n'était pas n'importe quoi, les Benaisiens devaient posséder des arts auxquels jamais les gens-complets n'oseraient ni ne pourraient s'essayer.

Le soleil tombait sur la montagne, où régnait ce calme qui précède le crépuscule. Au loin les vallées et les pics avaient sombré dans un silence si profond qu'on aurait cru l'univers perdu au fond d'un puits tari.

Les visiteurs qui un instant plus tôt allaient les mains vides s'étaient regroupés sur l'esplanade pour attendre la représentation du soir en mangeant quelque chose. Des pains de maïs à la blancheur de glace, des cacahouètes ou des fèves, des galettes dorées, les biscuits de l'une ou l'autre boutique, des gâteaux, de ces œufs au thé qui se vendaient dans tous les coins… Partout les mâchoires travaillaient, partout on mastiquait, partout on déglutissait.

Les paysans qui avaient installé des étals au sommet de la montagne pour y vendre de la nourriture avaient ces derniers jours fait des affaires en or, même la mauvaise farine noire qu'on gardait depuis des années à la maison s'arrachait une fois transformée en pains à la vapeur. Ceux qui n'avaient rien d'autre mettaient de l'eau à bouillir dans la grosse marmite à tuer les cochons et l'apportaient dans des seaux sur la hauteur, où elle devenait la plus précieuse des soupes.

On avait beau être en hiver, il faisait ici aussi bon qu'en été au crépuscule : les monts sont toujours frais, le sommet de celui-ci particulièrement. Mais alors qu'à la belle saison cette fraîcheur repose de la canicule, en plein hiver elle avait un goût de chaleur au milieu de la froidure ambiante. Paysans ou citadins, jeunes ou vieux, hommes ou femmes, tout le monde était là. Combien étaient-ils ? Des centaines, des milliers ? C'était incalculable. Ils se pressaient sur l'esplanade, s'entassaient sur les cinquante-quatre degrés du chemin de koutou qui s'était le plus naturellement du monde transformé en tribune, ses rampes donnaient l'impression d'avoir été destinées par le ciel à servir de strapontins aux plus jeunes !

L'estrade avait été dressée au bord de l'esplanade, en face du mausolée. On avait tendu au-dessus la même toile jaune, toute neuve, qui la bâchait de trois côtés, une toile au parfum de laque aussi profond que celui du blé par un jour du sixième mois, d'une fragrance qui humidifiait les entrailles. L'ex-directeur de la troupe de madrigau et ses adjoints servaient désormais de leur mieux les Benaisiens. A force de se calquer sur le chef de district, ils avaient fini par être encore plus enthousiastes que lui : mieux que quiconque ils savaient ce qu'une représentation supplémentaire pouvait rapporter à Shuanghuai et le bénéfice qu'ils en tireraient.

Liu avait dit : « Vous avez oublié que Benaise ne dépendra bientôt plus de notre juridiction ? »

Le directeur de la troupe : « Mao Zhi, dans la journée, c'est entendu, vous vous disperserez, mais le soir vous vous produirez ensemble, il nous faut à tout prix quelques représentations supplémentaires. »

Mao Zhi : « Alors c'est d'accord, pendant la dernière représentation tu liras l'acte sur scène ? »

Le chef de district : « Voilà ce que nous avons décidé : faisons-les tourner de manière ininterrompue, qu'ils attirent tout le monde aux Ames mortes et notre renommée dépassera le ciel et la terre ! »

Mao Zhi : « Le chef de district a promis que le tiers du revenu des entrées serait pour nous. »

Le Singe : « Au district, ils disent qu'on fera les comptes quand tout sera terminé. »

Le directeur : « Vite, vite, faites venir les gens de Benaise, appelez Mao Zhi, si les spectateurs s'impatientent ils vont tout casser. »

La représentation démarra avec une bonne demi-heure de retard.

C'était la dernière, celle pour laquelle Liu Yingque avait promis de revenir afin de lire sur scène l'acte qui déjointerait Benaise. Mais elle était déjà bien entamée, et il n'était toujours pas de retour sur la montagne. « Se pourrait-il qu'il ne vienne pas ? » s'interrogeait Mao Zhi. Les gens du district la rassuraient : « Quand le chef a dit qu'il ferait quelque chose, il le fait. » Ils disaient : « S'il a promis d'assister à une réunion, par exemple, les gens l'attendent, l'attendent, comme il n'arrive pas, ils commencent sans lui comme prévu, ils finissent comme prévu, et lorsque persuadés qu'il ne viendra plus ils s'apprêtent à lever la séance, le voilà qui débarque ! »

Ils disaient : « Il est positivement impossible qu'il ne vienne pas. »

Donc, la représentation avait commencé. Le programme étant le même que celui qu'ils avaient donné des centaines et des milliers de fois dans le monde extérieur, ils le connaissaient aussi bien qu'une femme de la campagne la recette pour faire cuire le riz, étaler une pâte ou piquer les semelles de toile d'un chausson. Cependant, si dans le monde extérieur ils avaient été divisés en deux troupes, ici dans les Balou ils n'en faisaient plus qu'une, si bien qu'il avait fallu éliminer les doublons et remettre de l'ordre dans les numéros.

« Jouez ! avait dit le chef de district. Artisez comme jamais, et il y aura deux mille yuans de bonus pour celui qui s'en sortira le mieux !

– Allons-y ! avait dit Mao Zhi. De toute façon c'est notre dernière représentation. »

Par rapport aux précédentes, elle se devait d'être d'une grande originalité. Dès le début ce fut différent. Huaihua, la présentatrice, était exceptionnellement en beauté. Qui aurait cru qu'il lui suffirait de prétendre grandir pour effectivement y arriver en six mois ? C'était désormais une gens-complète et parmi eux une princesse. Longue et fine, elle avait un visage d'un ovale parfait, le teint aussi blanc et tendre que si des pieds à la tête elle avait des générations durant baigné dans le lait. Lorsqu'elle se tenait sur le devant de la scène pour annoncer les numéros, on eût cru voir un disque de lune pendu à la branche d'un saule. Ses cheveux étaient si noirs qu'ils renvoyaient la lumière des spots ; ses lèvres rouges comme les kakis mûrs à l'automne dans les plaqueminiers ; ses dents blanches comme des perles de jade. Tout le monde savait qu'elle était partie de Benaise aussi nine que Tonghua, Yuhua et Phalène. Mais en six mois de tournée, elle avait tant poussé qu'il n'y avait plus la moindre ressemblance avec ses sœurs. Les gens de la troupe n° 1 avaient de leurs propres yeux assisté à la transformation, alors bien sûr ils la trouvaient à présent plus jolie, mais comme ils l'avaient observée et suivie au jour le jour, cela n'avait rien de miraculeux, des parents s'étonnent-ils de voir leurs enfants grandir ? Ceux de la troupe n° 2, eux, avaient ouvert de grands yeux quand ils l'avaient retrouvée à Shuanghuai. Ils en étaient restés bouche bée, éberlués. La rencontre avait eu lieu au théâtre de madrigau du district. Quand ils l'avaient vue, les cris de surprise avaient fusé. Ceux qui étaient en train de ranger leurs costumes s'étaient interrompus, ceux qui transportaient les caisses, immobilisés, ceux qui vaquaient à quelque tâche agenouillés en avaient sauté sur leurs jambes. Tous ils étaient restés ébahis, paralysés, à clamer qu'elle était désormais une gens-complète belle comme une fée, et en même temps un peu embarrassés, comme si quelque part ils étaient déçus.

La première stupéfaction passée, la brodeuse paralytique avait fait un bond, comme pour se mettre debout et la prendre dans ses bras. Il avait fallu qu'elle retombe pour s'exclamer, sidérée :

« Vingt dieux ! Comme tu as poussé, Huaihua ! »

Mao Zhi en avait d'abord été pétrifiée, ahurie. Puis elle avait souri à sa petite-fille : « Ça valait la peine ! Ça valait vraiment le coup, cette tournée ! » Comme si ce n'était pas pour se déjointer que les Benaisiens avaient six mois durant couru le monde mais afin que Huaihua devienne une grande et belle personne, et que le but était atteint.

Quant à Phalène, effarée, admirative, elle avait tiré sa sœur à l'écart pour lui demander : « Comment as-tu fait ? Explique-moi ! »

Huaihua l'avait entraînée encore plus loin, et jetant des coups d'œil autour d'elle, avait répondu en chuchotant :

« Phalène, si je te le dis, tu ne vas pas me repousser ?

– Comment ça ?

– Tonghua et Yuhua ne me parlent plus. Comme si je leur avais volé quelque chose en grandissant.

– Dis-moi tout, je ne serai pas comme ça.

– Tu as dix-sept ans, tu devrais te mettre avec les hommes. Mais des gens-complets, il faut coucher avec des gens-complets. »

De plus en plus stupéfaite, Phalène regardait sa ravissante sœur en ouvrant de grands yeux et s'apprêtait à dire quelque chose lorsqu'un nouveau personnage avait fait son entrée : Shi, le secrétaire du chef de district que celui-ci avait envoyé voir la troupe n° 1, rentrée avec un jour de retard. Dès qu'elle l'avait aperçu, Huaihua avait planté là sa cadette pour aller vers lui en souriant.

Vite elle avait annoncé qu'ils avaient une affaire à régler au siège du gouvernement, ils étaient partis ensemble et elle n'était réapparue que lorsque les camions qui les mèneraient aux Ames mortes avaient été sur le point de démarrer.

La lune s'était levée à son heure. De même les étoiles, accrochées à la voûte. Dix, cent lis à l'entour de la montagne, l'hiver était si froid que l'eau se faisait glace mais ici, dans les Balou, la température était exceptionnellement douce. Le ciel semblait un ciel d'été, si bleu qu'il paraissait artificiel, teint à l'indigo ; la nuit était d'une paix extrême : sans vent, d'une clarté laiteuse qui se déversait comme une eau sur les pentes, les ravines environnantes et les divers sites. Il ne restait au sein de cet univers serein que les lumières et l'ébullition vocale qui montaient du mausolée. On aurait pu croire qu'il n'y avait plus sur terre un seul être humain, que seuls avaient survécu ceux qui s'étaient regroupés ici et qui le célébraient avec allégresse. Huaihua s'avança d'un pas tranquille sur le devant de la scène. Sa robe couleur d'eau claire mettait dans la pénombre son visage en valeur comme un saule l'aurait fait de l'astre nocturne. Tant de beauté, tant de pureté : les spectateurs au pied de l'estrade en furent époustouflés, d'un coup ils se turent, tels des moineaux des montagnes face à un phénix, ils étaient hypnotisés et ne la quittaient plus des yeux. Ils attendaient qu'elle parle, qu'elle présente le spectacle, et elle, elle restait là, silencieuse et souriante mais muette. Alors qu'ils menaçaient de s'impatienter, enfin elle prit la parole d'une voix douce :

« Camarades, amis, anciens et compatriotes ! Pour célébrer l'inauguration du mémorial de Lénine et le prochain transfert de sa dépouille aux Ames mortes, les troupes d'art n° 1 et n° 2 de Benaise vous proposent ce soir un programme exceptionnel…

Tout le monde a entendu parler de nos numéros, personne n'ose y croire. Même pas ceux qui les ont vus ! A vous de juger. Mais si ce que l'on entend est toujours sujet à caution, ce que l'on a de ses propres yeux constaté est bien réel. La représentation va maintenant commencer, le premier numéro s'appelle : Les pétards à l'oreille ! »

Qui eût imaginé que la petite nine de Benaise deviendrait une aussi magnifique gens-complète ? Et qu'en sus sa voix allait prendre une tonalité aussi suave, exactement comme celle des gens qui parlent à la radio ? A la surprise générale et contrairement à tout ce qu'on eût pu se figurer, la regarder et l'écouter constituaient un spectacle en soi. Hélas, comme si elle ne s'était résolue qu'à regret à prendre la parole, après ces quelques phrases, cette brève introduction, elle s'inclina et recula de deux pas avant de tourner les talons et de quitter la scène. L'hirondelle s'était envolée, le cœur et les yeux vides, la foule eut l'impression d'avoir perdu un trésor.

Heureusement, la séance commençait.

Le premier numéro n'était donc plus le Singe en train de sauter avec une seule jambe au-dessus des montagnes de lames et des océans de flammes, mais le sourd qui se faisait partir des pétards à l'oreille : on jouait à ciel ouvert, ici dans la montagne, il avait fallu modifier l'ordre sempiternel pour en imposer d'entrée de jeu à ce bruyant public, l'émerveiller, le faire tomber d'un coup dans la fosse de la stupeur. C'était à Ma qu'il revenait d'ouvrir le bal. Il surprenait toujours, il rendait les foules muettes, complètement dépassées. Vêtu ce jour-là à la manière des acrobates d'un costume de soie blanche, il n'était plus l'infirme qui tremblait de tout son corps sur les planches. C'était désormais un excellent artiste. Comme tous les handicapés de Benaise. Impassible il s'avança, joignit les mains pour saluer la foule et se fit accrocher à l'oreille un chapelet de pétards sonores. Tout le monde pouvait le constater : à force, les explosions lui avaient tanné le cuir, sa peau était désormais rugueuse et noire comme un morceau de granit.

Calmés, les spectateurs le regardaient comme ils auraient regardé un homme sur le point de se jeter d'une falaise ou d'un toit pour mettre fin à ses jours.

Une fois le silence installé, Huaihua réapparut dans un coin et, articulant avec le plus grand soin, leur expliqua qu'il venait d'avoir quarante-trois ans. Depuis sa tendre enfance il aimait les pétards et avait exercé ses oreilles à résister aux vibrations. Elle ne précisa pas que depuis sa tendre enfance également il était sourd comme un pot, mais insista sur le fait qu'il avait commencé de s'entraîner à l'âge de sept ans et que la plus étourdissante des déflagrations, même à proximité de son tympan, le laissait désormais indifférent. Ensuite elle prit un imperméable en grosse toile, lui demanda de l'enfiler pour protéger son costume, le fit s'avancer sur la scène et plaça une mince plaque de fer entre son visage et le chapelet de pétards.

De sa propre main elle l'alluma.

Les rouleaux emballés de papier rouge se mirent à fumer, puis partirent en claquant à côté de sa joue gauche. Les spectateurs en furent glacés, les visages des adultes comme ceux des enfants avaient une pâleur de givre, le moindre filet de sang en avait disparu. Pour prouver à quel point les détonations le laissaient de marbre, Ma tourna son profil vers eux afin de les faire profiter de la résonance : cette fois le chaos était définitivement étouffé, il régnait un silence absolu, qu'aucun bruit, aussi minime soit-il, ne venait rompre.

Quand les pétards se turent, le sourd retira tranquillement sa plaque de fer, qu'il battit comme une percussion au bénéfice du public. Puis il ramassa par terre un pétard qui n'était pas parti, le posa dessus, l'alluma, et ce fut exactement comme s'il avait explosé sur un gong. Après quoi, de nouveau, il tendit aux spectateurs son profil gauche, d'un noir de laque à force de fumées chaudes, pour qu'ils soient bien sûrs qu'il était complètement boucané et parfaitement

calme. Enfin il leur sourit, d'un sourire niais et satisfait.

Alors ils s'arrachèrent à leur ébaudissement et
entreprirent d'applaudir à tout rompre en hurlant
comme la mer mugit. Leur ovation eut une gigantesque répercussion dans la montagne endormie. Aux
blancs battements de mains se mêlaient des cris
pourpres qui s'élevaient en volant au-dessus de l'esplanade. D'abord clair bourdonnement renvoyé par
le mausolée, l'écho se fit grandiose réverbération au
fond de la vallée. Vague après vague, à la faveur du
silence nocturne, il s'enfonçait en planant dans le
lointain, plongeant dans le chaos un univers qui partout se mettait à retentir d'applaudissements rouge
vif et de clameurs violettes. La paisible nuit était arrachée à ses rêves, les quatre coins du monde vibraient
de redondants cris de joie.

Un instant plus tard c'était le chahut de la nuit qui
excitait le public ! Les gens s'égosillaient, hurlaient,
battaient des mains et levaient le poing vers la salle en
braillant :

« Accroche-toi un gong à la figure !

Accroche-toi un gong à la figure ! »

Comment auraient-ils pu deviner que le sourd
l'était depuis sa sortie du ventre de sa mère, que de
toute sa vie il n'avait jamais eu la moindre idée de ce
qu'était un bruit intense, ou une explosion, ou un
coup de tonnerre ? Il avait souvent vu des éclairs,
mais jamais il n'avait entendu l'orage gronder. Effectivement il s'accrocha à l'oreille un petit gong en
cuivre de la taille d'un couvercle de casserole et fit
partir un gros pétard, puis quelques autres à double
détonation. Ce fut inimaginable, devant la foule
rugissante il jeta le gong à bas, sourit à nouveau d'un

air niais et après quelques coups à son visage aussi insensible qu'une pierre, il se coucha de côté sur la bâche qui couvrait la scène, sortit de sa poche une chandelle grosse comme un demi-navet, la posa sur sa joue à côté de son oreille et invita de la main un membre du public à monter sur scène pour l'allumer.

Mortel silence. On ne criait plus, on n'applaudissait plus, le monde entier avait d'un coup basculé au fond d'un gouffre de solitude. On entendait la lumière tomber des projecteurs, les spectateurs voyaient leur propre regard attiré par la scène comme un papillon par la flamme.

De la main, le sourd appelait toujours.

Huaihua apparut en souriant. « Jeunes gens, mes amis, dit-elle, venez mettre le feu au pétard. Le numéro est inédit, même pour mille yuans dans le Sud, nous ne l'avons jamais montré. Il a été préparé spécialement pour ce soir, à l'attention de nos anciens et de nos pays. »

Un petit jeune homme sauta sur la scène.

Il gratta une allumette pour s'allumer une cigarette, s'accroupit en enflamma la mèche.

L'énorme pétard explosa.

Avec un vacarme qui ébranla le ciel et la terre, avec un flamboiement qui s'envola. S'il y avait eu des abat-jour au-dessus des têtes, ils se seraient mis à se balancer sans pouvoir s'arrêter. Mais le sourd était toujours aussi paisible, comme si de rien n'était, il se remit debout, tapota pour faire tomber les cendres et se tâta la figure : il saignait un peu et avait de la poudre noire sur la joue. Huaihua lui tendit une serviette blanche, il éponge le sang sombre qui avait coulé, puis après une révérence quitta la scène sous les bravos.

Si le public avait observé un religieux silence à l'instant le plus palpitant, à présent les applaudissements et les clameurs sonnaient comme un nouvel orage.

Mao Zhi attendait à proximité du plateau.

« Tu crois que le chef de district m'accordera la prime ? » lui demanda-t-il en s'essuyant.

Elle n'eut pas le temps de répondre, déjà le directeur, aux anges, s'était interposé : « Je te le garantis ! Bien sûr qu'il y aura mille yuans pour toi ! »

Le sourd partit en souriant se faire bander.

Le deuxième numéro allait commencer. Si le premier avait maté dans l'œuf le risque de chahut, celui-ci devait plonger la salle dans un émerveillement silencieux : on avait programmé le borgne qui enfilait les aiguilles. Jusqu'à présent il s'était contenté d'en coincer dix-huit, de celles qu'on utilise pour les semelles, entre le pouce et l'index de sa main gauche, puis prenant le fil de la droite, le tordant, visant, alignant bien les dix-huit chas, de le faire passer dedans à toute vitesse – comme une flèche traverse une ruelle. Ce jour-là, les choses furent différentes. Il plongea la main dans une boîte en carton pour en sortir une poignée d'aiguilles à broder, en répartit une centaine en quatre tas entre les doigts de sa main gauche, tourna la paume vers le bas et tapota un peu sur une planchette en bois. Une fois les têtes ainsi alignées et serrées les unes contre les autres, il retourna la main vers le ciel et se mettant face à la lumière, ouvrit grand son unique œil. Avec le pouce et l'index de la main droite, il tripota encore un peu les quatre rangées d'aiguilles pour que les chas soient bien les uns en face des autres, que par leurs yeux on puisse voir l'éclat blanc des lampes au-dessus de sa tête, et le fil, qu'il avait tordu jusqu'à le rendre aussi dur que du cuivre, traversa d'un coup la première rangée pour immédiatement revenir. Le temps d'un battement de paupières, toutes les aiguilles furent pendues à leur fil rouge.

Lui à qui il fallait au départ le temps d'avaler une gorgée d'eau pour enfiler huit à dix aiguilles, le temps de mâcher une bouchée de pain pour en enfiler entre quarante-sept et soixante-dix-sept si c'étaient des grosses, avait cette nuit enfilé d'un seul mouvement cent vingt-sept aiguilles à broder. Le temps d'avaler une bouchée de pain, il avait répété le geste trois fois et en avait deux cent quatre-vingt-dix-sept sur son fil.

« Vous croyez que je peux remporter la prime ? demanda-t-il.

– Tu peux, assurément tu peux ! » lui répondit le directeur.

Quant aux broderies sur feuilles et sur papier, là aussi les choses furent différentes. La paralytique se montra capable de faire naître non seulement des herbes, des fleurs, des fourmis et des papillons sur une feuille de papier fin et friable, mais aussi un minuscule papillon sur une carapace de cigale jaune qui avait passé l'hiver accrochée à un arbre. Pour le colorier, au lieu de sortir une bobine de rouge, une fois sa broderie achevée elle se piqua le dos de la main, en fit tomber une goutte de sang et l'insecte aux ailes écarlates s'envola.

Le petit polio exécuta un numéro singulier. Après avoir fait trois fois le tour de la scène dans un sens en boitillant avec sa bouteille au pied, puis trois dans l'autre sens, il s'arrêta et dévisageant le public avec effronterie, il donna de violents coups sur le sol pour la fracasser. Ensuite il leva la jambe et les spectateurs purent constater que son maigre mollet et les trois pouces pendant de son pied difforme étaient constellés d'éclats de verre. C'était un verre blanc, brillant, à côté duquel le sang coulait rouge et frais.

Mais le spectacle durait depuis si longtemps qu'on n'allait pas se mettre à crier parce qu'un Benaisien s'était blessé. On le regardait tendre cette jambe dont le sang arrosait comme une pluie la toile neuve du tapis de scène. L'enfant avait un teint livide, cireux, tel un morceau de papier translucide.

« Ça fait mal ? cria quelqu'un dans l'assemblée.

– C'est supportable », répondit-il.

Un autre demanda :

« Tu te mettrais debout pour faire un tour de scène ? »

Effectivement, il se redressa. Son front dégoulinait de sueur, avec un pauvre sourire forcé, jaune et piteux, il posa le pied par terre. Pesa, en s'inclinant, de tout son poids sur sa jambe malingre. Puis laissant derrière lui une traînée sanguinolente, il s'exécuta, trois tours dans un sens et trois tours dans l'autre.

La nuit se faisait profonde, aussi paisible que si le temps était tombé dans un puits obscur. Le chef de district avait promis de revenir aujourd'hui pour annoncer la déjointaie pendant cette dernière représentation : il était censé lire l'acte devant la foule. Mais le spectacle touchait à sa fin et il n'était toujours pas là. Préoccupée, Mao Zhi faisait les cent pas derrière l'estrade. Aucun phare n'éclairait la route en contrebas, aucun bruit de moteur ne lui parvenait. « Vous croyez qu'il ne viendra pas ? » avait-elle demandé. « Impossible ! » s'étaient exclamés les cadres. Ils avaient dit : « Peut-être est-il tombé en panne ? Il aura eu une urgence qui l'aura retardé ? »

Ils avaient dit : « Bon, écoutez, faisons comme ça : allez-y vous aussi. On va rallonger le spectacle pour l'attendre. Il ne peut pas ne pas venir. Il va venir. Il est forcé qu'il vienne. Il proclamera l'acte. »

Elle avait accepté de jouer les prolongations.

Avant qu'il sorte de scène, à voix basse, elle avait intimé au petit polio : « Encore quelques tours, si tu t'en sens capable. »

Arrivée au sommet exact de la montagne, au-dessus de ce pic un peu à l'est où les gens allaient regarder le lever du soleil, la lune qui était dans son dernier quartier s'y accrochait comme une louche pendue à la branche d'un arbre. Les étoiles étaient rares et il faisait à présent plus frais, comme pendant la deuxième moitié d'une nuit d'été. L'un dans l'autre, on était encore en hiver, aussi bon fasse-t-il, le fond de l'air restait froid. Les membres du public qui avaient retiré leur veste ouatée la rejetaient à présent sur leurs épaules, on renfilait le pull ou le sweat-shirt qu'on avait coincé sous son coude. Si, les jours précédents, on avait à cette heure-ci sombré dans les rêves avec le reste du monde, au pied du mémorial personne n'avait sommeil. Les gens suivaient le spectacle en écarquillant de grands yeux brillants.

L'enfant avait recommencé de déambuler en traînant son pied difforme criblé d'éclats de verre. Boitillant, il marchait, courait, courait et marchait, et trois tours dans un sens, et trois tours dans l'autre. La scène sur laquelle il évoluait buvait son sang comme une cour l'eau avec laquelle on l'asperge, la toile neuve se couvrait d'empreintes sombres et poisseuses qui en un tournemain passaient de l'écarlate au marron pourpre puis au noir de cendre. Ce gamin forçait le respect, les gens avaient le front couvert de grosses gouttes de sueur qui brillaient comme des perles d'eau, lui souriait toujours, d'un sourire sucré, rayonnant, comme s'il venait de remporter une victoire sur lui-même. Du coup eux aussi se croyaient capables de chausser une bouteille et de courir sur scène avec un pied blessé. Il s'était surpassé. Quand au bout du sixième tour il s'avança pour saluer le public et lui montra son pied difforme, il n'y avait plus rien à voir sous sa plante, les morceaux étaient entrés dans sa chair, un liquide trouble s'en écoulait, c'était comme s'il n'avait pas levé la jambe mais tourné un de ces robinets comme en ont les gens des villes et qu'au lieu d'eau du sang s'en fût échappé.

La fin approchait. Mao Zhi et ses neuf phalènes allaient entrer en scène. La lune était passée de ce côté de la montagne, au-dessus de la chaîne régnait un silence profond et humide qui couvrait le ciel et la terre, à l'infini. Entre deux accès de clameurs humaines, on entendait les branches des arbres se balancer dans le vent, un oiseau chanter au fond de quelque précipice ou forêt, et les battements d'ailes de ceux qui s'envolaient, effrayés par les vociférations et les applaudissements. Les spots projetaient comme des flèches leurs faisceaux de lumière vers le ciel et les autres vallées. Dans l'air, à l'odeur froide des soirs d'hiver se mêlait une plaisante fraîcheur nocturne estivale.

« N'oubliez pas de passer au chef-lieu prendre l'acte, quand vous reviendrez, avait dit Mao Zhi.

— Je n'en ai que pour trois jours, avait répondu le chef de district. A la fin du troisième, quoi qu'il arrive, je serai de retour pour la proclamation.

— Il faut y aller, Mao Zhi. J'ai entendu un bruit de moteur au pied de la montagne », la pressaient les administrateurs.

Elle monta alors sur scène. Son numéro serait le clou de la soirée. Par son art, dès qu'elle apparaîtrait elle ferait bondir le cœur des spectateurs. Mais avant qu'elle se montre dans la tenue que le directeur de la troupe de madrigau avait conçue pour elle, la ravissante gens-complète qu'était désormais sa petite-fille avait avec le plus grand sérieux bombardé le public de questions : « Est-ce qu'il y a des nonagénaires dans votre famille ou votre village ? Est-ce que vous avez entendu parler d'un centenaire dans votre ville ? Oui ? Est-ce que cette personne a encore ses dents ? Comment voit-elle ? Est-ce qu'elle mange encore des cacahouètes, des noix et des fèves ? Est-elle toujours capable de piquer les semelles des chaussures ? » Après un temps de cet interrogatoire, elle se retira, Mao Zhi fit son entrée en fauteuil roulant et on annonça qu'elle avait cent neuf ans. De fait, dans sa veste en grosse cotonnade bleue comme celles des femmes du Nord au temps de la République et son pantalon de toile à larges jambes, elle était l'image criante de la personne qui a passé le siècle. Cassée en deux, avec ses mèches blanches elle donnait l'impression d'avoir été arrachée au cercueil et c'était assez pour arrêter le regard, les gens étaient tout bonnement stupéfaits. Puisqu'elle était supposée avoir un âge vénérable et qu'on avait précisé que toute sa vie elle avait boité, il était normal qu'il y ait un gens-complet pour pousser son fauteuil – le rôle avait été attribué à l'homme qui dans le Sud avait prétendu avoir cent vingt et un ans et dont les nouveaux arrangements faisaient désormais le fils de la centenaire. Il devait lui donner du « mère ».

Le fait d'attribuer cent neuf ans à Mao Zhi, et non deux cent quarante et un comme dans le Sud où son petit-fils en avait cent vingt et un, était le fruit des fines réflexions des gens-complets. Tout le monde ayant dans les Balou entendu parler de Benaise, impossible de la prétendre trop âgée. Qu'elle ait passé le siècle, en revanche, la plupart des gens y croiraient. Soit, les centenaires étaient rares dans la région, mais il y en avait. Cent neuf ans, même les habitants des villages voisins n'auraient pas de doutes. Parce que, d'accord, géographiquement parlant ils étaient proches, mais les Benaisiens étant handicapés, leurs rapports étaient quasi inexistants, personne ne s'intéressait à ce qui pouvait leur arriver. Le village aurait-il vraiment compté une habitante de cent neuf ans, ils l'auraient ignoré.

Le « fils » qui poussait son fauteuil tirait comme à l'habitude tout le parti qu'il pouvait de sa tête de brave paysan. Il leur expliqua que sa mère était née cent neuf ans plus tôt, soit dans l'année du Lapin du cycle précédent, et avait de ce fait connu la dynastie des Qing et la République de Chine. Pour illustrer ses dires, il fit circuler dans le public sa carte d'identité, son livret de famille et exhiba du haut des planches un certificat de longévité encadré qui portait la signature et le sceau de Liu Yingque. La signature et le sceau du chef de district ! Personne ne doutait plus que Mao Zhi ait bien cent neuf ans au lieu de ses soixante et onze. Il enchaîna en faisant remarquer que son âge n'avait rien d'exceptionnel, l'important était qu'elle ne soit ni sourde ni malvoyante, et ait encore ses dents. Elle boitait juste un peu. Pour prouver qu'elle avait une bonne dentition, il lui tendit deux noix, deux fruits bien durs qu'elle enfourna et broya en quelques coups de mâchoire énergiques ; pour prouver que sa vue était bonne, une aiguille d'argent

386

et un fil noir : il éteignit le spot le plus fort, plongeant la scène dans la même semi-obscurité que les demeures paysannes qui s'éclairent à la lampe à huile, et dans cette lueur floue elle passa le fil plusieurs fois dans l'aiguille sans jamais rater le chas.

Elle enfilait des aiguilles, elle mangeait des noix, des cacahouètes et des pois sautés : les gens étaient abasourdis. Dans la vie courante, qui a des parents, ou des grands-parents, qui approchent le siècle ? Qui est capable de vivre jusqu'à cent neuf ans sans perdre ni l'ouïe ni la vue ni les dents ? Alors qu'ils mijotaient dans leur émerveillement comme un poulet à petit feu dont le parfum monte doucement, le soi-disant fils leur expliqua le secret des habits funèbres qui aident à rester en bonne santé. Joignant le geste à la parole, il lui enleva son pantalon de toile et sa veste en grosse cotonnade à la mode de la République pour la faire brusquement apparaître vêtue d'étincelant brocart noir.

Le public passa du petit « Ah ! » de surprise civile à quelque chose de plus brutal. Il n'était plus que cris et chuchotements, les regards un moment égarés convergeaient vers la scène, l'attention se concentrait sur la personne de Mao Zhi. Elle était vieille mais c'était un être vivant, à l'instant elle avait en causant croqué des noix, enfilé des aiguilles et précisé avec un petit rire : « Je baisse, encore quelques années et je n'y arriverai plus. » Et voilà qu'en un battement de paupières on la retrouvait parée comme une défunte de sa tenue funéraire.

D'excellente qualité par ailleurs, cette tenue, en une soie noire semée de minuscules fleurs brillantes qui scintillaient à la lumière intense des projecteurs. L'ourlet de la jupe était souligné d'un ruban doré brodé d'un entrelacs de fils blancs et jaunes dont il émanait un éclat très différent de celui du noir de la soierie. Si l'une avait les éclats blancs du pur argent, l'autre semblait aube scintillante d'or pur : telle la lumière du soleil lorsqu'il commence à poindre à l'est et perce les yeux sans pitié. La veste aux larges pans ne manquait pas non plus d'originalité. Non seulement elle était bordée de topaze aux manches et à l'encolure, mais en plus le devant était décoré de deux broderies au point fin. A gauche un dragon mordoré se tordait et s'enroulait comme un python vivant. On avait l'impression que s'il s'était étiré, il aurait fait une bonne toise de long, mais déjà ainsi, enroulé sur lui-même, il allait du bas de la tunique jusqu'à l'épaule. Chaque patte, chaque écaille, exécutée avec une telle finesse qu'on aurait dit un vrai, on l'imaginait sur le point de sauter en bas de la scène. A droite, un phénix dans tous les tons de rouge : carmin, pourpre, vermillon, rouge léger, rose pâle, comme si l'oiseau embrasé venait de se poser sur la robe. Ce contraste entre le rouge et l'or ravivait l'éclat blanc qui émanait de la soie noire, le rouge s'en nuançait de pourpre, le jaune y prenait des reflets d'or profond. Face à ces mille chatoiements, face à cette robe funéraire, les milliers de spectateurs restèrent pétrifiés, leurs regards comme aspirés par la scène. Comme ils étaient encore sous le choc, sans leur laisser le temps de reprendre leurs esprits, l'homme qui tenait le rôle du fils fit tourner le fauteuil pour leur montrer le grand « Sacrifice aux morts » qui brillait de tous ses feux dans son dos. Au lieu de respecter sa forme originelle, carrée, la personne qui l'avait réalisé en avait fait un rond en soie platine. Et il avait beau avoir un pied de diamètre, c'était à peine s'il y avait entre les traits plus que l'espace d'un bâton d'encens. On aurait dit un soleil à son levant ou son couchant. De plus les deux anneaux qui l'entouraient étaient retravaillés en petits caractères *longévité* de couleur bronze accolés les uns aux autres, qui en accentuaient la tonalité sinistre, oppressante et funèbre. Le numéro en était à ce point à son zénith, le spectacle avait atteint son apogée, comme les alpinistes quand ils arrivent au sommet d'une montagne. Il n'y avait pas à dire, les gens-complets étaient plus intelligents que les handicapés, mais ceux de la troupe avaient vu plus de choses, leurs connaissances étaient plus étendues, ils savaient que chaque numéro surprendrait les spectateurs et les plongerait dans des conciliabules sans fin, si bien qu'à l'instant suprême il ne serait plus besoin de leur arracher de folles acclamations. Inutile de les faire applaudir à en avoir les paumes rouges. Ils n'avaient plus de voix, ils avaient mal aux mains, ils étaient fatigués, certains tombaient de sommeil, un numéro qui n'eût pas été renversant, à vous faire tomber par terre, n'aurait pas attisé leur appétit. Ils maîtrisaient à fond le principe qui veut que l'action appelle l'action, et le calme le calme. Comprenaient à quel point il est important de savoir passer de la quiétude à la tempête, puis du mouvement au silence. Le sourd s'était mis la figure en sang avec ses pétards, le borgne avait en un battement de paupières enfilé presque trois cents aiguilles, le Singe volontairement laissé sa chemise prendre feu, l'aveugle réussi à différencier une soie de porc d'un crin de cheval en les entendant tomber sur le carreau. Bien sûr, il n'était plus possible de mettre de l'huile sur le feu, au contraire il fallait un numéro qui soit comme la pluie sur un brasier, en sorte que ces milliers de spectateurs tombent d'un coup de leurs frénétiques hauteurs dans une piscine d'eau glacée, que d'émerveillement ils ne sachent plus que dire, que le monde entier plonge dans le silence, qu'il soit muet de surprise.

Effectivement, le spectacle de Mao Zhi en tenue de tombe les avait fait chuter de leurs sommets effervescents, ils restaient cois, un sentiment de poignante incompréhension les étreignait : comment un être vivant pouvait-il aller toute la journée vêtu d'habits funéraires ? La nuit était profonde, aussi profonde qu'un puits tari. Le monde avait sombré dans les rêves, l'univers et les hommes se tenaient dans l'obscurité comme à la frontière de la vie et la mort. Une femme de cent neuf ans leur était apparue guillerette dans les vêtements avec lesquels on l'enterrerait, leurs visages avaient pris une teinte lunaire, ils étaient livides, le sang semblait les avoir désertés, c'était comme s'ils revenaient du royaume des morts ou qu'ils fussent en train d'y aller. Le silence était d'un tel absolu qu'on aurait pu croire à l'absence de spectateurs. De la scène on pouvait entendre ronfler un bébé endormi dans les bras de sa mère, l'entendre crier dans son rêve. Alors, face à ces gens-complets que toute idée de sommeil avait quittés, en réponse à leurs interrogations, le soi-disant fils de quatre-vingt-onze ans qui en avait en réalité soixante et un tint un discours d'une telle banalité qu'il était impossible de ne pas y croire. Il dit : « Notre mère, ça fait des dizaines d'années qu'elle n'a pas enlevé ses habits de tombe. Elle a dormi et mangé dedans la moitié de sa vie. » Puis d'expliquer qu'au cours de certaine année du Rat, soit en 1948, pendant l'hiver de la trente-septième année de la République, comme elle était tombée dans un ravin en allant chercher du petit bois pour le feu, elle s'était cassé la jambe et le choc l'avait rendue gravement malade. Pendant sept jours et sept nuits elle était restée inconsciente, si bien qu'il lui avait enfilé sa tenue funéraire afin qu'elle soit prête à monter au ciel. Mais à l'instant de passer, elle était revenue à elle ! Puisqu'elle s'était réveillée, on l'avait changée de vêtements. Et il avait suffi de la déshabiller pour que la maladie revienne. A nouveau elle avait sombré dans le coma. Alors on les lui avait remis, à nouveau son état s'était amélioré et elle avait recouvré ses esprits. Au bout de plusieurs tentatives, on avait renoncé à lui retirer la tenue, on lui avait même carrément préparé plusieurs robes qu'elle pourrait mettre tour à tour et depuis, de jour comme de nuit, mois après mois, année après année, elle prenait ses repas, bêchait la terre, charriait l'engrais, métivait et dormait vêtue de ses habits de tombe. Elle vivait ainsi habillée.

Il dit que depuis cinquante et un ans elle portait une tenue funéraire.

Qu'au cours de ces cinquante et un ans elle n'avait jamais eu ni maladie ni accident.

Que les médecins traditionnels des Balou l'affirmaient et que ceux des villes rencontrés pendant leur tournée dans le Sud l'avaient confirmé : si en cinquante et un ans elle n'était jamais tombée malade et n'avait jamais eu d'accident, c'était justement parce qu'elle portait sa tenue de tombe. Les gens ont tellement peur de mourir que neuf fois sur dix cette angoisse envenime les maux bénins et risque de provoquer une issue fatale quand le cas est grave. Alors qu'il suffit de ne pas craindre la faucheuse, de l'inviter chez soi, totalement et sans arrière-pensée, de dormir avec elle et de l'accueillir dans ses rêves pour ne plus avoir de mélancolie ni dans les os, ni dans le sang, si bien qu'il circule librement dans les veines, reste fluide mois après mois, année après année, pendant dix, vingt, cinquante ou cinquante et un ans, et que jamais en un demi-siècle on ne tombe malade. Or quand on n'attrape pas de maladie, on vit naturellement très vieux, l'homme naturel est toujours en bonne santé.

Savaient-ils, justement, à quel point elle était bonne, sa santé ? A cent neuf ans, non seulement elle cousait encore les draps, piquait les semelles des chaussons, faisait la cuisine et la lessive pour son fils, son petit-fils et ses arrière-petites-filles, mais elle était encore capable à la saison d'aller couper le blé dans les champs et de battre les pois ou le sésame sur l'aire avec les gens du village. Il prétendit même qu'aujourd'hui encore elle arrivait à soulever des palanches de cent, voire deux cents livres, et que si elle prenait appui sur sa béquille, elle pouvait hisser neuf personnes en l'air !

Quatre grands gaillards sortirent alors des coulisses avec deux gros sacs de jute gonflés, entre lesquels ils passèrent la tige d'une palanche et que dès sa première tentative elle décolla du sol.

Ensuite elle les reposa et neuf gamines pleines de vie s'en échappèrent.

Neuf phalènes, neuf petits êtres semblables à des papillons.

On raconta qu'elles étaient nées en même temps, elles chantèrent, elles dansèrent, voletant ici et là comme les insectes auxquels elles ressemblaient.

LIVRE ONZE

FLEURS

CHAPITRE PREMIER

Une boule d'ouate écrue
et une constellation de taches rouges

La représentation était finie. Ce qui n'était pas prévu, c'était que le chef de district ne reviendrait pas ce soir-là. Ni le tremblement de terre qui se produisit quand les Benaisiens allèrent se coucher.

Logés dans les pièces annexes du mausolée, comme au cours des six mois qu'ils avaient passés à tourner à l'extérieur des Balou, ils y avaient étalé leur literie et faisaient chambre commune, les hommes d'un côté et les femmes de l'autre. Mais ce soir-là, en cette nuit du dernier mois de l'année du Tigre, après avoir à la hâte rangé leurs costumes de scène pour aller se coucher, ils devaient s'apercevoir que ni la couverture, qu'ils avaient laissée pliée à la tête du lit, ni l'oreiller n'étaient plus à leur place. Les tapis de sol avaient été déchirés en mille morceaux, les vêtements sortis des sacs et jetés pêle-mêle.

L'argent que six mois de prestations leur avaient rapporté n'était plus dans les couettes, il n'était plus dans les matelas, ni dans les oreillers, ni dans les coffres.

Ils avaient été cambriolés.

Dévalisés par des gens-complets qui ne leur avaient pas laissé un sou.

Les milliers de spectateurs venus assister à leur spectacle s'étaient égaillés aux quatre coins, le bruit confus de leurs pas s'était tu. Le monde était au cœur de l'hiver mais ici, sans lui laisser le temps de s'achever, le printemps l'avait rattrapé et les arbres s'étaient mis à bourgeonner. Les pentes herbeuses verdissaient, dans la tiédeur de l'air flottaient les effluves d'un parfum luxuriant et léger. Il faisait doux. Vous pouviez passer la nuit où vous vouliez : à l'abri d'un auvent, dans une ravine, sous un arbre ou derrière quelque rocher qui arrête le vent.

En un clin d'œil, les gens s'étaient dispersés et on n'en voyait plus l'ombre. Ceux des villages et des hameaux environnants pouvaient cette nuit demander deux yuans d'une natte et quatre d'une couverture. Des marches du chemin de koutou devant le paisible mémorial, on les entendait s'égosiller : « Nattes à prêter[1] ! Deux yuans ! Edredons ! Cinq yuans le lit ! »

Qu'ils crient tant qu'ils voulaient, les hurlements des Benaisiens couvrirent leurs voix. On aurait dit les grosses gouttes d'un orage naissant sur la petite brise qui soufflait. Les vociférations, faut-il le préciser, émanaient des annexes du mémorial. On aurait pu croire à une explosion, elles se mêlaient en un magma strident qui inondait l'univers.

« Ciel ! Où est passé mon argent ?

– Ciel ! Ma courtepointe, mon oreiller ! Ils sont en loques !

– Ciel ! J'ai été volé ! Nous avons été pillés ! Comment allons-nous faire maintenant ? »

Le Singe avait été le premier sur les lieux – parce qu'il se déplaçait vite et n'avait aucun vêtement ni ustensile à rapporter. Il était arrivé dans le mausolée et s'était dirigé vers une porte en face du cercueil de cristal, il l'avait poussée, avait allumé la lumière, et

396

l'évidence du désastre lui avait sauté aux yeux. L'annexe était constituée d'une dizaine de petites pièces regroupées en plusieurs suites, l'entrée se faisait au niveau de la troisième, il logeait sur le devant de la deuxième. A peine avait-il passé le seuil qu'il était tombé sur le garçon qu'ils avaient laissé de garde : le visage en sang, ligoté comme un paquet de chair, il avait une jambe de pantalon enfoncée dans la bouche et s'était fait jeter tel un ballon dans une encoignure. D'un bond, Une-patte avait été dans sa chambre : l'édredon qu'il avait plié au carré et rangé au pied du mur avait été éventré, les habits qu'il avait rangés dans l'enveloppe de son oreiller traînaient par terre, sur les nattes, il y en avait partout. Ma le sourd, le Borgne, le menuisier à la patte folle, le muet et l'homme à six doigts affectés au transport des coffres et du matériel partageaient avec lui le tapis de sol. Eux aussi, leurs coffres, leurs balluchons et leurs literies avaient été mis à sac. Près de l'entrée traînait une boule d'ouate écrue échappée à quelque couette, qu'on avait jetée là. Un caleçon rouge, le préféré du sourd, avait été balancé sur l'appui de la fenêtre. Réalisant qu'il s'agissait d'une catastrophe majeure, il avait lâché sa béquille et continué à cloche-pied, franchissant avec un de ces sauts qui lui permettaient sur scène de passer les mers de feu la distance qui le séparait de la paroi opposée. Sa literie ! Les quatre coins de la couette où il dormait avaient été découpés aux ciseaux. Les billets qu'il y avait cousus par liasses de dix mille avaient disparu. A la hâte il avait vérifié ce qu'il en était de son matelas de coton : lui aussi avait été lacéré et présentait un trou béant tourné vers le ciel.

Avec un hurlement déchirant il était tombé à genoux :

« Mon argent ! Où est mon argent ? »

Ensuite d'autres cris s'étaient mêlés aux siens et avaient résonné par monts et par vaux. Vite la paralytique, le menuisier à la patte folle, l'aveugle, l'homme aux six doigts, le muet, le jambe-cassée, Tonghua, Phalène, Huaihua, Yuhua et les cuisiniers-complets, en tout plus de cent Benaisiens, s'étaient mis à leur tour à pleurer et gémir. Certains tapaient du pied, appuyés dans l'embrasure des portes, d'autres s'étaient assis par terre et serraient sur leur cœur un ballot vide, se lamentant et se bourrant de coups. S'ils avaient mis leurs économies dans un édredon, il était déchiré. S'ils les avaient cachées dans un oreiller, il ne contenait plus que de la paille de blé et du son ; dans un matelas, la bourre s'était envolée et gisait au sol ; dans un coffre, soit la serrure avait été forcée, soit il était carrément cassé en mille morceaux. Huaihua s'était offert une mallette en cuir fantaisie comme en ont les gens des villes pour ranger leur argent et leurs objets précieux, résultat : même la mallette avait disparu, on l'avait emportée.

Quelques vieux avaient préféré déposer leur fortune dans un seau en fer et, où qu'ils jouent, creusé pour l'y enterrer un trou qu'ils couvraient avec la natte et l'oreiller, personne n'avait jamais su où ils la cachaient, et maintenant, maintenant, les récipients vides avaient été balancés à côté du cercueil de Lénine.

Disons-le crûment : les Benaisiens avaient été victimes du plus consternant des pillages.

Que ce soit dans la salle principale, à côté du catafalque ou dans les annexes, partout les aveugles, les boiteux, les sourds et les muets s'étaient effondrés, allongés ou assis. Les hommes comme les femmes, les jeunes comme les vieux pleuraient en poussant des jurons qui claquaient tels des coups de couteau sur une tige de bambou. Ils poussaient des cris perçants, des cris éraillés, comme s'ils avaient voulu par leur unisson faire s'écrouler le mausolée.

Les gens-complets restés dormir dans les parages accoururent. Les voyant sangloter et se lamenter sans prendre la peine d'essuyer leurs larmes, ils tentèrent de les réconforter :

« Ne pleurez pas, disaient-ils. L'argent, on peut toujours en gagner.

– Tant qu'il y a la montagne, inutile de se faire du souci pour le bois, disaient-ils.

– Voir des infirmes gagner autant, ça excite les convoitises », disaient-ils.

Et sur ces belles paroles, comme ils tombaient de sommeil, ils regagnèrent le lieu qu'ils avaient élu pour passer la nuit.

Le cercueil avait dans la lumière blanche des éclats de saphir, on l'aurait cru non point en cristal, mais en jade froid et onctueux. Quand ils eurent bien pleuré, quand ils eurent bien crié, à un moment quelconque ils s'arrêtèrent. Il n'y avait plus personne dans les dépendances, tout le monde avait regagné la salle principale. Ils s'étaient installés par grappes mais cela faisait une masse noire comme l'aile d'un corbeau dont le regard se tourna vers Mao Zhi.

Son visage avait disparu sous une épaisse couche de poussière, une cendre derrière laquelle, vague-ment, pointait le mauve sombre d'un masque mor-tuaire. Apathique, elle se tenait à la tête du cercueil, sur lequel elle avait appuyé sa béquille et posé le balluchon de coton blanc qui contenait sa tenue de tombe en soie noire. Il semblait avoir trouvé là l'emplacement *ad hoc*, tels le fil et les aiguilles dans la boîte à ouvrage ou la bougie dans son bougeoir : le cristal avait dans la lumière un éclat bleu qui évoquait le pur azur, la sombre soierie des allures de verre noir. L'un comme l'autre étincelaient, brillaient d'une luminosité sans pareille ; l'un comme l'autre débordaient de silencieuse majesté. Une fois ses affaires rangées, avant de prendre le chemin du mausolée elle était retournée derrière la scène pour jeter un dernier coup d'œil au pied de la montagne. Puis, convaincue que le chef de district ne débarquerait plus au milieu de la nuit, en son for intérieur elle avait longuement soupiré avant de repartir en boitant.

La soirée était déjà si avancée que la lune tombait et que les étoiles avaient commencé de se raréfier. Le mausolée se dressait au sommet de la montagne comme hissé par la chaîne au milieu de l'air, le vent caressait son avant-toit en lui murmurant des confidences. De l'intérieur du bâtiment lui étaient parvenus des cris, comme des hennissements de chevaux. Se précipitant, clopin-clopant, dans la suite qu'elle partageait avec ses petites-filles, elle y était tombée sur Yuhua, assise par terre, la couette sur le cœur, qui lui avait dit en gémissant : « Dire que je n'ai même pas osé m'acheter un seul vêtement ! Pas un seul ! » Phalène, également paralysée sur le sol, étreignait son oreiller en se lamentant : « Il y était encore à l'heure du dîner ! Je l'ai tâté avant d'aller jouer ! » Tonghua et Huaihua étaient restées debout à côté de leurs couches respectives, mais tandis que l'une fixait sans mot dire le noir devant elle, comme si de toute éternité elle avait prévu cette razzia, l'autre, si elle ne pleurait pas, tapait du pied avec hargne en éructant : « Très bien ! Excellent ! Cette fois vous ne pourrez plus me reprocher de ne pas faire assez d'économies et d'avoir dépensé pour un chemisier la valeur d'un mu de blé ! »

Il avait suffi à Mao Zhi de leur jeter un œil en arrivant pour comprendre de quoi il retournait. Toujours boitant, elle s'était ruée dans la deuxième chambre.

Puis dans la troisième.

Puis dans la quatrième.

A la septième elle avait fait demi-tour, se disant qu'il fallait trouver les gens-complets du district, une maitriauté à qui parler. Mais lorsque, encore courant, elle était entrée dans la grande suite qu'ils occupaient, derrière le cercueil en cristal, force lui avait été de constater, dès la porte, qu'il n'y avait plus trace à l'intérieur ni de leur literie, ni de leurs vêtements. La pièce avait été vidée de fond en comble, il n'y restait rien.

Pas l'ombre du moindre quoi que ce soit.

Son cœur s'était glacé, c'était comme si une meule de pierre gelée était venue s'écraser sur sa poitrine. Elle s'était ruée vers la terrasse où ils avaient joué et là, les deux camions où ils avaient voyagé durant les six mois de la tournée s'étaient eux aussi évanouis. Il ne restait, à leur place, que des traces de pneus et des herbes pourpres.

Debout dans l'entrée du mausolée, elle avait posé la main sur le chambranle de froid palissandre et mollement s'était laissée glisser.

Elle n'avait pas pleuré, elle n'avait pas crié. Elle était restée là, sur les dalles, hébétée, un très, très long temps. Ce n'était que lorsque les gens-complets venus aux nouvelles étaient repartis en la frôlant qu'elle s'était remise debout, toujours en s'aidant du montant de la porte, et était venue se poster à côté du catafalque dans la grande salle. Puis, de cette place, elle avait demandé aux Benaisiens de sortir de l'annexe et convoqué le jeune homme qui était censé monter la garde.

Il eût pu passer pour un gens-complet, par rapport à ceux qui se produisaient sur scène. Il n'était ni aveugle, ni sourd, ni bancal, son seul problème était sa main gauche qui avec ses doigts soudés entre eux ressemblait à une patte de poulet. Il était né avec et quelques dizaines d'années plus tard l'avait toujours. Il alla s'accroupir devant Mao Zhi, le visage couleur d'une cendre aussi mortelle que s'il avait été l'unique responsable du saccage. On l'avait tellement roué de coups qu'il n'avait plus qu'une moitié de figure en bon état, l'autre était gonflée et tuméfiée, couverte de boursouflures qui distordaient sa bouche et son nez. Ceux qui l'avaient ligoté avaient serré les liens si fort que ses mains avaient rougi et enflé, et que la gauche, cette minuscule main gauche, était presque aussi grosse que la normale. Il regarda Mao Zhi, jeta un œil aux Benaisiens, et accablé par sa faute baissa la tête. Ses larmes roulèrent avec un bruit de cailloux et pilonnèrent les dalles de marbre.

« Qui était-ce ? demanda Mao Zhi.

– Une montruche[3] de gens.

– Mais qui ?

– Rien que du monde d'en-su. Des gens-complets qui ont fait la tournée avec nous. C'était la pagaille, il devait y en avoir une bonne dizaine, peut-être une vingtaine.

– Pourquoi n'as-tu pas appelé ?

– Ils m'ont attaché dès qu'ils sont arrivés. Il y en avait un qui faisait le reguièt[5] à la porte, d'autres étaient chargés de fouiller les couettes ou de forcer les coffres. Ils savaient exactement qui avait caché son argent où. Tellement bien qu'en les voyant se servir on les aurait crus chez eux !

– Mais pourquoi n'as-tu pas appelé ?

– C'était rien que des gens-complets. Ils ont dit que si je criais, ils me massacraient. Et ils m'ont bâillonné.

– Qu'est-ce qu'ils ont dit ?

– Rien. Juste que c'était le monde à l'envers, on vivait au royaume des aveugles et des boiteux.

– Quoi d'autre ? »

Il dut faire une pause pour réfléchir : « Ils ont dit qu'on pouvait toujours attendre, et que même si on l'espérait jusqu'à la mort, le chef de district ne risquait pas de revenir. »

Ensuite il n'y eut plus ni question ni réponse. Le silence était tel qu'on eût dit la salle déserte autour du cercueil. Les regards s'étaient sans bruit tournés vers Mao Zhi. Et là, stupéfaction : la désolation qui imprégnait ses traits en refluait, son teint perdait cette nuance de pourpre sombre et terreux, comme la glace en hiver quand elle redevient eau, elle donnait une impression de redoux, de souffle vivace. Emportée par un élan, elle semblait réaliser quelque chose, avoir compris une vérité première qu'elle s'apprêtait à dire.

Elle la dit.

Elle dit : « Bon. Maintenant vous savez comment sont les gens-complets. Je peux vous poser une question ? Etes-vous à présent d'accord pour vous déjointer ? Est-ce que vous voulez recommencer à vivre comme autrefois à Benaise ? » Cette fois elle ne donnait pas l'impression de quémander une réponse, elle s'était retournée et avait ouvert le balluchon posé sur le cercueil qui contenait sa tenue de tombe. Avec les dents elle déchira un morceau de la doublure immaculée, un coup à gauche, un coup à droite, elle en fit un carré comme ces toiles qui garnissent les paniers des cuit-vapeur, comme une grande feuille de papier blanc. Elle l'étala sur le catafalque, alla chercher des ciseaux dans la pièce attenante et en enfonça la pointe, à la face de tous, dans le majeur de sa main gauche. Le sang goutta comme de la monnaie de cuivre sur le cristal, elle y trempa l'index droit et l'appliqua avec détermination sur le tissu où il laissa une empreinte aussi rouge qu'une fleur de prunus. Presque tourbillonnant, enfin elle se retourna et leur dit :

« Maintenant que vous savez ce que valent les gens-complets, que ceux qui sont d'accord pour se déjointer viennent apposer leur doigt sur le tissu. Les autres, vous n'avez qu'à rester où vous êtes à attendre que le crime noir [7] et le malheur rouge [9] vous tombent dessus. »

Elle ne parlait pas très fort, mais il y avait une grande vigueur dans le ton de sa voix. Quand elle eut dit, elle les observa. Ils étaient tous un peu ahuris, un peu hésitants à la lumière des lampes, incapables de proférer le moindre mot ou la moindre question. Ils étaient encore pénétrés de l'horreur de s'être fait dépouiller, et elle leur parlait de déjointaie. Ils se sentaient coincés, dans l'impossibilité de se retourner, semblables au cheval qui n'arrive plus à faire demi-tour tant la venelle est étroite. Alors ils restaient sur leurs positions, attendant en silence, et le temps s'écoulait lent comme une sève d'arbre. D'un autre côté, s'ils étaient furieux d'avoir été dévalisés, le souvenir la peine noire [11] et la peine rouge [13] avait fait pâlir les plus vieux. Ils commençaient plus ou moins à penser à autre chose, à se demander s'ils devaient oui ou non accepter.

Ils étaient désormais seuls dans le mémorial, dont même les employés avaient disparu. Peut-être étaient-ils partis avec les gens d'en-su, peut-être dormaient-ils au fond de leurs lits. Les murs, le sol, tout ici sous ce haut plafond n'était que marbre étincelant autour de la statue de Lénine et du cercueil de cristal. Eux venaient de Benaise, ils étaient aveugles, boiteux, sourds ou muets, ils souffraient de toutes les sortes et de tous les genres d'infirmité. Certains s'étaient assis, d'autres restaient debout, parfois dans l'encoignure d'une porte ou appuyés à un mur glacial. Dans la pièce le silence était total. La gravité de la scène ne s'en imposait que mieux, ce n'était pas une mince affaire : apposer ou non son empreinte sur le tissu prenait des allures de décision vitale.

Mutuellement on se dévisageait, on attendait.

« Est-ce qu'on pourra encore partir en tournée si on se déjoint ? » demanda le Singe.

Mao Zhi ne répondit pas mais le foudroya du regard.

Le jeune homme qui avait eu la charge de veiller sur les biens des Benaisiens se remit alors sur ses jambes. « Putain ! dit-il. Même si je dois y passer, j'aime mieux me déjointer ! Dans le monde, je passe mon temps à avoir peur des gens. Plutôt mourir que vivre dans la terreur. »

Le premier il plongea le doigt dans le sang de Mao Zhi et laissa son empreinte sur le tissu blanc.

A son tour la paralytique qui brodait sur feuilles approcha, se traînant et se tirant. « Plutôt crever que repartir en tournée, dit-elle. Je donnerai n'importe

405

quoi pour vivre comme avant. » Elle rampa jusqu'au cercueil, une fois à son pied arracha une épingle de sa chevelure, la ficha dans l'index de sa main droite et l'apposa sur le tissu.

Après que plusieurs villageois parmi les plus âgés furent à leur tour venus, le morceau de soie blanche était constellé de taches rouges. Mais ensuite plus personne ne bougea, plus personne ne signa de son doigt. Un air lourd stagnait dans la pièce. Au lieu de leur expliquer ce qu'il faut faire quand on a été dévalisé, Mao Zhi leur demandait de prendre une décision, en réponse à cette catastrophe elle leur proposait de se déjointer, le moment semblait mal choisi. Comme si quelqu'un tombait dans un puits et que vous profitiez du fait qu'il est au fond pour lui demander s'il veut ci ou ça. Aucun des jeunes ne s'était déplacé. Aucun ne quittait le Singe du regard, même les quatre papillons de la famille de Mao Zhi. Debout derrière leur grand-mère, elles ne se décidaient pas à bouger. Comme les autres, Huaihua fixait Une-patte, mais dans son cas c'était avec effronterie, comme pour lui interdire d'y aller : s'il apposait son empreinte, ils seraient obligés de l'imiter, sinon personne ne ferait le moindre geste.

Il était propulsé chef de file.

Le regard de Mao Zhi se posa sur lui.

Il détourna la tête.

« On n'aura plus formance[15] si on se déjointe, articula-t-il. Comment voudriez-vous qu'on parte en tournée ? Il faut bien qu'on recommence, pourtant, puisqu'ils nous ont pris notre argent. » Ainsi exprimé, à haute voix, cela ressemblait à une explication, cela sonnait aussi comme un avertissement. Il avait parlé, il regagna sa chambre en clopinant.

Après un coup d'œil à sa grand-mère, Huaihua lui emboîta le pas.

A la queue leu leu les jeunes rentrèrent dans les dortoirs. Les uns après les autres, à petits pas pressés, comme lorsqu'un meeting nocturne venait de se conclure au village.

Combien étaient-ils, ceux qui restaient à côté de Mao Zhi ? Dix, vingt, la plupart dans les quarante ou cinquante ans. Sans rien dire ils se regardaient et finalement à nouveau ils se tournèrent vers elle. « Allons nous coucher, déclara-t-elle d'une voix unie. Demain à l'aube nous rentrons à Benaise. » Et sur ces mots, se traînant avec lenteur sur sa béquille, elle regagna sa chambre. Il y avait une apathie extrême dans ses mouvements, son pas était flottant, peut-être eût-il suffi qu'elle accélère pour s'effondrer.

CHAPITRE III

COMMENTAIRES : *Crime noir, malheur rouge,*
peine noire et peine rouge

① **Prêter** – *Ici, louer. Les gens de Balou disent souvent prêter au lieu de louer, la relation est chez eux étroite entre les deux concepts.*

Montruche, *n. m. – Au départ, un monticule de terre. Ici, beaucoup de monde.*

⑤ **Reguièt**, *n. m. – Soit une sentinelle. Faire le reguièt, c'est monter la garde, faire le guet.*

⑦ **Crime noir** ⑨ **Malheur rouge** ⑪ **Peine noire** ⑬ **Peine rouge** – *Le crime ou la peine noirs, le malheur ou la peine rouges, sont des termes synonymes.*

Ces expressions ne sont comprises qu'à Benaise, et seulement par les villageois de plus de quarante ans.

La peine noire et la peine rouge ne sont pas des citations classiques, mais leurs tenants et aboutissants sont très profonds. Tout a commencé il y a plus de vingt ans, en 1966, pendant l'année du Cheval, alors que l'orage révolutionnaire déferlait des mers du Nord aux cieux du Sud, sur les monts, hors les monts, dans les villes et les campagnes. L'univers ne se préoccupait plus que de détruire l'ancien pour ériger le nouveau, de soumettre les gens à la critique et de les faire défiler dans les rues, d'éliminer les images du bonhomme de longévité, du dieu du foyer, de celui de la guerre, des chasseurs de diables, du Bouddha et des bodhisattvas pour coller au mur le portrait du président Mao ou se l'accrocher sur le corps. Un an plus tard, on commença à s'en prendre aux individus. Afin de satisfaire les besoins de la Révolution, qu'il fallait alimenter comme un affamé, la commune exigeait des brigades que tous les quinze jours, à tour de rôle, elles lui livrent un propriétaire foncier, un paysan riche, un contre-révolutionnaire, un salaud ou un droitiste. On le sortait pour le critiquer et quand on en avait fini, on l'envoyait balayer les rues avec un bonnet en papier sur la tête, histoire d'agrémenter le climat et le paysage politiques de la société. Qui plus est, pour être sûr que les gens soient vraiment benaises, les jours de fête, les brigades étaient sommées d'organiser des meetings de dénonciation, un peu comme les opéras au moment du Nouvel An. A force, on s'aperçut qu'on n'avait pas assez de propriétaires terriens et de paysans riches pour assurer le roulement. Et la commune de se rappeler que de l'année du Cheval on était passé à celle du Coq, trois années s'étaient donc écoulées au cours desquelles il lui était complètement sorti de la tête que sur son territoire se trouvait, au fond des Balou, un village du nom de Benaise. Et que toujours au cours de ces trois années de brasier révolutionnaire, aucun propriétaire foncier ni paysan riche dudit village n'avait encore été soumis à la critique. Aussi fit-on savoir à Mao Zhi qu'elle devait, le premier du mois suivant, en envoyer un à la commune pour servir la Révolution.

Elle répondit qu'il n'y avait pas de propriétaire foncier au village.

La Révolution : « Un paysan riche ? »

Mao Zhi : « Non plus. »

La Révolution : « Alors un paysan moyen de la classe supérieure. »

Mao Zhi : « Nous n'avons ni paysan moyen-supérieur, ni paysan moyen, ni paysan moyen-pauvre, ni paysan pauvre, ni ouvrier agricole, tous les habitants du village sont des éléments révolutionnaires. »

La Révolution : « Putain de bordel, t'as du culot de débiter de telles sornettes au nez de la Révolution ! »

Mao Zhi : « Benaise n'est administré par la commune et le district que depuis la fin des coopératives. En fait nous n'avons jamais été classés, si bien que personne au village n'a jamais su à quelle catégorie il appartenait. »

La Révolution poussa des cris d'orfraie, sous le choc elle restait la bouche ouverte, les yeux écarquillés. Quand enfin Elle réalisa que le village était passé entre les mailles de l'histoire, Elle décida qu'il fallait absolument revenir sur cette page la plus essentielle de Ses annales, en donner une nouvelle illustration. Elle allait dépêcher une équipe de travail et un groupe d'enquête, chargés de trier d'ici la mi-automne les propriétaires terriens et les paysans riches des paysans pauvres et moyens-pauvres.

Mao Zhi : « Ça ne servirait à rien, Benaise a demandé sa déjointaie. »

La Révolution : « Nous savons que tu connaissais le secrétaire du comité du district et que vous êtes tous les deux allés à Yan'an. Mais Yang a suivi la ligne contre-révolutionnaire et s'est pendu pour échapper au châtiment. Il ferait beau voir que tu trouves un autre traître pour agréer ta requête ! »

Mao Zhi : « Et si je vous l'adresse ? »

La Révolution : « Vingt dieux ! C'est la mort que tu cherches ? »

Mao Zhi : « Il n'y a jamais eu ni propriétaire foncier ni paysan riche à Benaise. Si vous tenez à nous mettre dans des catégories, marquez-nous tous comme paysans pauvres ou moyens-pauvres. »

La Révolution : « Si vous n'avez ni propriétaire foncier ni paysan riche, c'est toi qui iras tous les jours à la commune te faire critiquer et qui balaieras les rues avec un bonnet d'âne sur la tête. »

Mao Zhi, suffoquée, en resta sans voix.

Lorsque les pousses de maïs furent hautes comme des baguettes et que partout dans la montagne courut le parfum des céréales et des plantes azurées, l'équipe arriva à Benaise. Son premier soin fut d'organiser un meeting où elle demanda à chaque famille d'avouer elle-même combien elle possédait de mus de terre, de têtes de bétail et de chevaux avant l'année du Bœuf, celle de la Libération. Le nombre de palanches de millet, de blé, de maïs et de soja qu'elle récoltait tous les ans. Ses membres mangeaient-ils souvent de la balle de millet, du son de blé, de la farine noire et des légumes sauvages ? Est-ce qu'en temps de famine ils partaient mendier ou est-ce qu'ils se louaient en tant que valets de ferme ou saisonniers ? Est-ce qu'ils avaient dû marteler les dos, frotter les reins, faire la vaisselle, se nourrir de son et de légumes chez des propriétaires fonciers ou des despotes ? Est-ce que la patronne leur piquait les mains ou la figure avec un poinçon ? Etc. Mao Zhi avait conseillé aux villageois de dire la vérité, si leur famille possédait tant de mus de terre, il fallait en déclarer tant. Pas plus : ils se retrouveraient propriétaires fonciers. Mais pas moins : on *les classerait parmi les paysans pauvres et ce seraient les autres qui écoperaient de l'étiquette de propriétaire. « Nous sommes tous aveugles ou boiteux, comment pourrions-nous accepter qu'il y ait parmi nous des riches et des pauvres ! Votre conscience ne vous laisserait pas de repos. » Les membres de l'équipe de travail avaient installé une grande table dans le centre du village et notaient dans leur registre les patrimoines et terrains que les paysans déclaraient avoir possédés avant la Libération. Les représentants des foyers défilèrent à tour de rôle devant cette table pour confesser comment ils vivaient et ce qu'ils possédaient vingt ans plus tôt. Vous leur racontiez, les gens s'empressaient d'écrire ce que vous disiez. Mais quand tout fut enregistré, à leur grande surprise les fonctionnaires s'aperçurent qu'avant 1949 toutes les familles possédaient une dizaine de mus et récoltaient plus de céréales qu'elles n'en pouvaient consommer. Ceux qui n'avaient pas de bœuf fournissaient la charrue, la houe ou la charrette à roues de fer.*

A un aveugle ils demandèrent : « Est-ce que ta famille avait assez à manger ? »

L'aveugle : « On n'arrivait pas à finir ! »

Question : « Et pour le Nouvel An, vous vous offriez du pain à la farine blanche ou un demi-bol de poches-plates ? »

L'aveugle : « Ça ! On en mangeait tout le temps ! Qu'est-ce que ça aurait eu de spécial ? »

Question : « Comment faisiez-vous pour cultiver la terre puisque vous êtes aveugles ? »

L'aveugle : « Je faisais aussi de la vannerie, j'aidais les gens quand ils avaient besoin d'un panier ou d'une corbeille, du coup à la saison ils labouraient ou semaient à ma place... »

A un boiteux : « De quelle superficie de terre ta famille jouissait-elle ?

– Une dizaine de mus.

– Comment faisais-tu, avec ta patte folle ?

– J'avais un bœuf ! Les autres me l'empruntaient et après ils m'aidaient.

– Tu vivais bien ?

– Mieux qu'aujourd'hui.

– Comment ça ?

J'avais tellement de provisions, en grain ou en légumes, que je n'arrivais jamais à finir ! »

411

Enfin, bien fort, à un sourd : « Vous n'aviez pas d'ouvrier agricole avec toutes ces terres ? »

Le sourd : « Non.

– Alors comment vous en sortiez-vous ? »

Le sourd : « Chez nous on n'avait pas de bœuf, mais on avait une charrette. On la prêtait aux voisins et en échange ils nous aidaient. »

En bout de parcours, impossible de départager les propriétaires fonciers des paysans riches ou des paysans pauvres : tous avaient plus de terre qu'ils n'en pouvaient cultiver et plus à manger qu'il ne leur en fallait, tout le monde demandait de l'aide à tout le monde, et tout le monde donnait un coup de main à tout le monde. Les boiteux se servaient des jambes des aveugles, les aveugles de leurs yeux ; les sourds des oreilles des muets, les muets des lèvres des sourds. Les villageois formaient une grande famille, ils vivaient heureux et contents, simples et honnêtes, sans jamais se chamailler ni se quereller. Aussi tout le monde reçut-il pour finir un petit carnet noir grand comme la paume de la main, avec sur la couverture le nom de son propriétaire et à l'intérieur deux pages : sur la première une citation du président Mao, sur la deuxième des recommandations vous exhortant à observer la loi et œuvrer pour servir le peuple. Puis l'équipe de travail s'en fut, mais avant de reprendre la route, elle informa tout le village, de la première à la dernière maison, que boiteux, sourd, aveugle ou muet, ils devaient envoyer tous les quinze jours quelqu'un au siège de la commune avec son petit livret noir. Rien de bien méchant : il s'agissait juste de se laisser conduire dans les rues avec un chapeau sur la tête ou de se faire dénoncer et critiquer sur l'estrade pendant les meetings.

On leur disait : « Tu es d'une famille de propriétaires fonciers. »

Réponse : « Non. »

Question : « De paysans riches, alors ? »

Réponse : « Non plus. »

On leur disait : « Dans ce cas, pourquoi as-tu un livret noir ? »

Et on se mettait à les gifler, à leur envoyer des coups de pied dans les reins, cela leur faisait tellement mal qu'ils tombaient à

genoux, en pleurs devant des centaines, des milliers de personnes.

Question : « Qu'est-ce que tu as volé ? »

Réponse : « J'ai rien volé ! Il n'y a pas de voleurs à
Benaise. »

Question : « Même quand tu n'avais rien à manger, tu n'as
jamais volé ni maïs ni patates douces ? »

Réponse : « On a toujours eu assez à manger. Sauf il y a
quelques années, quand les gens-complets du district sont
venus nous dévaliser. Chez nous, les gens ont des réserves pour
au moins dix ans. »

Et pan, et pan, les coups recommençaient à pleuvoir, on
disait : « C'est un infirme, et alors ? Les salauds sont des
salauds. Pensez à toutes ces réserves que sa famille a cachées !
Et quand le peuple a voulu reprendre ce qui lui appartenait, il
dit que le peuple l'a dévalisé. » Cette fois, la raclée était plus
sévère. Les poings s'abattaient sur son nez, sur sa bouche, sur
ses yeux, les bâtons sur la tête et les jambes. Il avait le nez qui
saignait, les dents cassées et les yeux au beurre noir. Les coups
portés aux jambes rendaient boiteux celui qui ne l'était pas,
cul-de-jatte celui qui l'était déjà. Quinze jours plus tard il rentrait au village soigner ses blessures et c'était au suivant d'aller
avec son livret noir subir le malheur noir de cette peine noire.
Celui qui en revenait regardait Mao Zhi d'un œil mauvais
lorsqu'au village il la rencontrait. S'il tombait sur son goret, il
lui décochait un coup de pied furieux, sur ses volailles, il les
bombardait de pierres, les citroles[1] et les haricots qui poussaient derrière chez elle, il les arrachait, les jetait par terre, les
piétinait et en faisait de la bouillie pour nourrir ses cochons et
ses moutons.

Un jour, à son réveil au petit matin, elle trouva son cochon
mort, empoisonné dans la porcherie. Mortes aussi, leurs
cadavres éparpillés dans la cour, les poules pondeuses qui
avaient picoré dans son auge. Hébétée, elle poussa la porte et
se retrouva nez à nez avec les hommes et les femmes du village,
ceux qui étaient allés se faire critiquer à la commune et y
avaient balayé les rues comme ceux dont le tour n'était pas
encore venu. Tous étaient là, livret noir à la main. Ce ne fut
d'abord que coups d'œil glacials, puis brusquement l'un d'eux
lui cracha au visage et jeta son livret : « C'est toi qui nous as

conseillé de dire la vérité aux gens d'en-su. Alors on l'a dite, la vérité, et on est tous des propriétaires fonciers et des paysans riches. Tout le monde doit aller se faire conduire dans les rues et cogner dessus. » Il dit : « Vas-y, toi ! Hier Lin l'aveugle s'est fait assassiner. Ils lui ont demandé s'il était un propriétaire ou un riche, et comme il disait ni l'un ni l'autre, ils lui ont flanqué un coup de gourdin sur le crâne. Il a crevé sur l'estrade avant d'avoir eu le temps de se fâcher. »

A la hâte elle s'était rendue chez l'aveugle, à l'entrée du village. Effectivement il était mort, il gisait sur un battant de porte et sa famille faisait cercle autour de lui en pleurant pour essayer de le rappeler à la vie.

Il n'y avait rien à ajouter.

Elle rentra chez elle, ramassa les livrets noirs qui jonchaient le sol devant sa porte, prit sa béquille et partit pour la commune des Cyprès. Il faisait nuit quand elle arriva devant ceux qui les avaient distribués. D'entrée de jeu elle tomba à genoux : « Comment Benaise peut-il n'être peuplé que de propriétaires fonciers ? Un village entier, où a-t-on jamais vu ça ? »

La Révolution : « Un village sans, ça n'existe pas non plus. »

Mao Zhi : « Je vais vous avouer la vérité. Avant la Libération, ma famille avait plusieurs dizaines de mus de terre, nous employions des valets de ferme et des saisonniers. Il suffisait de lever les bras pour être habillés et d'ouvrir la bouche pour que la nourriture y tombe. Donnez-nous l'étiquette de propriétaires fonciers. »

Aussi ravie qu'étonnée, la Révolution la contempla un certain temps avant de lui poser une foule de questions. Elle récupéra les livrets noirs qu'elle avait apportés, rentra dans son bureau où Elle en prit une poignée de rouges. Ils faisaient la même taille que les noirs, avaient eux aussi le nom de leur propriétaire sur la couverture et une citation du président Mao en page de garde, mais la suivante parlait de la ligne d'Etat, des principes de base et des mesures politiques. « Tu peux y aller, dit-Elle en les lui tendant. Nous n'avons pas été injustes envers les Benaisiens, d'après les statistiques et la pratique acquise grâce à la réforme agraire en matière de répartition des terres et de renversement des despotes locaux, Benaise devrait compter au moins une famille de propriétaires fonciers et une famille de paysans riches. Maintenant *nous t'avons comme propriétaire, cela fera l'affaire. Repars de suite, il faut que tu sois de retour demain avec ta literie, nous attendons après-demain plus de dix mille personnes, il faut absolument qu'on dénonce tes fautes pendant le meeting. »*

Mao Zhi regagna le village la nuit même, elle donna les livrets rouges et expliqua que tous étaient désormais des éléments révolutionnaires, qu'ils faisaient d'eux des paysans pauvres et moyens-pauvres. Il n'y avait plus à Benaise qu'un propriétaire foncier et c'était elle. Si désormais on avait pour une raison ou une autre besoin d'un riche ou d'un exploiteur, elle serait seule concernée. Puis, sa distribution achevée, elle prépara ses bagages et sa literie, plus une marmite de riz pour la petite Jumei qui avait déjà onze ans, plus un panier de pains à la vapeur, et lorsqu'elle l'eut nourrie et endormie avec un câlin, elle prit l'unique livret noir du village et repartit pour la commune afin d'y subir sa peine.

Le maïs était à maturité, son parfum sucré avait envahi la montagne. Comme une eau, la lune se déversait sur le village, les Benaisiens insistèrent pour lui faire un bout de chemin. « Nous veillerons sur Jumei, lui dirent-ils. Va, la Révolution est bonne. Donne-leur ce qu'ils veulent entendre et ils ne te feront pas trop de mal.

– Rentrez chez vous, répondit-elle. Si je ne suis pas de retour pour la récolte du millet, vous savez ce qu'il y a à faire. Après vous labourerez, et quand vous aurez labouré, vous sèmerez le blé. »

Puis elle s'en fut.

Le grand meeting devait avoir lieu à l'est du bourg, sur la berge d'une rivière qui auparavant coulait à flots mais dont le cours avait été détourné quelques jours plus tôt afin que son lit sableux et caillouteux puisse servir d'amphithéâtre. Le but de cette réunion était le jugement public d'un tenant de la contre-révolution : un enseignant qui avait donné trois jours de cours et en ces trois jours trouvé moyen de transformer le Vive le président Mao *du tableau noir en* Vive Shi Jingshan. *« Jingshan » était son prénom officiel. Avant il s'appelait « Heidou » et personne ne l'avait jamais connu autrement, mais depuis qu'il avait été nommé professeur, estimant que ce « soja noir » n'était plus approprié, il s'était rebaptisé « Jingshan » en référence au mont Jinggang, le terreau sacré de la Révolution. C'est*

415

en voulant l'expliquer à ses élèves qu'il avait écrit la phrase au tableau.

Il va sans dire qu'un tel crime méritait la mort, rien n'aurait su le racheter. Lorsque la Révolution l'avait arrêté, il avait avoué son forfait sans chercher à dissimuler.

« Sais-tu quelle est ta faute ? » lui avait demandé la Révolution.

Lui : « Je sais. »

La Révolution : « Quelle est-elle ? »

Lui : « J'ai écrit Vive Shi Jingshan au tableau. »

La Révolution, en tapant sur la table : « Je t'interdis de prononcer cette phrase ! Chaque répétition augmente ton crime d'un degré. »

Lui : « Comment faire alors ? »

La Révolution : « Confesse-toi honnêtement, dis ce qu'il y a à dire. »

Il avait baissé la tête et réfléchissait.

La Révolution, à nouveau : « Sais-tu quelle est ta faute ? »

Lui : « Je sais. »

La Révolution : « Laquelle ? »

Lui : « J'ai écrit cinq caractères au tableau. »

La Révolution : « Lesquels ? »

Alors, relevant la tête : « J'ai écrit Vive Shi Jingshan. »

La Révolution était entrée dans une telle rage qu'Elle tremblait de partout, Elle lui avait jeté à la figure la bouteille d'encre et le registre où Elle consignait l'interrogatoire.

« Si tu prononces encore ces mots, je te fais fusiller illico !

– Mais alors, qu'est-ce que je dois dire ?

– Réfléchis ! »

A nouveau il avait baissé la tête, plongé dans ses pensées.

La Révolution : « Sais-tu quelle est ta faute ? »

Lui : « Je sais. »

La Révolution : « Laquelle ? »

Lui : « J'ai écrit quelque chose au tableau. »

La Révolution : « Quoi ? »

Après leur avoir jeté un œil, sans mot dire il avait écrit les mots fatidiques sur le cahier tombé par terre. Cette fois, la Révolution en était devenue verte, furieuse, secouée de frissons. Elle avait hurlé : « Mais putain de bordel de merde ! De pire en pire ! Tu aggraves ta faute à plaisir ! »

Cette montée de degré en degré ne pouvait avoir qu'une issue, il serait exécuté. La sentence serait annoncée au cours d'un procès public devant dix mille personnes. Mais il fallait quelqu'un à juger en même temps que lui. Comme on était en automne, juste avant la récolte, et que c'était jour de marché, ils furent au bas mot cinquante mille à venir s'entasser sur la plage de la rivière, un espace d'un li de large sur deux lis de long sur lequel ils faisaient penser à des graines de soja noir épandues sur une aire. Tous portaient agrafé à la poitrine le petit livret rouge qui attestait de leur qualité. D'un jaune brillant dans le ciel, le soleil d'automne chauffait comme une bonne flamme, comme elle il oscillait. Les spectateurs étaient des paysans des villages et des hameaux environnants, à dix, vingt, voire plusieurs dizaines de lis de distance. Venus tant pour la foire que pour le rassemblement, ils formaient un tout si compact que l'eau n'aurait pu circuler entre eux. Les taches rouges sur leurs poitrines faisaient penser à une mer de feu, la scène était tellement animée qu'il faudrait attendre trente ans, le jour où les Benaisiens se produiraient aux Ames mortes, pour qu'elle se reproduise. Entre-temps personne n'en verrait de semblable. Cette foule au coude à coude faisait un tel chahut et un tel raffut qu'on aurait cru dix mille chevaux en train de hennir à l'unisson. Telles furent les circonstances, sans précédent ni équivalent dans le futur, dans lesquelles Mao Zhi fut traînée, attachée et ligotée, sur l'estrade. C'était une femme, une boiteuse, comme on lui avait confisqué sa béquille, en dépit des deux gaillards qui la tiraient, elle avançait de guingois, sautillant sur les planches comme un criquet à trois pattes. De ce fait le carton qu'on lui avait accroché autour du cou ballottait lui aussi en tous sens et la ficelle frottait sur sa nuque où elle imprimait une marque rouge. Elle venait juste d'avoir quarante ans et ses cheveux étaient encore aussi noirs que la plume d'un corbeau. Au-dessus de sa veste en coton bleu marine, ses mèches défaites pendouillaient broussailleuses comme un paquet d'herbes à la surface de l'eau. Contre-révolutionnaire, propriétaire foncier annonçait en gros caractères l'étiquette sur laquelle, pour étayer l'accusation, on avait collé le livret noir qui venait de lui être attribué.

Dès qu'elle apparut, comme si elle avait reçu un coup de massue, la foule se calma.

Jamais ils n'auraient imaginé qu'on leur amènerait une femme, et bancroche en plus.

L'interrogatoire commença.

On la força à se mettre à genoux au bord de l'estrade. Dans son visage livide, couleur de cendre, ses lèvres qui hésitaient entre le pourpre et le noir semblaient deux traits charbonneux sur un papier blanc. Les questions se déversaient par les haut-parleurs en un flot ininterrompu sur la campagne et la berge.

Question : « Quelle est ton appartenance de classe ? »

Réponse : « Grand propriétaire terrien. »

Question : « Quel crime as-tu commis ? »

Réponse : « Je suis une contre-révolutionnaire. »

Question : « Expose-nous les faits. »

Elle raconta : « Je ne suis pas une combattante de l'Armée rouge mais j'ai prétendu être allée à Yan'an, le site sacré de la Révolution. Je ne suis pas d'origine révolutionnaire mais j'ai prétendu que mes parents avaient participé à la grande grève des travailleurs du rail pendant l'année du Lapin. Je ne suis pas membre du Parti mais j'ai fait croire que j'y avais été admise quand j'étais avec l'Armée rouge. J'ai dit que j'ai fait partie de l'Armée alors que je n'en ai aucune preuve, je n'ai pas non plus de preuve de mon appartenance au Parti. En fait je suis une contre-révolutionnaire, une fille de propriétaire terrien qui s'est cachée au fond des Balou. Avant la Libération, ma famille possédait plusieurs dizaines de mus de terre, elle avait des bœufs et une grande voiture à cheval, elle employait des valets de ferme et des journaliers. Nous n'avions qu'à lever les bras pour être habillés, à ouvrir la bouche pour que la nourriture tombe dedans. » Elle dit : « Révolutionnaires, camarades ! Paysans pauvres et moyens-pauvres, regardez ! Mes crimes méritent mille morts, il faut me fusiller avec Shi Jingshan.

– Qu'est-ce que ta famille mangeait avant la Révolution ? lui demanda-t-on alors.

– Rien que des bonnes choses. Quand on n'arrivait pas à finir notre pain ou nos poches-plates, on les donnait aux cochons, pas question d'en laisser aux valets et aux ouvriers.

– Comment étiez-vous habillés ?

– De soie et de brocart. Même le rideau du box du cheval n'était pas en tiges de sorgho mais en satin noir.

– Qu'as-tu fait depuis la Libération ?

– *Jour et nuit j'ai rêvé de renverser le ciel pour qu'il revienne en arrière, avant, quand je n'avais aucun souci à me faire, ni pour manger ni pour m'habiller.* »

Ici l'interrogatoire s'interrompit. On se tourna vers la foule, ces milliers de personnes massées au pied de l'estrade, et on lui demanda : « Aux masses membres de la commune de nous dire ce qu'il faut faire d'une contre-révolutionnaire et d'une propriétaire terrienne comme celle-là ?! »

Une forêt de bras se leva et l'auditoire hurla à pleins poumons :

« *Fusillons-la !*

Fusillons-la ! »

Des cris furieux qui décidaient de sa voie-de-vie[3]. Quand on eut jugé le professeur de trois jours, ce Shi Heidou qui s'appelait aussi Shi Jingshan, et qu'on le traîna au bout de la berge pour l'exécuter, on l'y traîna elle aussi. Elle fut obligée de s'agenouiller à côté de lui au bord de la fosse préalablement creusée à cette intention et on planta derrière eux la tablette en bois des condamnés. Le soleil était d'une splendide clarté, il illuminait la plage de blanc. Dans le ciel, d'un azur intégral, ne flottait pas le moindre filet ou flocon de nuage. Il eût été temps de couper le maïs qui poussait à côté de la digue : ses barbes pendaient, rouges et noires sur les tiges. Son parfum suave flottait dans l'air, d'un jaune éclatant, et se mêlait à l'odeur de transpiration de la foule agitée, dense et vociférante. L'heure était venue, la Révolution allait presser la détente. L'enseignant, vingt-deux ans, avait si peur qu'il s'effondra comme un tas de boue au bord de la fosse. Il puait la pisse et la merde. Quant à elle, en dépit de sa quarantaine, elle reprenait des couleurs : ses joues n'étaient plus livides, ses lèvres n'étaient plus violettes. Elle restait tranquillement agenouillée comme si le chemin l'avait fatiguée et qu'elle eût voulu reprendre son souffle.

« *As-tu encore quelque chose à avouer ? demanda la Révolution au jeune homme avant de tirer.*

– *Oui, articula-t-il en tremblant.*

– *Eh bien, dis.* »

Il dit : « Ma femme va bientôt accoucher, ayez la bonté de lui transmettre un message. Dites-lui que lorsque le bébé sera né, il faut qu'elle s'arrange pour qu'il soit sourd ou boiteux. Qu'elle parte avec cet enfant handicapé au fond des Balou : on

419

raconte qu'il y a là-bas un village où les gens sont infirmes, et que du coup personne, aucun département, aucun district et aucun canton, n'a voulu d'eux. Personne ne les administre, ils cultivent leurs champs tout seuls et se nourrissent tout seuls. Ils vivent benaises et décontractés comme au paradis. Je veux y envoyer ma femme et mon enfant. »

La Révolution ricana.

Mao Zhi le regardait, elle aurait voulu dire quelque chose, mais déjà on était derrière elle et on lui demandait si elle avait quoi que ce soit à ajouter.

« Oui, répondit-elle.

– Eh bien, dis.

– Quand je serai morte, ayez la bonté d'aller prévenir les infirmes de Benaise, au fond des monts. Il y a une chose qu'ils ne doivent jamais oublier : nous devons nous déjointer, revenir aux jours d'avant, quand nous ne dépendions d'aucune juridiction. »

Le jeune homme la fixa d'un œil égaré, il donnait l'impression de vouloir lui poser une question mais le coup partit. Tel un sac bourré de graines il tomba dans la fosse, éclaboussant de perles de sang le visage de Mao Zhi et le sable autour d'eux.

Elle, bien sûr, elle avait survécu. On l'avait traînée à ses côtés pour lui tenir compagnie, à l'instant où la détonation avait retenti, elle avait eu l'impression qu'on lui donnait une bourrade dans le dos et cru qu'elle allait tomber dans le trou, mais on n'avait pas poussé bien fort, elle avait vacillé et retrouvé son équilibre.

Ensuite elle avait deux semaines durant balayé la rue à l'entrée de la commune, et quand on l'avait autorisée à rentrer au village, elle y avait trouvé un habitant de plus : une jeune femme qui avait accouché quelques jours plus tôt, d'un bébé né gens-complet dont elle avait réussi, allez savoir comment, à faire un paralytique. Elle parlait et elle parlait, disant qu'elle voulait s'installer à Benaise. Disant qu'elle savait broder, faire naître les fleurs sur le papier d'emballage. Disant qu'il fallait la garder, qu'elle broderait tout ce qu'on lui demanderait.

Alors elle était restée, et Mao Zhi lui avait remis un petit livret rouge qu'elle portait accroché à son cou comme un talisman.

Ce livret rouge, pourtant, serait lui aussi source de malheur. Les souffrances qu'il causerait seraient certes différentes mais ne le céderaient en rien pour la cruauté à celles entraînées par le livret noir... Les jours un à un s'étaient écoulés. Mao Zhi balayait toujours la grande rue des Cyprès et restait en butte à la critique, mais c'était elle qui notait les points de travail du village et c'était elle encore qui distribuait les céréales. Quand elle rentrait, a contrario on lui manifestait un grand respect. Qu'on soit son voisin de droite ou de gauche, sourd ou aveugle, muet ou idiot, tout le monde passait la saluer et lui offrait des gourmandises. Des marrons, des pêches noires ou des noix-de-terre[5] gardées en prévision de semailles. Les enfants les apportaient dans des bols, les femmes dans les pans de leur veste, d'une manière ou d'une autre, tout le monde donnait quelque chose.

Spontanément, elle avait endossé seule le crime noir et sa peine, les villageois en avaient eu un peu de bonheur, de plus en plus ils la considéraient comme la personnalité la plus importante du village.

Deux ou trois ans plus tard, le monde se mit à aménager des champs en échelle[7] et la commune regroupa les détenteurs de livrets rouges sur une crête extérieure aux Balou. Différents lots furent attribués aux différents villages, et les Benaisiens bien sûr eurent leur part. Vous étiez infirme ? La Révolution s'en moquait bien, seul importait le livret qu'on vous avait attribué. S'il était rouge, cela voulait dire que vous aviez un hiver pour aménager deux mus de champs. Or trente-neuf familles en possédant un au village, on exigeait d'elles un minimum de soixante-dix-sept mus. C'est ainsi que commença le bagne : celui de la peine et du malheur rouges. On eût cru que tous les flancs des montagnes du monde étaient peuplés de paysans, ce n'étaient partout que drapeaux et banderoles rouges. L'univers était aussi vermillon que si les flammes l'avaient ravagé, il s'était embrasé, il étincelait, il résonnait du bruit des pioches en train de creuser la terre, du raclement des bêches en train de la déblayer et du martèlement des forgerons qui réparaient les outils sur leurs feux.

Il va de soi que les habitants de Benaise s'étaient mis en route comme les gens-complets et que comme eux ils mangeaient et dormaient sur la pente inculte. Le nombre de mus à défricher étant fixé par livret et les livrets étant attribués par famille, peu importait votre degré d'infirmité. Que sur cinq *bouches à nourrir, trois soient aveugles, ou qu'une famille compte cinq boiteux parmi ses sept membres, ou encore que dans une maisonnée de trois il y ait un gens-complet, mais âgé de quelques années à peine. A un couple où l'homme était aveugle et la femme paralytique, elle se déplaçant et tirant la charrette grâce aux jambes de son mari, lui dépendant pour survivre de ses yeux à elle, à un tel couple aussi, on attribuait deux mus qu'il devait coûte que coûte transformer en champs en échelle pendant l'hiver. Rien à faire, il fallait qu'ils trouvent une solution.*

Laquelle ? Lorsque les travaux d'aménagement en furent à peu près à leur tiers, dans une famille d'aveugles un père qui par temps de grosse neige creusait avec sa pioche, à force de creuser et creuser encore finit par poser son outil à côté de lui. Il passa la main sur le visage de son fils, quatorze ans et lui aussi aveugle, serra les doigts de son épouse – qui elle, si elle boitait, avait une bonne vue – et dit qu'il devait aller aux toilettes. En conséquence de quoi il partit vers la ravine qui bordait la terrasse mais alors que sa femme lui criait à toute force de prendre à gauche ! à gauche ! obstinément il alla vers la droite et tomba au fond de la faille où peu de temps après on retrouva son corps disloqué.

La Révolution fit une croix sur les deux mus qu'ils devaient aménager et ils eurent le droit d'aller l'enterrer au fond des Balou.

Dans une famille de poliomyélitiques dont les trois enfants étaient des pieds-bots ce fut aussi le père qui, monté un jour faire marteler sa pioche chez le forgeron, se perdit en route. Là encore, la Révolution autorisa les siens à rapatrier ses restes.

Il y eut encore cette autre, dont les membres étaient tous gens-complets mais pas un de sexe masculin : la mère et ses deux filles, treize et quatorze ans. Elles travaillèrent, travaillèrent, jusqu'au jour où la mère demanda : « Vous avez envie d'aller vous reposer au village ?

– Oui, répondirent-elles.

– Alors préparez-vous, vous partirez demain. »

Croyant à des paroles en l'air, comme d'habitude elles s'endormirent dans un champ à l'abri du vent, mais au matin lorsqu'elles se réveillèrent, leur génitrice était morte sous sa couette, elle avait avalé de la mort-aux-rats. La Révolution lâcha quelques jurons, mais Elle les laissa partir avec le cadavre.

Trente-neuf familles de Benaisiens prirent cet hiver-là la direction des champs en échelle avec leur livret rouge, treize chefs de famille y trouvèrent la mort. A ce point, la Révolution fit une grosse colère et dans sa rage renvoya tous les infirmes chez eux. En revanche, interdiction de partir si l'on était en bonne santé. Mais une fois le décompte effectué, une fois recensés les aveugles, les sourds et les éclopés, Elle s'aperçut que Benaise ne comptait pas une seule famille de gens-complets. Il ne Lui restait plus qu'à faire valoir l'humanisme révolutionnaire et à les laisser regagner leur village au fond de la montagne.

Telles avaient été les souffrances noires et les peines rouges engendrées par les livrets des mêmes couleurs. Mais le temps avait passé et seuls les gens d'un certain âge comprenaient encore ce que Mao Zhi voulait dire. C'est pour cela qu'à l'intérieur du mausolée il fallait avoir quelques années de plus et une bonne mémoire pour aller apposer son empreinte sur le tissu et accepter la déjointaie...

⑮ *Formance*, n. f. – DIAL. Ombre humaine, silhouette. L'expression désigne ici le fait qu'une fois déjointés, les gens devront vivre sans papiers d'identité ni certificats : il n'y aura plus de preuves de leur existence sociale.

COMMENTAIRES

① *Citrole*, n. f. – DIAL. Citrouille.
③ *Voie-de-vie*, n. f. – DIAL. Le destin.
⑤ *Noix-de-terre*, n. f. – DIAL. Cacahouète.
⑦ *Champs en échelle* – Les « champs en échelle » ne sont pas une expression dialectale mais un terme historique. Si en un sens il désigne des champs plats construits en terrasses, il fait aussi référence à un mode de travail spécifique lié à la campagne « En agriculture, prendre modèle sur Dazhai », dont les principales caractéristiques étaient le volontarisme à outrance et le collectivisme.

CHAPITRE V

L'été saute par-dessus l'hiver et le printemps

Si nul n'avait prévu que Liu Yingque ne reviendrait pas cette nuit-là et que les villageois se feraient dévaliser, les événements sensationnels qui allaient se produire ensuite, pendant les derniers jours de l'année du Lièvre, étaient encore moins imaginables.

Logiquement, on était en hiver. Pourtant voilà, l'été avait sauté par-dessus le printemps et gardait désormais les Balou. Le temps devait avoir le cerveau dérangé, il était devenu fou. Soit, depuis quinze jours dans la chaîne il faisait doux, mais d'une douceur qui relevait de la clémence hivernale. Et voilà qu'une nuit avait suffi au soleil pour se défaire de son jaune translucide et renouer avec le blanc ardent des grandes chaleurs. La forêt qui depuis quelque temps profitait de la hausse des températures pour verdoyer s'était mise à bourgeonner à tout-va, l'herbe semblait d'émeraude, entre les branches on entendait pépier et les moineaux piaillaient comme lorsque la canicule les énerve. De la montagne entre les cimes plus ou moins lointaines, de blanches brumes s'élevaient.

L'été était arrivé.

Discrètement, sans faire de bruit, mais aussi à grand tintamarre. Chez les Benaisiens, le premier debout fut le petit polio. Il avait la veille retiré les éclats de verre de la plante de son pied, essuyé le sang et mis un pansement, mais, aïe ! cela lui avait fait mal jusqu'au lever du jour et il n'avait sombré dans les rêves que lorsqu'il avait été totalement éreinté. A peine avait-il ouvert les yeux qu'il s'était senti la bouche sèche, les lèvres comme le sable en été, c'était d'ailleurs ce qui l'avait réveillé.

Dans la pièce quelque chose bourdonnait de manière lancinante : les moustiques, arrivés comme il se doit avec les chaleurs.

Le garçon se frotta les paupières, son pied difforme le lança comme s'il avait été piqué par une guêpe puis la douleur se fit engourdissement et tout redevint presque normal. Il avait trop soif, il fallait qu'il boive. Mais lorsqu'il enleva la main de ses yeux, il s'aperçut que le soleil qui entrait en brûlant par la haute fenêtre semblait avoir mis le feu à la pièce. C'était comme si une fumée fine et pâle avait émané de la chaux blanche des murs et il y avait dans l'air une poussière dorée comme on n'en voit qu'à la lumière de l'été. Il y avait aussi, faible et oppressante, une senteur de brûlé également spécifique à l'été. Il était perplexe : la veille les Benaisiens étaient assis le regard vide dans leurs chambres, ils se lamentaient et gémissaient à qui mieux mieux après l'argent qu'on leur avait volé, ils insultaient le monde d'en-su, les gens-complets de la troupe et clamaient que dès qu'ils auraient quitté les lieux, ils iraient porter plainte et protester auprès du chef de district. Ils lui donnaient l'impression de ne pouvoir fermer l'œil tant leur douleur était insupportable. Or ce matin, à son réveil, il les trouvait nus et profondément endormis. Le soleil était déjà haut et eux ronflaient comme s'ils avaient eu une pierre coincée dans le gosier. En plus ils avaient envoyé promener

425

la couette, les corps s'exhibaient, parfois sous un petit drap, parfois une simple chemise sur le ventre, comme si cela eût suffi à les voiler et ménager la pudeur.

On était vraiment en été ! Il avait si soif que sa gorge fumait. Une fois debout, il voulut boire au robinet, mais il eut beau le tourner jusqu'au bout, pas une goutte n'en tomba.

Il essaya avec un autre, même chose.

Et lorsqu'il sortit du dortoir pour aller boire dehors, il trouva la grande porte verrouillée. D'habitude on la bouclait de l'intérieur et il suffisait de tirer le taquet pour que les battants de laque rouge s'écartent. Là, il eut beau tirer et tirer encore, rien à faire. C'était un enfant, il ne savait pas que le monde était à l'envers. L'hiver s'était envolé, l'été avait sauté par-dessus le printemps pour se poser sur la montagne et comme si ce n'était pas assez, l'univers s'était aussi radicalement transformé que si on avait changé de dynastie. Passablement énervé, il secoua la porte avec énergie en criant :

« Ouvrez ! J'ai soif !

Ouvrez ! Je meurs de soif ! »

Un coup de pied dans la porte lui répondit. Puis la voix éraillée d'un gens-complet :

« On est réveillé ?

– Je meurs de soif, dit l'enfant.

– Et les autres, ils sont levés aussi ?

– Pas encore, mais ouvrez, je veux aller boire !

– Tu as juste soif ? continua d'interroger l'autre. Tu n'as pas faim ?

– Non, juste soif. »

L'homme rit, froidement, d'un ricanement rauque et grossier. A l'oreille on aurait dit le grand gaillard qui conduisait le camion avec les accessoires. Ce type était une montagne de chair, gras du bas, avec des épaules larges comme un porche, capable de soulever une roue avec une seule main, d'envoyer d'un seul coup de pied une caisse pleine d'un bout à l'autre de la remorque. Sûr de l'avoir reconnu, le garçon insista : « J'ai soif, oncle. Ouvre-moi.

– Tu as envie de boire ? Va chercher Mao Zhi. »

L'enfant alla ouvrir la porte de la deuxième chambre, en face du cercueil. Elle fut tout de suite debout. Dans la pièce dormaient aussi ses quatre petites-filles et la paralytique. Comme les hommes, elles étaient profondément assoupies, comme eux elles avaient repoussé les couvertures et étaient pratiquement nues. Mao Zhi ressemblait à un fagot de bois sec prêt à se défaire au premier choc, la paralytique à une grosse touffe d'herbe. Couchées en rang d'oignons, Tonghua, Yuhua et Phalène faisaient minuscules mais les brioches à lait[1] qui poussaient sur leurs torses étaient gonflées, tendres et souples comme si elles sortaient d'un cuit-vapeur. Il comprenait pourquoi on les appelait ainsi, sa bouche se fit encore plus sèche, il avait soif, désormais il avait faim, il se serait volontiers traîné jusqu'à elles pour y boire quelques gorgées ! Surtout qu'il y avait Huaihua, un peu plus loin, un peu à l'écart comme si elle avait craint d'avoir quelqu'un trop près d'elle. Elle reposait, dans la lumière qui tombait de la fenêtre, sur un drap d'un rouge éclatant, seulement vêtue d'une petite culotte et d'un de ces cache-seins ronds et pointus à la fois que mettent les femmes des villes. Rien d'autre. Le reste était totalement nu, dévoilé et évident comme un poisson ou un serpent blanc. Elle sentait le saule vert, ses jambes, son ventre et son visage avaient la pâleur du jade et de la lune, la tendresse du loriot qui vient de s'envoler du nid. Qu'il aurait aimé s'accroupir auprès de ce corps immaculé, s'allonger et le serrer dans ses bras ! Il lui aurait parlé, aurait pris entre les siens les doigts qui soutenaient sa tête... Mais Mao Zhi était réveillée, elle s'était assise et cherchait à la tête de son lit une chemise d'été en marmonnant : « Quel temps ! Non mais quel temps ! » En trouvant une verte, elle se la jeta sur les épaules et remarqua enfin le garçon dans l'ouverture de la porte :

« Ton pied ne te fait plus mal ?

– J'ai soif.

– Eh bien, bois.

– La grande porte est fermée de l'extérieur et quelqu'un te demande. Le chauffeur, il monte la garde dehors. »

Mao Zhi l'écouta d'un air un peu ahuri. Puis elle l'examina en plissant les yeux, comme si elle venait de se rappeler quelque chose ou d'en avoir confirmation. Le noir sec de ses joues se teinta de blanc et d'un bond elle fut debout. A la suite du garçon elle traversa la salle où reposait le cercueil de cristal et tira violemment plusieurs coups sur la porte laquée de rouge sombre. Son visage était désormais aussi pâle qu'une couverture de nuages.

« Oh ! Il y a quelqu'un ? cria-t-elle. Ouvre, si tu as quelque chose à dire ! »

Pas de réponse. A nouveau elle appela : « Ouvre, c'est Mao Zhi ! »

Ils finirent par entendre quelque chose. Des pas, tout d'abord, plusieurs personnes en train de monter le chemin de koutou. Ensuite il y eut un nouveau silence, lourd et mortel, dans lequel on les sentait

428

arrêtées de l'autre côté de la porte. Et enfin, effectivement, la voix de l'homme. « Mao Zhi, dit-il, tu sais
qui je suis ? L'homme de bien n'agit pas dans l'ombre,
c'est moi, le chauffeur du camion qui vous a suivis six
mois en tournée. Les autres sont des employés du
mémorial. Je vais être franc avec toi : nous vous avons
enfermés pour vous demander de l'argent. Je sais que
vous avez été cambriolés, et ça, ce sont ces salauds de
cadres d'en-su et les ordures de la troupe. Ils sont passés à l'action pendant l'avant-dernier numéro, et
après ils ont profité de la pagaille qui a suivi la fin du
spectacle, quand le public s'est dispersé, pour me
demander de les conduire au pied de la montagne. Ils
s'imaginaient que je n'étais pas au courant et ils se
sont partagé le butin sans me donner un sou. Je te
jure, Mao Zhi, je n'ai rien touché. Mais à mi-chemin
j'ai fait semblant d'avoir une panne à réparer et dès
qu'ils ont été partis, demi-tour ! Nous serons moins
gourmands, entre huit et dix mille par personne nous
suffiront. Je n'ai pas roulé six mois pour des prunes,
de même que mes camarades qui ont ces jours-ci
monté une garde ininterrompue à cause de vos représentations. Même pour manger, il fallait qu'ils y
aillent à tour de rôle ! »

A l'intérieur, quelqu'un s'était levé mais c'était Ma
le sourd, celui qui s'accrochait des pétards à l'oreille.
Comme il n'entendait pas ce qui se passait, après
s'être soulagé la vessie il leur jeta un œil et regagna sa
chambre. Peut-être le soleil n'était-il pas encore plein
sud, peut-être n'étions-nous encore qu'en fin de matinée mais midi approchait. La lumière qui dardait par
la vitre était d'un rouge sombre, elle s'accumulait
comme le feu d'un volcan. Cela avait beau être l'été,
dans une pièce aussi spacieuse que celle-ci, il aurait

dû faire frais : mais la saison étant malheureusement née à la fin de l'hiver, les fenêtres étaient fermées et l'atmosphère étouffante. On se serait cru dans un coffre ou une calebasse hermétiquement clos. Mao Zhi se tourna pour regarder les lucarnes : toutes étaient à l'intérieur à une bonne toise de hauteur et il allait sans dire que puisque le mémorial était bâti à flanc de coteau, ce qui se trouvait deux fois à hauteur d'homme devait être à trois, quatre, cinq fois cette hauteur à l'extérieur. Voire l'équivalent de deux ou trois étages ! Tant que la porte resterait fermée, il serait absolument impossible de sortir. Que vous soyez benaisien et infirme ou gens-complet avec vos bras et vos jambes, une fois là-haut, comment faire pour descendre ?

Elle détourna le regard.

Dehors, les hommes s'impatientaient. Après quelques coups de pied dans la porte, ils recommencèrent à s'époumoner :

« Alors ? Tu as réfléchi ? Nous ne demandons pas beaucoup, Mao Zhi. En tout nous sommes huit, dix mille par personne, huit si vous ne les trouvez pas.

– Nous n'avons plus d'argent, nous avons été dévalisés. Personne n'a plus rien, je vous assure. »

Nouveaux coups dans la porte : « Eh bien, tant pis. Si tu trouves quelque chose, appelle-nous. Et si personne ne répond, tu n'auras qu'à frapper trois fois. »

Puis ils s'en allèrent. Elle les entendit dévaler le chemin de koutou et continuer plus loin. Le mausolée n'était plus que silence, lorsqu'elle se retourna pourtant, elle vit que le village était debout, il se tenait derrière elle, au grand complet et en rangs serrés, comme pour un rassemblement. Il faisait si chaud que certains hommes étaient torse nu et que d'autres avaient juste jeté une chemise sur leurs épaules. Pas les femmes, bien sûr, mais elles avaient sorti leurs blouses d'été. Heureusement qu'ils avaient quitté Benaise à la belle saison. Heureusement aussi, ils n'avaient pas eu le temps de passer chez eux avant de monter, tout le monde avait encore une tenue légère dans ses bagages. Ils étaient au courant, ils savaient que les hommes réclamaient entre huit et dix mille yuans par personne, qu'ils étaient huit en tout, ce qui faisait au bas mot dans les soixante mille yuans. Mais où les trouver, ces soixante mille yuans ? Tous ensemble ils étaient si nombreux qu'ils occupaient plus de la moitié de la pièce et ils se dévisageaient : tu me jettes un œil, je te le rends, dans un silence épais comme la mort. Curieusement, pour l'instant ils ne ressentaient pas de colère, ni cette affliction qui leur avait fait hier soir verser toutes les larmes de leur corps quand ils s'étaient aperçus qu'on les avait dévalisés. C'était comme s'ils avaient toujours su qu'une chose de ce genre allait se produire aujourd'hui. Personne ne parlait. Ils restaient plantés derrière la porte ou appuyés aux piliers. Les femmes regardaient les hommes accroupis fumer comme si de rien n'était. Huaihua, comme d'habitude en robe couleur d'eau claire, n'avait pas plus que les autres eu le temps de faire sa toilette mais elle était toujours aussi belle, aussi charmante de corps et de visage. Elle surveillait le Singe. Lequel, les bras croisés sur la poitrine, se contentait de faire passer sa lèvre supérieure sur les dents de sa mâchoire inférieure et vice versa. Comme si rien de nouveau n'était arrivé, avec un petit bruit de nez il détourna les yeux.

Le silence persistait, il semblait ne pas avoir de limites.

Mao Zhi aussi fixait Une-patte. On avait l'impression qu'elle voulait le mettre à l'épreuve. Le plus sincèrement du monde, sembla-t-il, elle l'interrogea :

« Que faire ? demanda-t-elle.

– Comme si je savais ! Si j'avais l'argent, je le sortirais ! » s'exclama-t-il en fuyant son regard.

Elle passa au sourd.

Il était debout, mais brusquement il s'accroupit pour clamer bien fort : « Je n'ai plus rien, ils m'ont tout pris. »

Aux deux gens-complets avec des bras et des jambes : « On n'a pas gagné autant que vous, dirent-ils. Quand vous jouiez, vous aviez droit à deux fauteuils, nous on ne touchait même pas un pied de chaise. En plus, tout ce qu'on avait était dans l'oreiller, nous n'avons plus un sou. »

Il n'y avait rien à ajouter. Elle réfléchit un instant, regagna sa chambre et en ressortit avec une liasse de billets – où l'avait-elle trouvée, mystère – épaisse comme une brique et entièrement composée de jolies coupures rouges de cent yuans. Ses petites-filles étaient éberluées. Elle allait vers la porte quand tout à coup le sang monta aux joues de Huaihua, qui jusqu'ici s'était tenue apathique dans son coin. Lorsque sa grand-mère passa devant elle, elle lui sauta dessus pour lui arracher les billets, la faisant chanceler et presque tomber par terre.

Heureusement, Mao Zhi réussit à garder son équilibre. Elle la regarda d'un air surpris, puis lui envoya une gifle en pleine figure. C'était une femme âgée – en l'espace d'une nuit elle avait énormément vieilli – et la gifle n'était pas forte mais c'était quand même une gifle. Le visage de Huaihua vira au pourpre.

« C'est mon argent ! s'écria-t-elle. Je ne me suis pas acheté la moindre robe !

– Tu as bien assez dépensé », répondit la grand-mère. Après un dernier coup d'œil furieux à sa petite-fille qui se tenait la joue, elle alla frapper à la porte métallique, de l'autre côté de laquelle retentirent immédiatement des cris de joie. « Eh bien voilà ! Vous avez tous un art, vous les Benaisiens ! Vous avez touché le paquet à chaque représentation, ce n'est pas grand-chose pour vous ! » En même temps l'homme criait dans la direction du chemin de koutou : « Hé ! Venez ! Vite ! »

Puis à l'intention de la porte : « Glisse l'argent par la fente et on ouvrira. »

Mao Zhi fit passer l'argent sous la porte et de l'autre côté on s'en empara. Nouveaux cris :

« La suite ! Vite !

– Il n'y a que ces huit mille yuans. Le reste a été volé hier soir. »

Dehors ils n'étaient pas contents : « Garde tes salades pour les fantômes ou les cochons, nous, on n'est ni l'un ni l'autre, on ne va pas se faire avoir. » Puis : « Bon, cela fait une liasse de huit, il en manque encore sept. Soit tu les allonges, soit vous restez là-dedans à crever de faim et de soif. »

Au bout de quelques instants d'un silence pesant, on finit par entendre le chauffeur marmonner quelque chose à ses acolytes qu'il entraîna vers l'escalier tandis que Mao Zhi hurlait à l'adresse de ces pas qui s'éloignaient :

« Hé ! C'est vrai que nous n'avons plus d'argent ! Il a fallu nous cotiser, c'est tout ce que nous avions sur nous !

– Garde ta salive, ça nous évitera les conneries ! »

Elle cria encore :

« Ouvrez et fouillez-nous, si vous ne me croyez pas !

– Va te faire foutre ! Bande d'infirmes ! Et ça voudrait jouer au plus fin ! »

Alors elle :

« Vous ne craignez pas la loi du ciel ? »

Mais eux :

« Pour vous, la seule loi c'est les gens-complets ! »

Elle, insistant :

« Vous n'avez pas peur du chef de district ? »

Ils éclatèrent d'un gros rire :

« Pour tout dire, le chef de district a fait une sacrée boulette. Tu ne crois quand même pas que, s'il n'avait pas de sérieux ennuis, ces ordures auraient eu le toupet de vous dévaliser ? Et nous, de vous enfermer dans le mausolée ? »

Mao Zhi en resta sans voix. Discutant entre eux, les hommes reprirent le chemin de l'escalier, il n'en resta bientôt plus que des pas qui sonnaient comme des coups de marteau sur les marches avant de venir rebondir sur les murs du mémorial et les corps des Benaisiens.

Il faisait à présent si chaud qu'on avait du mal à respirer. Affolés, en sueur, la bouche et la gorge sèches, les villageois commençaient effectivement à avoir faim et soif. Quant à l'enfant, celui qui s'était levé pour aller boire et avait, de ce fait, appris avant tout le monde que la porte était fermée, il en était au point de ne même plus trouver les mots pour le dire. « Putain de merde, grommelait un sourd, où pourrions-nous trouver de l'eau ? » Un muet montrait sa gorge en tapant du pied. Rien ne coulait des robinets, pourtant toutes les cinq minutes quelqu'un allait les

essayer. Se rappelant le petit polio, Mao Zhi le chercha du regard : elle le trouva dans un coin, roulé en
boule dans les bras de son oncle. Il y gisait comme un
bébé encore au sein dans ceux de sa mère. A soixante-
trois ans, le bonhomme avait suivi la troupe en tant
que cuisinier, il le tenait par la taille et lui caressait la
tête. Dès qu'il vit Mao Zhi s'approcher, il se mit à
seriner :

« Le gamin a de la fièvre, trouvez-lui à boire.

Le gamin a de la fièvre, il lui faut de l'eau. »

Elle posa la main sur son front : il était comme
une boule de feu, vite elle la retira, la reposa encore,
et retourna frapper quelques coups à la porte.

Dehors : « Envoie les billets. »

Mao Zhi : « Le gosse est bouillant de fièvre, une
tasse d'eau, je vous en supplie. »

Dehors, dans une autre direction : « Ils veulent de
l'eau ! »

Réponse du chauffeur : « Qu'ils l'achètent ! »

Dehors, à Mao Zhi : « Vous voulez boire ?
Payez ! »

Un instant abasourdie, elle s'enquit : « Vous n'avez
vraiment aucun cœur ? »

Dehors : « Dis-toi que les chiens l'ont bouffé ! »

Au bout d'un instant de réflexion : « Combien ? »

Et l'autre, bien fort : « Cent yuans. »

Stupéfaite : « Combien ?

– Cent.

– Vous n'avez aucun cœur !

– Je te l'ai dit, les chiens l'ont bouffé.

– Le gosse est bouillant de fièvre. »

– Alors dépêche-toi de passer l'argent sous la porte. »

Et ce fut tout. Les villageois observaient Mao Zhi
qui regardait impuissante l'oncle du gamin, lequel

435

avait dans son affolement courbé la tête. Ils s'enfoncèrent encore plus dans leur silence, c'était comme s'ils avaient chuté à l'intérieur d'une tombe. Soudain le Singe surgit et vint crier derrière la porte :

« Comment une tasse d'eau peut-elle valoir cent yuans ?

– Qu'est-ce que tu veux faire de ton fric puisque de toute façon tu vas crever ?

– Un yuan ?

– Va te faire foutre.

– Dix ?

– Va te faire foutre.

– Vingt ?

– Va te faire foutre. Tu dirais cinquante que ce serait toujours non. »

Il se tut. On vit alors Mao Zhi aller vers les dortoirs et en revenir avec quelques billets de dix et une poignée de petite monnaie. A son tour elle s'approcha pour demander :

« Et quatre-vingts, ça ne ferait pas l'affaire ?

– Cent la tasse d'eau pêchée [3]. Deux cents le bol de soupe à la farine blanche, cinq cents le pain. Si ça vous tente, dites-le, sinon tant pis pour vous. »

Sans plus discuter elle glissa les cent yuans sous la porte. Au bout d'un certain temps il se fit un bruit confus de voix, on crut qu'ils allaient ouvrir et faire passer la tasse par la porte entrebâillée. Mais ils posèrent une échelle contre la porte, y grimpèrent, frappèrent au carreau d'une lucarne pour qu'on leur ouvre et la livrèrent par là. Une-patte, qui avait dû monter sur les épaules d'un muet pour la réceptionner, se trouva nez à nez avec un type d'une vingtaine d'années aux cheveux en brosse et à la face rougeaude. « Mille yuans si tu laisses l'échelle cette nuit », murmura-t-il. L'autre pâlit. « Je tiens à la vie », répliqua-t-il avant de descendre à la hâte et de la déplacer.

Il était midi pile, le soleil brûlant et venimeux, violent et incandescent au sommet du ciel, la chaleur telle qu'on aurait pu mourir ébouillanté. Les Benaisiens regagnèrent les chambres et se couchèrent comme des herbes flétries. Mais d'avoir récupéré de l'eau avait donné du cœur au Singe, avec quelques autres il entreprit d'inspecter les coins et recoins des pièces et des couloirs, où ils trouvèrent deux coffres vides et quelques vieilles tables qui empilés arrivaient juste à la hauteur des fenêtres. Le plus silencieusement du monde, il y grimpa et scruta la montagne silencieuse et déserte. Où étaient passés les touristes qui hier soir l'avaient envahie ? Pourquoi n'en voyait-on plus un seul aujourd'hui ? Le camion qui avait transporté leurs accessoires au cours des six derniers mois était garé sous un grand arbre devant le mausolée et les gens-complets – sept ou huit effectivement – s'étaient mis à l'ombre à côté. Bols et baguettes jonchaient le sol : ils avaient fini de déjeuner. Certains jouaient aux cartes, d'autres avaient déroulé une natte d'herbe et faisaient la sieste. Il va sans dire que le gros chauffeur était le chef : il dormait à proximité, en caleçon, sur un lit. Le fait que les gens de Benaise n'aient pas allongé la monnaie ne semblait pas lui faire souci. Il avait dû planifier jusqu'au moindre détail. Sous la claire lumière que le soleil distribuait, de la large chaussée qui descendait vers la vallée, une blanche fumée émanait, rayonnante et pure. Mais pas une ombre ne s'y découpait. Peut-être en raison de la chaleur : les gens montés la veille étaient rentrés chez eux et aujourd'hui personne ne viendrait ; ou alors, peut-être les employés de l'administration les avaient-ils chassés, on leur avait raconté quelque fable pour les faire partir et on avait placé quelqu'un en bas pour barrer la route à ceux qui auraient eu l'idée de monter, un bobard et ils rebroussaient chemin. L'un dans l'autre, la montagne était d'un calme étrange, absolument déserte hormis ce petit groupe de gens-complets.

Les pins et les cyprès des alentours, les marronniers et les sophoras du bord de la falaise s'étaient couverts de jeunes pousses avec la chaleur, tout était vert. Les cigales faisaient leur furtive apparition, elles stridulaient entre les branches comme une eau gazouillante. Sur les pentes, herbes folles et broussailles avaient en un battement de paupières tendu un tapis de luxuriante verdure au-dessus duquel voletaient une multitude de grillons et autres insectes bourdonnants.

La montagne avait la fraîcheur de la végétation renouvelée.

Plus le soleil se faisait ardent, plus le vert se faisait exubérant, plus on lui trouvait de charme et plus elle semblait vaste et infinie. Plus, aussi, le spleen d'être prisonnier de ce mausolée devenait accablant, on se serait cru dans une cage. Après avoir un moment regardé par cette fenêtre, le Singe fit déplacer les chaises et les coffres pour regarder par l'autre, qui lui confirma de manière plus éclatante encore qu'ils étaient enfermés dans une malle, accrochée en l'air, qui plus est. Même s'ils avaient été capables de passer par la fenêtre, impossible de sauter. De quelque côté qu'on se tourne, c'était un vrai précipice, il y avait plusieurs toises jusqu'au sol. La fenêtre du devant était un peu moins haute, mais on s'y trouvait encore comme au deuxième étage. Certes, il eût été possible, en grimpant sur les épaules de quelqu'un, de passer au-dessus de la porte par la lucarne qui donnait sur le chemin de koutou. Mais là, justement, deux jeunes gens montaient le reguièt, constamment armés, au cas où, de gourdins de trois pieds de long qu'ils étaient prêts à brandir pour bâtonner.

Impossible de s'échapper par les fenêtres. C'était encore pire pour les Benaisiens : même un gens-complet n'aurait pas osé sauter, or la majeure partie d'entre eux étaient infirmes. D'ailleurs, comment ensuite quitter la montagne au nez et à la barbe de leurs geôliers ?

Quand le Singe descendit, tous les regards se tournèrent vers lui. Son visage était de cendre, comme s'il s'était cogné dans un mur.

« Alors ? lui demanda-t-on.

– Pas l'ombre d'une miette de chance. »

Tout espoir d'évasion s'était envolé. Mais au moins les fenêtres étaient ouvertes, l'air circulait, des senteurs de montagne leur parvenaient et ils purent passer le temps tranquillement assis ou allongés dans leurs chambres. Les heures semblaient couler comme font les sabots d'un cheval sur l'herbe : sans un bruit, sans un souffle, lentes et d'une lancinante torture. Lorsque le soleil fut plein sud, dehors on appela :

« Hé ! Vous n'avez pas faim ?

– Hé ! Vous n'avez pas soif ?

– Au cas où vous auriez faim ou soif, envoyez la monnaie et on vous livrera de la soupe et du riz par la fenêtre. »

Les cris passaient sous la porte et venaient résonner haut et fort dans la salle. Les Benaisiens ne réagirent pas. Qu'ils se dissolvent, comme emportés par le vent. Mais lorsqu'ils se furent dissipés, ils avaient

439

réveillé leur faim. Avaient arraché à leur sommeil des troupeaux de bœufs et de moutons qui désormais sautaient et galopaient dans leurs ventres. A force de s'écouler, le jour touchait à sa fin, le crépuscule serait bientôt là. Brusquement, ils entendirent un bruit. Quelqu'un se leva pour aller voir et à son retour annonça platement, comme si tout le monde s'y était toujours attendu, qu'ils étaient en train de clouer les fenêtres. De toute façon ils étaient handicapés, jamais ils n'auraient pu sortir par là, autant qu'elles soient interdites, ils n'en firent aucun cas. Mollement appuyés à un mur ou avachis sur leur couche, sans un mot ils continuèrent de résister par le silence à la faim et la soif. Autant envoyer un moustique repousser un feu de plus en plus proche et violent.

Les coups de marteaux sonnaient tel un orage à la saison du Réveil des insectes dans leurs entrailles vides. Chaque fois qu'ils s'abattaient, les estomacs se soulevaient avec fracas, et c'est dans ce tintamarre qu'il leur fallut endurer les cent lis de l'interminable espace-temps au cours duquel le soleil quitta le bord de l'horizon pour entrer en son crépuscule.

A l'heure où d'ordinaire ils dînaient, cette faim et cette soif revinrent les assaillir. Ceux qui dormaient se réveillèrent ; d'autres non, ils avaient perdu connaissance. Du blanc brûlant, la lumière était passée au jaune étincelant, puis au rouge sanglant. D'abord entrée par l'avant, elle s'était déplacée vers la statue de Lénine et le cercueil de cristal, et revenait à présent par la fenêtre du fond, où elle faisait comme des coupons de soie rouge aux carreaux. Les têtes des clous qui la condamnaient ressemblaient, vues de l'intérieur, à de petits chapeaux. Ces gens-là étaient bien des gens-complets, même perchés à plusieurs toises

440

de hauteur, avec en dessous d'eux un précipice et un ravin, ils les avaient enfoncés sans problème. Mao Zhi ne s'était pas couchée, elle avait passé le temps assise, à regarder d'un œil vide vers la porte. Par l'embrasure juste sous ses yeux, il y avait le cercueil de cristal qui trônait au milieu de la salle principale, et le morceau de toile écrue sur lequel une douzaine de personnes avaient apposé leur empreinte pour exprimer leur volonté de se déjointer. Personne ne savait à quoi elle avait pu réfléchir. A l'instant où le soleil se coucha, son regard s'en détacha et vint se poser sur ses petites-filles, Tonghua, Yuhua, Huaihua et Phalène, puis sur la paralytique qui gisait de l'autre côté. On eut l'impression qu'elle voulait poser une question, mais en même temps c'était comme si elle se parlait à elle-même.

« Vous avez faim ? » demanda-t-elle.

Les têtes se tournèrent.

« Achetez-leur quelque chose, s'il vous reste de l'argent. Il ne faut pas se laisser mourir de faim.

– Il fait noir, répondit la brodeuse. Peut-être que demain ils nous ouvriront. »

Mao Zhi passa alors dans la pièce adjacente, contempla les villageois avachis et répéta :

« Achetez-leur quelque chose, s'il vous reste de l'argent. Il ne faut pas se laisser mourir de faim. »

Silence. On se contenta de tourner la tête vers la fenêtre, la lumière et le soleil couchant.

Elle passa dans une autre.

« De mon point de vue, s'il faut payer, eh bien payons. Nous ne pouvons pas nous laisser mourir de faim. »

Elle alla de chambre en chambre sans convaincre personne, au bout du compte, de s'offrir une tasse d'eau ou un pain. « Je n'ai pas un sou », disait l'un. Un autre : « Ces salauds nous ont tout pris. » Ils protestaient qu'ils n'avaient pas un liard, tant pis, ils allaient crever.

Ainsi ils entrèrent dans le crépuscule, entrèrent dans la nuit. Un peu plus tard les gens-complets revinrent les apostropher : « Vous avez faim ? Vous avez soif ! Allongez le fric ! » Il s'en trouva bien un, à bout, pour glisser cinquante yuans sous la porte en échange d'une demi-tasse d'eau mais sinon personne ne les prit au mot, personne n'avait le cœur de gaspiller deux cents yuans pour un bol de soupe, voire cinq cents pour du pain.

Une nuit entière s'écoula.

Et encore un jour.

Au troisième, ils avaient si faim que d'immenses poches pendaient sous leurs yeux et que leurs pupilles semblaient prêtes à rouler hors de leurs orbites. Ils ne se déplaçaient plus qu'en se tenant aux murs. Le soleil était toujours aussi venimeux : il traversait les fenêtres et dardait ses rayons comme des barres de fer rouge. Leurs lèvres crevassées saignaient. Pour lutter contre la déshydratation, ils avaient quitté les dortoirs et s'étaient installés dans la salle principale ou dans ces toilettes qui avaient autrefois eu des robinets en état de marche. Il y faisait un peu plus humide mais ça puait la pisse et la merde. Les gens du dehors étaient fermement décidés à les laisser griller. Ils ne le savaient que trop bien : à la fin les Benaisiens capituleraient, d'eux-mêmes ils sortiraient leur argent et le leur remettraient. A part leur demander à l'heure des repas s'ils avaient faim ou soif, il suffisait d'attendre, rien ne servait le reste du temps de les maltraiter.

Effectivement, finalement, ils craquèrent.

Au midi du troisième jour, les gens-complets se présentèrent encore à la porte pour proposer leur marchandise :

« Hé ! Vous voulez de l'eau ? Cent yuans la tasse !

– Hé ! Une soupe ? Un bon potage aux œufs et à la farine ? Deux cents. Le bol est tellement plein qu'il déborde.

– Hé ! Ça vous dit, du pain ? De savoureux pains à la vapeur, gros comme des têtes de nourrisson ou des brioches à lait. Des galettes sautées aux oignons, peut-être ? Jaunes comme de l'or, parfumées comme des beignets ! »

Sans répit ils s'égosillaient. Parfois ils montaient à l'échelle, une face souriante faisait son apparition et les carreaux répercutaient les cris, huit, neuf, dix fois, comme les haut-parleurs de la radio. Ils tendaient une tasse d'eau par la fenêtre : « Qui en veut ? Vous êtes preneurs ? Non, eh bien je la jette. » Effectivement ils la renversaient. Telles des perles d'argent blanc, les gouttes scintillaient un instant dans l'air puis s'écrasaient avec de petits « floc » sur les dalles de marbre où elles se mêlaient à la poussière pour former une boue humide. Ils leur montraient aussi les pains : « Vous en voulez ? Vous en voulez ? » Des boules grosses et blanches qu'ils émiettaient à l'extérieur en faisant semblant de nourrir les oiseaux, ne laissant dans la pièce qu'un parfum qui faisait penser à ces filets de senteur de blé qu'apporte parfois le vent par temps de disette. Leurs discours, la manière dont ils tripotaient le pain, cette idée de répandre l'eau sur le sol attiraient les Benaisiens comme des mouches, ils venaient se coller à la porte pour regarder l'eau se déverser et la mie tomber en grains de sable.

Le soleil de midi était d'une violence extrême. Cela faisait cent ans qu'il n'avait pas fait aussi chaud. Pas un souffle ne se mouvait dans cette malle étanche que semblait le mausolée. C'était comme si l'air en avait été aspiré. Transpirer leur aurait fait du bien mais leurs corps ne contenaient plus assez de liquide pour le laisser s'écouler. Si la température ne tombait pas, c'était du sang qui suinterait par leurs pores. Comme ils ne pouvaient pas tirer la chasse, les matières qu'ils avaient la veille ou l'avant-veille évacuées fermentaient dans les latrines, il s'en dégageait une puanteur de plus en plus intense qui se répandait dans la pièce et les assiégeait comme une vapeur.

Lorsque les gens-complets cessèrent leur manège et quittèrent les fenêtres pour retourner faire la sieste, à nouveau l'univers sombra dans le silence. C'était aussi suffocant que l'intérieur d'une tombe ou d'un caveau. Paralysés par la faim et la soif, les Benaisiens gisaient, affalés un peu partout comme des culs-de-jatte.

Leurs lèvres blanches et desséchées semblaient un granit crevassé.

On n'entendait dehors que les voix de ces quelques hommes. Autrement dit : en trois jours, personne n'était monté. Personne n'était au courant des bouleversements qui s'étaient produits ici, au sommet de la montagne. Personne ne savait que les Benaisiens étaient enfermés dans le mausolée de Lénine et n'avaient rien eu, ni eau ni riz, à se mettre dans le ventre pendant ces trois jours. Personne ne savait qu'en dépit de sa fièvre le petit polio n'avait bu qu'une demi-tasse par jour, toutes obtenues en faisant passer cinquante yuans sous la porte.

Ce n'était plus supportable. L'oncle du gosse s'était évanoui de faim à côté d'un pilier.

Depuis un jour et une nuit, Ma le sourd était pros-
tré au pied d'un mur, même ses pupilles semblaient
ne plus bouger.

N'en pouvant plus de soif, une des cuisinières boiteuses avait recueilli son urine dans un bol. Elle l'avait
bue et avait été prise de nausées sèches.

Quand on en fut à ce point, au plus fort de la chaleur de l'après-midi du troisième jour, Mao Zhi sortit
de sa chambre en s'appuyant au mur et à sa béquille.
Son visage n'était plus que cendre, d'un gris sec calciné
par le temps. Ses cheveux blancs et emmêlés avaient
quelque chose de la touffe d'herbes pâles, la veste de
toile bleue au départ à sa taille semblait à présent flotter sur elle comme une chemise sur une canne de
bambou. Elle émergea sans que les villageois y prêtent
attention, on aurait cru qu'elle avait fait comme eux,
qu'elle était restée ces trois jours durant couchée dans
un coin quelconque de la salle. Mais lorsqu'elle ouvrit
la bouche, ils ne purent s'empêcher de la regarder et
d'écouter chaque mot qu'elle articulait. Elle n'était pas
là lorsque les gens-complets avaient renversé l'eau et
émietté le pain, pourtant elle était au courant. Calée
dans un coin, se tenant de la main droite à la cloison
et de la gauche à sa canne, elle leur demanda :

« Ils ont arrêté de gaspiller la nourriture ? »

Ils se contentèrent de lever la tête vers elle.

Elle continua :

« Je sais qu'il vous reste de l'argent et je sais où
vous l'avez dissimulé. Vous ne me croyez pas ? Désha-
billez-vous, on va vous fouiller, et on soulèvera les
briques sous les tapis de sol. »

Et encore :

« Un être vivant ne doit pas se laisser dépérir. Cent
yuans la tasse, deux cents la soupe, cinq cents le pain :

si vous payez, vous vivrez, sinon vous allez mourir. Alors ? »

Et pour finir :

« Cela ne sert à rien de laisser l'argent où vous l'avez caché. Que chacun s'achète ce dont il a besoin. Faites-moi confiance : même s'il y en a qui meurent de soif et de faim parce qu'ils n'ont pas les moyens de s'offrir quoi que ce soit, pas un de vos sous ne sera dépensé pour eux. »

Le silence était tel qu'on entendit leurs yeux rouler, les regards en bruissant se tournaient vers le coin du mur. Elle avait deviné leur secret, en une phrase dévoilé la honteuse faiblesse qu'ils croyaient ignorée. Certains la haïrent, d'autres se sentirent gênés, il y en eut aussi pour la remercier : enfin elle perçait la couche de papier qui les isolait. Et quoi ? Ils restèrent affalés où ils étaient, et je te regarde et tu me regardes, comme si elle n'avait parlé que pour les autres. Comme si ces autres, s'ils s'achetaient à boire, n'allaient pas oser leur en refuser une gorgée. Comme si, au cas où c'étaient eux qui mettaient la main à la poche et se procuraient un pain, ils allaient être obligés de le partager. Ce qui leur faisait le plus souci, ce qu'ils craignaient le plus, c'était d'être le premier à sortir leur argent. Peut-être allait-on les rouer de coups ? Les insulter, eux et leurs ancêtres sur huit générations : « Nom de Dieu, tu avais des économies et tu nous as laissés mourir de faim et de soif trois jours et trois nuits. » Après ils vous arracheraient vos billets pour acheter de l'eau, du pain et de la soupe. Alors ils restaient assis, comme des bûches. D'un mutisme tel qu'on eût cru la salle déserte.

L'air était de plus en plus pestilentiel.

De plus en plus stagnant et lourd, comme une fosse d'aisances solidifiée.

Au milieu d'un tel silence, une feuille d'arbre ou une plume d'oiseau auraient en tombant creusé un trou dans le sol, elles auraient fêlé les piliers si elles les avaient frôlés dans leur chute, et si en tournoyant elles avaient atterri sur le cercueil en cristal, elles auraient fait voler le couvercle en éclats. Vraiment, le silence était à son zénith, il n'aurait pas pu être plus profond. De même pour cette impression qu'ils avaient d'étouffer, cela ne pouvait empirer. A force de fixer Mao Zhi, lentement, sans raison apparente, leurs yeux finirent par exprimer un certain désarroi ; sans raison apparente, ils se détournèrent et revinrent se poser par terre devant les pieds.

Seconde après seconde, comme s'il eut compté des cheveux, le temps s'écoulait, oppressant. Peut-être parcourut-il quelques centaines de lis, peut-être eut-il le temps de recenser quelques mèches. Ce qu'il advint ensuite, c'est que le regard de Mao Zhi tomba sur le petit polio.

Assis le dos au mur dans le coin le plus proche de la porte, il s'était fait éclabousser quand l'eau était tombée par la fenêtre, elle avait atterri à ses pieds et il avait failli ouvrir la bouche pour la recueillir, seule la crainte de rater son coup l'avait retenu. Il va sans dire que lui aussi avait le visage d'une cendre mortelle, livide d'une faim et d'une soif extrêmes, enflé, un peu brillant, comme une pomme ou une pêche pourrie. Et ses lèvres : boursouflées, crevassées, sanguinolentes... Mao Zhi le regarda, il la regarda, et ce fut comme s'il avait vu quelqu'un qui ressemblait à sa mère, comme s'il hésitait à pousser un cri de reconnaissance mais que, de peur de s'être trompé, il préférait continuer de la fixer d'un œil vide. Comme s'il voulait qu'en face, on réalise qu'il était là.

« Enfant ! » l'apostropha-t-elle au bout d'un instant.

Il grogna quelque chose.

« Tu as faim ? »

Hochement de tête. Et il ajouta : « J'ai très soif.

– Donne-moi l'argent que tu as cousu dans la poche de ton pantalon. Je vais t'acheter quelque chose. »

Alors il se déculotta devant tout le monde. A son caleçon en coton fleuri était fixée une poche en tissu blanc, épaisse et gonflée, qu'une solide couture maintenait fermée. Il baissa la tête, l'ouvrit avec les dents, en extirpa une grosse liasse de billets de cent et lui en tendit quelques-uns en tremblant. Elle s'en empara, compta jusqu'à six, lui rendit le reste et alla tambouriner à la porte sous laquelle elle glissa l'argent en demandant une tasse d'eau et un pain.

Un battement de paupières plus tard, ils passaient par la fenêtre. L'enfant alla se placer sous la porte pour les réceptionner et il attaqua, à grosses bouchées et à grosses goulées entreprit de s'en repaître. C'était un gamin, personne ne s'en formalisa, mais le bruit de sa déglutition sonnait comme un fleuve au milieu de la salle et celui de sa mastication évoquait les fritures dorées et croustillantes que se font les paysans pour améliorer leur ordinaire.

Lui, sans se soucier de rien, dévorait comme un loup.

L'odeur du pain s'était répandue tel un tourbillon dans le mausolée. L'écho de ses mâchoires au travail y déferlait comme une eau. Il n'était pas bien vieux, une dizaine d'années, sa jambe droite était aussi sèche

448

qu'une tige de chanvre et lui maigre comme un pied de la plante. Mais si efflanqué soit-il, lui à qui en temps ordinaire on n'aurait su faire avaler un œuf entier ouvrait un bec comme un bol et en deux temps trois mouvements il eut avalé les deux tiers de son pain pourtant de la taille d'une tête de lapin.

Les villageois semblaient hypnotisés.

Personne ne parlait.

Ils le regardaient dévorer en le mangeant des yeux, ils l'écoutaient manger en le dévorant par les oreilles. Le Singe passait la langue sur ses lèvres douloureuses à force de sécheresse et de crevasses. Ma le sourd, allez savoir pourquoi, avait mis la main devant sa bouche. Seules Yuhua, Huaihua, Tonghua et Phalène ne le surveillaient pas : elles fixaient leur grand-mère à côté comme si elle eut été capable de faire surgir du néant une liasse de billets pour leur acheter à chacune une tasse d'eau et un pain.

L'après-midi était sans doute avancé. En mastiquant il avait fait voler en éclats, en des milliers de morceaux et le temps et l'air dans la pièce.

Ma défit brusquement son pantalon en grommelant : « Qu'est-ce qu'on en a à faire de l'argent quand on va mourir ! » Il sortit mille deux cents yuans de son caleçon et cria bien fort à l'attention de la porte : « Deux pains et deux tasses d'eau ! » en faisant glisser l'argent par la fente.

Le visage d'un homme d'une trentaine d'années s'encadra tout sourire à la fenêtre, par laquelle il fit passer les pains et l'eau.

Après avoir émis quelques borborygmes en tapant du pied, un muet regagna brusquement sa chambre et entreprit d'y compter les briques du sol entre le mur et sa couche. A cinq il souleva, exhuma plusieurs sacs en plastique bien remplis, en extirpa un paquet de billets et alla les remettre à Mao Zhi en montrant trois doigts. Elle prit l'argent : « Trois pains et trois tasses d'eau », expliqua-t-elle à la face souriante à la fenêtre. Et lui fourrant les coupures entre les doigts : « Cela fait mille huit cents yuans, tu peux compter. »

L'homme s'en empara et sans prendre la peine de vérifier se retourna pour crier : « Trois pains et trois eaux ! Vite ! »

Les choses commencèrent ainsi, dans le désordre. Plus personne ne se cachait de personne. Comme l'avait dit Mao Zhi, en dépit du cambriolage, ils avaient tous quelque chose de reste. Des femmes déboutonnaient leurs chemisiers devant tout le monde pour en extraire la pochette cousue à l'intérieur dans laquelle elles avaient emprisonné leurs économies, d'autres – n'ayant rien cousu – devaient faire un saut aux toilettes, loin des regards de la foule, et revenaient une seconde plus tard les mains pleines.

L'oncle du petit polio n'avait pas bougé. Il déchira la jambe de son pantalon et des centaines de billets en tombèrent.

Le vieux boiteux qui pendant la tournée avait eu cent vingt et un ans n'eut besoin ni de se déshabiller ni de regagner les dortoirs. S'étant mis à quatre pattes, il fouilla sous le cercueil de Lénine et en sortit un de ces portefeuilles comme ont les gens des villes, au ventre énorme et gonflé de toutes les coupures de cent flambant neuves qu'il contenait. Sans compter, il en retira un certain nombre en marmonnant dans sa barbe : « Et putain de merde ! Qu'est-ce qu'on peut faire avec de l'argent une fois qu'on a crevé ? » Pour lui ce ne fut ni du pain ni de l'eau mais trois galettes à l'huile et trois bols de soupe. Les galettes étaient effectivement jaunes, croustillantes et parfumées, la soupe d'une consistance qui promettait d'être agréable en bouche. Trois galettes, trois soupes, après en avoir accusé réception il posa deux bols par terre, alla mettre le reste – la soupe dans la main gauche, les galettes dans la droite – sur le cercueil et revint les chercher. Le couvercle brillant et lumineux faisait sous cet étalage de mets penser à la table en jade d'un empereur, il ne mangeait pas, semblait-il, pour satis-faire sa faim, mais comme s'il avait voulu dire aux autres : Dévorez, buvez, tant qu'il y a de la vie tout va ! Leur dire : A quoi ça sert, l'argent ? Qu'est-ce que ça a de si précieux ? La nourriture, ça, c'est le plus grand trésor de l'univers ! Il mâcha ses galettes comme un bœuf le fourrage et but ses soupes en fai-sant autant de bruit que l'eau sur un sol sablonneux. Il bâfrait et lampait sans se préoccuper de quoi que ce soit. Même s'il n'avait pas eu de spectateurs, il aurait donné l'impression de jouer sur scène le rôle d'un affamé.

Or, des spectateurs, il en avait. Dont beaucoup sortirent leurs économies pour l'imiter et dépenser sans compter, s'exclamant au moment de payer : « Nom de Dieu, si on doit tous y passer, autant que ce soit du bon, et pareil pour la boisson ! »

Une-patte était jusqu'ici resté dans son coin, se contentant de regarder les autres sortir soudainement leur fortune et se jeter sur la nourriture. Mais lorsqu'il vit le vieux – et ses cent vingt et un ans supposés – affalé à côté du cercueil en train de se remplir la panse tout en jetant de temps à autre un œil à la cachette d'où quelques instants plus tôt il avait sorti le porte-feuille, il fut pris d'un doute. « Putain de bordel ! » s'écria-t-il sans qu'on sache si l'injure était à son adresse ou à celle du boiteux. Il retira le chausson à fond épais qu'il s'était confectionné pour sauter par-dessus les montagnes de couteaux et les mers de feu, et de sa semelle puante extirpa une dizaine de billets de cent, avec lesquels il se procura de quoi se rassasier.

Mais même en buvant et mangeant, il ne cessait de regarder autour de lui et son regard avait tendance à s'arrêter sur le boiteux, lequel continuait de surveiller le paquet sous le cercueil.

Dans la pièce, c'était la pagaille. Et tu demandes deux pains, et je veux une tasse d'eau, d'ici, de là, de tous les coins les cris fusaient. Béquillant ou clopi-nant, les villageois se pressaient derrière la porte en paraphrasant le vieux : « C'est vrai quoi, merde ! A quoi ça sert d'avoir de l'argent si c'est pour crever de faim ! »

Ils disaient : « Mangeons, buvons, mieux vaut mourir d'une indigestion que de faim ! »

Ils disaient : « Cent yuans la tasse ? Quelle impor-tance ! A mille ce serait pareil, je n'en peux plus, moi ! »

La salle retentissait du bruit de leur mastication et de leur déglutition.

Etait pleine de bras et de mains tendus pour payer.

Le soleil était jaune, brûlant et oppressant. Cer-tains, ayant avalé leur eau d'une seule gorgée, reten-daient immédiatement la tasse en réclamant bien fort : « Encore, ressers-moi. »

Il y en avait qui après n'avoir fait qu'une bouchée de leur pain s'écriaient : « Un autre ! Redonne-moi du pain, et aussi une galette ! »

A ce moment-là, les quatre fenêtres, petites et grandes, s'ouvrirent d'un coup. Quatre visages de gens-complets s'y encadrèrent. Tous affichaient des sourires satisfaits, sauf le chauffeur au milieu. Il passa la tête à l'intérieur et hurla à s'en arracher les poumons :

« Vous n'auriez pas pu vous décider plus tôt au lieu de vous laisser crever de faim ! »

Puis :

« Désolé, le pain a augmenté. C'est huit cents, maintenant, et l'eau est passée à deux cents la tasse. »

A l'instant les Benaisiens firent silence, on n'entendait plus un souffle, c'était comme s'il avait jeté un seau d'eau sur le feu. Certains replièrent le bras qu'ils avaient tendu pour acheter un pain ou de l'eau, mais une femme en était restée pétrifiée, et le gens-complet en profita pour lui arracher les billets qu'elle tenait toujours entre les doigts. Elle eut beau hurler : « Mon argent ! Tu m'as volé mon argent ! », elle ne récolta qu'un grand éclat de rire : « Tu crois qu'on aurait attendu trois jours et trois nuits si c'était pas pour vous voler ? »

Elle se tut et s'éloigna, la main sur son chemisier là où la pochette était cousue. Le Singe remarqua que plus loin, le vieux boiteux s'était instinctivement rapproché du cercueil et lorgnait dessous. Dans le silence qui s'était instauré, les regards se tournèrent vers Mao Zhi.

De tout ce temps elle était restée plantée à côté d'un pilier au milieu de la pièce, près de Huaihua qui s'était glissée là pour savourer sa demi-tasse d'eau et sa moitié de pain. Elle mangeait sans faire le moindre bruit et c'était délicieux. Personne ne savait à quel moment elle avait sorti l'argent, ni d'où elle l'avait tiré, pour l'instant elle se régalait dans son coin, épiant de ses grands yeux qui n'avaient rien perdu de leur vivacité sa grand-mère, sa sœur aveugle et les nines. Le soleil entrait toujours avec la même ardeur par la fenêtre, à la puanteur ambiante s'étaient momentanément mêlés le parfum du pain et une humidité due à l'eau que dans l'affolement on avait parfois renversée. Ceux qui n'avaient pas fini continuaient qui à mâcher, qui à boire, mais les bruits qui accompagnaient ces activités avaient été réduits à leur plus strict minimum. Comme si les villageois – semblables en cela à une cohorte de rats ou à un vol de moineaux – avaient craint qu'on ne les entende. Ceux qui n'avaient rien commandé regardaient Mao Zhi d'un air désespéré, comme si cela avait pu les nourrir sur-le-champ. Leurs visages s'ambraient du jaune du regret, ils avaient l'impression d'avoir raté leur chance et de devoir mourir aussitôt de faim et de soif. Effondrés au pied du mur, après l'avoir un instant observée, ils se tournèrent vers les gens-complets, puis baissèrent la tête.

La situation avait changé du tout au tout, sur les visages aux fenêtres les sourires étaient sans vergogne. Le soleil jaune et incandescent les frôlait avant de venir brûler les yeux des Benaisiens. Suspendu au-dessus de ces têtes de gens-complets, il les faisait dégouliner de sueur. Comme ils avaient retiré leur chemise et leur veste, leurs épaules nues luisaient, aussi rouges que si on les avait enduites d'huile colorée. Toujours sur l'échelle du mitan, toujours tendant le cou, leur chef, le chauffeur, continuait tranquillement d'une grosse voix fruste :

« Je sais que beaucoup d'entre vous ont encore de jolies sommes sur eux. A un ou deux fauteuils par représentation, je me demande ce que ça a donné en six mois. Les autres ne vous en ont pas volé plus du tiers, maximum les deux tiers. Alors je vous le dis franchement : quand j'aurai mes quatre-vingt à cent mille, je ne vous demanderai plus rien. Je reste ici à vous vendre du pain et de l'eau. Tiens, d'ailleurs ça a encore augmenté : la tasse est maintenant à trois cents, et le pain à mille. Si le cœur vous en dit nous avons aussi des légumes salés. Et pas chers avec ça ! Vous pouvez les avoir pour deux cents yuans. »

Il dit encore :

« Vous n'en voulez pas ? C'est le prix, mais attention, demain ça risque de faire plus. »

Puis, se tournant vers Mao Zhi : « Dehors, c'est moi qui commande les gens-complets, ici, c'est toi qui diriges ta bande d'infirmes. Je sais que tu as une grande expérience, que tu as traversé plus de ponts que je n'ai parcouru de kilomètres. Mais là, attention : ça ne vaut pas le coup de rester à moisir dans cette pièce et je sais que tout l'argent n'est pas encore tombé. »

Il la fixait :

« C'est le prix. Vous en voulez, de mes pains et de mon eau ? »

Et toujours la fixant : « C'est oui ou c'est non ? Excuse-moi, Mao Zhi, mais si tu n'en veux pas, je vais encore augmenter : mille deux cents le pain, et pareil pour l'eau, la tasse passe à cinq cents. Trois cents pour les achards. Si vous tenez à crever de faim, je ne vais pas vous forcer. Réfléchissez bien, je descends faire un songe[5], quand vous serez décidés vous m'appellerez. »

Le mausolée retomba dans le silence. Ceux qui n'avaient pas fini leur eau ou leur soupe se forçaient à l'avaler en quelques gorgées, ne posant le bol à leurs pieds que lorsqu'il était vide ; ceux qui avaient encore du pain ou une galette se demandaient s'il valait mieux les manger ou les cacher. L'un dans l'autre, les Benaisiens étaient retombés dans le mutisme. Les fenêtres avaient repris leur aspect normal. Après avoir annoncé la dernière augmentation, le chef des pillards avait ri et ordonné à ses gens de descendre. « Hé ! Mao Zhi, avait-il ajouté, remue-les un peu, ils vont crever s'ils ne se dépêchent pas, et si je me fâche, les tarifs vont encore monter. »

Ensuite il avait disparu.

La salle retrouva son calme. A la queue leu leu les Benaisiens se retirèrent dans les dortoirs. Tout le monde s'était assis ou allongé comme pour attendre la mort. Ou alors, que les gens-complets se décident brusquement à ouvrir les portes, qu'ils les laissent sortir vivants en emportant l'argent qu'ils avaient sur eux.

Pas le Singe. Il avait vu le vieux boiteux tâter une dernière fois sous le cercueil avant de s'éloigner – sans qu'on puisse savoir si c'était pour y prendre ou y mettre quelque chose. Bien décidé à aller fouiller par là lui aussi, dans un premier temps il gagna les toilettes, où il resta le temps qui eût été nécessaire à pisser. A son retour la pièce était déserte, les autres avaient tous réintégré leurs chambres, même Mao Zhi qui était partie en donnant un bras à Tonghua et l'autre à Phalène. Elles s'étaient installées ensemble sur un lit, la tête contre le mur et les yeux fermés.

Tout était calme, d'un silence tel qu'on entendait la poussière voler dans la pièce.

Très discrètement, il alla passer la main entre les linteaux de marbre sur lesquels reposait le catafalque. Il n'y avait rien là-dessous, sinon de la poussière. Il allait de soi que le vieux avait récupéré l'argent qu'il y laissait caché. Le Singe était déçu, il s'en voulait de l'avoir trop surveillé, l'autre l'avait sûrement repéré.

Il retira sa main et l'essuya sur le couvercle. S'il était refroidi, il n'avait pourtant pas perdu tout espoir : après un coup d'œil aux portes des chambres, il se mit à quatre pattes pour regarder dessous. Non seulement il vit les trois traces rectangulaires attestant des emplacements successivement occupés par le portefeuille, à proximité des linteaux, mais au beau milieu, un trou noir – grand à peu près comme la moitié d'un livre – comme si on avait oublié de mettre un morceau de marbre au moment de la construction. Avec énergie, il tendit le bras dans cette direction. Allez savoir ce qu'il toucha, sur quoi il appuya, les dalles sur lesquelles il était agenouillé se mirent soudain, lentement, à bouger. Un instant plus tard, avant même qu'il ait eu le temps de réaliser ce qui lui arrivait, elles s'étaient enfoncées de plusieurs pouces et légèrement déplacées sur le côté.

A ses pieds était apparue une fosse, noire et profonde.

Il en eut si peur qu'il en tomba assis.

Devant lui, sous le cercueil, se trouvait une cavité de deux pieds de long sur un pied de large. C'était clair : en passant la main dans le trou il avait actionné un mécanisme. Personne dans la pièce. Personne à l'entrée des dortoirs. Personne aux fenêtres. Il avait les paumes moites, sa face était livide. Du cercueil émanait une lueur qui lui permit de mieux étudier l'antre qui s'était ouvert devant lui : de toute évidence et à sa grande surprise, il y avait une crypte sous le cercueil de Lénine. Un peu plus petite que le socle qui la surplombait, elle devait faire cinq pieds de large, huit à neuf de long et dans les trois de profondeur. Ses parois étaient carrelées d'un marbre blanc si laiteux qu'on les eût crues tendues de satin. Au milieu se trouvait un autre cercueil, lui aussi en cristal, peut-être un peu plus grand ici ou un peu plus petit là, mais en gros la réplique exacte de celui de Lénine. Cette découverte lui fit un tel choc qu'il se retrouva la figure en sueur. Ses jambes pendaient dans le vide : il les sentait glacées, paralysées comme s'il avait eu une crampe, elles tremblaient. Il aurait voulu les arracher de là sur-le-champ mais quelque chose semblait s'être accroché à son mollet et lui enlevait toute force. Il baissa la tête pour mieux voir. Derrière lui ne vibrait que le soleil couchant, qui dardait par la fenêtre des rayons d'un rouge sanglant et tombait sur le cercueil de cristal à qui il imprimait des reflets pâles qui le faisaient d'agate rose. Lorsque cette douce lumière arriva sur l'autre, plus bas, il prit une couleur de jade noir, lumineux, avec des chatoiements profonds et métissés, comme si la pierre était tombée dans l'eau. Il s'aperçut alors que le couvercle portait une inscription : des caractères de la taille d'un bol, jaunes et mats mais clairs et éclatants, qui partaient de la tête et entre lesquels il y avait juste l'espace de quelques doigts. En calligraphie régulière, plus longs que larges, ils faisaient des bosses de l'épaisseur d'une écorce d'arbre.

Neuf caractères sertis que le Singe lentement identifia, du premier au dernier, comme il aurait cueilli des pois. L'inscription disait :

A l'immortel camarade Liu Yingque

Décontenancé, perplexe, il constata que le chef de district avait prévu ce cercueil pour lui-même. Mais pourquoi ? Il était encore en pleine forme. Et pourquoi en cristal ? Pourquoi dans ce mausolée avec celui du grand homme qui s'appelait Lénine ? Interrompant sa réflexion, il se remit à l'observer, accordant une attention particulière aux neuf caractères sur son couvercle. Leur éclat l'attirait. Ils n'étaient pas lumineux mais saillaient avec un scintillement dans la semi-obscurité. Neuf soleils cachés derrière des nuages. Alors, obstinément, il continua de les fixer, et à force finit par se demander en quel matériau ils étaient. Il allait de soi qu'en cuivre, au fond de cette fosse humide, ils se seraient vite corrompus et auraient pris la couleur du bronze. Mais alors, s'ils gardaient leur brillant d'astres derrière des nuées, en quoi pouvaient-ils être ?

Il pensa à l'or.

L'idée suffit à faire refluer le froid de ses jambes pendantes. Le sang lui monta à gros bouillons à la tête. Il n'y avait pas une seconde à perdre, comme un vrai singe il se laissa glisser et s'inclina pour les caresser du doigt. Puis, frénétiquement, à les gratter et à tirer dessus. Mais chaque trait semblait cloué au couvercle, en plus il avait les mains moites, il avait beau racler et essayer de les détacher, rien ne venait, pas le plus petit morceau.

L'air se mouvait dans la salle avec un écho si vrombissant qu'il eût pu croire à un fleuve en train de couler sous ses pieds ou de déferler à côté. Il était debout, il redressa l'échine et sa tête alla cogner, comme dans un mur, contre le cercueil de Lénine au-dessus. Boum ! Il s'était fait une telle peur qu'il dégoulinait de sueur. Il avait envie de pisser, comme six mois plus tôt lorsqu'il était monté sur scène à Shuanghuai pour la première fois et avait fait dans son pantalon.

Cette fois il se contrôla. Pas question de laisser

l'urine s'échapper, il allait devoir se démener comme un beau diable s'il voulait dessertir les caractères. A force de tirer et de gratter, il finit par arracher un bout de la taille d'un ongle, en forme de gras d'index et épais comme un morceau d'écorce de peuplier. Un minuscule fragment qu'il serra dans sa main en le soupesant. Cela lui rentrait dans la paume et donnait l'impression d'être aussi lourd qu'une masse de fer.

C'était bien de l'or.

L'inscription sur le cercueil du chef de district était en or :

A l'immortel camarade Liu Yingque

Un instant éberlué, quand il eut digéré le fait, il se remit au travail. Mais toujours pas moyen d'en détacher ne serait-ce que la moitié d'un trait. Alors il ne fit ni une ni deux et bondit hors de la fosse. Et sans attendre, plongea la main entre les linteaux dans le trou. Il ignorait quel mécanisme il avait mis en branle, mais à l'endroit où il aurait dû se trouver, sa main rencontra quelque chose qui ressemblait à une branche d'arbre. Avec énergie il appuya, poussa vers la droite, tira vers la gauche jusqu'à ce que les deux dalles de marbre se referment avec un léger bruit de frottis.

Il crut qu'il s'était vraiment compissé. Son entre-jambe était mouillé, quelque chose comme du sable humide frottait contre la peau de ses cuisses.

Constatant que la grande salle était toujours d'un calme absolu, d'un pas léger il fila en claudiquant aux latrines où il défit sa ceinture : seules quelques gouttes s'étaient échappées. En trois jours il n'avait bu qu'une demi-tasse d'eau. L'affolement lui avait donné envie et c'était tout ce qui était sorti : le peu de liquide qu'il avait à l'intérieur de son corps, il l'avait éliminé dans sa culotte au fond de la fosse.

Avoir pissé ces quelques gouttes le réjouissait autant que s'il avait éliminé l'urine accumulée depuis des jours. Il était benaise ! Alors dans les toilettes il tendit l'échine, rejeta les épaules en arrière et leva les bras au ciel. Mais à cet instant, de la fenêtre au-dessus de la porte, on appela. Quelqu'un criait :

« Hé ! les Benaisiens ! Montrez-vous ! Réunissons-nous, j'ai quelque chose à vous dire. »

Apparemment, quelqu'un était venu voir, puisque la voix ajouta :

« Va chercher Mao Zhi et les autres, nous devons nous concerter, si vous m'obéissez je vous libère. »

Un peu plus tard il y eut un brouhaha de pas. Il quitta les toilettes et trouva les villageois en train de sortir des dortoirs. Cela faisait du monde dans la pièce mais personne ne jeta le moindre coup d'œil au cercueil, pas même le vieux boiteux. Aux fenêtres s'encadraient à nouveau les têtes des gens-complets. Si l'un affichait un sourire dédaigneux, un autre était aussi noir que le fer. Le chauffeur – que ses comparses appelaient entre eux « le patron » – semblait quant à lui serein. Comme précédemment il occupait la fenêtre centrale, après avoir balayé la salle du regard pour y trouver Mao Zhi, il attaqua :

« Benaisiens, Mao Zhi ! Ecoutez-moi bien, je vais vous parler franchement : nous en avons assez d'attendre. Il fait chaud, nous préférerions rentrer à la maison. Et n'allez pas me dire que vous n'en avez pas encore plus envie, vous brûlez de vous retrouver chez vous. Donc, puisque tout le monde veut y aller, soyons honnêtes : vous êtes infirmes, il ne vous en faut pas beaucoup pour être benaises ! Même en comptant le sel et le charbon, vous ne dépensez pas énormément en un mois. En plus je ne supporte plus de vous voir mourir de faim et de soif dans ce truc, il vous manque des bras, des jambes, vous ne voyez pas, vous n'entendez rien, vous ne parlez pas, la vie n'est pas rose. Alors comme ça, nous les gens-complets, on a réfléchi à votre place. On a vérifié, on sait que vous avez tous encore de l'argent caché quelque part. On a fait les comptes : vous avez touché un fauteuil et demi en moyenne par représentation, alors même si je ne sais pas exactement à combien ça monte sur six mois, les autres ne vous en ont pas volé plus de la moitié ou du tiers. Vous avez encore du reste. Pour le moment – c'est-à-dire maintenant – ce que vous allez faire, c'est le sortir bien gentiment pour me le remettre. Après je vous restituerai trois mille à chacun, soit l'équivalent de six mois de travail à cinq cents yuans par mois. Cinq cents yuans, même pour les gens des villes c'est un bon salaire. Au chef-lieu, à Shuanghuai, les trois quarts des ouvriers n'ont rien touché depuis un an et moi je vous en fais cadeau. En plus vous avez été nourris, logés et vêtus sans avoir à débourser un sou. Si on prend tout en compte, cela vous fait dans les neuf cents à mille yuans. »

Ici, il marqua une pause. Les rayons du soleil qui descendait vers l'ouest tombaient à l'oblique sur son profil droit et le couvraient de perles de sueur. Il s'essuya la figure, observa la salle, vit qu'un peu de sang était monté aux joues des Benaisiens et qu'ils échangeaient des regards. Autrement dit, ils pesaient le pour et le contre, ils se concertaient. Quand ils se furent bien dévisagés, ils se tournèrent vers Mao Zhi. On avait l'impression qu'ils attendaient sa décision : qu'allait-elle répondre ? Qu'allait-elle leur conseiller ?

Mais elle, elle restait muette, à moitié appuyée à un pilier de l'avant de la salle, se contentant de fixer les hommes à leurs fenêtres, les yeux rivés aux lèvres du chauffeur. Elle était livide, son teint de la même cendre nuageuse que si on venait de lui administrer une volée de plusieurs centaines, plusieurs milliers de gifles et que les coups continuent de tomber.

« Hé ! les Benaisiens ! Mao Zhi ! Vous avez compris ? » Après s'être épongé le front, le chauffeur recommençait à brailler : « Réglons nos comptes une fois pour toutes : soit vous nous remettez l'argent, vous rentrez tranquillement chez vous avec les trois mille yuans que je vous aurai versés et vous vivez benaises. Soit vous restez prisonniers du mausolée, à gaspiller votre argent et à payer cinq cents yuans pour une tasse d'eau, mille pour un pain et trois cents pour une cuillerée de légumes salés. »

Il dit :

« Sinon, bien sûr, vous pouvez garder votre pognon, ne rien acheter et crever. Ce n'est peut-être pas si terrible, il y a déjà un cercueil dans la pièce, le premier qui y passe pourra s'en servir. »

Il dit encore :

« Réfléchissez : vous préférez mourir et dormir dans ce cercueil, ou me remettre l'argent et vivre en paix avec les trois mille yuans que je vous aurais distribués ? »

Il n'avait rien à ajouter, la réunion était terminée, mais lorsqu'il eut fini de parler, il continua de les observer comme s'il attendait qu'ils mettent leur décision au vote.

Les Benaisiens restaient plongés dans leur silence, ils fixaient toujours Mao Zhi. La touffeur dans la pièce avait atteint un zénith, ils avaient l'impression de sentir un millier de livres d'air leur peser sur le crâne. Elle ? A cet instant précis elle décolla légèrement son épaule du pilier, ses yeux fatigués se détachèrent de la fenêtre, lentement elle tourna la tête vers eux, puis au bout d'un moment, comme si sa décision était prise, à nouveau elle fit face et demanda :

« Comment veux-tu récupérer l'argent si tu n'ouvres pas la porte ? »

Il n'eut pas besoin de se creuser la tête, avec la même assurance que dans la vie ordinaire, où il trouvait du premier coup d'œil à garer son camion, il secoua la main : « Vous avez réfléchi ? Si vous avez réfléchi, écoutez-moi : bon, vous allez vous mettre du côté sud de la pièce, vous m'étalerez un drap à bas, à tour de rôle vous viendrez déposer votre argent dessus et quand ce sera fait vous irez vous mettre au nord. » Une fois qu'il eut fini, on le vit scruter le visage de Mao Zhi comme s'il voulait y lire quelque chose.

Il n'y trouva rien. Elle n'alla pas chercher de drap, elle enleva sa veste en toile bleue et l'étala au centre de la pièce, puis la première alla se poster au sud, avec Tonghua et Phalène.

Les choses avaient changé, la situation n'était plus tout à fait la même. Que ce soient ceux qui avaient mangé et bu, et n'avaient donc plus ni faim ni soif, ou ceux qui n'avaient rien avalé et hurlaient encore famine, aussi débiles et apathiques que des nouilles, voyant Mao Zhi traverser la pièce et voyant aussi les visages des gens-complets aux fenêtres, les uns après les autres, à la queue leu leu, les villageois allèrent rejoindre leur doyenne.

Le Singe et Huaihua suivirent le mouvement.

464

Dans l'air brûlant, un soupçon de fraîcheur était en train de se condenser.

Les regards aux fenêtres étaient noirs et blancs, comme la glace.

Personne, dans la pièce, ne pipait mot. Au premier rang, assis ou debout : Mao Zhi, la paralytique, le petit polio, Ma le sourd, Tonghua l'aveugle, les nines Yuhua et Phalène ; un peu en retrait, serrés l'un contre l'autre, le vieux boiteux et l'oncle du gamin. Dans la dernière rangée, entre autres : le Singe et Huaihua, au coude à coude, si proches qu'il put lui envoyer un petit coup d'épaule en chuchotant sur le ton de la plaisanterie : « Dis donc, quand on sera rentrés à Benaise, je serai assez riche pour qu'on se marie. » Elle le lorgna d'un œil moqueur, en reniflant pour montrer le peu de cas qu'elle en faisait. Lui souriait : « Tu es peut-être une grande et belle gens-complète, mais avec mon or je t'achèterai. »

Nouveau reniflement, glacial. Imperceptiblement elle s'écarta.

Il se rapprocha, à nouveau lui sourit et reprit, toujours à voix basse mais avec arrogance : « Si tu ne m'épouses pas, je te promets que tu le regretteras toute ta vie. » Ensuite il détourna le regard et elle aussi l'ignora, ils restèrent muets. Devant la chemise bleue le silence fut total. Un temps personne ne parla, personne ne bougea. Jusqu'à ce que Mao Zhi, s'étant détachée du groupe, soit allée se planter au nord de la veste en expliquant à sa petite-fille :

« Tonghua, jamais tu ne sauras de quelle couleur est l'argent, que voudrais-tu en faire ? Où que tu l'aies cousu, sors-le, que nous puissions rentrer à la maison. »

L'aveugle eut un frisson de tout son corps. Comme si elle avait pu voir sa grand-mère, son visage sous la sérénité duquel tant de choses se dissimulaient, elle se tourna vers l'adret d'où venait la voix. Mais elle ne réagit pas. On la sentait à la fois désireuse de sortir ses économies de leur cachette, et incapable de s'y résoudre. Si bien qu'elle restait là, silencieuse, hésitante, comme paralysée. A la surprise générale, le Singe s'écarta alors de Huaihua et s'avança. Sous les regards éberlués de la foule, il boitilla jusqu'à la veste bleue, retira sa chaussure gauche pour en extraire plusieurs milliers de billets neufs, sortit encore un rouleau d'au moins plusieurs centaines de yuans de son entrejambe et se pencha pour les déposer sur la vareuse.

« C'est tout ce que j'ai. Comme si l'argent avait de la valeur ! Vingt dieux ! Il n'y a qu'une chose qui compte : être benaise et chez soi ! » dit-il aux autres. Puis il se tourna vers le chauffeur à sa fenêtre : « Je n'en ai rien à faire de vos trois mille yuans, ouvrez la porte et laissez-nous sortir, ça suffira à mon bonheur. Rien ne pourrait me faire plus plaisir que de rentrer à la maison. »

Et comme un brave, il passa du sud au nord pour aller se planter à côté de Mao Zhi.

Là-haut le chauffeur le contemplait d'un œil satisfait, il lui fit un petit signe de tête.

Il avait retourné la situation. Comme s'il avait ouvert une porte, maintenant qu'il avait fait le premier pas, tout le monde pouvait y aller. Tonghua suivit. Courbant l'échine sans mot dire, elle retira sa chemise à carreaux, en déchira la doublure et sortit les quelques paquets plaqués à l'intérieur, dont elle déposa la totalité en tâtonnant sur la veste bleue. Puis, comme si elle y voyait, elle alla se placer plus au nord.

« Phalène, obéis à ta grand-mère », dit Mao Zhi.

Phalène dénoua l'épais ruban de velours rouge qui retenait sa chevelure et en sortit plusieurs rouleaux dont elle se défit avant de les rejoindre.

Le petit polio fouilla dans sa pochette pour en sortir les billets.

La paralytique dénicha un bon millier de yuans dans le fond de sa boîte à aiguilles.

Ma le sourd se retira à l'abri des regards pour récupérer trois rouleaux dans sa jambe de pantalon.

Certains hésitaient, ils n'arrivaient pas à prendre la décision. Le manchot quinquagénaire, par exemple, celui à qui il suffisait d'une main pour émincer l'ail et les oignons et qui avait coupé des raves sur scène, capable avec un seul bras de débiter le concombre et les carottes en tranches aussi fines que des feuilles de papier et avec encore plus de célérité que les grands chefs des gens-complets. Lui aussi avait bien gagné – mais personne ne savait où il avait mis sa fortune. Tout le village, ou presque, avait déjà migré du sud au nord, il restait pratiquement seul. Il regarda les quatre visages aux quatre fenêtres, regarda les Benaisiens de l'autre côté de la salle, puis regagna les dortoirs. Il en ressortit avec une chapka molletonnée dont il décousit une oreillette pour en extraire une grosse poignée de billets qu'il posa sur la veste. Mais quand il voulut changer de côté, d'une fenêtre on lui intima : « Le chapeau aussi ! »

Sans le lâcher, il s'immobilisa.

Le chauffeur, alors : « Tu te fous de ma gueule, hein ? Tu ferais mieux de te rappeler que tu n'as qu'un bras ! » Enfin le manchot l'abandonna. La deuxième oreillette était aussi rigide que si on l'avait fourrée avec une planche, de toute évidence elle aussi était pleine.

A présent les Benaisiens étaient tous passés de l'autre côté. Ceux qui avaient quelque chose s'en étaient défaits, ceux qui n'avaient rien s'étaient excusés : « Je n'ai vraiment plus rien, j'avais tout mis ensemble et les cambrioleurs l'ont pris », et ils étaient passés eux aussi. Les billets faisaient une petite montagne, ils s'entassaient comme des briques ou des paquets de choux. Le soleil, qui tombait exactement dessus, les faisait scintiller et parait leurs motifs de mille reflets. La moitié était flambant neuve, elle sentait encore l'encre fraîche, aussi parfumée qu'une marmite d'huile au milieu de la pièce. Chacun avait laissé là plusieurs milliers de yuans, parfois plus de dix mille, voire pour certains – à leur corps défendant – plusieurs dizaines de milliers. Et le tout mis ensemble, voilà ce que cela faisait. Il y en avait tellement que c'était ahurissant : on se trouvait devant une pile d'or, une montagne d'argent. Les villageois en oubliaient les hommes aux fenêtres et ce qu'on voulait d'eux, ils ne pouvaient détacher les yeux de cet amoncellement qu'ils contemplaient comme s'il avait été leur bébé et qu'ils voulaient le prendre dans leurs bras. A part les deux paralytiques, tous étaient debout, ils se pressaient au nord de la salle en une masse noire et compacte.

« Mao Zhi ! Approche ! » reprit le chauffeur. D'un ton glacial il ajouta : « Les autres, vous ne bougez pas. Toi, tu vas me faire un paquet de tout ça, sans rien laisser tomber, et tu me le passeras avec ta canne. »

Silence de plomb. Les regards se tournèrent vers Mao Zhi comme pour lui interdire d'y aller. Après un tout petit, un minuscule instant, elle fit pourtant ce qu'on lui demandait. Elle attacha ensemble les coins et le col de la veste, fit un nœud avec les manches et quand tout fut bien emballé, elle souleva le balluchon pour vérifier qu'il était assez solide. Puis, le montant au bout de sa béquille, elle fixa d'un air impavide le chauffeur : « J'ai soixante et onze ans, jeune homme. C'est moi qui ai entraîné les Benaisiens à courir le monde, maintenant je te donne l'argent, alors ouvre, laisse-moi les ramener chez eux. » Sa voix manquait de force, on l'aurait crue gravement malade, en train de supplier le médecin de lui trouver une prescription efficace. Quant au bon docteur – le chauffeur – son ton s'était radouci, son teint n'était plus de ce noir glacial mais d'un rouge sanguin. « J'ouvre dès que j'ai récupéré l'argent », promit-il en sortant un jeu de clefs de sa poche. Il le secoua pour le faire tinter et ajouta : « Monte, je n'ai qu'une parole. »

Alors Mao Zhi, au prix de bien des efforts, souleva le paquet pour le lui remettre.

Tranquillement il s'en saisit.

Le transfert s'était effectué sans anicroche. Actes et paroles s'étaient enchaînés en moins de temps qu'il n'en faut pour avaler une bouchée de pain, ou une gorgée d'eau quand on a soif. Si cela avait duré, ce n'était pas plus longuement qu'une aiguille. L'argent avait changé de mains. Toujours aussi tranquillement, l'homme resserra dans un coin un nœud un peu lâche et fit passer le paquet à l'un de ses hommes : « Tiens, prends. » Puis son regard revint à l'intérieur du mausolée, de sa hauteur il regarda Mao Zhi et, du même ton léger :

« Tout est là ?

– Oui.

– Tu es sûre que personne n'a plus rien ?

– Tu les as vus de tes propres yeux. »

Au lieu de répondre il tira légèrement la langue, en pressa la pointe entre ses lèvres, la rentra, la ressortit,

469

la ressortit et la rentra, et ainsi de suite jusqu'à ce que ses lèvres humides aient la couleur du sang. Puis il les pinça encore un coup en réfléchissant avant de demander platement :

« Les trois nines et la Huaihua qui présentait le spectacle, ce sont tes petites-filles ? »

Mao Zhi jeta un œil à Huaihua, Yuhua, Tonghua et Phalène au milieu du groupe. Pourquoi cette question ? Elle hocha la tête.

« Elles ont quel âge ?

– Dix-sept ans.

– Bon, alors, certains d'entre vous ont leurs bras, leurs jambes et sont des gens-complets. Tout à l'heure ils ont mangé et ils ont bu, ils sont en forme. Pour garantir que lorsque nous déverrouillerons la porte ils ne feront pas de grabuge, tu vas faire sortir tes petites-filles par la fenêtre. » Il dit : « Si je les ai sous la main, nous pourrons ouvrir sans que l'eau du puits cherche à contrer la rivière. Tout le monde fera ce qu'il a à faire, chacun partira dans sa direction. »

Le cours des choses recommençait d'évoluer. Le rouge avait quitté les joues du chauffeur, couvert en un clin d'œil comme le soleil par les nuages. A bien y réfléchir, son raisonnement se tenait, c'était marqué au coin du bon sens. A un moment quelconque, derrière Mao Zhi les Benaisiens s'étaient avancés au milieu de la salle. Le soleil était passé sur le toit, il revenait par-derrière. A un moment quelconque aussi, la lumière avait quitté la fenêtre principale pour revenir briller par celle du fond. Elle était douce et rouge. La touffeur du jour commençait à s'estomper, un sentiment de fraîcheur commençait à se répandre, avec lui les gens retrouvaient leurs esprits. Les plus âgés firent un pas supplémentaire pour se poster à côté de Mao Zhi et protester : « Tu nous as bien regardés ? Des aveugles, des boiteux, des sourds, des muets, des paralytiques, des manchots et des unijambistes ! Nos quelques gens-complets ont tous la soixantaine bien tassée, qui pourrait vous chercher noise ? Qui oserait faire du grabuge ? Si vous nous laissez sortir et rentrer à Benaise, nous tomberons à genoux pour vous remercier !

– Arrêtez de parler pour ne rien dire ! » Le chauffeur avait tourné la tête vers le ciel. « Elles viennent ou pas ? »

Il n'y avait rien à ajouter, les regards se tournèrent vers Huaihua et les nines. Vers Mao Zhi. Son teint n'était plus qu'épaisse cendre blanche, aux coins de ses lèvres les rides sautillaient, relâchant et tirant tour à tour les sillons qui parcouraient sa face, on aurait dit une toile d'araignée prise dans une bourrasque de vent. Elle ne savait pas s'il fallait laisser sortir ses petites-filles et encore moins si elles y consentiraient. Une fois de plus, on n'entendait pas le moindre souffle dans la salle. Le soleil couchant passait par la fenêtre en faisant un bruit aussi criard que les cigales quand elles stridulent au crépuscule, un cri-cri, cri-cri qui sonnait à toutes les oreilles. Dans ce silence profond comme un puits, Huaihua s'avança brusquement :

« Je sors, déclara-t-elle. Je serai toujours plus benaise à mourir dehors qu'à étouffer dedans. »

Et de pousser, seule, la table sous la fenêtre, de mettre la chaise bancale dessus, le côté sans pied appuyé au mur, puis de monter sur la table, d'escalader la chaise et de tendre le bras pour que le gens-complet la tire dehors par la main.

Yuhua la suivit.

Puis vint le tour de Phalène.

Seule Tonghua était restée à côté de Mao Zhi. « Elle est aveugle, dit la grand-mère.

– Aveugle ou pas, il faut qu'elle sorte, lui répondit-on. Je suis sûr que c'est ta préférée à cause de sa cécité.

– Je ne vois rien, grand-mère, je n'ai rien à craindre », décida Tonghua en s'avançant. Elle alla vers la fenêtre et Mao Zhi l'aida à trouver la table, à monter dessus et à escalader la chaise, puis comme un petit poulet on la fit passer de l'autre côté.

On avait fait ce qu'il y avait à faire, donné ce qu'il y avait à donner, dit ce qu'il y avait à dire. On attendait que la porte s'ouvre. C'est alors qu'un léger sourire vint flotter aux lèvres du chauffeur. Un sourire d'un jaune aussi éclatant que les fleurs de colza en été. Splendide et arrogant il éclairait. Puis d'un coup il se mit à hurler : « Et merde ! Vous croyez que vous pouvez vous foutre des gens-complets ? Vous vous imaginez que je ne sais pas, hein ? Que j'ai vraiment cru que vous aviez tout sorti ? Il y en a un paquet qui ont encore quelque chose sur eux, je l'ai vu ! Sous les briques en dessous de vos lits, dans les fentes du mur des toilettes, sous le cercueil en cristal, dans les coins, il y en a encore partout ! Alors je vais vous dire une bonne chose… » Il criait si fort qu'il allait se décrocher la mâchoire à force de l'ouvrir plus large que l'entrée d'une ville : « Je vous le dis, si vous ne faites pas passer cet argent sous la porte, cette nuit tout le monde pourra profiter de la belle Huaihua et, avant que le soleil soit couché, on aura fait sortir leur corps de gens-complètes à ces trois nines ! »

Sur ces mots il descendit de l'échelle, ce fut comme un homme qui se noie, en une seconde il avait disparu.

Comme les jours précédents le soleil gouttait rouge par la fenêtre au fond de la pièce, il tombait sur les visages et les corps des Benaisiens.

COMMENTAIRES

① *Brioches à lait* – *Les seins.*
③ *Eau pêchée* – *Eau froide juste tirée du puits.*
⑤ *Faire un songe* – *Faire la sieste.*

CHAPITRE VII

La porte s'ouvre, la porte est ouverte !

Le ciel s'était radicalement obscurci.

Petit à petit les billets étaient passés de l'autre côté de la porte. Personne n'avait plus le moindre sou dissimulé, ni dans le bâtiment ni sur lui. La paralytique avait la première glissé par la fente les gains de ces derniers jours qu'elle avait cousus dans l'ourlet de ses manches. Ensuite était venu Ma le sourd, qui avait sorti l'argent d'entre ses plaquettes de fer. En dernier, le muet, qui avait exhumé celui enterré sous les briques dessous son lit. Tout le monde avait remis ce qu'il avait. Le soleil s'était couché, il ne restait plus une perle de rouge à la fenêtre du fond. Mais comme ils attendaient que la porte s'ouvre, l'homme chargé de récupérer les coupures s'était contenté de remarquer qu'il faisait sombre : « Vous partirez demain, encore une nuit en compagnie du cercueil de cristal et vous toucherez vos six mois de salaire au fen près ! »

Ensuite il s'était tu et tout avait replongé dans le silence.

La nuit tombait comme les autres jours, l'humidité s'infiltrait dans les annexes du mémorial. On estimait : « Il fait noir, attendons le jour pour discuter de notre départ. » Plus personne en fait n'avait la force de dire quoi que ce soit, de penser à quoi que ce soit, on avait l'impression que si la porte s'était ouverte, la question de savoir s'ils allaient ou non partir n'aurait plus eu d'importance.

Ils réintégrèrent les dortoirs et se couchèrent, les yeux tournés vers le plafond. La lune entrait semblable à l'eau par les fenêtres. Le blanc de neige de la voûte prenait dans sa lumière de légers reflets vert pâle, comme leurs visages. Personne ne parlait, personne ne posait la moindre question. Suprêmement éreintés, ils n'avaient qu'une envie : s'allonger, se reposer, alors ils se taisaient et attendaient que les choses suivent leur cours, persuadés que la nuit allait ainsi s'écouler. Mais peu après l'heure du repas vespéral, d'un point assez éloigné du mausolée leur parvinrent les voix de Tonghua, Yuhua et Phalène : elles poussaient des cris perçants, des cris comme des pleurs ensanglantés qui seraient montés de l'autre côté de la montagne ou du fond de la vallée, des cris froids, désespérés, qui mouraient puis se ravivaient, par intermittences, comme au cœur de l'hiver les glaces qui s'entrechoquent dans la rivière. De temps à autre on entendait aussi les gens-complets et leurs hurlements de plaisir : « A ton tour ! Leur trou est comme elles, tout petit ! Etroit ! Ce qu'on y est benaise ! Profites-en bien, sinon tu le regretteras toute ta vie ! » Et à nouveau s'élevaient les cris pourpres, les cris noirs, de plus en plus aigus et déchirants des jeunes nines. D'abord interloqués, les Benaisiens se redressèrent sur leurs couches et tendirent l'oreille pour mieux entendre. Puis ils se ruèrent dans la chambre de Mao Zhi. Ils la trouvèrent prostrée dans un coin sous la lumière blanche de la lampe. Elle écoutait les plaintes de ses petites-filles et s'assenait des gifles, méthodiquement, comme elle aurait

frappé quelqu'un d'autre, en jurant de sa voix
éraillée :

« Crève…

Crève…

Crève…

Mais vas-tu crever !

Mais crève donc ! »

Le bruit des coups et des invectives couvrait les
pleurs des petites à la manière de ces pluies battantes
qui étouffent les appels de l'autre côté d'une porte.
Elle avait soixante et onze ans, elle était si vieille,
décrépite, c'était insupportable de la voir dans cet
état. Ils essayèrent de la calmer.

La paralytique qui partageait sa chambre s'était
approchée pour lui prendre la main :

« Belle-sœur, personne ne t'accuse… Belle-sœur,
vraiment, personne n'a dit que c'était ta faute. »

On fit cercle, on tenta de la convaincre, il fallait
qu'elle se modère. Lorsque enfin elle retrouva son
sang-froid, les cris s'étaient tus. Le monde était
comme mort, on n'entendait plus que la lune et les
étoiles en train de se mouvoir, coulant comme des fils
par les fentes des fenêtres.

Ainsi s'écoula cette autre nuit.

Une nuit où les Benaisiens dormirent sans dormir,
ils ne parlaient plus, ils ne disaient rien, ils ne bougeaient pas, ils attendaient que demain vienne. Le
plus vite possible. Seul le Singe la passa à tourner, sur
des charbons ardents. Il avait dit : « Vingt dieux, à
boire l'eau des gens-complets je me suis ramassé une
chiasse » et était sorti plusieurs fois en courant de la
chambre. Ensuite, avec des clous, à force d'insister, il
avait réussi à arracher les neuf caractères en or pur
sertis sur le cercueil en cristal du chef de district dans

la fosse sous celui de Lénine. Désormais il était le plus riche des habitants de Benaise, désormais il allait vivre comme un prince, il serait un personnage extraordinaire.

Ils mijotèrent ainsi jusqu'à la venue du jour. Il ne faisait pas encore clair que pour une raison ou une autre le petit polio se leva. Et de l'entrée du mausolée on l'entendit crier à pleine voix :

« La porte est ouverte ! La porte est ouverte !

La porte est ouverte ! La porte est ouverte ! »

Le village dégringola du lit. Bancal, éclopé ou aveugle, tout le monde se précipita, se bouscula, galopa. Un boiteux fut renversé, une femme se mit le front en sang en s'écrasant contre un mur. Ma le sourd n'avait pas entendu mais lorsqu'il vit les autres se ruer vers la porte, il sortit tout nu de sa chambre pour courir lui aussi. Effectivement, les deux battants laqués de rouge étaient grands ouverts. Le vent du petit matin s'engouffrait dans la pièce comme par les portes d'une ville. Le ciel n'était encore que d'un blanc vague. Si sur les pierres noires du chemin de koutou, une couche de lumière brillait telle l'eau, les sapins et les cyprès qui l'encadraient se fondaient toujours en un amas flou. On aurait cru que les Benaisiens sortaient d'une grotte ou d'une geôle, ils se frottaient les yeux sur le seuil, certains tendaient les bras et s'étiraient comme s'ils avaient voulu presser le ciel contre leur cœur. A ce moment-là quelqu'un pensa aux nines et à Huaihua, il fallait aller à leur recherche.

La troupe dévala les degrés.

Ils les eurent vite trouvées : elles étaient dans ces pièces vides, futurs bazars pour fausses antiquités. Sol jonché de baguettes, bols et vêtements abandonnés par les gens-complets, puanteur de vieux restes pourrissants, et elles. On les avait déshabillées. Complètement nues, elles étaient ligotées, chacune dans une pièce différente. Tonghua et Huaihua sur un lit, Yuhua et Phalène dans des fauteuils. Les trois nines avaient été déflorées et comme elles étaient petites, les engins des hommes les avaient déchirées, entre leurs jambes, sous les cuisses, il y avait une grosse flaque de sang nauséabond, comme une eau carminée et visqueuse. Pour les empêcher de crier, on leur avait enfoncé leur propre caleçon ou chemise dans la bouche. La culotte, dans le cas de Phalène. Il faisait déjà clair lorsqu'ils les découvrirent, la lueur lactescente et floue s'était muée en lumière immaculée et transparente, ils virent bien que leurs corps frêles, tendres et éclatants étaient couverts de meurtrissures, noires, violettes, auxquelles se mêlait le blanc glauque de l'ignominie qu'on leur avait fait subir. Seule Huaihua n'était ni blanche ni noire ni violette : ses joues avaient un incarnat humide et tendre.

Ils se rappelèrent qu'ils ne l'avaient pas entendue crier, la nuit passée. Et aussi que Mao Zhi n'était pas sortie du mausolée. En toute hâte ils regagnèrent les dortoirs où ils la trouvèrent vêtue de cette tenue de deuil qu'elle n'avait jusqu'ici enfilée que pour la scène et qui, satin noir et soie chatoyante, resplendissait de mille feux dans la chambre. Elle, apathique, restait assise là comme si elle avait déjà su ce qui s'était passé dehors, comme si de toute éternité elle l'avait su.

« Hé ! La porte est ouverte, lui dirent-ils.

— Retournez au village. Moi je n'ai plus envie de vivre.

— Les gens-complets se sont enfuis au milieu de la

nuit. Belle-sœur, c'est toi qui nous as fait sortir de Benaise, c'est à toi de nous y ramener.

– Tout le monde doit vite rentrer à la maison.

– Huaihua et les nines… ils les ont violées. »

Un instant sans voix, avant de répondre elle réfléchit : « En un sens, tant mieux. Maintenant tout le village saura qu'il faut avoir peur des gens-complets et il ne sera plus question de partir en tournée ou ce genre de choses. Tout le monde comprendra les avantages qu'il y a à rester chez soi. »

Quand le soleil se leva sur la montagne, il était toujours aussi chaud que par temps de canicule. Dans sa tenue de tombe, Mao Zhi prit la tête des Benaisiens qui, tirant, portant, poussant leurs bagages et leur literie, descendirent des Ames mortes pour regagner leur village. Fondamentalement, c'était encore l'hiver : en dehors des Balou il avait partout neigé et gelé, c'était uniquement dans la chaîne que l'été était arrivé en sautant par-dessus le printemps. Non seulement les arbres y avaient bourgeonné, les feuilles poussé, mais même les prairies des pentes étaient tapissées de vert et les coteaux d'émeraude.

Par petits groupes, petites grappes, ils cheminaient. Ils marchèrent, marchèrent, et en route ils virent bien des choses. Des gens-complets, des bienvoyants qui une canne à la main et un bandeau sur les yeux s'exerçaient, tapant et bâtonnant sur l'euraie des champs, à entendre comme les aveugles. D'autres, du coton ou du chaume de maïs dans l'oreille, la joue protégée par une planchette de bois ou un bout de carton fort, apprenaient à l'entrée des villages à faire partir des pétards.

Des femmes et des jeunes filles s'essayaient au soleil à broder point à point sur du papier ou des

479

feuilles. Des hommes d'une quarantaine ou une cinquantaine d'années fauchaient le blé, transportaient le purin et épandaient l'engrais, vêtus d'une tenue de tombe. Des gens-complets en tenue de tombe, d'ailleurs, il y en avait partout : plusieurs dizaines, une centaine peut-être sur certaine pente où ils s'étaient regroupés pour biner entre les pousses de blé. Tous en soie et satin noir, la vêture de leur heure dernière, tous le dos orné d'un caractère grand comme une bassine, brodé d'or, qui voulait dire *sacrifice*, *offrande* ou *immortalité*, ils parlaient et plaisantaient, levaient leur houe et la laissaient retomber. La montagne entière retentissait de bruissements d'étoffe, partout sous le soleil ce n'était que chatoyantes tenues de mort.

Dans un autre village, c'était encore pire : même les enfants, petits garçons et petites filles, allaient à l'école ainsi vêtus. Même les bébés dans les bras de leur mère avaient sur le dos, étincelants, les mots *sacrifice*, *offrande* ou *immortalité*.

Ils avaient envahi le monde.

L'univers n'était plus que ces trois caractères.

LIVRE TREIZE

FRUITS

CHAPITRE PREMIER

Le crépuscule approche,
le chef de district est de retour à Shuanghuai

A l'heure où pointe le crépuscule, le chef de district fut de retour à Shuanghuai.

L'équipe chargée d'aller d'abord à Pékin puis en Russie acheter la dépouille de Lénine était elle aussi revenue. Ils étaient arrivés en milieu de matinée et Liu les avait fait descendre à l'entrée de la ville en leur disant de rentrer chez eux. Lui avait continué en voiture jusqu'aux Ames mortes, au fond des Balou, où il avait minutieusement inspecté le mausolée.

Puis il avait quitté le massif et repris la direction de Shuanghuai, à la porte est de laquelle il était arrivé alors que le crépuscule s'apprêtait à tomber. Il n'y était pas immédiatement entré. Renvoyant le chauffeur, il était resté en tête à tête avec lui-même, à aller et venir d'un air ennuyé au pied de la muraille, tassé comme s'il avait eu peur de quelqu'un, sans but, âme en peine au seuil de sa cité.

Il préférait attendre qu'il fasse complètement noir pour s'en retourner.

C'était officiellement le premier jour de la période des grandes rigueurs de l'année du Dragon, l'an 2000. En fait, il ne faisait pas si froid que ça. A peine s'il y avait quelques éclats de glace blanche au bord de la rivière, en son milieu l'eau coulait en glougloutant, mince et mouvant ruban clair. Dans les Balou on se serait cru au plus fort de l'été, les arbres étaient verts, l'herbe poussait, autour du mausolée un tapis de bleu profond et de luxuriante émeraude s'était déployé. Enfin, l'un dans l'autre, ce phénomène étrange se limitait à la chaîne, dans le reste du monde les choses et la météorologie suivaient leur cours habituel. Les jours d'hiver ressemblaient à des jours d'hiver. Les arbres étaient chauves et nus, les versants des montagnes de cendre noire. Dans les champs les pousses de blé hibernaient, blafardes et livides elles couvraient la terre comme une menace. Maisons et villages étaient si peu animés qu'on aurait dit des hangars à cercueils. Il y avait un peu de vent, une bise du nord qui soufflait telle une lame acérée sous les avant-toits, dans les ruelles et sur les routes entre les sommets.

Il n'y avait pas de soleil.

Sous le gris du ciel, à l'approche de la nuit, des brumes avaient commencé de se mouvoir. On aurait pu parler de brouillard, en fait c'était un froid, épais et cruel, qui stagnait au ras du sol, sur les pentes de la montagne et au fond des ravines entre les crêtes. Le monde était profondément silencieux, aussi languissant et désappointé qu'un homme qui sort du lit sans avoir son content de sommeil. En levant la tête on devinait derrière les nuages et les brumes un astre boueux qui faisait penser à une galette de maïs derrière un rond de tôle : il faut attendre que la tôle se balance pour l'apercevoir, et encore, le temps d'un éclair.

Il aurait dû neiger ce jour-là. Mais l'hiver était sec, il ne faisait pas assez humide et beaucoup trop froid. Les habitants du monde étaient enchifrenés et fébriles, à longueur de jours et de nuits on les entendait tousser et les médicaments anticoryza se vendaient comme

484

des céréales une année de famine. Les animaux n'ont pas peur de s'enrhumer, pourtant les cochons se cachaient au fond des porcheries, ils passaient leur temps à dormir, ne s'éveillant que pour manger, et quand ils étaient rassasiés s'en retournaient avec un éternuement bien sonore.

Les moutons ? De jour ils paissaient l'herbe sèche sur le flanc de la montagne, dès qu'il faisait noir ils rentraient passer la nuit dans leur enclos.

Les poules, elles, picoraient la terre tant que le soleil brillait, avalant au passage quelques grains jaune sable qui satisfaisaient leur estomac et fortifiaient la vésicule, dès qu'il se cachait et que le vent se levait, elles se blottissaient au pied des parois rocheuses ou dans les tournants des ruelles pour s'en protéger.

C'était par un tel jour de froid que le chef de district avait rapatrié sa troupe – un bus de six ou sept personnes – à Shuanghuai. Ils étaient tous livides : les événements les avaient pris par surprise, c'était comme partir pour Pékin et atterrir à Nankin. Quinze jours plus tôt, Liu s'était rendu aux Ames mortes, le ruban qu'il devrait couper pour la cérémonie d'inauguration avait été acheté, les grosses fleurs qui le décoreraient nouées, même les ciseaux à poignée rouge étaient prêts : il les avait essayés sur un livre et en avait sectionné un coin à la vitesse du vent. Après avoir regardé les Benaisiens en train de faire leur numéro sur les différents sites, il les avait trouvés parfaits et s'était dit que le jour de l'inauguration il y aurait une foule rare. Il faudrait absolument qu'ils esbaudissent et enthousiasment jusqu'à la folie les dizaines de milliers de gens-complets qui auraient afflué. Sa décision était prise : non, il ne couperait pas le ruban avant le spectacle, il attendrait que celui-ci ait atteint son zénith et à ce moment-là seulement, monterait sur scène pour procéder à l'inauguration, déclarer le mausolée officiellement ouvert et annoncer que l'équipe chargée de l'acquisition de la dépouille était à Pékin, en train de remplir les formalités qui lui permettraient d'aller en Russie. En cinq sec tout serait réglé et d'ici dix à quinze jours, vingt au plus, ils seraient en mesure de la rapporter et de la coucher ici, dans le cercueil de cristal des Ames mortes. Alors, toujours pendant l'entracte, d'une voix de stentor il dirait à cette multitude, ces milliers et milliers de petites gens : « Lénine sera bientôt parmi nous, l'an prochain les comptes de Shuanghuai ne seront plus dans le rouge, nous aurons cinq cents millions de yuans de réserves, un milliard dans deux ans, deux dans trois ans ! » Dans quatre ans tous les habitants du district, tous les foyers se verraient offrir une villa avec un toit pointu aux quatre coins suspendus ; du jour où Lénine reposerait dans le mausolée, les paysans n'auraient plus à payer ni impôt ni taxe, ce serait le gouvernement local qui virerait l'argent d'un bloc sur le compte de l'Etat ; à partir du deuxième mois, tout le monde boirait au petit déjeuner du lait de vache avec du sucre blanc, il y a du calcium dans le lait, ceux qui refuseraient n'auraient pas droit au réfrigérateur et à la télé couleur ; si on les leur avait déjà attribués, on les leur reprendrait ; ceux qui à midi ne mangeraient pas leur côte de porc et leurs œufs s'en mordraient les doigts à la fin du mois quand on distribuerait du poulet noir et du ginseng en guise de compléments alimentaires. En gros et en résumé, six mois après le dépôt de la dépouille aux Ames mortes, la vie de la population allait changer de fond en comble, l'univers serait bouleversé. A tous les paysans qui travaillaient aux champs on verserait un salaire, dont le montant ne dépendrait pas de leurs talents d'agriculteurs, mais du nombre et de la taille des fleurs qu'ils feraient pousser dans les champs le long de la route. Les familles qui en couvriraient un demi-mu toucheraient tous les mois quelques milliers de yuans, plus une prime annuelle d'un montant minimum de dix mille, ceux qui réussiraient à les garder épanouies pendant les quatre saisons recevraient, eux, plus de dix mille par mois, ainsi qu'un bonus de plusieurs dizaines de milliers. Parce que, lorsque Lénine reposerait aux Ames, le chef-lieu de district ne serait plus un chef-lieu de district mais une ville neuve, animée et prospère, où l'eau coulerait à flots dans les rues, où il n'y aurait jamais un grain de poussière, avec des trottoirs non pas en brique mais en marbre ou en granit. Et aux points stratégiques – le carrefour devant les locaux du comité et du gouvernement par exemple – carrément en jade du mont Funiu ! Soit, ce n'est pas le plus beau mais pour daller un sol il ferait l'affaire. Revenons à nos moutons : avoir trop d'argent n'est pas une bonne chose. L'argent peut changer l'homme. Sur ce point le chef de district avait longuement réfléchi. Les gens seraient surpris quand il leur tiendrait ce discours, mais il leur dirait, à ses sept cent trente mille paysans, il les préviendrait, les soixante-dix mille et quelques citadins de Shuanghuai : à ce moment-là, qu'ils soient résidents du chef-lieu ou du trou le plus perdu des Balou, ce ne serait plus les problèmes d'alimentation, de vêture et de logement – ni la pénurie de moyens de transport – qui leur borneraient l'horizon. Ce serait l'argent, parce qu'ils n'en feraient plus cas. Il les mettrait en garde, les cent quatre-vingt-dix mille foyers de sa juridiction, il ne faudrait pas accepter que les enfants arrêtent leurs études, passer ses jours sans ouvrir un journal à courir le monde en voiture, bien manger, bien boire, brasser l'or comme la terre et jouir de ses acquis. Interdiction d'embaucher dans les districts voisins des femmes de ménage qu'on ferait courir en tous sens comme si elles n'étaient pas des êtres humains ; même dans les lieux les plus reculés, d'horribles, d'épouvantables habitudes – comme jouer de l'argent ou fumer de l'opium – risquaient de se répandre. Shuanghuai aurait besoin d'ajouter quelques articles à ses lois :

I. Les paysans qui n'auront pas planté au moins deux mus de fleurs devant, derrière chez eux et au bord de la route verront leur bonus amputé de cinquante pour cent (minimum : cinquante mille yuans).

II. On cessera de verser pendant trois ans primes et salaires aux familles dont les enfants n'achèveront pas des études universitaires ; les autres toucheront une prime double (minimum : deux cent mille yuans).

III. Le district remboursera le double des frais engagés aux familles qui emploieront l'argent qu'elles n'ont pas dépensé à des causes utiles : de nouvelles tables de bridge pour l'asile de vieillards, faire paver et passer à la chaux la route qui mène aux jardins à la sortie du village, par exemple. Ceux qui utiliseront cet excédent à jouer ou à fumer de l'opium seront tous, sans exception, déportés à l'adret le plus démuni des districts voisins, où ils devront travailler la terre et vivre à nouveau dans la misère, tandis que les centaines de milliers de yuans qui auraient dû leur être attribués sous forme de salaires et de primes seront intégralement affectés à un village ou à une école pauvre dudit district. Ils ne seront autorisés à réintégrer Shuanghuai que lorsqu'ils se seront racheté une conduite.

Pour éviter que le brusque enrichissement à venir ne rende fous ses administrés et que le phénomène ne fasse tache d'huile, Liu avait noté dans son carnet une bonne dizaine de projets de règlements et de textes de loi. Il savait bien que le véritable climax, le jour de l'inauguration du mausolée, ne serait pas le spectacle des Benaisiens mais son discours : il chavirerait les âmes. Dès qu'il aurait fini de parler, il le savait aussi, les gens se mettraient à sauter et bondir comme des malades. Il craignait qu'ils ne l'acclament comme le président Mao en 1968, sans doute son portrait serait-il accroché dans tous les foyers au milieu du mur de la pièce principale, on risquait de lui rendre hommage à la maison comme à Lénine au mausolée. Il en avait perdu le sommeil, le sang se ruait dans ses veines comme une eau en ébullition, de l'instant où l'équipe chargée d'acquérir la dépouille avait été partie à celui où les Benaisiens avaient commencé de jouer aux Ames, il n'avait pas dormi une minute. Trois jours et trois nuits sans fermer l'œil, pourtant il avait les idées aussi claires que s'il s'était reposé tout son soûl et sortait de la douche.

Plus le moment de l'inauguration approchait, plus il ressemblait à un étang qui espère un homme assoiffé. Mais aussi sèche que soit sa gorge, le trajet serait long, il faudrait encore des heures pour y arriver. Or, en sa qualité de chef de district, plus il se rongeait et plus il se devait de rester aussi serein que le lac. Aussi après avoir expédié l'équipe chargée d'acheter Lénine et participé à quelques réunions à la préfecture et la capitale provinciale, il avait disparu avec son secrétaire dans un coin du Sud du district encore plus perdu que les Balou. Pour que la sérénité renaisse en son cœur agité, il lui fallait ces monts méridionaux où il n'y avait même pas le téléphone. Il n'y avait mené aucune enquête et n'avait pas rendu visite aux pauvres, se contentant de passer le temps benaise au bord d'un paisible réservoir. Il avait attendu la veille de la cérémonie, lorsque les troupes avaient été rentrées de tournée, pour regagner le chef-lieu et monter aux Ames, où à nouveau il avait ressenti ce bienheureux énervement de l'esprit. Mais juste comme il venait d'arriver là-haut avec les Benaisiens, juste comme il venait de se poser à l'intérieur du mausolée, avant même qu'il ait eu le temps de se caler les fesses, une urgence lui était tombée dessus.

L'urgence des urgences.

Comme lorsqu'au plus pur des firmaments un coup de tonnerre arrache les insectes à leur sommeil, que le ciel disparaît derrière les nuages, que des trombes d'eau s'abattent et qu'il n'y a plus un rayon de soleil ni de lune.

« Le secrétaire Niu, de la préfecture, voudrait vous voir le plus vite possible.

– Quand ça ?

– Aujourd'hui. Maintenant. Immédiatement.

– J'inaugure le mémorial demain !

– Il a dit que vous deviez vous mettre en route cette nuit même.

– Ça ne peut pas attendre ?

– Il veut que vous soyez ce soir chez lui.

– C'est si pressé que ça ? Je suis le seul ?

– Je ne pense pas, monsieur le chef de district, qu'il invite grand monde chez lui. »

Le secrétaire adjoint qui lui avait annoncé la nouvelle avait reçu un coup de fil du comité départemental et, dans la complète incapacité de joindre Liu autrement, avait sauté dans une voiture pour gravir le massif. Il s'était présenté sans avoir eu le temps d'essuyer la poussière du voyage et la sueur lui faisait des perles de boue sur le front.

« Merde ! avait dit le chef de district. Non seulement il ne vient pas à l'inauguration, mais en plus il faut qu'il m'embête à un moment pareil. »

Le secrétaire adjoint, sur des charbons ardents, avait insisté : « Partez maintenant. Même si vous êtes un peu fatigué, vous serez de retour demain et la cérémonie ne prendra pas de retard. »

Alors il s'était mis en route, sans se faire accompagner de quiconque. Il était monté en voiture, avait descendu le mont à toute vitesse et foncé à la préfecture. En chemin, ayant accès à un téléphone, il avait appelé Niu. Qui lui avait dit : « Ce qui se passe ? Quelque chose des milliers, des dizaines de milliers de fois plus important que tout ! Tu verras quand tu seras là. » Et avait raccroché. Avec un bruit qui sonnait à l'oreille comme le bris d'une branche d'arbre. Si bien que Liu avait demandé au chauffeur d'accélérer, qu'il file comme le vent, comme s'il fouettait des chevaux. Ils avaient plus de cinq cents lis à parcourir, le crépuscule était tombé lorsqu'ils étaient arrivés à Jiudu, ils s'étaient rendus directement à la résidence du secrétaire.

Dehors la lune était glaciale, elle bruissait et il semblait qu'il y avait une couche de givre sur le sol. Mais à l'intérieur, dans la demeure traditionnelle qu'habitait le secrétaire du département, il faisait aussi doux que pendant l'étrange intermède estival au sommet du mont. Le chef de district s'y sentait d'ordinaire comme chez lui, quand il entrait dans le salon il commençait par poser ses fesses sur le canapé. Cette fois il avait trouvé dans l'encadrement de la porte un Niu à l'air sévère qui avait éteint la télé et jeté comme un torchon son journal sur la table basse.

Aussi décontracté qu'à l'ordinaire, Liu s'était exclamé qu'il mourait de faim.

« Eh bien, meurs. Il s'est passé quelque chose de grave.

– Ça ne va quand même pas m'empêcher de manger un morceau !

– Je n'ai rien pu avaler de la journée et tu me parles de manger ! »

Le ton était abrupt, ce qui s'était produit devait être vraiment sérieux. Le chef de district en était resté planté là, à dévisager le secrétaire d'un œil ahuri :

« Est-ce que j'ai au moins droit à une gorgée d'eau ? »

Niu s'était levé de son fauteuil.

« Tu n'as pas le temps. Le gouverneur de la province veut te voir, il faut que tu sois à son bureau demain à la première heure. »

Liu suivait du regard chacun de ses mouvements.

« Qu'est-ce qui s'est passé ? »

Son supérieur lui avait servi un verre d'eau.

« L'équipe chargée de l'acquisition de la dépouille a été retenue à Pékin. »

Il n'avait pas pris le verre qu'on lui tendait. Son visage s'était figé, blanc de stupéfaction.

« Comment ça ? On avait tous les papiers et ils étaient partis avec une liasse de lettres de recommandation en blanc qu'ils pouvaient remplir eux-mêmes. »

Niu, en levant son verre :

« Comment ça ? Tu le sauras quand tu auras vu le gouverneur.

– Mais je ne l'ai jamais rencontré. »

Le secrétaire s'était appuyé à la table, une antiquité en bois de santal.

« Eh bien, tu vas avoir droit à un tête-à-tête. »

Le chef de district s'était emparé du verre, dont il avait d'un coup, bruyamment, avalé le contenu avant de s'essuyer la bouche.

« Bon, allons-y. Lénine n'est quand même pas Mao Zedong. »

Réponse, après un coup d'œil :

« Vas-y. Cette nuit. Fonce. Mais peut-être qu'après l'entrevue nous ne serons plus toi et moi ni chef de district, ni secrétaire départemental. »

Liu s'était immobilisé et sa voix avait monté d'un ton :

« Ne nous inquiétez pas, monsieur, quel que soit le problème, je suis prêt à en assumer l'entière responsabilité. »

Un petit sourire était lentement venu flotter aux lèvres de l'autre :

« Qu'est-ce que j'ai à craindre ? De toute façon, je prends ma retraite à la fin de l'année. »

Le chef de district était allé se resservir un verre d'eau : elle devait être un peu chaude, le verre tremblait dans sa main.

« Je bois ça et je me mets en route. Ne vous en faites pas, il n'est pas de fleuve infranchissable ni de pont qu'on ne puisse traverser. Quand je verrai le gouverneur, je lui expliquerai tout le bénéfice que Shuanghuai va retirer de cette acquisition, mais aussi les avantages immenses pour le département et la province. »

Le secrétaire souriait toujours, son visage d'un jaune aussi pâle qu'une pelote de brouillard autour d'une galette grillée. Il n'avait rien ajouté, se contentant de prendre le verre des mains de Liu pour le resservir puis, quand il eut bu, de le presser de se mettre en route : la chaussée était en travaux entre Jiudu et la capitale, le trajet serait malaisé, il n'y avait pas une minute à perdre.

Alors il avait foncé, roulant à tombeau ouvert dans le noir. Même si le chauffeur se plaignait de fatiguer ou d'avoir la cheville enflée à force d'appuyer sur le champignon, même s'il prétendait que les pneus écrasaient la lumière de la lune sur l'asphalte, la faisaient trembler et s'égailler les oiseaux nocturnes dans les arbres des deux côtés de la route. Quand le ciel avait commencé de s'éclaircir, enfin ils avaient atteint la grande ville et sa forêt d'immeubles.

Depuis qu'il était de retour au district, à force d'y penser il n'avait qu'une envie : s'agenouiller et se prosterner devant sa propre image, il fallait qu'il se fasse brûler de l'encens et verse quelques larmes sur son sort. Heureusement, il était le chef de Shuanghuai, huit cent mille personnes étaient prêtes à s'incliner devant lui et faire koutou. Là, au petit matin, il avait foncé sans s'accorder ne serait-ce qu'un bol de fromage de soja en gelée tant il craignait de perdre du temps. Le ventre vide, il s'était précipité au siège administratif du gouvernement provincial. Après s'être expliqué et fait enregistrer, enfin il avait passé le porche en marbre marron, et une fois au pied de l'immeuble d'une dizaine d'étages, à nouveau dû sortir sa carte de chef de district pour convaincre les gardes d'entrer en contact avec le secrétaire du gouverneur. Finalement, on lui avait dit d'attendre quelques instants. Quelques instants !

Un beau bout de temps, oui ! Cela lui avait semblé dix fois plus long que la grand-rue de Shuanghuai. Il était presque midi et il se morfondait lorsqu'un coup de fil l'avait enjoint de monter au sixième. Jamais il n'aurait imaginé que l'entretien ne durerait qu'une demi-baguette. A peine plus longtemps qu'il n'en faut à une goutte d'eau pour tomber d'un toit.

« Assieds-toi, lui avait dit le gouverneur. Il n'y a rien de spécial, avait-il continué. Je ne t'ai fait venir que pour savoir à quoi tu ressembles. Je n'aurais jamais cru avoir sous mes ordres un chef de district qui ait le toupet de réunir des fonds pour aller en Russie acheter la dépouille de Lénine. Tu ne veux pas t'asseoir ? Tu peux y aller. J'ai constaté que tu étais un être grandiose. File, va t'installer quelque part où ce sera plus confortable que le Kremlin. J'ai fait rappeler l'équipe que tu avais envoyée à Moscou, ils seront là dans deux ou trois jours et eux aussi je tiens à les voir. J'ai beau être occupé, je tiens à faire la connaissance de tous les dirigeants de Shuanghuai. Quand je les aurai bien regardés, tu ramèneras tout ça à la maison et vous préparerez la passation des pouvoirs. »

C'était pour s'entendre dire de telles choses qu'il s'était précipité au milieu de la nuit à la capitale provinciale ! Le gouverneur n'avait pas parlé très fort — on aurait plutôt dit le souffle qui se glisse en hiver par les interstices d'une porte calfeutrée — mais cela avait suffi à lui vider les méninges. Sous son crâne ne flottaient plus que d'insaisissables lambeaux de brumes noires et de nuages blancs. En plus il venait de sauter trois repas d'affilée, se contentant de deux verres d'eau la veille au soir chez le secrétaire Niu, sur le coup il avait été pris d'une affolante fringale qui le privait de tous ses moyens, il avait cru qu'il allait s'effondrer sur le bureau. Ses jambes étaient aussi molles que les branches des saules au printemps, ou les nouilles que les habitants de Shuanghuai faisaient cuire pour lui. Il va sans dire que c'était hors de question. Il était chef d'un district, il administrait huit cent mille âmes, huit cent mille individus brûlaient lorsqu'ils le rencontraient de tomber à genoux pour lui rendre hommage, il n'allait pas s'écrouler devant un gouverneur. Dehors le soleil s'était accroché jaune et brillant au sommet de l'immeuble, sa lumière collait à la fenêtre du bureau mais il voyait trouble et la tête lui tournait. Il avait l'impression de regarder le gouverneur de la même manière que les détenus l'avaient regardé deux ans plus tôt lorsque pour une raison quelconque il avait visité la prison de Shuanghuai. Concrètement il se serait volontiers assis, le fauteuil était juste derrière lui, mais n'ayant pas saisi l'occasion quand on l'y avait invité, à présent qu'il était congédié il n'osait plus. Il avait aussi horriblement soif et rêvait d'une goutte d'eau pour irriguer son gosier desséché. Justement il y avait un distributeur dans la pièce, derrière le gouverneur, un gros bidon d'eau minérale des forêts qu'il se faisait spécialement livrer de la montagne, avec deux robinets, un rouge pour l'eau chaude et un vert si vous la préfériez fraîche et naturelle. Il y avait jeté un œil, le gouverneur l'avait vu mais non seulement il ne lui en avait pas pour autant proposé le verre qui apaiserait le feu de sa gorge, au contraire il s'était saisi d'un classeur à couverture noire qui se trouvait sur la table et l'avait coincé sous son coude.

Il avait été poussé dehors, chassé comme on chasse une mouche.

Il avait fallu qu'il s'en aille.

Avant de partir, malgré tout, il avait pris le temps de bien examiner la pièce. C'est la première fois qu'il entrait dans le bureau d'un gouverneur, de toute évidence ce serait aussi la dernière. Franchement, aurait-il pu ne pas l'observer sous toutes les coutures ? Elle n'était ni aussi grande ni aussi imposante qu'il l'aurait imaginé. Trois travées, un mobilier réduit à une grande table, un fauteuil en cuir et une rangée de hautes étagères, plus une dizaine de pots de fleurs, le canapé en cuir derrière lui et sur le bureau, trois ou quatre téléphones. Le reste, il n'avait pas bien vu et ne s'en souvenait pas trop. Il se rappelait parfaitement, en revanche, la personne du gouverneur, aussi bien que les mensurations, au millimètre près, du cercueil en cristal. Sa peau mate aux lumineux reflets vermeils donnait l'impression d'être régulièrement hydratée avec une décoction de ginseng, son visage rond au front étroit sous des cheveux blancs semblait traverser le temps en le défiant : une bonne pomme au parfum puissant que les années avaient ridée mais qui fleurait encore le fruit. Il portait un pull-over en cachemire jaune pâle, une veste en excellente étoffe grise et un manteau en lainage couleur de lune sombre ; aux pieds, des souliers en cuir noir à bout rond, le pantalon était bleu foncé, dans un tissu quelconque. L'un dans l'autre, sa tenue n'avait rien d'exceptionnel, c'était celle qu'ont dans les rues les vieilles gens jouissant d'un certain statut. Tout son être était d'une telle banalité qu'il n'y avait rien à en dire. C'était le ton de sa voix qui faisait la différence : d'une grande douceur mais, dessous, d'une implacable froideur. Il était gouverneur de province ! Il pouvait vous parler des choses les plus renversantes comme il aurait parlé de la pluie et du vent – ce qui en soi n'avait rien de surprenant, n'était qu'avec lui les intempéries avaient vraiment le pouvoir de faire s'écrouler les toits et les maisons, d'arracher les arbres avec leurs racines. A l'inverse, il pouvait vous conter des choses à glacer le sang comme si elles avaient eu l'ardeur d'un brasier. Et de fait, au fond de ces flammes des neiges éternelles étaient enfouies.

Oui, c'était bien cela, lorsqu'il vous relatait les événements les plus ahurissants, on aurait dit des chatons de saule en train de jouer dans le vent ; les plus consternants, des grains de sésame tombés dans l'empreinte d'un sabot de bœuf. Sur le moment Liu n'avait pas réalisé qu'il s'exprimait avec un art plus profond que l'océan. Il s'était juste dit : je n'ai pas passé la nuit en voiture et attendu tout ce temps pour que tu t'en tiennes à ces quelques phrases. Aurais-je commis le pire des crimes, j'ai le droit de répondre – même si ma réplique doit tenir en quelques mots, qu'elle n'est pas plus longue qu'une allumette ou une pousse de soja. Mais le gouverneur était décidé à sortir, son dossier noir sous le bras, et le chef de district n'avait eu d'autre solution que de quitter le bureau.

Il n'y avait eu que ça. Quelques phrases à peine. Quelques fugaces instants, le temps d'une demi-baguette, celui qu'il fallait à quelques gouttes pour tomber d'un toit. Même pas celui d'arracher un fil au blanc de sa cervelle. Le chef de district avait quitté le bureau en tremblant sur ses jambes molles et quand enfin il avait retrouvé ses esprits, l'entrevue était finie. Le gouverneur l'avait vu, il avait dit ce qu'il avait à dire et comme on balance un sac de purin du haut de la montagne au fond d'un précipice, comme l'hiver qui tombe au plus fort de la canicule, il avait jeté au vent les efforts de sa vie. Semblables à des chatons de saule ou des fleurs de peuplier, en un clin d'œil ils étaient partis avec la bise, il n'en restait rien et on ne savait même pas où ils retomberaient. Liu Yingque avait rencontré le gouverneur et était ressorti de son bureau sans avoir articulé une phrase.

Ensuite il était tombé malade. Il avait pris froid, il s'était enrhumé, dans la chambre de son petit hôtel il bouillait de fièvre. A Shuanghuai le secrétaire aurait appelé l'hôpital et demandé les meilleurs médicaments, ici, à la capitale provinciale, il avait dû se contenter de dormir trois jours d'affilée, avalant dans une semi-inconscience les pilules par poignées comme des pois sautés, persuadé que sa température ne tomberait jamais, qu'il n'arrêterait jamais de tousser et que ses poumons seraient atteints. Mais après que l'équipe dépêchée par le district pour acquérir les restes de Lénine fut rentrée de Pékin, encadrée par les membres du comité provincial qu'on avait envoyés à sa recherche, et que le gouverneur leur eut à tous aussi accordé quelques minutes de son temps, d'un seul coup son état s'améliora, la fièvre tomba, c'était comme s'il ne l'avait contractée que pour attendre en dormant ce qu'ils allaient lui raconter.

« Qu'a dit le gouverneur ?

– Pas grand-chose. Il voulait nous voir pour vérifier s'il ne nous manquait pas une case, auquel cas il aurait demandé à l'asile d'aliénés de la province d'ouvrir un service psychiatrique à Shuanghuai.

– Un service quoi ?

– Un truc pour guérir les fous. Il a dit qu'il avait peur que nous soyons politiquement déments.

– Putain de sa mère ! Et qu'est-ce qu'il a dit d'autre ?

– Il a ajouté qu'il nous laissait rentrer au district où nous remplirions nos fonctions pour quelques jours encore, que nous étions toujours en poste mais qu'on viendrait bientôt nous délivrer de notre fardeau.

– Putain de sa mère et de sa grand-mère ! Putain de sa mère ! Putain de sa mère et de la grand-mère de sa grand-mère ! »

Il avait beau jurer, il n'y avait rien d'autre à faire que rapatrier la troupe. Force leur était d'admettre que, semblables en cela à des étudiants qui au bout d'années et d'années de travail acharné se verraient refuser l'entrée de la salle d'examen, ils avaient tout ce temps déployé en vain leurs efforts, qui étaient partis en fumée, dissipés comme nuages blancs ! Les espoirs de toute leur vie étaient dilapidés. Lorsqu'ils avaient quitté la capitale, le ciel était couvert, un train les avait dans un premier temps ramenés à la préfecture, ensuite ils avaient continué dans le bus que le district leur avait envoyé. Tout au long du trajet, personne, que ce soit le chef de district ou le moindre de ses compagnons ballottés en tous sens, n'avait ouvert la bouche. Tout au long du chemin le visage de Liu était resté couleur de kaki vert, on aurait dit celui d'un agonisant, c'était affreux. Tout au long de ces quelques centaines de lis, il n'avait ni parlé ni bougé de sa place au premier rang. Ayant avant d'aller à Pékin rempli toutes sortes de formulaires pour obtenir l'autorisation de se rendre à Moscou, ils avaient acheté leurs billets et étaient sur le point de s'envoler, prêts à négocier l'acquisition des restes enterrés sous la place Rouge, lorsqu'ils s'étaient vus dans l'obligation de faire tamponner par certain département d'Etat l'attestation fournie par le district. Il ne leur manquait que ce cachet : un simple cercle rouge avec moins de dix caractères à l'intérieur. Or : « Asseyez-vous, leur avait-on dit quand ils étaient venus le chercher. Il va falloir patienter un peu, buvez quelque chose en attendant et ne vous inquiétez pas. » Après leur avoir offert un verre d'eau, la personne qui les avait accueillis était partie. Peu de temps après, une autre était apparue et leur avait demandé toutes sortes de renseignements : avaient-ils les fonds nécessaires à l'acquisition, où se trouvait le mausolée qui abriterait Lénine, de quelle taille était-il, toutes les précautions avaient-elles été prises au niveau technique pour la préservation de la dépouille, combien coûterait l'entrée au parc forestier, comment le district comptait-il utiliser son argent une fois qu'il aurait fait fortune… ? L'un dans l'autre, toutes les questions qui se pouvaient poser leur avaient été posées, et ils y avaient donné toutes les réponses qui se pouvaient donner. Pour finir, la personne leur avait répété qu'ils n'avaient pas à s'en faire. « Le responsable du sceau est parti en excursion à la Grande Muraille mais on l'a contacté et prié de revenir au plus vite, attendez patiemment, quand il sera l'heure de déjeuner, on vous apportera quelque chose. » Alors ils avaient attendu. Jusqu'à l'arrivée des cadres provinciaux chargés de les rapatrier.

C'était fini. Après un opéra aussi, quand on a chanté à cœur joie, il vient un moment où il faut débarrasser la scène et ranger les accessoires. Personne ne savait à quoi Liu Yingque avait pensé pendant le trajet, personne ne se serait douté qu'il irait jeter un œil aux Ames mortes. Quoi qu'il en soit, depuis qu'il en était revenu, depuis qu'au point du crépuscule il avait regagné la porte est de la cité, dans le jour qui tombait son visage ressemblait plus que jamais à celui d'un cadavre. Comme un kaki pourri, gris sombre et vert bronze, un fruit avarié à la puanteur agressive.

Etait-ce depuis sa rencontre avec le gouverneur ou sa visite au mausolée que ses cheveux avaient blanchi ? A présent ils étaient blancs, aussi blancs que le nid d'un oiseau blanc.

Le chef de district avait soudainement vieilli.

C'est un homme âgé qui entra, à pied, dans Shuanghuai. Sous ses jambes le sol était mou, s'il ne faisait pas attention il allait tomber.

A tout prendre et même en gitant large [1], quelques jours à peine s'étaient écoulés depuis qu'il avait laissé Mao Zhi et les deux troupes avant la première représentation aux Ames mortes, pourtant il avait l'impression d'être parti depuis des années, des dizaines d'années, la moitié de sa vie. L'impression que la population ne saurait plus qui il était. Cette rue qui commençait à la vieille muraille, que ce soit pour aller en tournée dans les campagnes ou pour assister à une réunion à la préfecture, il l'avait parcourue d'innombrables fois. Mais il était en voiture, le paysage défilait par la fenêtre en coup de vent. Il y était passé et repassé, il n'en était rien resté. Lorsqu'il lui était arrivé, pour une raison quelconque, de descendre de son véhicule, les gens l'avaient tout de suite reconnu et cela avait été le chaos. Une effervescence ponctuée de tous les « monsieur le chef de district ! », « monsieur le chef de district ! » que de toutes parts on lui lançait. On faisait cercle autour de lui, on cherchait à l'inviter à déjeuner chez soi, on allait chercher un tabouret pour lui glisser sous les fesses, on le priait de s'asseoir un instant sur le pas de la porte, ou alors on lui fourrait un nouveau-né dans les bras pour qu'il le tienne un peu, on le suppliait de lui porter chance – que le destin en fasse un fonctionnaire – et de lui choisir un prénom ; certains lui demandaient de rédiger dans sa calligraphie malhabile quelques sentences pour la devanture de leur échoppe ; des écoliers réclamaient un autographe sur leurs livres ou leurs cahiers. Dans cette ville il était un empereur, sa présence rendait les gens tellement fous de joie qu'il n'avait pas le loisir de s'intéresser au paysage des trottoirs. Mais aujourd'hui, en ce crépuscule froid et sec, les passants étaient rares, les portes des boutiques fermées. Il n'y avait pas un chat dans les venelles et dans la longue rue. Le calme qui régnait était tel qu'on aurait pu se croire en train d'avancer dans un désert, seules quelques poules attardées pointaient encore le bec.

C'était de crainte de faire des rencontres qu'il était descendu de voiture à la porte de la ville et se faufilait par les ruelles. Or elles étaient vides, personne ne s'apercevait de sa présence, personne ne le reconnaissait au premier coup d'œil, comme autrefois, et à quel point, à quel intense point il brûlait à présent que cela lui arrive ! Ce chef-lieu était le sien ! Ce district, son district de Shuanghuai. Nul n'ignorait ici qui il était. Lui à pied dans les rues : cela aurait dû leur faire un choc. Oui mais voilà, elles étaient plus qu'abandonnées, si par hasard il apercevait une silhouette, elle se hâtait vers sa demeure, furieusement pressée de se mettre à l'abri du froid. Il ne lui serait pas venu à l'idée de tourner la tête vers le chef de district ! Deux femmes sorties sur le pas de leur porte arrêtèrent un instant leur regard sur lui, mais comme si elles ne l'avaient jamais vu, après avoir appelé leur enfant à dîner, elles rentrèrent chez elle et refermèrent la porte. La vieille ville ne pouvait se comparer à la neuve, avec ses maisons délabrées et, en guise de constructions récentes, ces rares parallélépipèdes en brique nue qui faisaient penser à des cercueils en pin rouge qu'on n'aurait pas eu le temps de laquer. A force de marcher seul, d'un pas traînant, Liu Yingque avait l'impression d'aller à l'intérieur d'un cimetière, il était ressuscité d'entre les morts et c'était pour cela que les gens n'osaient plus le regarder. Deux hommes venaient dans sa direction avec des palanches de fruits. Qu'ils comptaient vendre au marché de la ville nouvelle, de toute évidence. Tout aussi évidemment, c'était des gens du district, des habitants du vieux quartier, sans doute. S'ils me reconnaissent, se promit-il, s'ils s'arrêtent pour me saluer, l'un sera demain chef de bureau adjoint aux affaires commerciales, l'autre au commerce extérieur. C'était encore lui qui commandait à Shuanghuai, il nommait qui il voulait là où il voulait. Même un chef de bureau ! Alors un adjoint, vous pensez ! Il suffisait qu'ils le reconnaissent, qu'ils posent leur charge pour s'incliner devant lui, le saluer profondément et lui dire, comme tout le monde autrefois, « Bonjour monsieur le chef de district ! ».

Il s'immobilisa, attendant qu'on l'identifie et qu'on l'interpelle.

Les deux hommes lui jetèrent un œil, le frôlèrent et passèrent. Le bruit des palanches qui tanguaient s'éloigna, s'amenuisa et de plus en plus faible finit par se fondre dans le silence.

Ahuri, le chef de district les regarda se perdre dans les ténèbres du crépuscule. Ils ne l'avaient pas reconnu. Cela lui faisait au cœur comme une morsure de serpent ou une piqûre de guêpe. Pourtant il souriait : ces deux-là venaient de perdre en amonience[3] une belle occasion de devenir chef de bureau ou adjoint dans le gouvernement du district.

Toujours aussi solitaire, il quitta la vieille ville
pour entrer dans la nouvelle, s'arrêtant à chaque fois
qu'il rencontrait quelqu'un dans l'espoir d'être
reconnu. Celui qui le remettrait ferait partie des
cadres demain ! Mais personne ne le reconnaissait,
personne ne se précipitait, l'ayant repéré de loin,
rayonnant, pour lui faire un signe de tête ou courber
légèrement les reins en lui donnant avec affection du
« monsieur le chef de district ». Il faisait désormais
complètement noir. Les rues de la ville étaient plon-
gées dans la même nuit que les venelles d'un village,
les réverbères ne s'allumèrent derrière lui que lorsqu'il
arriva à la résidence des fonctionnaires. Jamais il
n'avait eu envie comme cela d'être identifié et inter-
pellé. Dire qu'il avait attendu l'obscurité pour rentrer
dans la ville parce qu'il craignait de tomber sur quelqu'un et que personne n'avait fait attention à lui ! Ou
que ceux qui l'avaient vu ne l'avaient pas reconnu
parce qu'il faisait trop sombre. *A contrario*, il en avait
le cœur aussi vide que le grenier où les pillards n'ont
pas laissé le moindre grain : telle une grande baraque
déserte. Le concierge de la résidence, lui, saurait au
premier coup d'œil qui il était et se précipiterait pour
le saluer, cela allait de soi. Mais quand il fut à hauteur
du portail, pas de vieil homme en vue. Il avait pourtant vu la lumière briller dans sa loge, mais une fois
sur place, silence, un vrai tombeau.

Où était-il passé ? La porte était ouverte mais il n'y
avait personne.

Il s'essuya les pieds avant d'entrer dans la résidence.

Il fallait rentrer à la maison.

Il ne souvenait plus de quand datait son dernier
passage. Cela faisait très, très longtemps, semblait-il.
Sa femme l'avait mis au défi de rester trois mois sans

revenir, il avait protesté qu'elle verrait ce qu'elle verrait, il disparaissait pour six !

Ils avaient effectivement dû s'écouler puisque c'était au début du printemps et qu'on était à présent au cœur de l'hiver.

Apparemment, à force de tournées dans les campagnes et de séjours sur le chantier du mausolée, il n'avait pas remis les pieds chez lui depuis un semestre, voire des années. Lorsqu'il lui était arrivé de passer par la ville, il avait tenu à dormir au bureau. C'en était au point qu'en cet instant, en pénétrant dans la cour de la résidence, il n'était pas sûr de bien se rappeler à quoi ressemblait sa femme. Etait-elle grosse, maigre, avait-elle le teint clair ou mat, comment s'habillait-elle ? Le ciel avait pris un noir caverneux où ne brillaient ni la lune ni les étoiles. A mi-hauteur les nuages le voilaient comme un brouillard obscur. Dans ces ténèbres épaisses, après un gros effort de concentration, il lui revint que son épouse était une personne de trente-trois, trente-cinq ans, de petite taille, avec un visage à la peau diaphane et des cheveux aussi noirs que l'aile du corbeau, qu'elle aimait laisser tomber libres sur ses épaules. Il lui revint aussi qu'elle avait au visage un nævus – plus couramment appelé « grain de beauté » – marron-noir, mais rien à faire, pas moyen de savoir si c'était sur la joue droite ou la gauche.

Il vérifierait dès qu'il serait dans l'appartement, se disait-il. Cette fois il faut que je le grave dans ma mémoire. Une fois le portail franchi, levant la tête vers ses fenêtres, il vit sa silhouette se découper comme un oiseau sur le balcon qu'ils avaient transformé en cuisine. Elle ne fit que passer, mais cela lui réchauffa le cœur et il accéléra le pas.

Il voulait rentrer chez lui.

Pourtant, quelques enjambées plus tard il prenait à gauche, estimant devoir faire un saut à la salle de dévotions. Cela faisait six mois, peut-être des années qu'il n'y avait pas mis les pieds, qu'en était-il advenu ?

Donc, d'abord la salle de dévotions. Ouvrir la porte, la refermer, allumer la lumière. Lorsque la lampe, pop ! se mit à briller et qu'il se retrouva face aux portraits sur le mur, il fut moins benaise. Marx, Engels, Lénine, Staline, le président Mao, Enver Hodja, Tito, Ho Chi Minh, Kim Il-sung et Fidel Castro n'avaient pas bougé, les dix maréchaux non plus, mais son portrait à lui, celui de Liu Yingque, n'était plus le troisième de la seconde rangée – originellement la place de Lin Biao. Il se trouvait dans la première, derrière Marx, Engels, Lénine, Staline et Mao.

Au bout d'un temps infini qu'il laissa confusément s'écouler, planté au beau milieu de la salle, il se décida enfin à aller le décrocher pour le mettre devant les autres, à la première place du premier rang. Ensuite, il remplit une à une toutes les cases blanches de sa notice biographique et la couvrit de traits rouges pour, au bout du compte, ajouter après avoir laissé son stylo hésiter quelques secondes en réfléchissant, ces deux lignes :

Plus grand leader paysan au monde
Plus éminent révolutionnaire du prolétariat tiers-mondiste

qu'il souligna neuf fois, en rouge, de neuf traits aussi lourds et épais qu'un flamboyant dragon, qui attiraient le regard et brûlaient les yeux. Après avoir un moment fixé son œuvre, il se mit à genoux et se frappa le front contre le sol, se prosterna trois fois devant son propre portrait. Puis il se retourna, contempla celui de son père adoptif, pour qui il fit brûler trois bâtons d'encens, et quitta la pièce.

Dehors, dans le calme de la nuit il entendit un moteur de voiture. Le bruit lui était vaguement familier : on aurait dit la sienne, peut-être le secrétaire, informé de son retour, venait-il lui rendre visite.

Il éteignit la lumière et sortit. Sa limousine noire était effectivement garée au pied de l'immeuble, effectivement le secrétaire était chez lui. Il l'avait engagé dès qu'il avait été nommé à son poste actuel, le monde entier aurait-il refusé de le saluer, il était bien naturel que lui au moins lui présente ses respects.

Il allait lui donner du « monsieur le chef de district » en veux-tu, en voilà.

COMMENTAIRES

① *En gitant large* – DIAL. *En comptant large, de manière généreuse. L'expression n'a aucun rapport avec le mot « gîte ».*
③ *En amonience* – DIAL. *Inutilement, pour rien. Introduit une notion d'injustice.*

CHAPITRE III

Ils se prosternent aux pieds du chef de district

« Pardon, monsieur le chef de district, je regrette, monsieur le chef de district.

— Putain de bordel ! Je vais te débiter à la hache, te descendre à coups de fusil ! Et même : ça ne suffirait pas à satisfaire ma haine !

— Monsieur le chef de district, monsieur le chef de district, je vous demande vraiment pardon, monsieur le chef de district !

— A genoux, tous les deux à genoux devant moi !

— Ce n'est pas sa faute ! Ne t'en prends pas à lui, c'est moi la coupable !

— Fous le camp ! Espèce de Marie-couche-toi-là, grosse truie, chienne, putain !

— Ne la battez pas, monsieur le chef de district, si vous voulez frapper, frappez-moi ! Regardez, elle a la figure en sang, si vous continuez, vous allez la tuer. Je suis responsable de cette catastrophe, tout est de ma faute.

— Tu préfères que ce soit sur toi que je cogne, hein ? Si tu t'imagines t'en tirer comme ça !

— Aïe ! Ouille ! Aïe !

— Tu es renvoyé. A ta sortie de prison, tu n'auras qu'à retourner chez toi travailler aux champs.

— Frappez, monsieur le chef de district, tuez-moi à

509

coups de poing et de pied. Réduisez-moi en bouillie si vous voulez !

— J'encule tes ancêtres sur huit générations, et maintenant je vais appeler les flics pour qu'ils te collent au trou. Un mot de moi et ta famille est ruinée, vous serez complètement discrédités, vous courrez dans les rues comme des rats, plus moyen de faire un pas tranquille dans Shuanghuai. Même pour mendier, vous ne saurez pas où aller !

— Je t'en supplie, ne le frappe plus. Regarde, il s'est évanoui. Liu, je veux dire, monsieur le chef de district, prends-t'en plutôt à moi.

…

— Putain de bordel ! Dis-moi un truc : aujourd'hui, quand tu passes cette porte, tout le monde sait que tu es la femme du chef de district et tout le monde te donne du madame. Tu t'en rends bien compte ?

— Je sais. Mais je n'ai pas envie d'être une dame. J'aimerais mieux être l'épouse d'un homme normal. Faire la cuisine et un peu de ménage en rentrant du travail. Mon mari lirait le journal dans son fauteuil pendant que je préparerais le repas. Quand j'aurais fini, il le poserait et viendrait dîner avec moi. Ensuite ce serait à mon tour de profiter du fauteuil et du journal pendant qu'il ferait la vaisselle. On regarderait la télé, on échangerait quelques phrases et on irait se coucher.

— Exaucez nos vœux, monsieur le chef de district ! Aidez-nous. Si vous ne nous aidez pas, nous resterons jusqu'à l'aube à genoux devant vous !

— A boire, à boire ! Putain de merde, il n'y a même pas un verre d'eau dans cette maison ?

— Il n'y en a plus… Mais je t'en fais bouillir tout de suite, je te sers tout de suite.

– Putain de bordel de merde ! Si je m'imaginais quand je t'ai pris pour secrétaire que tu me briserais le cœur ! C'est encore pire que de n'avoir pas réussi à acheter Lénine !

– Pardon, monsieur le chef de district, je vous demande vraiment pardon, monsieur le chef de district.

– Ça suffit, ça va comme ça ! Tu pourrais te mettre le front en sang à force de te le cogner par terre que je ne te pardonnerais pas ! Jamais !

– Je n'implore pas votre pardon, nous devons payer pour notre faute !

– Ah ! l'eau… Elle est encore un peu chaude. Mets-la à refroidir.

– Tu veux du thé ?

– Noir ou vert ?

– Comme tu préfères.

– Vert. Ça apaise le feu… Debout. Dis-moi ce qu'on peut faire.

– Monsieur le chef de district, jamais je ne me relèverai si vous n'avez pas un mot pour nous pardonner.

– Alors reste à genoux et explique-moi.

– Je vous en supplie, exaucez nos vœux.

– Exauce-les, sinon je resterai agenouillée avec lui jusqu'à la mort.

– Et que faudrait-il faire pour les exaucer ?

– Laisse-nous nous marier. Si tu as peur que cela te fasse perdre la face à Shuanghuai, mute-nous. Quelque part, dans le Nord, dans le Sud, n'importe où.

– Monsieur le chef de district, jamais nous n'oublierons votre immense bonté. Je suis depuis tant d'années votre secrétaire que nul, mieux que moi, ne sait deviner vos désirs. Exaucez nos vœux et je vous promets que la ville se mettra à genoux devant vous. Je sais qu'il n'a pas été possible d'acquérir la dépouille de Lénine, mais même dans ces conditions je vous en fais serment : quand vous apparaîtrez, la population se prosternera pour se frapper le front sur le sol. Vous ne me croyez pas ? Essayons ! Je vous jure que demain ceux que vous croiserez dans la rue tomberont à genoux. Qu'ils soient de la vieille ville ou de la nouvelle, tous les habitants du chef-lieu auront votre portrait accroché dans leur salon !

– Hum… Tu te crois magicien ? Je vais te dire une bonne chose : même le dieu du ciel n'en serait pas capable.

– Je n'ai qu'une parole, monsieur le chef de district.

– Fous le camp ! Foutez-moi le camp tous les deux ! Disparaissez le plus loin possible.

…

– Cela fait six mois que tu n'es pas rentré à la maison. J'aurais aimé… passer une dernière nuit à parler avec toi.

– Il n'y a rien à dire. Emporte tout ce que tu voudras.

– Je ne veux rien, juste le portrait de mon père.

– Prends-le, je te dis que tu as le droit de prendre ce que tu veux.

– Bon, alors nous partons.

– Allez-vous-en. Le plus vite possible. Que jamais je ne vous revoie, ni l'un ni l'autre.

– Merci, monsieur le chef de district… Tout bienfait mérite récompense, je n'oublierai ni votre bonté, ni vos vertus. Demain la ville se prosternera devant vous, on vous vénérera comme un dieu. »

CHAPITRE V

Le monde entier s'agenouille

Le chef de district était tellement benaise que ses larmes roulaient jusqu'au sol.

A sa grande surprise, le lendemain venu, quand il était sorti de chez lui, le monde entier s'était vraiment prosterné à ses pieds.

Le soleil était déjà plus que plein sud lorsqu'il s'était réveillé, l'heure du déjeuner depuis longtemps passée. Jamais il n'aurait imaginé qu'en quelques jours à peine tant de bouleversements puissent se produire. La nuit précédente, il avait fini par s'effondrer sur son lit et était tombé dans une léthargie si profonde que le téléphone avait sonné sans réussir à le réveiller.

Il était fatigué, il fallait qu'il dorme, il avait dormi un grand coup.

« Pourquoi ne réponds-tu pas puisque tu es chez toi ? avait demandé Niu.

— Je suis désolé, j'avais besoin de sommeil.

— Le gouverneur m'a appelé. Le comité départemental a trois jours pour nommer un nouveau secrétaire et chef de district, et l'envoyer à Shuanghuai. »

A la fin de ce coup de fil, Liu n'aurait plus qu'un brouillard blanc dans la tête. S'il avait envoyé des documents en Russie ? Bien sûr ! Comment faire

autrement ? Surtout pour une affaire de cette importance ! « Nous avons envoyé une lettre d'intention et
la documentation afférente, le tout en deux exemplaires. Ce n'est pas la porte à côté, on ne pouvait pas
discuter en tête à tête, il fallait bien faire la proposition par écrit. – Crétin ! avait hurlé le secrétaire. Ils
ont renvoyé à Pékin votre lettre d'intention avec leur
lettre de refus. Les responsables de la province ont
failli s'en faire péter les entrailles de rage. Ils étaient
tellement furieux que leurs boyaux ont vraiment failli
s'échapper ! »

Liu avait compris : son chemin de chef de district
et de secrétaire de comité l'avait mené au pied d'une
muraille, il ne pourrait plus avancer. « Que faire ? »
avait-il demandé. « Je t'ai trouvé un poste convenable, avait répondu Niu. Le département vient de
faire construire un musée consacré aux vieilles
tombes, où on va déménager pour les touristes tous
les ministres ou membres de la famille impériale
enterrés au fil des dynasties à Jiudu. L'unité de travail
aura le niveau d'une section, tu en seras le directeur. »
Puis il avait raccroché sans lui laisser le temps de
répondre. Voilà où on en était : en deux temps, trois
mouvements, révoqué. Il y aurait sans doute d'autres
sanctions mais pour ça, il fallait attendre, la décision
serait prise au niveau provincial. Bon, il était limogé,
il était limogé. Sans doute allait-on prendre d'autres
mesures à son encontre, la belle affaire. Il y avait
pire : Niu lui avait raccroché au nez au moment où
il allait ouvrir la bouche, comme à un pestiféré, sans
le laisser s'exprimer. La ligne avait été coupée avec un
bruit aussi froid que celui du pic lorsqu'il tombe sur
la glace et qu'elle éclate en chuintant. Il était resté
longtemps abruti sur le bord de son lit. Quand

enfin, se rappelant qu'il n'était toujours pas habillé, il avait balancé comme un vieux torchon le combiné sur la table et enfilé sa veste en duvet de canard, en dehors d'un brouillard confus il n'avait plus dans la tête que les cercueils et les squelettes de son futur musée. Mais à force de contempler la pièce vide, son affliction s'était dissipée, il n'avait plus le cœur aussi lourd, comme une pierre ou du vieux bois. Rien ne lui semblait réel, c'était comme s'il ne s'était pas réveillé et que toutes ces fables n'étaient advenues qu'en rêve. Il avait hésité à se pincer la cuisse ou le dos de la main, n'importe où enfin du moment que la douleur lui apportait la preuve de leur véracité. Pourtant, au dernier moment, il avait eu peur de se faire mal : peur de démontrer l'authenticité de ces faits étonnants, renversants, bouleversants et d'être obligé de les admettre comme incontestables. Sa main était retombée et il était encore resté là un long moment, jusqu'à ce que lentement, comme une brise qui soufflerait pour dissiper les brumes, quelque chose commence à se mouvoir dans sa cervée. Dans son effort pour le saisir, pour voir ce que c'était, il avait fixé le mur d'en face et fait travailler ses méninges. Cela devait être cette histoire de Benaise, la déjointaie n'avait pas encore été votée. Etonné, il avait constaté que ce rappel avait suffi : le vent avait ouvert dans les brumes une lézarde lumineuse, la porte était déverrouillée, le chemin sur lequel elle donnait brillait de mille feux.

Il était sorti.

Il allait sur-le-champ convoquer les membres du comité permanent. Profiter de ce que le nouveau chef et secrétaire du district n'était pas encore arrivé pour les réunir une dernière fois.

Mais à peine était-il apparu que la ville, le monde s'étaient mis à lui faire des courbettes et à se prosterner. Le premier à venir vers lui avec un grand sourire avait été le vieil homme chargé de nettoyer et de vider les poubelles, un type dans la cinquantaine qui devait travailler pour la résidence depuis au bas mot une dizaine d'années. Aussi resplendissant que s'il venait de trouver de l'or ou de l'argent dans ses ordures, après s'être profondément incliné sans rien dire, comme la branche d'arbre qui se relève, il s'était redressé et de sa bouche édentée où le vent s'engouffrait étaient sortis ces mots : « Merci, monsieur le chef de district. On raconte que dès la fin de l'année je toucherai mille, peut-être plusieurs milliers de yuans par mois rien que pour balayer la cour. »

Puis il avait repris sa corbeille et était allé la vider dans la benne, laissant un Liu Yingque sur le moment incapable de comprendre ce qui lui arrivait. Quand il avait atteint le portail, le concierge avait laissé sa vaisselle en plan et était accouru en secouant ses mains humides pour lui aussi s'incliner : « Monsieur le chef de district, je devrais me prosterner mais je suis si vieux que je n'y arrive plus. Moi qui n'ai pas d'enfants, ni garçon ni fille, jamais je n'aurais espéré que vous feriez construire une maison de repos pour les personnes âgées juste au moment où je prendrais ma retraite. Il paraît que tous les plus de soixante ans auront droit à un appartement et que nous toucherons le double de notre salaire actuel ! » Puis la bouilloire qu'il avait sur le feu avait chanté et en toute hâte il avait regagné sa loge.

Finalement, Liu s'était retrouvé dans la rue. Et là, stupéfaction, hommes et femmes, jeunes et vieux, tous les marchands des rues, ceux qui à longueur d'hiver vendent des graines de tournesol, des patates douces ou des pommes sur les trottoirs, s'étaient mis à sourire avec dévotion, le visage empreint d'une respectueuse gratitude, et à le saluer de la tête en disant : « Merci, monsieur le chef de district. Grâce à vous, Shuanghuai a maintenant le vent en poupe, bientôt je n'aurai plus besoin de faire commerce de mes graines. » Ou : « Merci, monsieur le chef de district. Jamais je n'aurais pensé qu'après avoir vendu des pommes la moitié de ma vie, je n'aurais pas besoin de travailler pour manger quand je serais vieux. »

Il y avait aussi cette femme d'une trentaine d'années, une paysanne venue vendre à la ville des chaussons de bébé en forme de tigre dans un coin ensoleillé à l'abri du vent. Timidement elle s'était approchée avant de brusquement se prosterner et se frapper le front sur le sol, souriant et pleurant à la fois :

« Monsieur le chef de district, on dit que dès que l'année sera finie, nous n'aurons plus besoin de travailler la terre. Que tous les mois on nous distribuera le grain, les légumes et la viande. Que les touristes paieront mes chaussons plusieurs dizaines de yuans pour les accrocher chez eux. »

Liu Yingque avait alors compris qu'un grand changement s'était produit au cours de la nuit. Non seulement tous ceux qu'il rencontrait s'inclinaient ou se prosternaient devant lui en exprimant leur gratitude, mais en plus sur tous les visages s'épanouissait le sourire de ceux qui sont dans le secret des dieux. On aurait cru que le Bouddha était descendu sur la ville. Hier le monde n'était que brume inextricable, aujourd'hui le ciel était clair sur dix mille lis, le soleil jaune et étincelant au-dessus des têtes. Le firmament avait un bleu d'une intense profondeur, il était aussi propre que si on l'avait lavé, avec juste ici ou là la strie lustrée d'un petit nuage comme un fil de soie ou de satin blanc. Il faisait doux. Aussi bon qu'au troisième mois du printemps. Si cela continuait, dans trois à cinq jours au plus les saules et les peupliers allaient verdir et bourgeonner, les fleurs dans les champs s'ouvrir et rougeoyer, comme deux semaines plus tôt aux Ames mortes dans les Balou.

Peut-être cette chaleur présageait-elle quelque chose.

Le chef de district avait parcouru la rue qui menait de la résidence des fonctionnaires au siège du gouvernement assiégé par des gens qui voulaient lui dire leur gratitude et des vieillards qui tombaient à genoux ou se prosternaient. En moins d'un li, la foule s'était faite si dense qu'il avait eu du mal à progresser. Il avait écouté ces remerciements qu'on lui prodiguait pour ceci ou pour cela et qui poussaient à se plier en deux ou à courber les reins autour de lui. On l'encerclait comme s'il avait été un dieu, un être supérieur brusquement apparu en ce monde. Ce qui s'était passé, c'est que plus tôt dans la matinée le bruit avait commencé de courir que la rumeur selon laquelle on n'avait pas réussi à acheter les restes de Lénine était infondée, le simple résultat d'une dispute entre province et préfecture, qui voulant toutes deux l'exposer d'abord quelques jours avaient fait des difficultés à Shuanghuai et mis Liu Yingque dans ses petits souliers. A présent tout était rentré dans l'ordre, le problème avait été réglé, de toute façon Pékin soutenait le district et son chef, Shuanghuai serait très bientôt en mesure de faire transférer la dépouille aux Ames mortes. On racontait en outre que Liu avait dépêché des émissaires en Allemagne pour étudier la possibilité

518

d'acquérir des objets ayant appartenu à Marx et Engels et que la réponse avait été positive : non seulement on acceptait de lui céder le pyjama en tricot de Marx, mais en plus, en considération du respect qu'éprouvaient pour lui les gens du district, on allait leur offrir la plume, la chaise et le bureau dont il s'était servi pour rédiger ses œuvres ; les descendants d'Engels étaient d'accord pour offrir les « queues-de-pie » que leur ancêtre avait portées et prêts à venir présider la cérémonie lorsque ses effets personnels seraient officiellement scellés dans leur caveau, ils refusaient qu'on leur paye le billet d'avion. Au Vietnam, les héritiers de Ho Chi Minh se seraient montrés désireux de partager ses reliques. L'Albanie et la Yougoslavie, patries respectives de Hodja et Tito, auraient donné leur accord d'encore meilleur cœur : tout, absolument tout ce qui restait des deux leaders, y compris les cendres, serait gracieusement envoyé à Shuanghuai, en cadeau pour le chef de district, sans que rien soit demandé en échange. On disait qu'à Cuba, le président Castro – toujours en exercice – avait consenti avec encore plus de promptitude : tant qu'on le laissait lui sur sa terre natale, le reste était à disposition. Il n'y avait eu de problème qu'avec la Corée du Nord et les reliques de Kim Il-sung. Son fils Kim Jong-il – soit l'actuel dirigeant – prétendait réclamer entre cent dix et cent cinquante mille yuans pour le moindre pinceau ou le moindre bouton, il aurait exigé quatre-vingt-dix millions pour le fusil qui intéressait Liu Yingque.

Lequel aurait, en dépit du prix, accepté.

Non seulement le mausolée de Lénine allait très prochainement entrer en service, mais on serait dès l'an prochain en mesure d'ouvrir les nouvelles salles destinées aux cendres, vêtements et reliques de tous ces dirigeants. Les dix cimes du massif des Ames mortes allaient devenir les mémoriaux de dix grands hommes de la planète et les touristes qui voudraient les visiter seraient trois à cinq fois plus nombreux que ce qu'on avait auparavant escompté – soit un nombre déjà faramineux – pour le seul mausolée de Lénine. Ils viendraient des districts voisins, du département, de la province, du pays entier, de toutes les nations du monde. Si aucun étranger de passage en Chine ne pouvait faire l'impasse sur Pékin, il deviendrait également impossible de ne pas visiter Shuanghuai. Peut-être dans certains cas le voyage n'aurait-il pas d'autre but, peut-être certains n'auraient-ils même pas envie de visiter la capitale ! Par quels gains gigantesques cela allait se traduire ! Liu Yingque avait, paraît-il, déjà planifié de faire venir le chemin de fer et construire un aéroport. On disait que le district allait devoir investir dans une nouvelle imprimerie, trois à cinq fois plus grande, rien que pour les billets d'entrée à cent yuans pièce, et que jamais les machines ne se reposeraient. Que toutes les banques qu'il y avait en Chine s'apprêtaient à ouvrir à Shuanghuai leurs plus grandes succursales afin que ce soit chez elles en prio-rité que les gens déposent leur argent quand ils ne sauraient plus qu'en faire. Qu'afin d'être les bénéfi-ciaires des énormes revenus quotidiennement générés dans quelques années, elles se battaient pour accorder les crédits nécessaires à la construction de l'autoroute qui mènerait aux Ames mortes et des hôtels qui la borderaient.

En une nuit, pour les habitants de Shuanghuai, la vie avait changé du tout au tout. Les jours paradisiaques étaient pour demain, au plus tard après-demain.

Comment, de ce fait, ne pas vénérer et remercier le chef de district ? Qui pouvait ignorer avec quelle énergie il avait travaillé à l'acquisition de cette dépouille et le mal qu'il s'était donné pour faire partir les Benaisiens en tournée ? Personne n'aurait en revanche soupçonné qu'au moment où il finalisait cet achat, il envisageait déjà d'y ajouter les souvenirs ou les restes de ces autres personnalités de réputation planétaire. Personne n'aurait imaginé que des tâches aussi ardues puissent être accomplies ainsi, en un clin d'œil. Hier soir encore, dans les rues et les venelles on racontait qu'il avait échoué et ce n'était qu'un racontar ! Désormais, un battement de paupières plus tard, tout le monde était au courant : l'acquisition de la dépouille de Lénine et autres reliques était chose définitive, la transaction avait été effectuée, elles seraient très bientôt acheminées vers Shuanghuai.

« D'où tenez-vous cela ? leur avait demandé en souriant Liu Yingque.

– De votre secrétaire ! lui avait-on répondu. Ça ne peut quand même pas être un mensonge si c'est lui qui le dit ! »

Son cœur avait un instant vacillé, une hésitation qui s'était sur le moment noyée dans la foule qui l'entourait. On se prosternait, on s'inclinait profondément, on se frayait un chemin jusqu'à lui pour lui dire quelques phrases, lui serrer la main ou lui faire caresser la tête du bébé qu'on tenait dans les bras. Autour de lui la presse était telle qu'il avait du mal à rester en équilibre sur ses jambes. Vraiment, si quelqu'un voulait entrer dans le cercle, il fallait qu'un autre en sorte, en moins de temps qu'il n'en fallait pour le dire, la foule s'était mise à ressembler à l'étang dont l'eau ne peut s'écouler. Les marchands des rues manquaient de place pour leurs étals, dans tous les coins ça protestait :

« Arrêtez de piétiner mes graines ! Vous faites tomber les sacs ! »

Plus loin c'était un battant de porte dressé en bordure de chaussée et couvert de décorations et de pétards pour le Nouvel An que les gens avaient renversé, sentences parallèles, décorations de linteau, dieux du foyer et chandelles romaines avaient roulé à bas, au grand dam de leur propriétaire qui se dépêchait de les ramasser en criant :

« Mais faites attention ! Ça va exploser ! »

Il n'y avait strictement aucune raison à ce désordre, sinon la volonté unanime de s'incliner ou de se mettre à genoux devant le chef de district, de lui dire un mot de remerciement et de le féliciter. Dans les magasins, les clients abandonnaient leurs courses, dans les restaurants les verres et les baguettes pour se précipiter dans la rue. Quand ils s'étaient prosternés, inclinés, quand ils lui avaient exprimé leur gratitude comme au dieu qui aurait exaucé leurs vœux, ils n'oubliaient pas de s'informer : « C'est vrai que plus tard, même si on ne travaille pas, on touchera plus de cinq mille yuans par mois ? »

Ou : « On m'a dit qu'à l'avenir, si on a envie de manger quelque chose, le district nous en donnera ? »

« Est-il exact qu'on va attribuer une villa à chaque famille ? »

D'autres s'inquiétaient : « Que faire pour éviter que les gens ne deviennent paresseux ? »

« Et si les enfants ne veulent plus étudier ? »

Tout ceci était réel, authentique. Ces gens devant lui étaient bien vivants. Dans la lumière flottaient l'odeur de transpiration de la foule qui se pressait en criant, le parfum de la poussière que son piétinement échauffait, les relents graisseux des chapeaux des paysans – qu'ils portaient des années sans jamais les laver – et la fragrance des vestes ouatées et des cache-cols neufs des citadins. Au milieu de cette masse humaine, bousculé de tous côtés – et je serre la main d'untel, et je réponds à celui-ci –, qu'il était benaise, le chef de district ! Son bonheur était aussi vrai que le froid quand on n'est pas assez couvert, la chaleur quand on est trop habillé ou la douleur quand on se coupe. Les gens affluaient, par hordes, pour se prosterner, s'incliner, lui dire merci, quand ceux-ci se retiraient, ceux-là montaient à l'assaut. Le soleil brillait d'un or étincelant, dans la rue flottait une tiédeur, comme flottaient les têtes, aussi serrées que des courges dans un champ. Les hommes, qu'ils soient coiffés de molleton, d'un simple galurin, ou qu'ils aillent le crâne nu, peu importait : tous les cheveux étaient noirs ou blancs ou poivre et sel. Mais les femmes, ah ! les femmes étaient toutes différentes. La plupart portaient une écharpe. Longue, souvent, et en lainage pour celles de la ville, rouge, jaune, verte ou bleue, suivant l'âge et la pencherie[1]. Quand il faisait froid, elles se l'enroulaient autour de la tête, dès que le temps radoucissait, autour du cou ou des épaules comme un accessoire de mode. Celles des campagnes et des villages suivaient la tendance quand elles étaient jeunes : elles se drapaient dans de longs châles tricotés à la main. Mais la plupart du temps c'était encore le foulard qui avait leur préférence, un carré de mauvaise étoffe souvent acheté à bas prix, mais quel éclat dans les couleurs ! La rue était un ondulant kaléidoscope des teintes les plus variées. Toutes ces prosternations et ces courbettes faisaient danser les nuances de l'arc-en-ciel.

Le monde entier saluait le chef de district.

Il n'était plus que flot humain qui se pressait en tous sens.

Liu avait décidé de savourer cette joie jusqu'au bout. Dire qu'il s'était imaginé que telle scène ne pourrait – éventuellement – se produire que lors de l'inauguration du mausolée ou pendant la cérémonie de dépôt du corps, lorsque Lénine serait arrivé. Ou peut-être lorsque le district aurait enfin autant d'argent que les arbres de feuilles, quand on n'aurait réellement plus besoin de travailler les champs dans les hameaux et les villages, que la nourriture, le logement et la boisson seraient automatiquement distribués – vous auriez besoin de quelque chose, on vous le donnerait : la population informerait les fonctionnaires de ses besoins et ceux-ci la fourniraient. Oui, il faudrait peut-être attendre qu'on en soit là. Et voilà qu'à présent, maintenant, c'était arrivé ! Les paysans avaient souvent à la main les papiers rouges, les pétards et les estampes nécessaires à la célébration des fêtes de fin d'année, mais il avait aussi remarqué, roulée autour du dieu du foyer, une autre image sur papier glacé. Au premier coup d'œil il avait reconnu sa photo, le tirage de deux pieds sur trois qu'on vendait dans les rues ! Il lui avait même semblé apercevoir une bordure rouge, auquel cas ce serait pour la punaiser sur les murs. « Les sentences et les pétards ne sont pas trop chers, cette année ? » avait-il demandé, histoire de vérifier.

La confirmation avait fusé : « Non, c'est moitié prix partout où ils vendent votre portrait.

– Ce n'est pas bien, avait-il protesté. Prenez plutôt un bonhomme de longévité ou un chasseur de démons pour vos murs !

– Depuis le temps qu'on les a, ceux-là, ils ne nous ont jamais rien apporté. C'est à vous, monsieur le chef de district, que nous devrons le bonheur ! »

Submergé par un sentiment de félicité intense, une euphorie jaillie de la moelle pour se répandre gaiement dans son cœur, il n'avait pu s'empêcher d'avoir une pensée émue pour Shi. L'univers viendrait-il de nouveau à basculer, des choses blessantes, déchirantes se produiraient-elles encore, du moment qu'il avait vécu un instant comme celui-ci, avec des centaines de milliers de gens en train de s'incliner et se prosterner devant lui, la vie valait la peine d'être vécue. Rayonnant d'un éblouissant incarnat, il avait lentement continué de progresser, et que la rue lui avait semblé courte, jusqu'à l'entrée du siège du gouvernement ! Il avait regretté. Regretté d'avoir marché trop vite, regretté qu'elle ne fasse pas huit à dix lis de long, comme l'avenue de la Longue Paix à Pékin. Heureusement, au grand carrefour – pas assez vaste pour être une place mais quand même – se tenait une foule aux rangs serrés dont tous les membres avaient à la main son portrait roulé et attaché avec un fil rouge comme l'encens dont on veut honorer les dieux. Apparemment rassemblés ici pour l'attendre, ils tendaient le cou, montaient sur la pointe de leurs pieds et le regardaient avec chaleur. C'était comme s'ils l'avaient espéré un siècle, un millénaire, et qu'enfin il fût venu. Leurs visages benaises débordaient de reconnaissance, ils respiraient la joie et le bonheur. Quand il était arrivé à leur hauteur, à l'entrée des locaux, les dizaines de vieillards de la ville et de la campagne qui se trouvaient au premier rang étaient brusquement, d'un seul mouvement, tombés à genoux au beau milieu de la rue. Puis, ensemble, comme obéissant à une injonction, ils s'étaient prosternés et presque simultanément écriés : « Bonjour, monsieur le chef de district. Merci, monsieur le chef de district, vous nous apportez un bonheur céleste…

– Puisse monsieur le chef de district vivre cent ans, dix mille ans – à jamais !

– Monsieur le chef de district, la population de Shuanghuai s'incline et vous remercie. »

Leurs voix avaient sonné à l'unisson. Ensuite, toujours comme si on les en avait sommés, les milliers de gens qui se trouvaient là s'étaient à leur tour mis à genoux et avaient frappé le sol de leur front. Toutes ces têtes, noires ou blanches, multicolores, s'inclinaient puis se redressaient et s'inclinaient encore comme le blé dans un champ. A peine s'étaient-elles courbées, à peine les koutou avaient-ils commencé que le monde s'était tu. Le silence était tel que les souffles paraissaient plus bruyants que le vent. Que c'était grand, imposant, majestueux ! On se serait cru dans les temps anciens, lorsqu'un dieu ou un empereur descendu à Shuanghuai se tenait devant ses dizaines de milliers d'habitants. Le ciel était blanc, le soleil éclatant, là-haut évoluaient quelques nuages. C'était à cet instant précis, à ce moment exact, qu'au son des fronts qui frappaient la laque noire de la rue, et ri, et ran, comme les baguettes un tambour, les larmes du chef de district s'étaient mises à couler.

Il pensa à relever les vieillards du premier rang mais d'un autre côté, pourquoi ne pas les laisser aller au bout de leur rituel ? Quelle que soit la raison, il fallait que le koutou soit triple, il le savait, sinon la cérémonie ne serait pas complète. Alors qu'il hésitait, face à ces centaines, à ces milliers de gens prosternés, par-dessus leurs têtes et leurs dos courbés, il vit les cadres du comité et du gouvernement debout à l'entrée de leurs bureaux. Il y avait l'adjoint qu'il avait envoyé acquérir la dépouille et qui était revenu les mains vides, il y avait aussi Shi, le secrétaire qui après avoir travaillé tant d'années pour lui l'avait hier soir quitté pour partir avec sa femme.

Une plate incompréhension se lisait sur les visages, hormis celui du jeune homme qui rayonnait, un sourire entendu aux lèvres.

Le chef de district essuya ses larmes et marcha jusqu'à eux.

« Réunion », dit-il d'un ton léger au secrétaire. Et à ses adjoints, effarés, comme si c'était une explication : « Convoquez immédiatement les membres du comité permanent, nous avons à faire. »

Puis à nouveau il se tourna vers la grand-rue et la masse du petit peuple qui s'y pressait. Les habitants de Shuanghuai ne s'étaient pas relevés. Toujours à genoux, après avoir frappé trois fois le sol du front, ils ne bougeaient pas, comme si on était encore dans les jours anciens et qu'ils n'osaient se mettre debout avant que l'Empereur ait ouvert la bouche et parlé. En revanche ils avaient tourné la tête et donnaient l'impression de tendre le col pour regarder quelque chose. Il fit un pas de côté. Le parterre était vide de fleurs – puisque c'était l'hiver – et à force d'y jouer, les enfants en avaient aplani la terre, mais il était bordé d'un muret d'un mètre de haut. Il monta dessus et fit comme eux, lorgnant dans la même direction : venus des villages environnants, des centaines de milliers de paysans avaient fait leur apparition. Eux aussi avaient à la main le portrait officiel du chef de district, roulé pour ressembler à un faisceau de bâtons d'encens. Mais il y avait tellement de monde que jamais ils n'arriveraient à l'approcher, aussi s'étaient-ils agenouillés, au coude à coude, à l'autre bout de la rue. Comme à l'autre bout du monde.

Il comprenait ! Les premiers rangs ne s'étaient pas relevés pour ne pas boucher la vue des retardataires. Ils restaient agenouillés pour que les autres puissent apercevoir, fût-ce de loin, le chef de district et quand ils l'auraient localisé, se ployer eux aussi en génuflexions et prosternations.

Une foule, une horde de gens du peuple arrivait. Par dizaines, par centaines, des campagnes ils affluaient, envahissant la route qui menait au siège du gouvernement et du comité permanent, pour jeter à un demi-li, parfois à un li de distance un regard au chef de district et lui rendre hommage.

C'était déjà le milieu de l'après-midi, à l'ouest le soleil s'inclinait et le peuple était monts et océans, la ville saturée de silhouettes cassées en deux, le monde en débordait. Le sourire de Liu était de silencieuse sérénité, les larmes qui roulaient sur ses joues de suprême benaiseté.

COMMENTAIRE

① *Pencherie*, n. f. – DIAL. *Préférence, goût, favoritisme.*

CHAPITRE VII

Que ceux qui approuvent la déjointaie
lèvent la main

Les gens arrivaient toujours, venant s'agenouiller en un flot ininterrompu et sans fin. Le chef de district se détourna de la masse prosternée et entra dans les bureaux pour y présider ce qui serait pour lui la dernière réunion du comité permanent.

« Pensez-en ce que vous voulez, dit-il, j'ai décidé de m'établir à Benaise : à dater d'aujourd'hui, je suis un Benaisien. Pour en avoir le droit, il faut certes remplir certains critères : ne pas être un gens-complet avec ses bras et ses jambes, par exemple, les gens-complets ne peuvent pas appartenir au village. »

Il dit : « Je vous demande à présent d'autoriser Benaise à se déjointer. Autrement dit, qu'il ne dépende plus ni du district de Shuanghuai ni du canton des Cyprès. Que ceux qui sont d'accord lèvent la main droite. »

Silence de mort. A part lui, personne ne leva la main.

Ce voyant, il la baissa et reprit : « Bon, à présent, devant moi, je demande à ceux qui sont contre de lever la main droite. »

Même silence, toujours aucune main en l'air.

« Si personne ne lève la main, cela signifie que la motion a été adoptée à l'unanimité. » Puis : « Faites avancer le chauffeur et la voiture. »

Son regard revint balayer les visages des membres du comité : « Aucun d'entre vous ne veut me suivre à Benaise ? demanda-t-il. Dans ce cas la réunion est finie, vous pouvez disposer. » Ayant ainsi levé la séance, il sortit de la pièce avant tout le monde. On crut qu'il s'inquiétait de ces milliers de gens agenouillés devant le siège du gouvernement, mais à peine était-il en bas, avant même que soit écoulé le temps d'une demi-baguette, des cris sanglants montèrent du pied de l'immeuble :

« Vite ! Il y a eu un accident ! La voiture a écrasé le chef de district ! Quelqu'un, vite ! La voiture a cassé les deux jambes du chef de district ! »

Des appels écarlates, qui comme une pluie de sang tombaient dans la cour du siège du gouvernement et du comité de district. Envahissaient l'univers.

LIVRE QUINZE

GRAINES

CHAPITRE PREMIER

Advienne ce qui adviendra

Mao Zhi définta[1].

C'était après le Nouvel An, les températures avaient commencé de radoucir. Les saules, les peupliers et les herbes folles s'étaient nuancés de vert, ils avaient bourgeonné. Le printemps était en avance, définitivement il s'annonçait au milieu du premier mois, les Balou sentaient bon les graminées rances ou aromatiques. Par un beau jour doux de cet hiver finissant, un homme survint, du canton des Cyprès. Il rendait visite à des parents au fond de la montagne et passant par le chemin de crête, à pleine gorge il appela :

« Hé ! Benaise ! Du village ! Vous m'entendez ? J'ai du courrier pour vous, un pli officiel ! »

S'il faisait bon, le fond de l'air restait frais et les habitants s'étaient regroupés sur l'aire centrale autour du vieux sophora pour y jouir des rayons du soleil. Mao Zhi était désormais si vieille qu'elle n'avait plus une mèche noire ni grise sur le crâne, elles étaient d'un blanc fatigué qui les faisait ressembler à des touffes de tiges fanées et desséchées. Depuis son retour des Ames mortes, après qu'elle eut rapatrié ses troupes, elle était restée en habits de tombe. Que ce soit de jour, pour faire la cuisine, manger et se chauffer au soleil, ou de nuit pour dormir, elle ne les quittait plus.

Il était rare qu'elle parle, ses lèvres semblaient cousues, comme mortes, et si par hasard elle les écartait, c'était toujours pour dire la même chose :

« Je vais bientôt définter. La belle affaire ! Mais c'est rigide un cadavre, et comme je n'ai pas réussi à les déjointer, j'ai désobligé les Benaisiens. Il ne faudrait pas qu'ils en profitent, s'il faut me changer, pour me casser les bras et les jambes. Je ne quitterai pas cette tenue, je ne leur donnerai pas l'occasion de me briser les membres. »

Elle allait donc ainsi vêtue, à longueur de journée, chez elle et dans la rue, toujours traînant à ses basques sa meute de seize à dix-sept chiens aveugles, estropiés ou à moitié paralysés.

Ma le sourd, celui qui se faisait partir des pétards à l'oreille, avait une moitié de visage qui ne ressemblait plus à rien. Tant qu'il s'était produit sur scène, aucun problème, mais depuis sa joue suppurait, de tout l'hiver l'infection avait refusé de se calmer, si bien que dès qu'il en avait le loisir il venait sur l'aire centrale l'exposer à la lumière.

La paralytique ne brodait plus sur les feuilles ni sur le papier. Elle passait son temps à apprécier la douceur du climat et à piquer des semelles en maugréant contre ses enfants : leurs pieds devaient avoir des dents, pourquoi autrement leurs chaussons auraient-ils été troués au bout de quelques jours ?

Rentré au village sans un sou mais les poches pleines de tellement d'or qu'il pensait ne jamais pouvoir le dépenser ni le manger de sa vie, le Singe parlait de faire construire des maisons sur la crête, d'ouvrir un bazar, un restaurant. Bientôt il serait patron, avant ses trente ans il aurait de florissantes affaires sur pied. Pour l'heure il s'était contenté d'emprunter des outils aux menuisiers et assemblait les étagères de ses futurs commerces. Le village et les pentes résonnaient du ding-dong de ses coups.

Huaihua était enceinte. Son ventre grossissait de jour en jour et cet abdomen proéminent sur sa silhouette fine, dans le vieux pull-over rouge qu'elle s'obstinait à porter, la faisait ressembler à une panière vermillon sur un rameau de saule. Du fait de cette grossesse – du fait surtout qu'il s'agissait d'un bâtard conçu aux Ames mortes – sa mère n'osait plus se montrer en public, elle ne sortait pas de chez elle. Tonghua, Yuhua et Phalène non plus, ou si peu : l'état de leur sœur rappelait trop à chacun que les gens-complets leur étaient passés à elles aussi sur le corps.

Cela n'effarouchait guère Huaihua. On lui avait dit que lorsqu'on est enceinte il faut bouger, elle déambulait dans la rue, allant et venant à la manière de la boule qui roule, un sourire radieux aux lèvres, toujours en train de grignoter quelque chose. Et dans un sens, et dans l'autre, elle se déhanchait comme si elle avait été fière de l'enfant qu'elle portait.

« A combien de mois en es-tu ? lui demandait-on.

– Pas beaucoup, répondait-elle en croquant des graines de pastèque.

– C'est pour quand ?

– Il est encore tôt.

– C'est un garçon ou une fille ?

– Je ne sais pas. Mais ce sera un gens-complet. »

Le petit polio ayant décidé d'apprendre la menuiserie, il passait son temps avec le Singe et courait pour lui en tous sens.

535

Personne ne savait ce que le jeune borgne enfileur d'aiguilles avait fait de son hiver. Quand les villageois traînaient dans la rue, on n'en voyait pas l'ombre ; dès qu'ils l'avaient désertée, on le trouvait en train d'y errer. « Mais où sont-ils ? se demandait-il. Où sont-ils passés ? Ils ne seraient quand même pas partis en tournée dans mon dos ? »

Tout donnait l'impression d'être redevenu comme avant. On aurait cru que certaines choses auraient changé, en fait c'était exactement comme l'année précédente, avant leur départ. Ce jour-là, donc, Mao Zhi s'était installée sous un févier pour jouir du soleil dans sa tenue de tombe, ses seize à dix-sept chiens infirmes vautrés à ses côtés comme s'ils avaient été ses petits-enfants ; la paralytique, un peu plus à l'ouest, piquait ses semelles assise sur un tabouret en bois ; après avoir installé un battant de porte dans le coin le plus ensoleillé et le moins venteux qu'il ait trouvé, Ma le sourd s'était allongé dessus pour exposer à la lumière cette joue qui suppurait ; d'autres jouaient aux cartes ou aux échecs : on passait le temps de l'oisiveté hivernale. C'est alors que du chemin de crête, quelqu'un avait hurlé à pleins poumons :

« Ohé ! Du village ! Vous m'entendez ? J'ai un document officiel pour vous, de la part du canton ! »

Le petit polio se trouvant sur la pente, en train de couper un sophora mort dont le Singe comptait faire le squelette d'une étagère, il prit livraison du courrier. Puis le tronc du diamètre d'un petit bol bien calé sur son épaule, les branches sèches pendant dans son dos, il arriva en boitillant. Derrière lui se levait un chemin de poussière et le sol se couvrait de zébrures au fur et à mesure qu'il le balayait. Une fois au centre du village, il alla se planter devant Mao Zhi :

« C'est pour toi, grand-mère. »

Surprise.

« L'homme dit que c'est un acte officiel envoyé par le district. »

Là, elle n'était plus étonnée, mais éberluée.

La soie de sa manche froufrouta quand elle tendit la main pour se saisir de l'enveloppe mais ensuite, une fois qu'elle l'eut en sa possession, ses doigts tremblaient tellement qu'elle dut la déchirer en mille morceaux pour en extraire le feuillet de gros papier écru qui était plié en quatre à l'intérieur. Elle le déplia, parcourut le texte imprimé en caractères noirs, vit au bas de la page les sceaux écarlates, frais et éclatants du gouvernement et du comité du Parti de Shuanghuai et brusquement, éclata en sanglots. Puis bondit sur ses jambes. Les larmes grises coulaient comme des perles le long de ses joues sèches et flétries.

Le soleil était doux et bon. Midi approchait, la paix comme sa lumière s'était étendue sur le village. On aurait vraiment cru, quand elle s'était dressée, une vieille morte en train de se relever pour faire des frayeurs aux gens. Les « Ah ! » et les « Oh ! » partaient d'entre ses lèvres en craquant comme le petit bois qui brûle et se fend dans le fourneau, sa meute la regardait perplexe.

Le petit polio avait fait un pas en arrière.

La paralytique s'était enfoncé dans le doigt l'aiguille avec laquelle elle piquait ses semelles.

Ma le sourd s'était retourné, il s'assit sur son battant de porte et le pus qu'il avait mis à sécher lui coula dans le cou.

Les cartes des joueurs s'étaient immobilisées dans l'espace, comme s'ils étaient toujours en vie mais que leurs mains venaient de mourir et qu'elles étaient restées accrochées là.

Huaihua, qui promenait sa grossesse au bout du village, était arrivée en courant, soutenant son ventre à deux mains, au premier sanglot de sa grand-mère. Elle n'était pas encore au pied du févier que ses cris l'y précédaient :

« Grand-mère ! Grand-mère ! Qu'est-ce qu'il t'arrive ?

Grand-mère ! Grand-mère ! Qu'est-ce qu'il y a ? »

Les joueurs de cartes, la paralytique, Ma le sourd, tout le monde d'une seule voix lui fit écho :

« Que se passe-t-il ?

Qu'est-ce que c'est ? »

Mao Zhi s'était tue. Ses larmes ruisselaient toujours mais dessous, l'excitation lui avait empourpré les joues, elle regarda les villageois éberlués, se pencha pour ramasser son tabouret et le traîna jusqu'à la cloche du sophora en marmonnant de sa voix cassée :

« Déjointés ! Nous sommes déjointés !

Ça y est, cette fois nous sommes déjointés. Un mois que l'acte a été émis ! Il a dû être envoyé aux Cyprès à la fin de l'année, et c'est maintenant qu'ils nous l'apportent ! »

Elle bredouillait, elle avançait, sans regarder personne, se contentant de mettre un pied devant l'autre, tout droit comme si elle avait été seule dans l'univers. Enfin, toujours perdue dans son soliloque, elle se retrouva sous l'arbre. Elle posa son siège, attrapa une pierre ronde, monta et ding-ding, ding-dong, battit bien fort la cloche. En ce jour de la fin du premier mois lunaire de l'année du Lièvre, tout le village se mit dans la lumière de midi à vibrer de ses coups clairs et retentissants qui ensuite, déjà un peu rouillés, s'envolèrent vers les pentes avant de se répandre, en rouge vif, dans la chaîne. L'univers entier résonnait de sonneries.

Les Benaisiens apparurent. Jeunes et vieux, hommes et femmes, aveugles et boiteux, sourds et muets, ceux à qui il manquait un bras et ceux qui avaient une jambe cassée, la cloche les avaient tous tirés de chez eux. Le Singe avait déboulé, son tablier de menuisier en grosse toile autour des reins et le rabot à la main. Jumei sortait de sa cuisine, la farine lui collait encore aux doigts. Tonghua, Yuhua et Phalène – mais que faisaient-elles avant ? – s'étaient matérialisées au premier rang. Tout le monde se retrouva sous le sophora, l'aire était noire de monde :

« Qu'est-ce qu'on fait ?

– Je ne sais pas.

– Pourquoi a-t-on sonné la cloche ? »

Cela faisait un beau charivari. Mao Zhi avait repéré Une-patte, au premier rang lui aussi, elle s'avança et lui tendit la lettre en lui intimant de la lire. « Mais attention, à haute voix et bien fort ! » Et comme il s'étonnait et demandait de quoi il retournait : « Regarde et tu sauras ! » répondit-elle. Lui aussi, quand il l'eut prise et déployée, accusa le choc. Il eut un instant d'effarement, puis son visage afficha la même joie et la même excitation que celui de Mao Zhi. Clopin-clopant il alla vers le rouleau de pierre sous l'arbre, d'un bond il fut dessus puis toussant pour s'éclaircir la voix, il agita la main et comme un grand de ce monde se racla la gorge pour mieux hurler :

« Silence ! Silence ! Taisez-vous tous ! Putain de bordel de merde, l'acte de déjointaie est arrivé ! Je vais vous lire ce bon Dieu de document ! Je vais faire la proclamation ! »

Sur l'aire plus un bruit, il y régnait un calme tel qu'on l'eût dit déserte.

Juché sur sa meule, d'une voix à fendre les bambous, il leur donna lecture de l'acte conjointement émis par le gouvernement et le comité du Parti de Shuanghuai.

Aux comités du Parti de tous les bureaux, départements, bourgs et cantons :

Suite à la requête maintes fois formulée au cours des dernières décennies par le village de Benaise dans la chaîne des Balou au nord-ouest de notre district, qui souhaitait se « déjointer » – en d'autres termes, la demande spontanément et ardemment exprimée d'être détaché du cadre administratif et politique du canton des Cyprès et du district de Shuanghuai –, le comité du Parti et le gouvernement dudit district ont procédé à une étude rigoureuse et décidé ce qui suit :

Un. A dater d'aujourd'hui, le village de Benaise au fond de la chaîne des Balou ne dépend plus ni du district de Shuanghuai ni du canton des Cyprès ; le district et le canton susnommés ne jouissent plus d'aucun pouvoir de juridiction et d'administration sur le village ; de son côté, Benaise n'a plus aucune obligation envers le canton ou le district.

Deux. Dans le mois qui suivra la publication de ce document, le canton des Cyprès procédera au relevé et à l'annulation des certificats de résidence et cartes d'identité de la population de Benaise ; l'habitant de Benaise qui se servirait de la carte d'identité ou du certificat de résidence émis par ledit canton sera considéré comme faisant usage de faux et contrevenant à la loi.

Trois. Les cartes de son territoire que le district de Shuanghuai fera désormais imprimer ne comporteront plus le coin des Balou où se situe le village de Benaise, ni le village lui-même, lesquels, jusqu'ici à l'intérieur de ses frontières, se retrouveront de ce fait éliminés du territoire administratif du district.

Quatre. A dater d'aujourd'hui village libre et souverain, Benaise n'acceptera plus d'ingérence ni du district de Shuanghuai, ni du canton des Cyprès, dans les domaines des droits civiques, de la propriété foncière ou immobilière, etc. ; il n'aura rien à attendre d'eux non plus en matière d'aide médicale ou de soutien en cas de catastrophe. Nonobstant, les district et canton susnommés n'auront pas le droit d'interférer dans les échanges populaires entre le village de Benaise et les différents lieux du canton et du district.

Enfin venaient le sceau officiel et la signature du gouvernement et du comité du Parti du district de Shuanghuai, ainsi que la date du document.

Sa lecture finie, le Singe replia l'acte pour le remettre dans son enveloppe.

Le soleil était déjà au-dessus du faîte des arbres, il arrosait le village avec la clémence d'une eau chaude. Quelques tourterelles et bandes de moineaux étaient venues se percher sur le sophora, leurs chants semblaient tomber des cieux et s'écrasaient comme une pluie sur les Benaisiens. Ceux-ci, qui avaient pourtant tout entendu et compris, restaient plantés là, qui debout, qui assis, les yeux rivés à la main du Singe comme s'il n'avait pas fini de lire, comme s'il avait omis le passage le plus lumineux et qu'il y eût encore des points à éclaircir. Les visages étaient impassibles, pétrifiés. On avait l'impression que l'affaire était depuis toujours entendue, qu'il n'y avait pas lieu de s'étonner ; l'impression aussi que l'événement était de trop d'importance, il ne pouvait pas suffire de le dire pour que ce soit effectif. Une feuille de papier, deux sceaux, et Benaise serait déjointé ? Etait-ce possible ? Ils n'osaient pas y croire, cela sentait la falsification. Alors ils restaient là, d'un immobilisme qui frôlait l'apathie, dans un état proche du songe éveillé au fond des lits. Le Singe avait rangé la lettre, sauté au pied de la meule et, se rappelant quelque chose :

« Bon, maintenant, entonna-t-il d'une voix forte, si on monte une troupe, où est-ce qu'il faudra demander les lettres d'introduction ? » Puis : « Comment va-t-on faire pour partir en tournée et gagner de l'argent sans papiers officiels ? »

En soi, cela s'adressait à Mao Zhi. Mais quand il s'était tourné vers elle, il l'avait trouvée aussi immobile sur son tabouret de bambou que si elle s'était endormie adossée au févier. Le soleil tombait sur ses habits de tombe qui avaient encore l'éclat du neuf, comme les projecteurs quelque temps plus tôt sur la scène. Elle restait là, appuyée à l'arbre, la tête pendant sur le côté, sur son visage rayonnant et vermeil le même sourire apaisé et benaise que l'enfant qui fait un joli rêve. Il répéta sa question et comme elle ne faisait toujours pas mine de répondre, s'apprêtait à recommencer lorsque quelque chose se bloqua dans sa gorge.

« Mao Zhi ! Mao Zhi ! » s'affola-t-il.

Jumei se précipita : « Maman ! Maman ! »

D'un même mouvement Huaihua et les trois nines jaillirent de la foule : « Grand-mère ! Grand-mère ! Qu'est-ce qu'il y a ? Pourquoi ne parles-tu pas ? »

L'assemblée avait explosé, le village, la montagne

entière appelaient Mao Zhi de toutes les dénominations envisageables.

Mao Zhi qui en dépit des cris et de l'alarme ne bougeait pas, ne disait rien.

Elle avait définté.

Etait partie paisible, le sourire aux lèvres. Si benaise au moment de mourir que la satisfaction s'affichait sur ses traits avec la même chaleur et la même force que la lumière du soleil.

Ce n'était pas une catastrophe, elle avait plus de soixante et onze ans, alors bien sûr on se lamentait pour émouvoir le ciel, mais en privé on disait que c'était une belle mort : tout le monde ne peut pas afficher une telle sérénité au moment de rendre l'âme.

Trois jours plus tard on l'enterra. Pas d'habits de tombe à coudre à la va-vite, pour le cercueil elle avait également pris ses dispositions, tout put se faire tranquillement, sans précipitation. Simplement, quand vint le moment de porter la bière à sa tombe, à plusieurs lis de là au fond de la montagne, il se produisit quelque chose que personne n'aurait imaginé. Que Huaihua, enceinte, n'ait pas le droit d'accompagner sa grand-mère, c'était une règle séculaire. Que Mao Zhi n'ait pas de descendance mâle, puisque Jumei, Tonghua, Yuhua et Phalène étaient de sexe féminin, cela voulait dire qu'il fallait quelqu'un pour jouer le rôle du fils pendant les funérailles. Mais les villageois étant tous, quels que soient leur âge et leur infirmité, plus jeunes qu'elle, il était normal qu'ils éprouvent à son égard une forme de piété, et raisonnable qu'ils suivent le cercueil. Non, ce que personne n'avait prévu, c'est que les seize à dix-sept chiens aveugles et éclopés allaient leur emboîter le pas. Quand le cortège, conformément aux rites, sortit du village, on vit cette meute de bêtes infirmes se mettre à le suivre d'un air pitoyable. Ils n'appelaient pas Mao Zhi en sanglotant comme font les humains, mais avaient sous les yeux deux traînées de larmes, pleines de boue, de crasse et de poussière. Ils allaient d'un pas lent, pleurant en silence, comme autrefois où qu'elle aille ils s'accrochaient à ses basques.

Lorsqu'on atteignit le chemin de crête, à un demi-li de la sortie du village, ils n'étaient plus seize à dix-sept, ils étaient vingt, trente. D'où sortaient-ils ? Peut-être des villages environnants, peut-être de l'extérieur de la chaîne. Il y en avait des noirs, des blancs, des gris, des bancroches, des crasseux, des efflanqués, ils avançaient, avançaient, à force ils furent une bonne centaine, aveugles ou éclopés, surpassant en nombre les Benaisiens.

La montagne n'était plus que bêtes en pleurs quand vint le moment de la mise en terre. Des chats, des chiens sauvages ou domestiques, borgnes ou boiteux pour la plupart, quand il ne leur manquait pas une oreille, ils avaient perdu la queue, tous étaient infirmes. Par petits groupes ils se répartirent autour de la tombe et sur les pentes comme des bottes de paille dans un champ de céréale à l'automne et sans un bruit, sans un geste, restèrent là, calmement couchés, à regarder Mao Zhi qu'on ensevelissait pour qu'elle trouve la paix.

Ils étaient encore là, par grappes, lorsque les Benaisiens s'en repartirent.

« Ils sont drôlement nombreux, dit l'un. C'est la première fois que j'en vois autant.

– Et tous handicapés », fit remarquer un autre.

Tout à coup, derrière eux, des pleurs et des gémissements s'élevèrent. La meute, cette horde de chiens

544

estropiés, hurlait sa tristesse. Ils ne sanglotaient pas comme les humains qui ont besoin de mots, leur lamentation était une clameur monotone qui montait du fond de la gorge et faisait penser au vent d'automne lorsqu'il s'engouffre dans les ruelles. Quand les villageois, la famille, tous ceux qui étaient allés enterrer Mao Zhi et se trouvaient sur le chemin de crête tournèrent la tête, ils virent que les bêtes jusqu'alors éparpillées sur les pentes venaient de se regrouper devant le tertre, dans le vaste champ où le blé dressait déjà des cols verts si brillants qu'ils accrochaient le regard au milieu de la terre rouge. Couchés entre ces pousses émeraude, la tête tournée vers la tombe, ils faisaient penser à des galets, de toutes tailles et de toutes couleurs, en train d'affleurer à la surface de l'eau. Ils hurlaient, ils pleuraient, une dizaine, plusieurs dizaines peut-être, étaient montés sur le tumulus et le fouissaient, faisant voler la terre comme s'ils avaient voulu exhumer le corps.

« Qu'est-ce que vous fichez ? A quoi ça vous avance puisqu'elle est morte ? » leur lancèrent certains du chemin de crête.

Et d'autres : « Revenez ! Mao Zhi n'est plus là mais vous serez toujours chez vous à Benaise ! »

Lentement, la gigantesque meute cessa de labourer la terre mais elle continua de hurler et de pleurer. Le monde n'était plus que vent d'hiver, quand il s'engouffre dans les venelles et bat les villages.

Après leur avoir longuement parlé, les aveugles et les boiteux – je te soutiens et tu me portes – reprirent le chemin du village. Ils étaient déjà au-dessus de la crête qui le surplombe lorsqu'ils virent venir à eux par petits groupes des gens, apparemment des migrants, qui se dirigeaient en rangs serrés vers le fond des

545

Balou. Tous étaient, comme eux, infirmes, aveugles, béquillards, sourds, culs-de-jatte ou muets. Plus quelques manchots ou six-doigts, en tout cas très peu de gens-complets. Eux aussi avançaient en se soutenant et se portant mutuellement, ils allaient par familles, chacun tirant une charrette ou portant une palanche où s'entassaient soit la literie, soit des victuailles. Ou des vêtements, de la batterie de cuisine, des bols, des cuillères et des baguettes, des jarres et des pots divers. Voire des tables, des coffres, des chaises, des bois de lit, des fils électriques, des cordes, éventuellement des poulets, des canards, des chats, des porcelets, des moutons… De tout et de rien, n'importe quoi. Les chiens couraient en tirant la langue derrière les gens qui menaient les bœufs par la longe, les chèvres trottinaient avec vigueur. D'un pas tranquille ils s'enfonçaient dans la montagne, des aveugles tiraient des charrettes montées par des paralytiques qui leur indiquaient le chemin ; la palanche à l'épaule, sourds et muets communiquaient à grand renfort de cris et de gestes ; les boiteux qui menaient les vaches ou les moutons les fouettaient avec une branche lorsqu'ils s'arrêtaient. Seuls les gens-complets ne transportaient pas de bric-à-brac dans leurs charrettes à bras : on y avait mis les vieillards et les enfants, peut-être aveugles, peut-être muets. Si un aveugle posait une question, le muet lui répondait par des gestes que l'autre ne voyait bien sûr pas, on avait l'impression qu'ils se disputaient, mais ainsi, lentement, le cortège atteignit le chemin de crête à l'entrée de Benaise.

Les villageois, éberlués, voulurent savoir où ils déménageaient.

« Vous êtes de Benaise ? » leur demanda-t-on.

« Nous venons de très loin, une région à l'extérieur de la montagne où le gouvernement a décidé de construire un grand réservoir. Toute la population a été déplacée. Ils nous ont donné de l'argent et dit que c'était comme nous voulions : soit nous migrions avec les autres, soit nous touchions l'allocation et cherchions nous-mêmes à nous réimplanter. » Il se trouvait qu'ils avaient déniché un adret où ils seraient encore mieux qu'à Benaise : « Personne ne s'occupe de votre village parce qu'il est à la limite de trois districts, la ravine où nous allons est à la frontière de six ! Elle est fertile, bien irriguée, mais personne n'en a cure, personne ne l'administre, alors entre infirmes on s'est entendus. Nous sommes partis à une centaine de familles et nous allons nous y établir. Nous y travaillerons la terre et serons benaises. Ne vous en faites pas. Nous vivrons encore mieux que vous !

— Ça se trouve où, exactement, votre coin ?

— Par là dans les Balou, de l'autre côté d'un certain massif des Ames mortes. »

Après un échange de questions et de réponses, hop ! qui tirant sa charrette, qui portant sa palanche, ils se remirent en route, prirent congé des Benaisiens et s'enfoncèrent dans la montagne. Ce fut un long cortège sur le chemin de crête. Jusqu'à ce que leurs ombres et leurs silhouettes soient évanouies, les villageois demeurèrent là, à suivre du regard ces infirmes, ces aveugles, ces boiteux, ces sourds et ces muets qui venaient du monde des gens-complets. Puis avec l'impression d'avoir perdu quelque chose, désemparés, ils prirent le tournant qui les menait chez eux. Ce fut lorsqu'ils passèrent devant la Pente à Fleur[3] que, voyant cette terre fertile que personne ne cultivait et où poussaient à profusion les chrysanthèmes sauvages, les blanches-de-lune et les luxuriantes fleurs du vert-été, l'un s'interrogea :

« Est-ce qu'on va travailler les champs éparpicés[5] maintenant qu'on est déjointés ?

— Bien sûr, fusa la réponse. Pourquoi voudrais-tu qu'on fasse autrement puisqu'on va vivre sans empêtres[7] ?

— Mais dans ce cas, qu'est-ce qui va se passer avec la fête des Dragons[9], celle des Phénix[11] et celle des Anciens[13] ?

— Ne me le demande pas. Mao Zhi n'est plus là, trouve un vieux pour lui poser la question.

— Comment va-t-on faire pour chanter le madrigau[15] de Benaise ?

— J'ai bien peur que personne ne se souvienne des paroles maintenant qu'elle a définté.

— Et qui ça va être, la maitriauté, maintenant ?

— Qu'est-ce que tu veux faire d'un maitriaud ? Personne n'a besoin de fourrer son nez dans les affaires des autres ! »

Alors clochant et sautillant, clopant et clopinant, ils regagnèrent Benaise. Huaihua les attendait ventre en avant à l'entrée du village. Elle était dans tous ses états. Du plus loin qu'elle les aperçut, elle se mit à crier à pleins poumons :

« Ecoutez-moi ! Le chef de district a eu un accident de voiture ! Il a perdu les deux jambes et il n'est plus chef de district ! Il est venu s'établir chez nous ! Pour le moment il est dans la chambre du temple et il dit qu'après il va rester y habiter. »

La surprise les cloua sur place. Tonghua, Yuhua et Phalène semblaient de petits oiseaux que l'étonnement aurait fait se poser au milieu d'une foule. Sous le choc, leur mère avait pâli comme si on lui avait assené une gifle ou qu'on l'avait embrassée.

Les autres se regardaient, déconcertés. Seul le Singe avait l'air de se réjouir.

Huaihua accoucha six mois plus tard. Elle donna le jour à une petite fille maigre et fragile.

Soit, ce n'était qu'une fille, mais c'était une nouvelle génération. Et ce qui advint par la suite, eh bien, cela advint par la suite.

CHAPITRE III

COMMENTAIRES : *La Pente à Fleur, les fêtes*
et le madrigau de Benaise

① *Définter*, v. – Mourir, mais le mot induit une notion de respect. Il n'est employé dans les Balou que pour les personnalités qui jouissaient de leur vivant d'un prestige certain.

③ *La Pente à Fleur* – La Pente à Fleur est un nom de lieu mais Fleur était un être humain. Tous les Benaisiens connaissent sa légende. L'histoire daterait de quatre cycles, elle remonterait à certaine année du Rat il y a plus de deux cent quarante ans. Fleur avait dix-sept ans. Née d'un sourd et d'une muette, si elle avait l'ouïe fine et une jolie voix, elle souffrait d'un léger problème aux jambes, un handicap qui ne l'empêchait pas d'être gracieuse et déliée, avec un teint d'un blanc aussi blanc que le coton des nuages par beau temps, doublé de rouge lumineux et du rose des lotus d'eau. Elle habitait avec ses parents une chaumière de quelques travées dans les environs de Benaise. Ils possédaient un puits, un bœuf et des moutons, des poules et des canards, dans leurs champs la terre était si fertile que même une baguette aurait germé. Ils vivaient paisibles, insouciants. A dix-sept ans elle était d'une beauté rare. Cette année-là les Qing étaient au faîte de leur splendeur, l'Etat prospère et le peuple en paix, un jeune homme quitta Xi'an pour Shuanghuai, de l'autre côté du mont Funiu, où il avait été nommé sous-préfet. C'était un long trajet, en quête d'un raccourci il coupa par les Balou et se retrouva à Benaise la gorge sèche. Il avait soif, il mendia de l'eau chez Fleur et fit sa connaissance. De la porte de la demeure les champs s'étendaient à perte de vue et paraissaient d'une exceptionnelle richesse : le blé y poussait haut et dru, rien qu'avec cette moisson de l'année on aurait de quoi se nourrir pour trois ans ; plus *près, sous l'auvent, les épis de maïs pendaient en bouquets si serrés qu'une décennie plus tard il en resterait encore ; quant aux abords immédiats de la maison, ils étaient plantés de légumes, d'hélianthes et des fleurs les plus variées. C'était la saison des azalées de longue vie, des luxuriantes de vert-été, des gaillardas sauvages, des lys des montagnes, des blanches-de-lune, des fleurs de l'ombre et des crépuscules-ardents, qui tous s'épanouissaient. Il y avait aussi des glycines vivaces, des ajoncs, et une vigne vierge qui courait sur les murs. Tout était rouge du rouge des fleurs, et vert du vert des saules, tout n'était que buissons et parfums. Face à ce paysage, le futur préfet de septième catégorie décida de ne pas aller à Shuanghuai prendre ses fonctions, il allait s'arrêter à Benaise, sur ces quelques arpents, et devenir l'époux de Fleur.*

Bien sûr, la famille de la jeune fille s'y opposa. Il n'était pas question qu'ils aient pour gendre un chef de district. « Nous sommes des paysans, disaient-ils, comment pourrions-nous accorder notre fille à un fonctionnaire ? »

Il prit la lettre impériale, le sceau impérial, les quelques livres qu'il avait emportés pour étudier en chemin, sortit et alla les jeter au fond de la ravine.

« Nous sommes infirmes, dirent-ils, comment l'unir à un gens-complet ? »

Il se rendit dans la cuisine, pour poser la tasse dans laquelle il venait de boire, crurent-ils, en fait il s'empara du hachoir et se coupa la main gauche au niveau du poignet pour devenir manchot.

Fleur ne pouvait pas ne pas l'épouser.

Le sous-préfet ne prit pas sa sous-préfecture, il resta à la Pente à Fleur et devint le mari de Fleur. Comme depuis sa tendre enfance il avait vécu dans les livres, le père et la mère durent lui apprendre à manier la houe avec une seule main, à utiliser la pioche, à faucher, à manier la faucille et à vanner, toujours avec une seule main. Fleur lui enseigna l'art de faire pousser les légumes et les fleurs. Ce fut le début de jours idylliques. Quand ses beaux-parents défintèrent, il savait semer le grain, les pois et le millet ; planter le blé, le battre et trier les semences. Tous les étés la pente disparaissait sous le froment, tous les automnes ils récoltaient des épis de maïs gros comme des gourdins. Les champs de coton, à la saison, donnaient l'impression de nuages tombés du ciel, au printemps ceux de colza étaient d'un jaune aussi étincelant que s'ils s'étaient imbibés de la lumière du soleil, qu'elle y soit tombée. Pendant les quatre saisons, ils avaient les légumes et les fleurs de la saison, poules et canards picoraient sur l'euraie, caquetaient et cancanaient. Fleur n'était pas seulement d'une incroyable beauté, depuis toute petite elle aimait jardiner et avait planté autour de la maison les azalées, les chrysanthèmes sauvages et les blanches-de-lune de la montagne. Au printemps la pente sentait la glycine, pendant l'été, de jour comme de nuit le parfum vert et rouge des crépuscules-ardents et des blanches-de-lune, à l'automne celui des gaillardes et des pois grimpants. L'hiver venu, dans la tiédeur à la tête de son lit elle faisait pousser des fleurs blanches qui s'épanouissaient en rosettes aussi pâles que celles des roues-de-char. Même au plus fort de la froidure elle savait faire éclore ces herbes des jours gris qui flétrissent au soleil et n'aiment que les cieux couverts, mais dont les pétales ont le pourpre brillant des roses de Chine ou des pivoines herbacées. Toute l'année chez eux c'était le printemps, pendant les quatre saisons les fleurs embaumaient. D'où que vous veniez, quel que soit le mois, dès que vous entriez dans les Balou, même si vous étiez encore loin de la Pente, vous sentiez son parfum.

C'était un bon endroit, un lieu paradisiaque.

De jour celui qui aurait pu être chef de district travaillait ses lopins avec énergie, Fleur cousait, tissait ou coupait des habits. L'un était aux champs, l'autre à la porte de la ferme, mais par-delà la distance ils ne cessaient de converser.

Question : « Pourquoi t'es-tu coupé la main ? »

Réponse : « Tu m'aurais épousé si je n'étais pas mutilé ? »

Réponse : « Certainement pas. »

Réponse : « Eh bien, tu vois. »

Parfois, quand il binait et piochait dans un champ trop éloigné pour qu'ils puissent s'entendre, elle déménageait son rouet en bois de saule sur l'euraie. Il labourait la terre, elle filait le coton blanc ou piquait des semelles ou cousait des vêtements.

Il remarquait, « cette terre est vraiment fertile, bien grasse ».

Elle répondait, « tu aurais mieux fait d'aller prendre ton poste, il n'y a rien de plus prestigieux pour un homme ».

Il disait, « je vais être sincère : quand j'avais sept ans, j'ai fait un rêve où on m'annonçait que si j'étudiais je vivrais des jours paradisiaques. Il fallait que je devienne mandarin et le bonheur m'attendrait sur le chemin qui mènerait à mes fonctions. Pendant treize ans j'ai travaillé avec assiduité, j'ai réussi aux examens mais quand je suis passé devant ta porte, ce rêve vieux de treize ans m'est revenu, au détail près. Je t'ai regardée, j'ai regardé la maison, le blé, les fleurs, les plantes : tout était exactement pareil. Je me souvenais de neuf poules, vous aviez neuf poules ; j'avais vu six ou sept canards, vous en aviez six ou sept ; la jeune fille de mon rêve avait trois ans de moins que moi, j'en avais vingt et toi dix-sept ; mon rêve m'avait montré des montagnes de grain, des pentes couvertes de fleurs, chez toi il y avait des montagnes de grain et les pentes étaient couvertes de fleurs. »

Il disait, « à ton avis, j'aurais dû passer mon chemin ? »

La nuit venue, bien sûr ils s'étreignaient, mais il lui racontait aussi ces choses dans les livres qu'on n'a jamais fini de raconter, elle lui disait les histoires inépuisables de la montagne. Les jours coulaient comme l'eau, comme les fleurs, exactement semblables au parfum des céréales, année après année le temps passait. « J'ai envie de te donner un enfant », lui dit-elle un beau soir.

Il répondit qu'il avait peur que ce soit un gens-complet.

Elle : « J'espère bien qu'il sera gens-complet ! »

Lui : « Si c'est un gens-complet, quand il sera grand il ne comprendra pas ceux d'ici, adieu les jours paradisiaques, il partira dans le monde et comme il foncera tête baissée et ne fera que des bêtises, il sera malheureux et souffrira. »

Elle réfléchit un instant, mais ne répondit pas. Pourtant, elle tomba enceinte. C'est pendant sa grossesse que la préfecture, ayant appris qu'un lettré envoyé à Shuanghuai avait préféré, plutôt que prendre ses fonctions, s'arrêter en chemin et se mutiler, fit son rapport à la cour. Elle s'indigna : « Quoi ? Ce type tourne en ridicule l'opulence des gens-complets ! Il ose se prétendre benaise avec un handicap ! » Dans sa rage elle estima que si avec une seule main on ne peut pas se battre, cela n'empêchait pas de faire du feu et la cuisine. En conséquence de quoi elle dépêcha des gens pour l'enrôler de force dans l'armée et comme à l'époque les combats faisaient rage dans la région de Diandi au Yunnan, on l'envoya là-bas en tant que cantinier des troupes. Lorsqu'il dut partir, Fleur s'accrocha à ses jambes en pleurant. « J'aurais mieux fait de me couper les deux mains, lui dit-il. Rien de ce qui se passe aujourd'hui ne serait arrivé. » Il dit aussi combien ces quelques années de vie benaise avaient valu la peine d'être vécues. Une seule chose l'inquiétait : « Lorsque l'enfant naîtra, je crains que tu n'aies pas le cœur de l'estropier, dit-il. Mais souviens-toi : premièrement il faut m'attendre, je reviendrai ; deuxièmement : quand le petit sera là, il faut qu'il soit au minimum boiteux. C'est très important, il suffit d'avoir du mal à marcher pour être infirme. »

Les soldats l'emmenèrent.

L'enfant qui naquit sur la pente était un gens-complet en pleine santé et les femmes de Benaise, qui craignant un accouchement difficile montaient la garde à son chevet, s'en réjouirent pour elle. Réfléchissez : elle était la mère, comment aurait-elle eu le cœur de l'estropier ? Elle qui lorsqu'il s'écorchait la main souffrait tant qu'elle en pleurait... Elle resta à la Pente, attendant indéfiniment avec l'enfant que son homme revienne. Elle attendit, attendit, un jour son fils eut dix-sept ans et la prévint qu'il s'en allait, il partait à la recherche de son père. La quête serait longue et ardue, un beau matin il quitta les monts.

Lui non plus ne revint jamais.

Pour hâter leur retour, Fleur cessa de cultiver les céréales. Elle couvrit sa pente de fleurs et d'herbes. Toutes sortes de chrysanthèmes sauvages, de crépuscules-ardents, de forsythias, de fleurs de l'ombre, d'accueil-du-printemps, de foliacées d'automne, de pourpres d'hiver et de lis des montagnes y poussaient, comme ils poussaient au bord du précipice ou le long de la route, et le vent portait leur fragrance. Certains parfumaient l'automne, d'autres décoraient l'hiver, à dix, à cent lis à la ronde, tout au long de l'année au moindre filet de brise on humait leurs effluves.

Elle espérait qu'en les sentant les deux hommes retrouveraient le chemin des Balou. Sur la pente les fleurs s'épanouissaient et elle, elle restait là, à regarder dans la direction du monde. Les yeux pleins de larmes, l'espoir au cœur elle guettait. Cela dura jusqu'à certaine année, lorsque leur parfum eut envahi la chaîne. Elle avait soixante ans, elle ne voyait plus, à force de surveiller l'horizon elle mourut sur la pente.

Ni son mari ni son fils n'en revinrent pour autant. Plus jamais les Benaisiens ne plantèrent de céréales dans cette terre fertile, génération après génération ils la laissèrent aux fleurs et aux herbes. Ils l'appelèrent : la Pente à Fleur.

⑤ **Les champs éparpicés** – *Il ne s'agit pas seulement des champs que chaque famille cultive pour elle-même. Le terme fait en plus référence au mode de vie et de labour traditionnel à Benaise, en opposition à la mise en commun des terres et du travail.*

⑦ **Vivre sans empêtres** – *Couler des jours sans entraves, une forme d'existence très ancienne liée aux champs éparpicés.*

⑨ **La fête des Dragons** ⑪ **La fête des Phénix** ⑬ **La fête des Anciens** – *La fête des hommes, la fête des femmes et la fête des personnes âgées – le jour où l'on rend hommage à leur longévité et à leur sagesse – ne sont plus célébrées à Benaise depuis plusieurs dizaines d'années. La fête des Dragons était celle des hommes, elle avait lieu le sixième jour du sixième mois du calendrier traditionnel ; celle des Phénix, les femmes, se tenait le sept du septième mois ; celle des Anciens, soit les vieilles gens, le neuf du neuvième mois. Elles dataient d'après la grande migration, à l'époque Ming. Benaise avait été fondé mais ses habitants mâles, pour la plupart aveugles, sourds, muets ou estropiés, avaient du fait de leur infirmité beaucoup de mal à travailler la terre. Incapables de moissonner, ils menaient une existence calme, mais morne, qui les laissait profondément insatisfaits. C'est alors qu'un vieil homme arriva au village. Il leur dit que s'ils marchaient dans la direction du sud-est, à un moment donné les aveugles recouvriraient la vue et les sourds l'entendement, les boiteux auraient le pas aussi sûr que s'ils volaient et les muets n'auraient qu'à ouvrir la bouche pour se mettre à parler et chanter. Même un gens-complet pourrait en tirer profit : s'il était laid, il acquerrait allure et prestance. Si bien qu'un beau jour, sans prévenir leurs femmes, ils s'éclipsèrent et partirent vers le sud-est.*

Ils marchèrent et marchèrent. Quand ils avaient faim, ils s'arrêtaient pour aider les paysans à travailler la terre, effectuaient de menus travaux ou mendiaient ; quand ils avaient soif, ils allaient chercher de l'eau au bord des étangs. Ils souffrirent toutes les peines, toutes les fatigues pendant ce trajet. Au bout d'un an et demi, en bord de route ils tombèrent sur un vieillard aux cheveux blancs et tempes argentées qui mourait de faim et de soif. Comme il les implorait, ils s'apprêtaient à le nourrir lorsqu'ils s'aperçurent qu'il était aveugle, boiteux et sourd. Ils s'occupèrent de lui et lorsqu'il eut mangé et bu à satiété, criant à pleins poumons ils s'enquirent : « Nous sommes handicapés mais nous sommes jeunes et nos incapacités sont légères. Certains sont aveugles, d'autres boiteux, d'autres sourds ou muets, vous, vous avez plus de quatre-vingts ans, vous êtes tout cela à la fois et il vous manque un bras. Pourquoi êtes-vous parti de chez vous ? »

Le vieillard répondit qu'il cheminait depuis soixante et un ans, plus d'un cycle : « L'année de mes dix-neuf ans, après que j'eus plusieurs fois tenté d'en finir avec la vie à cause de mon infirmité, le Seigneur du ciel m'a envoyé un rêve. Il me conseillait de marcher vers le nord-ouest, dans la direction des Balou et de certain village appelé Benaise. Là, au pied d'un gros févier était enterrée la recette secrète qui rend la vue aux aveugles, l'ouïe aux sourds, la parole aux muets et leurs jambes aux boiteux. » Il dit : « Je me suis tout de suite mis en route, mais comme je venais de l'extrême sud-est, voilà plus de douze lustres que je marche. Je suis parti, j'avais dix-neuf ans, j'en aurai bientôt quatre-vingt-un. » Il dit : « Je sais que si je tiens encore un an et demi j'atteindrai mon but. Hélas, je suis vieux, j'ai peur de ne pas y arriver. »

Il se mit à pleurer.

Alors se relayant pour le porter, dans leurs bras ou sur leur dos, l'assistant et le servant, les Benaisiens firent demi-tour et reprirent le chemin des Balou. Mais ils eurent beau faire, le soutenir, le nourrir et lui donner à boire, trois jours plus tard le bonhomme mourait de mort naturelle. « J'ai vécu quatre-vingt-un ans, leur dit-il peu avant de rendre l'âme, j'ai marché pendant un cycle et ces trois derniers jours j'ai connu le bonheur : cela en valait la peine. » Puis il avait dormi et au matin ne s'était pas réveillé.

Après avoir choisi un lieu de sépulture et l'avoir enterré, les hommes de Benaise marchèrent encore dix-huit mois. Une fois de retour, vite, vite, chacun alla chez soi prendre une pioche, une pelle, et ils se mirent à creuser au pied du vieux févier. Effectivement, ils exhumèrent une grosse jarre ventrue en céramique, à l'intérieur de laquelle se trouvait un coffret de palissandre. Mais le goulot était trop étroit, pas moyen de le sortir, il fallut casser la jarre. La boîte était vide, il n'y avait à l'intérieur pas le plus petit fragment de recette secrète, même pas un grain de terre.

Ils la jetèrent, maugréant et insultant le vieillard, puis ils rentrèrent se reposer chez eux. Ils avaient marché un an et demi dans la direction du sud-est, puis encore un an et demi pour regagner les Balou, pendant trois ans leurs jambes les avaient portés sans interruption, ils étaient exténués. Personne ne parla plus jamais de quitter Benaise et les femmes, tout le monde se remit tranquillement à travailler la terre et à vivre sa vie. Mais à la saison, quand il fallut couper le blé ou semer le maïs, les manchots s'aperçurent que ces trois années de peine leur avaient appris à faucher et creuser la terre avec un seul bras, qu'avec leur unique main ils étaient capables d'abattre le même travail que s'ils en avaient eu deux ; après ces trois années de route, les boiteux se déplaçaient avec la même célérité et la même puissance sur leur unique jambe qu'un gens-complet. Les aveugles avaient tellement voyagé, en tâtonnant et frappant le sol avec leur bâton, qu'ils avaient appris à s'en servir comme de leurs yeux ; à force de surveiller les mouvements des lèvres de ceux avec qui ils avaient discouru, les sourds devinaient désormais ce qu'on leur racontait ; et les muets, obligés de s'exprimer avec les mains tout au long du chemin, avaient inventé leur propre langage, une gestuelle.

Ils étaient capables de vivre et labourer à Benaise comme des gens-complets. En souvenir du bon vieillard, ils décidèrent de fêter les Anciens le neuvième jour du neuvième mois ; de leur côté les femmes, pour célébrer le fait que leurs hommes soient revenus et qu'en plus ils aient appris l'art et les techniques de vie qui leur manquaient, déclarèrent fête des hommes le six du sixième mois – la date de leur retour – qu'elles appelèrent fête des Dragons ; et eux, pour les remercier d'avoir trois ans durant travaillé à la maison et aux champs, de s'être occupées des enfants et d'avoir labouré, firent du sept du septième mois leur jour, la fête des Phénix. Pendant la fête des Anciens, les jeunes générations devaient se prosterner devant les vieilles gens, leur offrir un bon repas et exposer les vêtements, légers ou molletonnés, qu'elles avaient confectionnés au long des quatre saisons à leur intention : on faisait un concours et puis on les leur donnait. Le six du sixième mois tombe en pleine saison des travaux des champs, mais comme c'était la fête des Dragons, les hommes ne faisaient rien de la journée, nourriture, boisson, métives, les femmes se chargeaient de tout tandis qu'ils se reposaient à la maison. Après, il leur fallait redoubler d'efforts. Quand venait le sept du septième mois, la saison était finie et les femmes exténuées, leur tour était venu d'avoir un peu de répit : ce jour-là, les hommes faisaient la cuisine et leur présentaient à deux mains les plats les plus délicieux.

Bien sûr, en chacune de ces occasions on allait chercher à des dizaines de lis du village des chanteurs de madrigau et des gens-complets qu'on payait au prix fort pour qu'ils exécutent une danse du lion. Naturellement aussi, les enfants faisaient partir des pétards et on s'habillait de neuf : c'était exactement comme un Nouvel An.

⑮ *Le madrigau de Benaise* – Une forme très ancienne de madrigau des Balou, qu'elle a précédé. Fondée principalement sur la forme du chant en répons, elle ne fait que rarement appel aux solistes. Ses modes sont néanmoins variés : il y a le monologue de l'homme fatigué de travailler les champs, qui souffre de la solitude dans sa montagne, les duos d'un versant à l'autre de la montagne ou les chœurs des petits groupes qui passent le temps à l'entrée du village. La mélodie est codifiée, mais les paroles varient suivant l'époque et les circonstances.

Ici la chanson en répons la plus connue quelques générations plus tôt :

Ye – ah, ah, ah...
Ecoute bien le sourd sur ta pente
Au ciel il y a une fée qui chante
Si tu l'entends elle t'épousera
Non ? A jamais seul tu resteras
... ...

Ye – ah, ah, ah...
Regarde aveugle sur ton versant
Un lièvre d'or à tes pieds s'étend
Attrape ! Toujours heureux tu seras
Non ? Crève-la-faim tu resteras.
... ...

Ye – ah, ah, ah...
Ecoute, boiteux dans la ravine
Monte en courant, là-haut sur la colline
Au sommet gens-complet tu seras
Non ? La vie durant tu clocheras
... ...

Ye – ah, ah, ah...
Et toi cul-de-jatte à ta crête
Dans le ciel est une fée seulette
Dresse-toi, la main elle te tendra
Chez toi sera ta femme et vivra
... .

Les solos servent surtout à épancher son cœur quand on se sent seul à force de travailler les champs dans la montagne. Si la mélodie ne diffère guère de celle des duos, elle a souvent plus de mélancolie et de lyrisme. En dépit de toutes les années passées à Benaise pour écrire ce roman, je n'ai pu recueillir que deux exemples.

Le premier
La terre est fertile, il en coulerait de l'huile
Si lourds les grains de blé, comme des rochers
En chemin j'en prends un
Le jette, te casse la tête

Le second
Je suis aveugle, tu es pied-bot
Tu t'assieds, je tire le chariot
Moi je te prête mes mollets
Toi tu m'empruntes mes quinquets

Achevé d'imprimer
sur les presses
de Novoprint - Espagne

Dépôt légal : octobre 2009